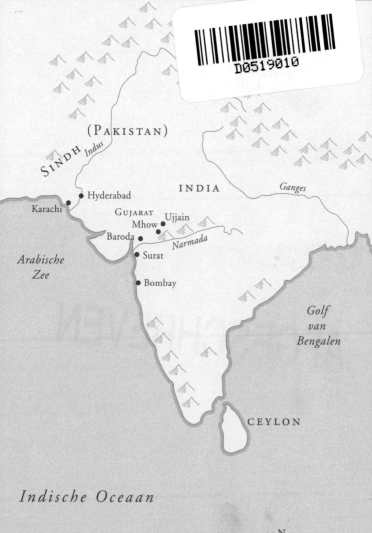

(PAKISTAN)

SINDH *Indus*

INDIA

Ganges

Hyderabad

Karachi

GUJARAT

Mhow Ujjain

Baroda

Narmada

Surat

Arabische Zee

Bombay

Golf van Bengalen

CEYLON

Indische Oceaan

N
W O
Z

0   500   1000 km

De wereldverzamelaar

ILIJA TROJANOW

De wereldverzamelaar

Vertaald uit het Duits door José Rijnaarts

DE GEUS

Derde druk

De vertaalster ontving voor deze vertaling een werkbeurs van
de Stichting Fonds voor de Letteren

De vertaalster bedankt dr. D.F. Plukker van het India Instituut in Amsterdam
voor het verklaren van een aantal termen en zijn advies bij het vinden van een
schrijfwijze voor woorden uit diverse Indiase talen; gekozen is voor een
mengvorm: nu eens de fonetische Nederlandse, dan weer de Engelse spelling,
afhankelijk van het woordbeeld en de bekendheid van een woord in Nederland.

Voor de Korancitaten is in de Nederlandse vertaling gebruikgemaakt
van de Koranvertaling van prof. dr. J.H. Kramers
(Amsterdam: De Arbeiderspers, 1992, 1997)

Oorspronkelijke titel *Der Weltensammler*, verschenen bij Carl Hanser Verlag
Oorspronkelijke tekst © Carl Hanser Verlag München 2006
Nederlandse vertaling © José Rijnaarts en De Geus bv, Breda 2008
Omslagontwerp Mijke Wondergem
Ontwep omslag naar een idee van Peter-Andreas Hassiepen, München
Omslagillustratie © Thomas Dorn
Druk Koninklijke Wöhrmann bv, Zutphen
ISBN 978 90 445 0944 1
NUR 302

Inhoud

voor

Nuruddin
&
Ranjit

who truly cared

Inspiratie voor deze roman werd ontleend aan leven en werk van Richard Francis Burton (1821-1890). Het verhaal volgt zijn levensloop als jongeman nu eens op de voet, dan weer wijkt het volledig af van de overlevering. Hoewel enkele uitspraken en formuleringen van Burton in de tekst zijn verweven, zijn de personages en het verhaal hoofdzakelijk ontsproten aan de verbeelding van de schrijver. Ze maken dan ook geen enkele aanspraak op biografische juistheid. Ieder mens is een geheim, en dat geldt helemaal voor een mens die je nooit hebt ontmoet. Deze roman is een persoonlijke verkenning van zo'n geheim, zonder het te willen ontsluieren.

Do what thy manhood bids thee to,
From none but self expect applause:
He noblest lives and noblest dies
Who makes and keeps his self-made laws.

(Richard Francis Burton, *Kasidah* VIII, 9)

LAATSTE GEDAANTEVERWISSELING

Hij stierf 's ochtends vroeg, nog voor je een zwarte draad van een witte had kunnen onderscheiden. De gebeden van de priester ebden weg; hij bevochtigde zijn lippen en slikte zijn speeksel door. De arts naast hem had niet bewogen sinds de polsslag onder zijn vingertoppen was verdwenen. Alleen koppigheid had zijn patiënt op het laatst nog in leven gehouden; uiteindelijk had zijn wil het afgelegd tegen een bloedstolsel. Op de gekruiste armen van de dode lag een vlekkerige hand, die zich terugtrok om een kruisbeeld op de naakte borstkas te leggen. Veel te groot, dacht de arts, echt katholiek, even overdreven als dat bovenlichaam met al die littekens. De weduwe stond tegenover de arts aan de andere kant van het bed. Hij durfde haar niet aan te kijken. Ze draaide zich om, liep rustig naar het bureau, ging zitten en begon iets op te schrijven. De arts zag de priester het olieflesje opbergen en vatte dat op als een signaal om de spuiten en de elektrische batterij in te pakken. Het was een lange nacht geweest; hij zou op zoek moeten naar een nieuwe betrekking. Dat was erg jammer, want hij was gesteld geweest op deze patiënt en had ervan genoten in zijn villa te mogen wonen, hoog boven de stad, met uitzicht op de baai en de Middellandse Zee daarachter. Hij merkte dat hij een kleur kreeg en dat besef deed hem nog meer blozen. Hij keerde zich van de dode af. De priester, een paar jaar jonger dan de arts, keek tersluiks de kamer rond. Aan een van de muren een kaart van het Afrikaanse continent, aan weerskanten begrensd door boekenrekken. Het open raam verontrustte hem, zoals alles op dit moment hem verontrustte. De schielijke geluiden deden hem denken aan andere slapeloze nachten. De tekening aan zijn linkerhand, op een armlengte afstand, mooi en onbegrijpelijk, had hem al bij de eerste aanblik onzeker gemaakt. Ze herinnerde hem eraan dat deze Engelsman had rondgezworven in goddeloze streken, die alleen door naïevelingen en waaghalzen werden bezocht. Zijn koppigheid was berucht. Veel meer wist de priester niet over hem. De bisschop had zich weer eens aan een onaangename taak onttrokken. Het was niet de eerste keer dat de priester een onbekende het heilig oliesel had moeten geven. Vertrouw op je gezonde verstand, was de enige raad die de bisschop hem had meegegeven. Wonderlijk advies. Hij had de tijd niet gekregen om zich een mening te vormen. De echtgenote had hem overrompeld. Ze had hem tot spoed gemaand, het sacrament voor de stervenden opgeëist alsof de priester het haar verschuldigd was. Hij had zich aan haar wil onderworpen en had daar nu al spijt van. Ze stond bij de open deur, overhandigde de arts een envelop en praatte op hem in. Moest hij iets zeggen? De priester aanvaardde haar op zachte, maar gedecideerde toon uitgesproken dank – wat moest hij zeggen? – en met haar dank het stilzwijgende verzoek om te vertrekken. Hij rook haar zweet en zweeg. In de vestibule gaf ze hem zijn jas, een hand. Hij keerde haar de rug toe, bleef staan, zo kon hij het donker niet in, zo bezwaard. Met een ruk draaide hij zich naar haar om.

'Signora …'

'Vindt u het niet erg als ik niet mee naar de deur loop?'

'Het was verkeerd. Het was een fout.'

'Nee!'

'Ik moet het de bisschop melden.'

'Het was zijn laatste wil. Die moest u respecteren. Neemt u mij niet kwalijk, pater. Ik heb veel te doen. Uw zorgen zijn ongegrond. De bisschop is op de hoogte.'

'U mag dan zeker van uw zaak zijn, signora, ik ben dat niet.'

'Bidt u alstublieft voor zijn zielenheil, dat zal voor ons allemaal het beste zijn. Tot ziens, pater.'

Twee dagen bracht ze biddend en tegen hem pratend aan zijn sterfbed door, af en toe gestoord door iemand die hem de laatste eer wilde bewijzen. De derde dag wekte ze het dienstmeisje vroeger dan gewoonlijk. Het dienstmeisje sloeg een sjaal om boven haar nachtkleding. Ze liep op de tast door de wollen nacht naar het schuurtje waar de tuinman sliep. Hij reageerde pas op haar geroep toen ze met een schep tegen zijn deur sloeg. Anna, riep hij, is er weer iets ergs gebeurd? Mevrouw heeft je nodig, antwoordde ze, en ze voegde eraan toe: Nu meteen.

'Heb je al brandhout verzameld, Massimo?'

'Ja, signora, vorige week, toen het koud was, we hebben genoeg ...'

'Ik wil graag dat je een vuur maakt.'

'Ja, signora.'

'In de tuin, niet te dicht bij het huis, maar ook niet te ver weg.'

Hij bouwde een kleine brandstapel, net als in het dorp tijdens de zonnewende. Door de inspanning kreeg hij het wat warmer. Ter wille van zijn voeten, zijn tenen die nat waren van de dauw, verheugde hij zich op het vuur. Anna kwam naar buiten met een beker in haar hand en verwarde haren, schuin in elkaar grijpend als de takjes van het rijshout. Hij rook de koffie toen hij de beker van haar aanpakte.

'Zou het branden?'

'Zolang het niet regent.'

Hij boog zich over de beker alsof hij in het vocht iets trachtte te onderscheiden. Hij slurpte.

'Zal ik het aansteken?'

'Nee. Wie weet wat ze wil. Wacht nog maar even.'

De baai werd lichter, een driemaster streek de zeilen. Triëst werd wakker en veranderde in een stad van enkelspannen en kruiers. De meesteres schreed over het gazon in een van haar zware, wijde gewaden.

'Steek het aan.'

Hij deed wat ze zei. Brand, brand, bruid van de zon, schijn, schijn, gemaal van de maand, fluisterde hij de eerste vlammen toe. Het lied dat zijn vader bij de zonnewende zong. De meesteres kwam bij hem staan; het kostte hem moeite om niet achteruit te deinzen. Ze reikte hem een boek aan.

'Gooi het erin!'

Bijna had ze hem aangeraakt. Er school iets hulpeloos in haar bevel. Zelf zou ze het boek niet in het vuur gooien. Hij liet zijn vingers over de kaft glijden, over de vlekken, de naad, week een paar passen terug, bij de vlammen vandaan, streek op zoek naar een herinnering langs het leer, tot hij ineens besefte hoe het aanvoelde: als het litteken op de rug van zijn eerstgeborene.

'Nee.'

Het vuur sprong alle kanten op.

'Vraagt u het iemand anders. Ik kan het niet.'

'Jij moet het doen. Meteen.'

Het vuur was opgelaaid. Hij wilde opnieuw weigeren, maar wist niet hoe. Anna's stem tongelde in zijn oor.

'Het is onze zaak niet. Stel dat ze hier weggaat ... de aanbevelingsbrief, de afscheidsgeschenken. Wat kan jou dat boek schelen? Geef mij het maar, wat maakt het uit.'

Hij zag het niet vliegen, hij hoorde alleen gekraak, de gloed, krimpende vlammen, en toen hij het boek in het vuur zag liggen trok de band al krom, als een vergroeide teennagel. Het dienstmeisje ging op haar hurken zitten, op haar blote knie een roetige moedervlek. Het kamelenleer vat vlam, er knapt een grijns, paginanummers verbranden, bavianenklanken smeulen, Marathi, Gujarati en Sindhi verdampen, laten onbeholpen letters achter, die vonkend opflakkeren voordat ze als kolenstof in elkaar zakken. Hij, Massimo Gotti, een tuinman uit de Karst in de buurt van Triëst, herkent in het vuur de gestorven Signore Burton in zijn jonge jaren, in ouderwetse kledij. Massimo steekt zijn arm uit, schroeit de haartjes op zijn handrug, de bladzijden branden, papier, draad, leestekens en het haar, het zijdeachtige zwarte haar, haar lange zwarte haar dat langs de voorkant van een baar omlaag valt en wappert in de klaaglijke wind. Vlakbij, achter een muur van vlammen, ligt een dode, haar huid laat los, haar schedel barst open, ze verschrompelt, totdat het enige wat er van haar over is minder weegt dan haar mooie lange zwarte haar. De jonge officier weet niet hoe ze heet, wie ze is. Hij kan de geur niet meer verdragen.

Richard Francis Burton beent haastig weg. Stel je voor, formuleert hij in gedachten zijn eerste brief over het nieuwe land, na vier maanden in volle zee kom je eindelijk aan en op het strand, waar je stapels hout op het zand ziet liggen, verbranden ze hun lijken. Midden in dit smerige, stinkende gat dat Bombay heet.

BRITS-INDIA

De verhalen van de schrijver
van de bediende van de meester

o

Eerste schreden

Na maanden op zee, blootgesteld aan toevallige ontmoetingen, eindeloos gezwam, bij deining de lectuur op rantsoen, ruilhandel met bedienden uit Hindoestan: port tegen woordenschat, *aste aste** in de kalmtegordel, wat een kater! *khatarnak* en *khabardar* in de storm voor de Kaap, de golven kwamen in steile formatie aanrollen, geen passagier hield bij die schuine ligging zijn avond-eten binnen, de uitspraak was soms moeilijk, de dagen werden steeds vreemder, iedereen praatte in zichzelf, zo dobberden ze voort over de Indische plas.

Toen de baai. Gewelfde zeilen schepten lucht als handen water. Bij de eerste blik door een met kruidnagelolie ingewreven verrekijker zagen ze wat ze al geroken hadden. Wanneer het vasteland aan boord kwam, was niet te bepalen. Het dek diende als uitkijkplaats en podium voor opmerkingen en commentaar.

'Het is een *tabla*!'

De Britten, gestoord in hun conversatie aan de reling, draaiden zich om. Een niet meer zo jonge inlander, eenvoudig gekleed in katoenwit, stond recht achter hen. Zijn lengte haalde het niet bij zijn stemgeluid. Een witte baard reikte tot zijn buik, maar zijn voorhoofd was glad. Ook al lachte hij hen vriendelijk toe, hij was te dichtbij gekomen.

---

* Zie de Verklarende woordenlijst op pagina 505.

'Een dubbele trommel. Een bol die zegt: Bom en Bay.'

De man stak beide handen uit en bracht ze in beweging, ter begeleiding van zijn diepe stem.

'Linkerhand de gezegende bocht, Bom Bahia, en rechterhand Mumba Aai, de godin van de vissers. Een tintaal, een ritme van vier keer vier tellen. Als u wilt, doe ik het u voor.'

Voor ze het wisten, had hij zich al tussen hen gedrongen en begon hij met twee wijsvingers te trommelen, schuddend met zijn manen:

Bom-Bom-Bay-Bay
Bom-Bom-Bai-Bai
Mum-Mum-Bai-Bai
Bom-Bom-Bay-Bay

'Hard en schel, zoals het hoort voor een ritme dat al eeuwen klinkt: Europa aan de ene kant, India aan de andere. Eigenlijk heel simpel voor iedereen die oren heeft.'

De ogen van de man lachten tevreden. De welgestelden onder de passagiers werden opgeroepen om aan land te gaan; de sloep lag te wachten, India was nog maar een paar riemslagen ver. Burton hielp een van de in extase verkerende dames de ladder af. Toen ze veilig zat, met haar handen in haar schoot, draaide hij zich om. Hij zag de witharige, witbaardige trommelaar op het dek staan, stram, wijdbeens, met zijn armen achter zijn rug in elkaar gehaakt. Zijn ogen rolden achter dikke brillenglazen. Gaat u maar, gaat u maar! Maar let op uw bagage. Dit is Brittannië niet. U betreedt vijandelijk gebied! En zijn lach vervloog toen de sloep met touwen omlaag werd gelaten en kreunend naar de zee zakte.

Bij het aan land gaan werd duidelijk hoe bedrieglijk de verrekijker was geweest. De kade was op rottende vis gebouwd en bedekt met opgedroogde urine en gallig water. Mouwen werden snel tegen neuzen gedrukt. Eeuwen verrotting, met blote voeten aangestampt tot vaste grond, waarop een man in uniform zwetend stond te schreeuwen. De reizigers keken bedeesd om zich heen en schortten hun nieuwsgierigheid tot nader order op. U kunt alles aan ons overlaten, wij zorgen overal voor! Richard Burton pareerde het kleffe Engels van een agent koeltjes in het Hindoestani. Hij riep een koelie die het gedrang van een afstand gadesloeg, stelde hem vragen, luisterde, onderhandelde en zag toe hoe zijn koffers op ruggen werden getild en naar een van de gereedstaande rijtuigen werden gedragen. Het was niet ver, zei de koetsier, en hij rekende niet veel. Het rijtuig gleed door de massa als een boot die werd gesleept. In het kielwater dreven kepies en kale hoofden, tulbanden en *topi's*. In het gewoel om hem heen kon hij geen gezichten onderscheiden en het duurde een poosje voor hij een tafereel zag dat hem iets zei: zakken rijst voor een winkel en een winkelier die er zijn knuisten op liet rusten. Burton leunde achterover terwijl het rijtuig zich losmaakte uit de haven en een brede straat in sloeg. Een jongen ontweek de hoeven zo laat als nodig was om zijn moed te bewijzen en beloonde zichzelf met een grijns. Een man werd naast draaiende wielen geschoren. Iemand hield een kind zonder huid voor hem op. Hij schrok even en vergat het weer. De koetsier scheen de gebouwen aan weerszijden te benoemen: Apollo Gate, daarachter het Fort, het Secretariaat, Forbes House. Een sepoy! De koetsier wees naar een muts, daaronder vettig haar en wat lager een paar dunne, behaarde benen in een te korte werkbroek. Verschrikkelijk, dacht Burton, dat zijn de inheemse soldaten die ik onder mijn bevel krijg, goeie genade! Die kleren, een aanfluiting, zelfs zijn gezichtsuitdrukking lijkt nageaapt van de Britten. Het rijtuig rolde langs een dichte drom vrouwen met tatoeages op handen en voeten. Een bruiloft, riep de koetsier verheugd. En die geur? Henna! De opgesmukte dames verdwenen om de hoek. De huizen, waarvan de meeste drie verdiepingen telden, leken aangetast door koudvuur. Op een van de houten balkons hoestte een man zijn luchtwegen vrij en spuwde zijn ongemak op straat. De weinige statige gebouwen deden denken aan opzichters in een leprozenkolonie. Telkens weer ontdekte Burton tussen de palmtoppen grijskoppige kraaien. Ze cirkelden ook boven een marmeren engel, wiens voeten werden gekust door een gesluierde vrouw. Kort voor ze bij het hotel aankwamen, zag hij ze op een lijk af duiken. Soms, zei de koetsier terwijl hij zich in volle vaart omdraaide, wachten ze de dood niet af.

Het British Hotel in Bombay leek in de verste verte niet op het Hotel Britain in Brighton. In Bombay werd voor minder comfort meer geld gevraagd; bed, tafel en stoel moest je als gast zelf bij elkaar zoeken. In Brighton klom geen zatte cadet met strohaar en een moerassige adem 's nachts op een stoel om over de mousselinen scheidswand heen zijn buurman te begluren. Burton, die al uren de slaap niet kon vatten, schoof het muskietennet opzij en gooide het eerste het beste voorwerp dat hij onder het bed te pakken kreeg in de richting van de cadet. Het projectiel trof de kerel midden in zijn gezicht. Hij viel van zijn stoel en vloekte zachtjes, tot er een kaars oplichtte en er een kreet klonk: de cadet had het voorwerp herkend, een rat die Burton kort tevoren met zijn laars had doodgemept. Alleen de stoffen wand beschermde de spichtige cadet tegen zijn eigen dreigementen. Burton greep weer onder het bed en haalde een fles brandy tevoorschijn. Hagedissen brachten geluk, ratten werden gehaat. De hagedissen hingen tegen de muur als kleurige miniaturen. De ratten verstopten zich. Soms tevergeefs.

Zijn buurman aan de andere kant was een hospik op zijn eerste post. Hij zat op de vensterbank over zee uit te kijken. Tot de wind draaide en hij hem in zijn gezicht kreeg. 'Attentie!' riep hij door de slaapzaal, 'opgepast voor de lucht van gebraden hindoevlees!' Zijn kreet schoot door het smalle trappenhuis naar het voorhoofd van de soezende *pars*, een man die zijn gasten met overdreven onderdanigheid bediende. 'Sluit ogen en luiken!' De pars opende de ogen en schudde mismoedig het hoofd. Die verdomde *gora's* verdroegen het schouwspel alleen als de wind de andere kant op stond.

De hospik weigerde met Burton mee te gaan naar de verbrandingsplaats. Een mens moest zich hoeden voor verkeerde weetgierigheid, verklaarde hij, spruit van de vaderlijke preek, de moederlijke zorg nog maar net ontgroeid. Burton probeerde een lofrede op de nieuwsgierigheid af te steken, maar merkte al snel dat zijn ervaringen – zijn jeugd in Italië en Frankrijk als zoon van een rusteloze geest, de kostschooltijd in het zogenaamde vaderland – weinig weerklank vonden. Toch liet de hospik zich overhalen verder te lopen dan Carnac Road, de grens tussen het brein van het imperium en zijn darmen, zoals Burton te weten was gekomen bij zijn eerste diner in gezelschap van lieden die trouwhartig hele districten bestuurden, kruidenierszonen van het Engelse platteland, nazaten van deurwaarders, die op heidense handen van schaduw naar koelte werden gedragen, en die rijker en machtiger waren dan ze ooit in hun stoutste dromen voor mogelijk hadden gehouden. Hun echtgenotes brachten uiterst nauwkeurig de heersende vooroordelen in kaart. Elke zin die ze zeiden was een waarschuwingsbord, omrand door: Luister goed, jongeman! Ze hadden uitvoerige metingen verricht en wisten nu zeker welke woorden bij India pasten. Het klimaat: funest; de bedienden: behoorlijk dom; de straten: ziekteverwekkend; en de Indiase vrouwen: alles tegelijk, zodat je ze – luister goed, jongeman! – beslist moest mijden, ook al waren er inmiddels slechte gewoontes ontstaan, alsof je niet enige moraal en zelfbeheersing van onze mannen kon verlangen. Het beste – en een eerlijker advies zult u hier niet krijgen – het beste gaat u alles wat vreemd is uit de weg!

Straatjicht. Een aanraking bij elke stap. Burton moest telkens opzij springen en had al zijn aandacht nodig om dragers, slepers en schuivers te ontwijken. Zichtbaar in de mensenzee waren alleen de vrachten, enorme hompen die op de deining van de wippende hoofden slingerden en schommelden. Winkels vol vodden. Werkplaatsen, de ene na de andere, die allemaal op elkaar leken. Kooplieden op matten waaierden zich lucht toe, achter hen nauwe ingangen die naar buikige, van vliegen vergeven holen leidden. Burton moest deze lieden bijna smeken hem iets te koop aan te bieden, en als ze zich ten slotte verwaardigden hem te woord te staan, boden ze hem de slechtste kwaliteit die ze hadden liggen, bezwoeren dat het voortreffelijk spul was, gaven hun erewoord, tot hij besloot de kleine dolk of het stenen godsbeeldje te nemen. Dan begon een touwtrekken om de prijs, onder nieuw gezucht en gesteun, begeleid door grimassen.

Je spreekt het dialect van die kerels al aardig, merkte de hospik lichtelijk verwijtend op. Burton lachte: die dames van gisteren zouden zich een hoedje schrikken. Die denken vast dat een taal delen hetzelfde is als het bed delen. Zwarte stad. Plotseling vóór hen een tempel, een moskee, bont gevlekt met effen versieringen. De hospik gruwde van de mismaakte godin met de lelijke tronie, die een aantal keren groter was dan haar lichaam. Geniet dan van de verrassing, tenslotte is dit de beschermheilige van deze stad, een stad met vele talen, en toch is de godin stom. Ze kwamen langs een grafmonument. De tombe was bedekt met een geborduurde, groene lap stof, aan de muur hingen knotsen. Het magische werktuig van de heilige *baba*, legde een bewaker uit, kalebassen uit Afrika. Melaatsen en onaanraakbare honden. De verlepte ledematen van de bedelaars waren met heilige kleurstof bedekt; een mismaakte koe met vijf poten dwaalde doelloos rond, de kortste poot oranje beschilderd. Wat verderop lag een man zonder ledematen op een deken, midden in de steeg die naar de achteringang van de grote moskee leidde; de om hem heen gestrooide munten zagen eruit als afgevallen pokken. Een naakte, donkerhuidige man stremde het verkeer. Hij was van top tot teen ingesmeerd met vet en had een rode zakdoek om zijn voorhoofd gebonden. In zijn hand een zwaard. Een enorme menigte verzamelde zich rond zijn woeste kreten. Wijs me de weg, schreeuwde de man en hij doorkliefde de lucht met zijn zwaard.

Een wat oudere heer naast Burton mompelde iets, monotoon alsof hij bad, terwijl de naakte man met het zwaard zwaaide alsof het een zweep was en de menigte langzamerhand zijn vijand werd. Wat gebeurt hier? Ik begrijp niet wat hier gebeurt. De hospik verschool zich achter Burtons rug. De naakte man draaide met gestrekt zwaard rond in een sissende kring, tot hij struikelde, het zwaard hem ontglipte en een paar mannen uit de menigte zich op hem stortten en hem begonnen te schoppen en te slaan. Alsjeblieft, bemoei je er niet mee, smeekte de hospik hem, je bent een grote kerel, misschien ben je sterk, maar tegen die wilden leg je het af. En als ze hem doodslaan? Dat is onze zaak niet!

Twee moessons, Dick, zei de hospik op de terugweg, dat is de gemiddelde levensverwachting van een nieuwkomer. Maak je geen zorgen, troostte Burton hem, dat geldt vast alleen voor degenen die te voorzichtig leven en doodgaan aan verstopping. Verstopping? bromde de hospik. Dat is het laatste waarop ik ben voorbereid.

☙❧☙❧☙❧☙❧

I

De bediende

Niemand zou op dit tijdstip bij de *lahiya* komen. Niet in deze dorre, droge maand. In de tempel zouden ze de goden weer om regen smeken, maar hij, wat moest hij Ganesh nog beloven? Eigenlijk kon hij maar het beste zijn boeltje pakken, zijn kantoortje sluiten, het stof ontvluchten, maar het is zo ver naar zijn slaapplaats. Papier en pen liggen klaar. Ofschoon hij niemand hoeft te verwachten. Niet rond deze tijd, niet in deze dorre, droge maand. Voor een middagdutje heeft hij de rust niet. Hij heeft er een gewoonte van gemaakt de andere schrijvers, die jakhalzen, geen moment uit het oog te verliezen. Zoals die vechten om iedere

29

klant zodra hij de straat in komt, zoals ze zijn onzekerheid aftasten, tot de klant neerhurkt en zijn opdracht als verzoek brengt. Hij zal nooit merken hoe die verachtelijke schoften hem bedriegen. Nog hebben ze respect voor hem. Nog zijn ze een beetje bang van hem. Hij zou niet weten wat ze van hem te vrezen hebben, maar zijn stem, die krachtiger is dan zijn lichaam, houdt hen op een afstand. Van zijn sterke kanten kan hij op aan, zijn waardig voorkomen, zijn goede reputatie, zijn respect afdwingende leeftijd. Alleen deze tijd van de dag, deze tijd van het jaar zijn om wanhopig van te worden. De aarde wordt warm en niets beweegt. Hij strekt zijn benen uit. De hitte smelt op straat. Ze plakt aan de hoeven van een os die weigert door te lopen. Vermoeid slaat de drijver op hem in, stap om klap, zo sukkelen ze hun bestemming tegemoet.

Die man daar midden op straat. Een klant? Meteen wordt hij van alle kanten beloerd, een rijzige figuur met licht gebogen schouders, die zijn hoofd buigt en weer heft, en wiens lichaam zich niet verweert tegen de vele handen die aan hem trekken. De man staat als aan de grond genageld. Nu richt hij zijn hoofd op. Een van de jakhalzen maakt zich los uit de meute, andere volgen. Ze laten hem lopen, deze man die een stuk boven hen uitsteekt. De lahiya ziet de andere schrijvers met hun betweterige vingers in zijn richting wijzen. De rijzige man komt op hem af, het gezicht getekend door weerbarstige trots en een slappe, grijze snor. De lahiya weet dat de andere scribenten dit keer het nakijken hebben, ook al knopen ze nonchalant hun *dhoti* strakker en al gedragen ze zich alsof de wereld voor hen geen geheimen kent. Deze man heeft vast een wens die alleen de oude lahiya kan vervullen.

'Brieven aan Britse overheidsinstanties zijn mijn specialiteit.'

'Het moet geen gewone brief ...'

'Ook brieven aan de Oost-Indische Compagnie.'

'Ook aan officieren?'

'Uiteraard.'

'Het moet geen formele brief worden.'

'Wij schrijven wat u wilt. Maar bepaalde conventies moeten in acht worden genomen. Daar staan de heren op. De kleinste fout in de opbouw, de kleinste nalatigheid in de aanspreektitel en de brief is geen *anna* waard.'

'Er is veel uitleg nodig. Ik heb taken op me genomen die geen mens ...'

'We zullen zo uitvoerig zijn als nodig is.'

'Ik heb hem vele jaren terzijde gestaan. Niet alleen hier in Baroda, ik ben altijd meegegaan als hij werd overgeplaatst ...'

'Snap ik, snap ik.'

'Ik heb hem trouw gediend.'

'Ongetwijfeld.'

'Zonder mij was hij verloren geweest.'

'Natuurlijk.'

'En hoe heeft hij mij daarvoor beloond?'

'Ondank is 's werelds loon.'

'Ik heb hem het leven gered!'

'Mag ik vragen aan wie de brief gericht is?'

'Aan niemand.'

'Aan niemand? Dat zou ongebruikelijk zijn.'

'Niet aan een bepaald persoon.'

'Ik begrijp het. U wilt de brief meermaals gebruiken?'

'Nee. Of toch, ja. Ik weet niet wie ik de brief moet geven. Alle *Angrezi* in de stad hebben hem gekend, langgeleden, te lang misschien, maar er moeten er nog een paar in Baroda zijn. Vanochtend heb ik luitenant Whistler nog gezien. Hij reed langs in een rijtuig, zo'n nieuw halfopen rijtuig met leren dak, een mooie wagen. Bijna had hij me overreden. Ik herkende luitenant Whistler meteen. Hij is een paar keer bij ons geweest. Ik ben achter de wagen aangerend tot hij moest stoppen. Ik heb het de koetsier gevraagd.'

'En?'

'Nee, zei die, dit is het rijtuig van kolonél Whistler. Ik had me niet vergist. Mijn meester maakte zich altijd vrolijk over zijn naam.'

'Dus we schrijven aan kolonel Whistler!'

Om zijn bereidwilligheid te tonen opent de lahiya het inkt-potje, neemt de pen in zijn hand, doopt hem in de inkt, krast ermee om hem te proberen, buigt zich een paar regels naar voren en blijft roerloos in die houding zitten. Het stof dat de bezoeker heeft doen opdwarrelen is gaan liggen. Vanuit het martelende licht, waar de lahiya niet meer tegenin wil kijken, begint de bedeesde stem te vertellen. Veronderstellingen worden aandui-dingen, aanduidingen worden schimmen, schimmen worden personen, onbekenden worden mensen met een naam, eigen-schappen en een gezicht. De lahiya houdt de pen tussen zijn vingers maar begrijpt niet waar het heen gaat, het levensverhaal dat deze man voor hem etaleert, of wat de bedoeling ervan is. Zolang dat niet duidelijk is, heeft het geen zin iets op te schrijven.

'Luister. Zo gaat het niet. We moeten eerst een paar gedachten hebben, een paar aantekeningen, een paar schetsen, dan zal ik met voorstellen komen hoe we de brief kunnen opstellen.'

'Maar … ik moet wel weten wat het gaat kosten.'

'Betaalt u twee roepie aan, Naukaram *bhai*. Dan zien we later wel wat erbij komt.'

⌾⌾⌾⌾⌾⌾

2

Uit een lettergreep

Soms boerde de propvolle stad. Alles rook alsof het door maag-sappen was aangetast. Langs de kant van de straat lag half ver-teerde slaap die spoedig zou vervloeien. Een lepel sneed door het vlees van een overrijpe papaja, voetzolen zweetten onderweg van de markt naar huis koriander uit. Hij wist niet wat hem het meest tegenstond: de bries van zee, bij eb vol verrotting van algen en gestrande kwallen, of de geuren van het moslimontbijt, van de

ingewanden van geiten die op kleine kacheltjes stonden te prut-
telen. Het pad van de mensheid was geplaveid met verraderlijke
verlokkingen.

'Sir, het is niet mijn gewoonte iemand als u te storen, zo'n hoge
heer, dat zie ik, dat herken ik meteen, denkt u niet … absoluut
niet, ik ben een eenvoudig man, ik zou u niet kunnen bedriegen,
nee, ik wil uw tijd niet in beslag nemen, nee, Sir, als u me even
gehoor zou willen schenken, dan zult u zien dat ik u van nut kan
zijn.'

Burton liep door de straat, een flaneur die met zijn aandachtige blik de huizen aftastte. Hij viel op, die jonge Britse officier
met zijn fiere houding en zijn volle baard.

'U bent vast net aangekomen. Moeilijk. Zo is het overal als je
ergens aankomt, je staat alleen, dat is best moeilijk …'

'Apka shubhnam kya hai?' vroeg de officier.

'*Are Bhagvan, ap Hindoestani bolte hain?* Naukaram is mijn
naam, tot uw dienst, Saheb, tot uw dienst.'

Na een week wist Burton dat het in de stad wemelde van de
kruiperige Indiërs die in elke officier, in elke blanke, een on-
heilige koe zagen die ze naar believen konden melken. Terwijl ze
een buiging maakten, zaten ze al met een hand in je zak.

'Wat voor dienst?'

'U hebt onze taal snel geleerd, *bahut acchi tarah.* U bent nog
maar pas aangekomen, met het laatste schip uit Engeland.'

'Je bent goed op de hoogte.'

'Puur toeval, Saheb. Mijn broer, mijn neef werkt in de haven,
begrijpt u.'

Wat wil deze jongeman met zijn vroegrijpe gezicht? Uiterst
correct gekleed. Rijzig, licht gebogen. Verbazingwekkend bleek,
met een open maar weinig aantrekkelijk gezicht.

'Hoe sneller u een bediende vindt, hoe beter.'

'Wat gaat jou dat aan?'

'Ik, Ramji Naukaram, zal uw bediende zijn.'

'Hoe kom je erbij dat ik een bediende zoek?'

'Hebt u dan al een bediende?'

'Nee. Ik heb nog geen bediende. Ook nog geen paard.'

'Iedere Saheb heeft een bediende nodig.'

'En waarom juist jij? Waarom zou ik jou nemen?'

Ze bleven staan bij een kruising waar nog meer aanbiedingen op Burton loerden. Tot vanmiddag, heeft hij zich vanochtend vroeg bij het verlaten van het hotel voorgenomen, zou hij nee leren zeggen, hard leren blijven. Hij wilde zich aan alle verlokkingen blootstellen om te bewijzen dat hij ze kon weerstaan. Om er dan later aan te kunnen toegeven.

'Ik neem alleen genoegen met het beste.'

'Ach, Saheb, wat betekent beste nou? Er zijn mannen en er zijn vrouwen, en de mannen die een vrouw niet nemen omdat om de hoek misschien een betere vrouw, mooiere vrouw, rijkere vrouw wacht, die mannen zitten aan het eind zonder vrouw. Wat je vandaag neemt, is beter dan de belofte van morgen. Vandaag is zeker – niemand weet wat er morgen is.'

Twee dagen later kreeg hij een idee.

'Ik wil de stad bij nacht beleven.'

'U wilt naar de club, Saheb?'

'De echte stad.'

'Wat bedoelt u met echte?'

'Laat me de plekken zien waar de inlanders plezier maken.'

'Wat wilt u daar, Saheb?'

'Precies hetzelfde als de stamgasten daar zoeken. Wat tijdverdrijf is voor hen, moet tijdverdrijf zijn voor mij.'

Dit keer nam Burton de hospik, die het alleen al van de rit op zijn zenuwen zou hebben gekregen, niet mee. Nergens licht, elk wezen dat ze tegenkwamen, was in zijn eigen stofwolk gehuld. De straten werden smaller, de splitsingen zo talrijk dat Burton in zijn eentje hopeloos verdwaald zou zijn. Ze moesten te voet verder. Hij voelde een onverwachte spanning en vroeg zich af of hij de voetstappen zou horen voor het mes door zijn huid drong. De gedachte wond hem op, de avond was naar zijn smaak begonnen. Voor hen schemerde een huizenrij, ze kwamen dichterbij en konden afzonderlijke gebouwen onderscheiden, allemaal met drie verdiepingen, elke verdieping voorzien van een balkon. Op de balkons stonden vrouwen die over de balustrade leunden en naar hem riepen: *Hamara ghar ana, accha din hai.* Veel te hard en veel te gretig om hem in de verleiding te brengen de benedenverdieping binnen te gaan, die openstond als een winkel en waar vast een oudere vrouw het verdere verloop van de gebeurtenissen bepaalde. De gezichten waren zo schreeuwerig opgemaakt dat ze de stemmen de loef afstaken, verder was de eerste verdieping één golvende sari. Niet mooi, hè Saheb? Komen hier veel mensen? Die weinig hebben, die komen hier naartoe, maar hier is het niet goed. Verderop is het beter, Saheb. Ze kwamen langs een gebouw waar, zo wist Naukaram te vertellen, opium werd gerookt. Het goud van mijn werkgevers, dacht Burton, de bron van alle zilver, strikt genomen. De walm die hij diende te beschermen. Hij was geneigd de opiumkit binnen te gaan, maar werd in verlegenheid gebracht door de mannen die voor de ingang stonden, verstard als wassen beelden. Kunnen zich niet bewegen, zei Naukaram, te veel opium.

Het was niet ver naar hun eigenlijke doel, ook hier telden de huizen verscheidene verdiepingen, elk met balkon, maar in plaats van met courtisanes tooiden de balustrades zich met verse bloemen. Vooruit, laten we naar binnen gaan. Nee Saheb, u gaat, ik wacht buiten. Onzin, je komt mee, vergeet niet dat je in je proeftijd zit! Een magere man begroette hen zo onderdanig dat Burton had kunnen zweren dat hij een buiging had gemaakt, ook al had hij de hele tijd rechtop tegenover hen gestaan. Hij verzekerde hun breedsprakig dat ze welkom waren terwijl hij een argwanende blik op Naukarams versleten *kurta* wierp. Ik wil dat u zich tegenover mijn begeleider fatsoenlijk gedraagt, beval Burton, die merkte hoeveel moeite het Naukaram kostte om hier over de drempel te stappen. Ze volgden de man naar een weelderig vertrek waar het merkbaar koeler was, waar dik tapijt op de vloer lag en waar aan één kant een groep musici stond, die juist pauzeerde. In de hele ruimte hing een zoetige geur. Ze namen plaats in een hoek met kussens; direct nadat de magere man zich had teruggetrokken, serveerde een vrouw hun koude drankjes en zoete lekkernijen. Opvallend aan haar vond hij haar mooie navel en de zwarte vlecht die tot haar taille reikte. Deze vrouwen kunnen dichten, fluisterde Naukaram hem in het oor. Ze hebben mooie kleren aan, andere vrouwen dragen die niet. Een sierlijke vrouw kwam naar hen toe zweven en Burton stond op het punt zich over te geven aan de betovering van haar verschijning, toen ze Naukaram een paar vragen toewierp, zo doelgericht en zakelijk alsof het darts waren, terwijl ze Burton keurde als een vis in een marktkraam. Ze kwam naast hem zitten en glimlachte naar hem, met groene ogen en een onbestemde belofte. Als een parelmossel die zich langzaam opent. Hij vergaf haar het brutale verhoor en de schaamteloze goedkeuring.

'Hij daar zegt dat u onze taal spreekt?'

'Alleen als u heel langzaam praat en na ieder woord glimlacht.'

'Zal ik voor u zingen?'

'Als u mij uitlegt waar het lied over gaat.'

Ze knikte naar de musici, stond op, liep een paar stappen achteruit, waarbij ze Burton recht in de ogen keek, en wiegde mee met de melodie, langzaam eerst, dan sneller, als een schommel die vaart krijgt, tot ze in haar handen klapte en begon te zingen:

Wie zijn leven lang goed doet,
wordt als druppel wedergeboren,
als dauw op mijn lippen.
Wie zijn leven lang deugdzaam was,
zal rusten in een oestermond,
zacht in mijn mond gebed.
Maar het grootste geluk heeft wel
wie als witte parel liggen mag
als parel tussen mijn borsten.

Het hele lied door bleef ze dicht bij hem, met trillende lippen, de groene ogen half gesloten, alsof ze gevaarlijk waren en bewaakt moesten worden. Haar pirouette eindigde vlak voor zijn gezicht, hij had haar navel kunnen kussen, ze leunde naar achteren, liet het hoofd in de nek vallen en bleef roerloos staan. Haar rok vibreerde na in elke vouw, evenals haar boezem onder de met gouddraad doorweven stof. In de handen van de vrouw doken twee kleine bekkens op, die ze tegen elkaar sloeg terwijl ze verder danste. Toen het lied wegstierf, had hij de indruk dat zijn uitputting groter was dan de hare. Ze stond stil, haar gezicht vol verwachting.

'U moet haar geld geven.'

'Ik wil haar niet beledigen.'

'O nee, Saheb, het is een belediging als u niets geeft.'

Burton stak zijn hand uit, met het biljet tussen zijn vingers. De geamuseerdheid in de ogen van de vrouw viel moeilijk over het hoofd te zien. Ze pakte het biljet van hem aan alsof ze zijn vingers niet wakker wilde maken. Daarna draaide ze zich abrupt om en verdween achter een gordijn.

'Ik had het gevoel dat ze me uitlachte.'

'Nee, Saheb. U geeft het geld alleen verkeerd.'

'Te weinig?'

'Nee. Het is genoeg, maar u moet met het geld spelen, ziet u, zo ...'

'Dat ziet er belachelijk uit. Ik ga toch niet de paljas uithangen.'

De zoetige geur die boven hen zweefde, kwam van de water-pijpen waarin, zoals een van de vrouwen hem uitlegde, Perzische tabak, vermengd met kruiden, ongeraffineerde suiker en ver-scheidene specerijen door zuiver water werd gefilterd. Probeert u het eens, u zult het lekker vinden. Ze haalde uit een onzichtbare zak in haar gewaad een houten mondstuk en begon ook zelf aan de pijp te trekken.

Hij had niet kunnen zeggen hoelang de vrouwen voor hem dansten en zongen: aanzwellende, zichzelf overtroevende gezan-gen, ritmes die elkaar snel opvolgden, bonzende, kloppende, intense ritmes, niets verhullende teksten; hoeveel hij dronk van de melk die geen melk was maar *soma*, dat had hij van Naukaram geleerd, drank voor de geest, wonderdrank, goed voor gebeden en geboortes; hoe bevangen hij raakte door de gloeiend glinsterende sieraden, de kettingen rond enkels en armen, de blote taille, de lichte welving van de buik, de verrukkelijke omsluiting van de navel, die overweldigende glimlach die uit het niets kwam, en het golvende haar waardoor telkens weer een hand gleed om het los te schudden. Hij had achteraf niet kunnen zeggen of hij uit eigen beweging aan een van hen de voorkeur had gegeven. Ze nam hem bij de hand, een kamer op de eerste verdieping, een hoog bed, en ze kleedde hem uit, toen waste ze aandachtig zijn lichaam, met warm water. Ze hield een bloesemtak bij zijn gezicht. Onthoud de geur. Bij deze geur zul je gelukkige herinneringen hebben. Overal waren trouwens bloemen. Alles rook ernaar, deur en poort, portretten van voorouders, dakbalken, kussens, en het haar van deze vrouw die haar gewaden aflegde, wolk na wolk, en hij werd hard als een geweerloop, en zij beet zachtjes in zijn oorlelletje en fluisterde iets wat hij pas verstond toen ze, zijn hals likkend, bij het andere oorlelletje was beland. *'Rath ki rani'*, zei ze, het was makkelijk te verstaan: koningin van de nacht, maar wat betekende het? Heette ze misschien zo, was het haar courtisanenaam? Ze verkende zijn lichaam, het was aangenaam en weinig verrassend, tot ze iets deed wat hem deed huiveren: ze proefde zijn hardheid, doseerde, het mocht niet ophouden, ook niet toen ze haar borsten over zijn gezicht liet glijden, ook niet toen ze zich liet vallen en hem mee de diepte in trok en hij zich een paar onderdrukte kreten veroorloofde. Ze hief haar bekken, hij herkende de bloesem in haar hand, de hand verdween onder haar bekken, hij kon zich niet meer inhouden en met een paar krachtige stoten ontlaadde hij zich in haar, en de bloesem werd waarschijnlijk geplet, want toen hij uitgeput naast haar ging liggen, omhulde hem een zachte geur. De geur van de koningin van de nacht.

Hij was graag nog uren in het hoge bed blijven liggen, maar

toen de geur verflauwde, bespeurde hij enig ongeduld in het naakte lichaam naast hem. Mijn tijd is voorbij, dacht hij. Nee, corrigeerde hij zichzelf, mijn tijd is net begonnen, en wat een begin was dat, dacht hij, toen Naukaram en hij het huis van de eerste betovering verlieten en een stukje moesten lopen naar de plek waar ze het huurrijtuig hadden laten wachten.

'Waar rijden we nu naartoe?'

'Naar uw hotel, Saheb.'

'Eerst brengen we jou thuis.'

'Nee, Saheb, niet nodig. Geen probleem.'

'Je wilt toch niet te voet de halve stad door.'

'Het is niet ver, Saheb, vanaf hier is het een half uur lopen.'

'Als je erop staat. Goedenacht dan.'

Naukaram draaide zich om. Hij was het donker al in gegleden toen hij zijn naam weer hoorde.

'Je bent geslaagd voor de proef, Naukaram. Ik zal je in dienst nemen. Maar je moet bereid zijn met mij naar het noorden te vertrekken, ongeveer vierhonderd mijl hier vandaan, naar een plaats die Baroda heet. Ik heb gisteren te horen gekregen dat ik daarheen word overgeplaatst. Daar zal ik een bediende nodig hebben.'

Het antwoord kwam uit het duister.

'Het staat allemaal geschreven, Saheb, alles is voorbeschikt. Ik weet waar Baroda ligt, ik weet het precies, want ik kom uit Baroda. Alles is zoals het moet zijn, Saheb, met u ga ik terug naar huis.'

3

Naukaram

II Aum Ekaaksharaaya namaha I Sarvavighnopashantaye namaha I Aum Ganeshaya namaha II

'Ik ben zover.'

'Ik heb mijn meester, kapitein Richard Francis Burton, in Bombay leren kennen. Ik werd hem aanbevolen. Hij was net aangekomen uit Anglestan en zocht een betrouwbare bediende. Hij nam me meteen in dienst.'

'Nee! Niet zo. Ben je soms Sayajirao de Tweede, dat je in het wilde weg begint te wauwelen alsof iedereen je kent? We moeten je eerst voorstellen. Je afkomst, je familie, zodat de ontvangers weten van wie de brief komt.'

'Wat moet ik over mezelf zeggen?'

'Ken ik jouw leven? Weet ik iets van je af? Praat ongedwongen; wat overtollig is, schrap ik later wel.'

'Dus ik moet iets over mezelf vertellen?'

'Begin maar!'

'Goed. Ik ben in Baroda geboren, in het paleis. In de verkeerde helft van het paleis. Ik was een ziekelijk kind dat veel zorgen baarde. Misschien moet ik eerst zeggen dat ik niet bij mijn vader en moeder en broers ben opgegroeid. Ik heb ze pas later leren kennen, of eigenlijk heb ik mijn ouders nooit leren kennen. Ze zijn op bezoek geweest toen ik een jongen was, één keer, maar dat is misschien niet zo belangrijk. Mijn familie is al generaties in dienst van de Gaekwad, al sinds de tijd dat een Gaekwad de rechterhand was van Shivaji. Een van mijn voorvaderen heeft aan zijn zijde meegevochten in de grote slag, nou ja, dat doet er niet toe, het is vast een sprookje van onze familie, een mooi verhaal waarop we trots konden zijn. Ik geloof dat ik de jongste was. Voor mijn moeder zwanger werd van mij, had ze mijn vader al zes zoons geschonken. Ze waren allemaal gezond en sterk. Mijn vader was dolgelukkig bij de geboorte van de eerste zoon, hij was heel trots op de tweede zoon, hij was content met de derde zoon, elke zoon die daarna nog kwam, aanvaardde hij als vanzelfsprekend. Maar vanzelfsprekende zegeningen bestaan niet, dat denk ik tenminste. Je moet je bewust zijn van je zegeningen. Toen bij mijn moeder de weeën begonnen, bracht mijn vader een bezoek aan de *jyotish* in het paleis. Hij moet een ongeduldig man zijn geweest, die zo snel mogelijk wilde weten of deze dag onder een gelukkig gesternte stond. Dat was een fout, de boodschap viel hem rauw op het lijf. De stand van de sterren, het getal zeven, het getal negen. De datum, de leeftijd van mijn vader en de leeftijd van mijn moeder, en ...'

'Genoeg. Bespaar me dit geleuter.'

'Geleuter? Gelooft u niet in astrologie? Het was de jyotish van de maharadja.'

'Ik behoor tot de Satya Shodak Samaj, als je weet wat dat betekent. Wij hebben dat soort primitief bijgeloof afgezworen.'

'Maar de constellatie was werkelijk onheilspellend. Als droogte en overstroming tegelijk. Te veel geluk, verklaarde de jyotish, kan in het tegendeel verkeren. De gezondheid van het kind was in gevaar, de voortekenen voor de toekomst van het gezin waren slecht. Mijn vader maakte zich grote zorgen. Hij wilde weten wat hij hiertegen kon doen. Er is maar één oplossing, zei de jyotish. Uw vrouw, mijn moeder dus, moet een dochter ter wereld brengen. Dat zal de orde weer herstellen. De jyotish stuurde mijn vader weg met een flesje nim-olie en een paar spreuken die hij moest opzeggen terwijl de vroedvrouw de buik van mijn moeder inwreef, cirkelend in de richting van de klok, één keer per uur ...'

'Genoeg. We zijn geen leerboek voor tovenarij aan het schrijven.'

'Mijn geboorte naderde, voor de kamer van mijn ouders kwamen alle bedienden van de maharadja die op dat moment niet hoefden te werken bij elkaar en allemaal baden ze vurig om een meisje. De weeën duurden en duurden en de gebeden werden krachtiger. Iemand haalde een *pujari*, iemand anders zamelde geld in, zorgde voor kokosnoten en guirlandes. Ik weet niet of de priester echt gebeden voor de geboorte van een meisje kende, of dat hij ze ter plekke verzon.'

'Een improvisatiekunstenaar.'

'Pardon?'

'Niets. Laat je niet storen.'

'Midden in de nacht ging de deur open, de pujari was al lang weg, er waren alleen nog een paar vrienden bij mijn vader, de vroedvrouw kwam naar buiten met het pasgeboren kind in haar armen. Het is een mooi kind, zei ze blij, gaaf en gezond. Gezond, wat wil dat zeggen, gezond? schreeuwde mijn vader. Is het een meisje? En de vroedvrouw, die van vermoeidheid waarschijnlijk vergat wat ook weer de reden voor alle beroering was, antwoordde hem: Nee, Krishna zij dank, nee, het is een jongen. Mijn vader sloeg zich voor het hoofd en brulde zo hard dat de bewakers kwamen aanstormen. De vrienden schaarden zich rond mijn vader en probeerden hem te troosten. Niemand lette op de vroedvrouw, ze trok zich met mij in de kamer terug en legde me bij mijn moeder. De opwinding was zo groot dat ze vergaten een nat stuk katoen op mijn tong te leggen.'

'Mooi, je bent dus geboren, maar kun je me ook verklappen waarom je me dit allemaal hebt verteld? Denk je dat kolonel Whistler wil weten dat je eigenlijk een meisje had moeten zijn?'

'Ik heb me laten meeslepen door mijn herinneringen.'

'We moeten opschrijven wat in je voordeel spreekt. We moeten je langdurige ervaring als bediende aantonen, je sterke kanten beschrijven, je successen benoemen, je capaciteiten benadrukken. Niemand wil iets weten van het onheil dat aan je kleeft. Dat kun je met je vrouw delen.'

'Ik heb geen vrouw.'

'Geen vrouw? Ben je weduwnaar?'

'Nee, ik ben nooit getrouwd. Ik ben een keer verliefd geweest, maar dat liep fout.'

'Zie je, dat is belangrijk. Altijd bediende geweest, en zo trouw dat je de tijd niet vond om in het huwelijk te treden.'

'Dat was niet de reden.'

'Wat maakt dat uit? Weet jij altijd zeker waarom je iets wel of niet hebt gedaan? Dat weet je toch nooit precies! Ga door.'

'Mijn vader wilde niet wachten tot *Vidhata* mijn lot bezegelde. Hij wilde besparen op kleding en eten. Hij bracht me meteen naar familie in Surat. Hij gaf hun de goudstukken die de *diwan* hem 's ochtends na de geboorte uit medelijden had toegestoken. Omdat mijn vader zo sip keek, dacht hij dat de goede man een dochter had gekregen. In ruil voor deze bruidsschat, als ik dat woord even mag gebruiken, verklaarde de familie zich bereid voor mij te zorgen. En de jyotish bevestigde mijn vader dat alle gevaren waren bezworen als ik maar ver genoeg weg leefde.'

'Ben je nu eindelijk klaar met je onmogelijke verhaal? Je stelt mijn geduld nog zwaarder op de proef dan die vreselijke hitte. Laten we even pauzeren. De opdracht is moeilijker dan ik dacht. Ik heb er ook meer werk aan! We moeten er een paar dagen voor uittrekken.'

'Een paar dagen? Duurt het zo lang?'

'We moeten die brief niet overhaast opstellen. Het kan geen kwaad dat u mij meer vertelt dan nodig is. Laat u de uiteindelijke keuze maar aan mij over! Maar ik vrees dat twee roepie niet genoeg is. Het zal u meer kosten.'

❦❦❦❦❦❦❦

4

Verleende gunst

Niemand had Burton gewaarschuwd dat er in het houten huis dat hem was toegewezen maandenlang niemand meer had gewoond – een onbewoond huis wordt in India aangevreten door de seizoenen. Van buiten was de verwoesting, afgezien van de kapotte ramen, niet zichtbaar. Naukaram en hij trokken aan de krakende deur en hadden er meteen spijt van. Het stonk er naar apendrek. Een beestenboel. Burton besloot pas naar binnen te gaan nadat Naukaram een paar helpers had opgetrommeld en het huis had schoongemaakt. Ondertussen stond hij voor de deur naar de jungle te kijken; ze hadden hem de bungalow gegeven aan de buitenrand van het *cantonment*, de behuizing van het regiment op nog geen drie mijl ten zuidoosten van de stad. Het ongetemde reikte tot zijn erf. Des te beter, hier kon hij een zekere afstand bewaren tot zijn maten. Naukaram stofte een rieten stoel af en sleepte hem naar de veranda, zodat Burton kon gaan zitten. Met uitzicht op de sobere tuin, bepaald niet groot, bepaald niet weelderig, begrensd door een stenen muur, maar toch altijd nog met een banyanboom en een paar palmen. Tussen twee van die palmen kon hij een hangmat spannen. Van de inheemse woonwijk in het dal kon hij alleen zien wat er boven uitstak: torens en minaretten. De rest was een allegaartje waarvan je niet vrolijk werd, zo hadden de oude rotten (toepasselijke benaming) hem vanochtend in de regimentsmess toevertrouwd. Onze hoofdstraat, zo verduidelijkten ze, komt midden in die zooi uit. Gelukkig is er eerst een afslag naar rechts, naar het parade-plein, zodat het niet nodig is de heuvel helemaal af te rijden. We moeten onze hoge positie verdedigen, figuurlijk gesproken, dat snap je. Burton deed niet mee met het samenzweerderige gelach. Rijd zo vroeg mogelijk uit, wees de hitte vóór, die raad moet je ter harte nemen, en sla de tegenovergestelde richting in, de jungle is lang niet zo gevaarlijk als de stad. Lang niet zo gevaarlijk. Ons leven speelt zich hier in het cantonment af. We staan vroeg op en zijn vroeg klaar met het werk. De paleisheer gedraagt zich keurig. Koestert geen enkele ambitie om verzet te plegen. Integendeel. Integendeel. 's Ochtends appèl, dan een inspectierit en we hebben ons ontbijt weer verdiend. Je speelt toch wel biljart, hè? Bridge op zijn minst? We zullen een voortreffelijk speler van je maken! Waarna iedereen – ze stonden om hem heen, om de korpsgeest te versterken waarschijnlijk – had gelachen, en hun gepikeerde gezichten vertelden hem dat ze van hem hadden verwacht dat hij mee zou lachen. Hij had hen teleurgesteld. Troost je, kameraden, had hij graag tegen hen gezegd, het zal niet de laatste keer zijn.

Burton hoorde hoe de ramen wijd geopend werden. Hij stond

op en keek door de tralies naar binnen. Best ruim, zijn nieuwe onderkomen. Er lag geen houten vloer, ook het plafond was niet betimmerd en de muren waren zo kaal als de schedel van een pelgrim. De open dakstoel bood een ongewone, niet onsympathieke aanblik. Van de balken welfden zich dikke touwen omlaag, waaraan waarschijnlijk al snel zware waaiers zouden hangen.

'Naukaram, daar in de hoek, dat huisje, het schijnt niet bewoond te zijn, nog minder uitnodigend dan deze koeienstal, is dat een gereedschapsschuur?'

'*Bubukhana*, Saheb.'

'Misschien kun je me even uitleggen wat dat betekent.'

'Huis waarin vrouw woont.'

'Jouw vrouw?'

'Nee, niet mijn vrouw.'

'Nou, mijn vrouw al helemaal niet.'

'Wie weet, Saheb, misschien toch uw vrouw.'

Je zou niet zeggen dat hij de halve wereld was rond gezeild, zo ademde alles om hem heen thuis toen hij de regimentsmess betrad: de muren met hun zware houten lambrisering, de saffierblauwe, uit Wilton geïmporteerde tapijten met hun medaillons, tapijten die op sommige plekken al opbolden. Zijn eerste avond in de 'club'. Als debutant. Aanpassen hoefde hij zich niet. Totaal niet. Alleen zijn weerzin overwinnen. Het was Oxford en Londen, van a tot z en andersom. Alles was vertrouwd: de schilderijen, de lijsten, een paar in aspic geschilderde paarden, tuinfeesten met een hele kinderschaar, even moeilijk te verteren als kerstgebak, zo vreselijk vertrouwd allemaal, de lage tafels, de diepe fauteuils, de bar, de flessen, zelfs de snorren. Alles waarvoor hij was gevlucht, stortte zich op hem.

'Zonder waaiers legt u tijdens de grote hitte het loodje. U hebt echt een *khalasi* nodig.'

'Of een paar.'

'Voor de waaiers?'

'Uiteraard. En zorgt u ervoor dat die khalasi regelmatig de touwen controleert waaraan die verdomde stof hangt. De tijd knaagt aan de touwen.'

'Dat zijn details, daar raakt die jongen alleen maar van in de war. Luister: u hebt in deze contreien te maken met doortrapte luiwammesen die naarstig op zoek zijn naar smoesjes om onder het werk uit te komen.'

'Heel geraffineerd is het argument van de reinheid.'

'Daar valt niet mee te spotten.'

'Wie het niet doorheeft, wordt bij de neus genomen.'

'Een voorbeeld: stel je wilt de krant lezen en ondertussen je voeten laten wassen. In een mooie, grote *chilamchi*.'

'Chi-chi zoals wij zeggen.'

'Wij staan daar verder niet bij stil, maar de kerel die je voeten wast, geldt bij de anderen als onrein. Omdat voeten onrein zijn en omdat je een christen bent en dus per definitie onrein.'

'Dat had u niet gedacht, hè?'

'En dus kan hij geen werk in huis doen waarbij hij met de andere bedienden in contact zou komen. Een hoger geborene raakt de chi-chi niet eens aan. Dus heb je zelfs voor zo'n eenvoudige taak iemand nodig die water bij giet en iemand die je voeten afdroogt. Dat is nog niet alles. Wat denkt u hoe onrein de boy wel niet is die de wc schoonmaakt. Die kun je voor geen enkel ander klusje gebruiken.'

'Dat soort uitvluchten hoor je te pas en te onpas en geloof me, ook na vijf of tien jaar ken je ze nog niet allemaal.'

Aandachtig namen ze hem op. Tussen de instructies door, waaraan deze mannen, die haast zonder uitzondering ongetrouwd waren, zich hartstochtelijk overgaven. Ze waren hem aan het testen. Op zijn geschiktheid als vierde man, als biljartspeler, als kompaan bij slechte grappen. Als kameraad.

'Iemand die overal toezicht op houdt, daar draait het in wezen om.'

'Altijd lastig bij vrijgezellen, maar dat hoeven we u niet te vertellen.'

46

'Je moet je simpelweg erbij neerleggen dat die kerels nergens voor deugen. Als je dat hebt geaccepteerd, kun je niet meer teleurgesteld worden. Opvoeden? Vergeet het maar. Hebben jullie ooit meegemaakt dat er een zijn leven beterde? De zweep is hooguit bruikbaar om te zorgen dat ze niet jatten.'

'Als ik u was, zou ik vooral uitkijken bij het kiezen van een *sircar.*'

'Een sircar? Waar heb je die dan voor nodig?'

'Hem moet je kunnen vertrouwen. Je moet niet aan hem hoeven twijfelen. Geen moment. Hij draagt je beurs.'

'Een sircar? In deze tijd? Lieve hemel, we hebben toch een standaardmunt, dankzij de zilveren roepie? Onze dierbare doctor Huntington leeft nog in het verleden, toen je met zo veel verschillende munten moest jongleren dat je er een aparte kracht voor nodig had.'

'Hoezo? Ik kan dat geld toch niet bij me steken? Moet ik het soms in het openbaar uittellen? En waar was ik dan mijn handen als ik klaar ben?'

'Laten we nog een fles bestellen, ter ere van onze *griffin.*'

'Laat ik u één ding zeggen, Burton, in uw huis zal alleen orde heersen als iemand de boys van tijd tot tijd zegt waar het op staat. U wilt toch zelf geen klappen uitdelen, of wel soms? Dat kost veel te veel moeite en het is in die hitte ook slecht voor je eigen gezondheid. Schaf een bediende aan die de anderen discipline bijbrengt.'

'Heeft zo iemand geen naam?'

Even bleef het stil. Burton kon de smoelen van die halsstarrige profeten niet meer verdragen. Hij was een pelgrim en zij probeerden hem op een dwaalspoor te brengen. Het onverdraaglijke was verpot, maar het gedijde alleen hier in de mess, in deze broeikas. Hij hoefde zich er dan ook niets van aan te trekken.

'Lacht u gerust, Burton, ik zou zeggen, probeer gewoon wat u het beste bevalt, vermaak u zonder scrupules, alleen één ding mag u niet vergeten: drink elke dag port! Een fles per dag houdt de koorts weg.'

☙☙☙☙☙☙

5

Naukaram

II Aum Siddhivinaayakaaya namaha I Sarvavighnopashantaye namaha I Aum Ganeshaya namaha II

'Ga door.'

'Mijn meester, kapitein Richard Francis Burton, werd spoedig na zijn aankomst per schip van Bombay overgeplaatst naar Baroda. En omdat ik me in de weken die hij in Bombay doorbracht al nuttig had gemaakt ...'

'Onmisbaar klinkt beter.'

'Onmisbaar. Omdat ik me onmisbaar had gemaakt, nam hij me mee. Het was de eerste keer dat ik terugging naar mijn geboortestad.'

'Waar je als een koning werd onthaald.'

'Niemand kende me. Ik dook op uit het niets. Ik was goed gekleed. Burton Saheb had me in Bombay geld voor nieuwe kurta's gegeven. Ik was populair. Ik was op zoek naar bedienden voor een officier van de Jan Kampani Bahadur ...'

'De eerbiedwaardige Oost-Indische Compagnie. Zie je hoe ik moet opletten? Als er zulke fouten in de brief sluipen, krijg je hoogstens een baan als latrineschoonmaker.'

'De familie liet me niet met rust toen ze me eenmaal terug hadden. Mijn ouders waren dood. Maar de anderen liepen allemaal met me te pronken. Vanaf de tweede dag deden ze hun best om een vrouw voor me te vinden. Ik probeerde er maar niet aan te denken hoe ze me indertijd hadden weggedaan, naar dat afschuwelijke Surat.'

48

'Wil je me tot tranen toe roeren?'

'Iedereen wilde een baantje in de wacht slepen. Om te beginnen natuurlijk mijn broers, ze waren snel van de verbazing bekomen dat ik bestond. Ik moet u zeggen dat mijn ouders hun hadden wijsgemaakt dat ik bij de geboorte was gestorven. Ze probeerden bij me in een goed blaadje te komen. Hoeveel jaren hebben we elkaar niet moeten missen, broer, zeiden ze. Die jaren moeten we inhalen. We mogen elkaar niet meer kwijtraken, nooit meer. Ze keken me in de ogen, bijna had ik ze geloofd, zo verleidelijk is het voor de mens om de klucht van je leven tot een sprookje om te toveren. We hebben respect voor je, we zijn blij met je als met een nagekomen geschenk. Zo liepen ze me voortdurend te vleien, mijn zes broers. Ik liet me alle aandacht welgevallen. Het was een schadeloosstelling, belachelijk klein natuurlijk, maar in elk geval iets. De moeite die ze deden om indruk op me te maken! Ik heb zorgvuldig gekeken, ik heb nuchter beoordeeld wie werkelijk iets kon en wie niet. Mijn mensenkennis is goed, van mijn mensenkennis kun je op aan, schrijft u dat op. Toen ik twaalf mensen had uitgekozen, heb ik ze stuk voor stuk duidelijk gemaakt dat ze mij moesten gehoorzamen. De Saheb natuurlijk ook, als hij zich rechtstreeks tot hen wendde. Anders mij. Alleen ik had invloed op de Saheb en als ze niet naar mij luisterden, kon ik er elk moment voor zorgen ...'

'Twaalf bedienden, twee meesters.'

'Burton Saheb heeft al die jaren nooit last gehad met zijn personeel! Dat is mijn verdienste.'

'Hoeveel hebben ze je betaald?'

'Wie?'

'Je familie die onder je stond?'

'Waar hebt u het over?'

'Uitgemolken heb je ze. Je was wel gek geweest als je ze zo'n lucratieve baan voor niets had gegeven.'

'Burton Saheb gaf me een vast bedrag voor alle onkosten. Daarvan betaalde ik hen. Ze waren tevreden. Iedereen was tevreden. Ik had het hele huishouden onder controle. Het was een mooie bungalow, helaas helemaal aan het eind van het cantonment, zodat je altijd lang moest lopen. Burton Saheb aardde snel. De andere officieren noemden hem een griffin, een groentje, maar dat duurde niet lang. Zo'n mens was mijn meester, overal waar hij heen ging, kende hij de omgeving binnen de kortste keren beter dan degenen die er al een leven lang woonden. Hij paste zich gemakkelijk aan, ongelooflijk hoe snel hij leerde. Als ik die vaardigheid had bezeten, was het niet half zo slecht met me afgelopen.'

'Je bent in ongenade gevallen?'

'Ik ben naar huis gestuurd, zonder aanbevelingsbrief, zonder referenties. Na zo veel jaar! Een klein bedrag ineens en de kleren die ik aanhad, dat was alles. Het was niet alleen mijn fout. Van mij werd meer verwacht dan van de anderen. Dat was altijd al zo.'

'Ja ja.'

'Je kunt je oordeel toch niet van de laatste periode laten afhangen? Zo belangrijk kan de laatste periode toch niet zijn?'

'Luister, ik zal je zwakke kanten, de niet zo prettige kanten van je verhaal niet vermelden, maar ik moet ze wel kennen. Hoe meer ik weet hoe beter, snap je? Ga door.'

'Hij was zo veel bedienden niet gewend. Dat verbaasde me toen nog. Tot ik jaren later ontdekte hoe bescheiden hij thuis had geleefd, hoe eenvoudig. Met niet meer dan één bediende en een kok. Daar kwam ik pas achter toen ik met hem naar Engeland en Frankrijk reisde …'

'Ben je in het land van de *Firangi's* geweest?'

'Van daaruit ben ik naar huis gestuurd.'

'Dat heb je niet verteld.'

'Hij heeft me mee naar zijn land genomen. Zo belangrijk was ik voor hem.'

'Waarom heb je dat niet eerder gezegd? Je bent een man met ervaring in het land van de Firangi's. Dat verhoogt je waarde.'

'Nu weet u het.'

'Ik ken geen bediende die in Engeland is geweest.'

'Ik was niet zomaar een bediende.'

'Een vriend?'

'Nee, geen vriend, je kunt geen vrienden met ze zijn.'

'Vertrouweling misschien? Dat klinkt goed. Naukaram, vertrouweling van kapitein Burton! Ga door.'

'Kapitein Richard Francis Burton, het is misschien beter zijn naam voluit te schrijven.'

'Uiteraard. Nog beter zou het zijn als je niets voor me verzweeg. Hoe meer ik moet herschrijven, des te langer het duurt.'

'Het moet goed worden, zo goed als maar kan. Ik moet weer een betrekking vinden bij een Angrez. Daarvoor ben ik in de wieg gelegd. Van mijn fouten heb ik geleerd. Toen hij de eerste keer geschoren werd, leidde dat bijna tot doodslag. Hij sliep nog, ik bedoel, hij lag te soezen en ik liet zijn baard inzepen. De *hajaum* had het mes al in zijn hand en wilde net gaan scheren toen Burton Saheb zijn ogen opende. Ik weet niet wat hij meende te zien, hij rolde over het bed, met zijn gezicht vol schuim. De scheerbenodigdheden van de hajaum vielen op de grond terwijl Burton Saheb zich van het bed liet vallen. Hij greep zijn pistool en had vast geschoten als ik niet had geschreeuwd: Het is in orde, Saheb, niets aan de hand, het is in orde. De man wou u alleen maar scheren! Hij zwaaide met het pistool in mijn richting en dreigde dat hij me zou neerschieten als ik hem nog eens op zo'n manier overrompelde.'

'En dat nam je serieus, dat dreigement?'

'Hij was ertoe in staat, denk ik, als hij door boze geesten werd overweldigd.'

'Dan ben je vanwege je moed een man van grote verdienste. Je hebt een barbier het leven gered.'

◯◉◯◉◯◉◯◉◯

6
Het wegnemen van hindernissen

Met minder dan twaalf bedienden kan ik het huishouden niet bestieren, had Naukaram hem verzekerd. Burton had hem vervolgens toestemming gegeven om twaalf bedienden uit te zoeken en voor te geleiden. Wie weet hoe en waar hij ze had opgescharreld. Het interesseerde hem niet. Hij had besloten Naukaram tot nader order zijn gang te laten gaan. Hij accepteerde ze, de twaalf onbekende, donkere gestaltes die de kamer in gleden, zonder iets te zeggen hun werk verrichtten en voor het overige roerloos stilstonden, met nauwelijks zichtbare onderdanigheid, de handpalmen over elkaar geslagen, hun blik op Burton gericht. Soms vergat hij hen en schrok hij als ze geluid maakten. Hij deelde de dagen in de bungalow met hen; dagen die heter en stroperiger werden terwijl hij aan zijn bureau zat, achter jaloezieën die het felle licht van buiten temperden. Zo was de situatie draaglijk en kon hij min of meer comfortabel lezen en schrijven. Wat moest hij anders? Hij bracht een willekeurig gerekruteerd en miserabel gemotiveerd leger de eerste uren na de ochtendschemering het abc van het exerceren bij, en er zou behoorlijk wat zelfbedrog voor nodig zijn om de opleiding van deze keizerlijke hielenlikkers als een belangrijke taak te kunnen beschouwen. De veiligheidssituatie in de omgeving van deze buitenpost gaf geen aanleiding tot bezorgdheid, de inlanders hielden zich gedeisd, de laatste verliezen dateerden alweer van een paar jaar terug, toen bij een parade in het paleis van de maharadja een olifant de kolder in de kop had gekregen en een paar sepoys had vertrapt. Verder was het zo stil dat hij de polsslag van de bekrompenheid meende te horen. Hij gruwde van de kleffe stompzinnigheid van een leven dat gewijd was aan biljart en bridge, hij weigerde zijn diensttijd daadloos uit te zitten, weggezakt in kussens die even diep als muf waren, de blik strak op zijn nagels gericht waaronder zich zand en stof verzamelden. Er bestond maar één middel om zijn leven niet te verkwisten: talen leren. Talen waren wapens. Daarmee zou hij zich uit de boeien van de verveling kunnen bevrijden, zijn carrière de sporen kunnen geven en interessantere taken tegemoet kunnen zien. Op de boot had hij genoeg Hindoestani opgestoken om zich grofweg te oriënteren, om geen modderfiguur te slaan tegenover de inlanders, en dat was meer – zoals hij tot zijn verbazing had vastgesteld – dan zelfs die officieren vermochten wier leven al geruime tijd door Al Hind werd getekend. Een van hen sprak uitsluitend in de gebiedende wijs; een ander gebruikte steeds de vrouwelijke vervoeging – iedereen wist dat hij zijn inheemse geliefde nabauwde. Een Schot slaagde er maar niet in zijn tongval aan te passen, zodat zijn landgenoten hem slechts met moeite verstonden en de inlanders helemaal niet. Probeerde hij het in het Hindoestani, dan antwoordden ze beleefd en spijtig dat ze helaas geen Engels verstonden, als de Saheb een ogenblikje geduld had, zouden ze iemand halen om te tolken.

Na zijn dagelijkse werkzaamheden voor het leger nam Burton achter zijn bureau plaats en verdiepte zich tot laat op de avond in de grammaticaboeken die hij in Bombay had aangeschaft. Hij werd zelden gestoord. Al snel was bekend geworden dat die griffin een zonderling was. Het stilzitten kostte hem moeite. Nog geen half jaar geleden was hij vanuit Greenwich vertrokken met de verwachting zijn bekrompen leventje thuis te verruilen voor het rijk van de fameuze heldendaden en de vlotte carrières, en daar eer en roem te vergaren. Mannen van zijn leeftijd voerden het bevel over drieduizend Sikhs en veroverden voor Hare Majesteit stukken land die groter waren dan Ierland.

Zweetdruppels liepen langs zijn onderarmen en zijn rug, vliegen gonsden om hem heen, Afghanistan lag ergens anders en de rust was er al hersteld, en voor hem zat er niets anders op dan woordjes te leren door ze hardop uit te spreken en honderd keer te herhalen. Zodra hij zweeg, hoorde hij het zoemen van die ellendige muggen waar hij maar niet van afkwam, hoe vaak hij ook door de lucht sloeg en daarbij het woord brulde dat hij zich op dat moment eigen maakte. Er bestond maar één strategie om deze plaag te overwinnen. Hij moest roerloos op zijn stoel blijven zitten, de ogen op het opengeslagen boek voor hem gericht, op het volgende Engelse woord, dat zoals zo vaak twee equivalenten kreeg toebedeeld – ze spreken met twee monden, de inlanders, en dat zie je al aan hun taal, had de officier die alles vrouwelijk vervoegde ten beste gegeven. Hij was een sluw slachtoffer, oren gespitst op de naderende mug, *pratiksha karna*, het ene equivalent, langzaam herhalen, bij elke lettergreep een slokje water, de mug was nu vlakbij, *intezar karna*, het tweede equivalent, dat hij ook herhaalde, een paar keer, hij voelde de mug op zijn arm landen, voelde hem steken. Toen sloeg hij toe.

'Naukaram!'

'Ja, Saheb.'

'Met grammaticaboeken alleen kom ik niet verder. Ik heb een leraar nodig, kun jij een fatsoenlijke leraar voor me opscharrelen?'

'Ik kan het proberen.'

'In de stad?'

'Ja, in de stad.'

'Nog iets, Naukaram.'

'Ja, Saheb!'

'Ik verbied je van nu af aan in mijn aanwezigheid nog een woord Engels te spreken. Spreek Hindoestani! Of Gujarati of iets anders, het kan me niet schelen wat, als het maar geen Engels is.'

'En als we bezoek hebben?'

'Als het niet anders kan. Alleen het hoogstnodige.'

◈◈◈◈◈◈◈

7

Naukaram

II Aum Vighnahartaaya namaha I Sarvavighnopashantaye namaha I Aum Ganeshaya namaha II

'Ga door.'

'Waar waren we gisteren gebleven?'

'Luister, ik heb, omdat ik mijn taak serieus neem, de hele tekst
gisteravond nog eens nagelezen op fouten en onduidelijkheden.
Je kunt niet alles aan mij overlaten. Onthoud voortaan zelf wat je
me al hebt verteld en wat je me nog wilt vertellen.'

'U bent een tiran, erger dan Shivaji. U kunt tegen mij niet zo'n
toon aanslaan. Ik maak gebruik van uw diensten, weet u nog? Ik
ben uw bediende niet.'

'We mogen geen tijd verspillen. Overigens heb ik me bij het
overlezen van je verhaal afgevraagd hoe je meester eruitzag. Dat
moet ik wel weten.'

'Waarom? De Angrezi aan wie de brief is gericht weten hoe hij
eruitzag, ze moeten zich hem herinneren, niemand zou hem
kunnen vergeten.'

'Van dit soort dingen heb je geen verstand. Hoe moet ik een
geschikte taal vinden als ik me geen voorstelling kan maken van
die Burton Saheb?'

'Hij was lang, bijna even lang als ik. Forser, als een zwarte
buffel die de hele dag op een akker kan ploeteren. Zo was hij
precies: onvermoeibaar. Hij had heel donkere ogen, dat viel
meteen op. Ongebruikelijker was dat ze zo naakt overkwamen.
Ik moet u zeggen dat ik nooit zulke naakte ogen heb gezien als die
van Burton Saheb. Hij kon iemand vangen met zijn blik. Ik heb
wel meegemaakt dat mensen in zijn ban leken, alsof zijn ogen
konden toveren. Als hij kwaad werd, keek hij me aan alsof hij me
niet kende, alsof er elk moment kwaadaardige *yaksha's* uit hem
konden springen. Op zo'n moment was je bang van hem. Hij

werd vaak kwaad, plotseling, om de een of andere reden die ons futiel leek, volkomen futiel.'

'Dat heb je me gisteren al verteld! Sloeg hij je?'

'Nee! Slaan? Hoe komt u erbij! Hij zou mij toch nooit slaan. Ik heb de indruk dat u niet hebt begrepen welke positie ik in het huishouden innam, wat mijn rol was. Dat hebt u totaal niet begrepen!'

'Vertel me dan wat meer over je taken.'

'Ik heb overal voor gezorgd, alles voor hem gedaan.'

'Alles?'

'Alles wat hij me vroeg. Alles wat voor de hand lag, en soms ook wat hij heimelijk wenste.'

'Voorbeelden! Geef me voorbeelden!'

'In het begin de inrichting van het huis, de kapotte ramen, ik heb er nieuw glas in laten zetten en er jaloezieën voor laten hangen. Voor de vitrage heb ik fijne *kobbradul* gevonden tegen een schappelijke prijs, want het was niet mijn gewoonte het geld van mijn meester over de balk te gooien. Ze waren zo mooi, die gordijnen, dat de vrouw van de brigadier me liet vragen waar ik de stof had gekocht.'

'Dat zal ik noteren: een vakman voor kobbradul.'

'Ik heb de boodschappen gedaan, ik heb voor de ganja gezorgd, hij rookte graag 's avonds als hij zijn port dronk …'

'Port?'

'Ja, portwijn. U weet toch wel wat dat is?'

'Natuurlijk, ik wist alleen niet zeker of ik het goed had verstaan.'

'U brengt me in de war als u me in de rede valt, dan raak ik de draad kwijt, nergens voor nodig dat u dat doet. Portwijn, ach ja, en voor boeken heb ik gezorgd, hij wilde alles lezen, en kruiden en henna en de apen, die rampzalige apen, die heb ik ook voor hem opgescharreld. Dat was me een karwei …'

'Apen?'

'En de leraar die zo belangrijk voor hem werd, die heb ik gevonden.'

'Apen en een leraar? Wacht even.'

'En Kundalini, zelfs Kundalini heb ik ...'

'Wacht, wacht, wacht! Wie is Kundalini? Waar heb je het over?'

'U hebt me om voorbeelden gevraagd.'

'Leg uit.'

'Ik kan me niet voorstellen dat u dit moet weten.'

'Wie van ons tweeën is de deskundige?'

'Het idee met die brief, het is zinloos, de warmte is me naar het hoofd gestegen.'

'Welnee, Naukarambhai, welnee. U vergist zich! Het is juist heel zinvol, het is noodzakelijk! Dit idee is het beste idee dat u in tijden hebt gehad. U hebt mij gevonden, dat is goed, en nu hebben wij een lange weg voor ons, we moeten geduldig zijn, ik leid u naar het doel, vertrouwt u mij. Vertel iets anders, iets waar u trots op bent.'

'Het was niet zo gemakkelijk een geschikte leraar te vinden. Burton Saheb liet het aan mij over, nadat hij het eerst zelf had geprobeerd. Hij had bij zijn mensen naar een *munshi* gevraagd. Ze konden hem niet helpen. Ze kenden alleen eenvoudige mun-shi's, die mooi kunnen schrijven en een paar heilige teksten ken-nen.'

'Natuurlijk. Wie wil er nou werkelijk iets leren.'

'Burton Saheb wilde les van een echte geleerde. Ik heb geen zin om tegenover iemand te zitten die op één van de drie vragen geen antwoord weet, zei hij. Eerst informeerde ik in de bibliotheek van de maharadja. Daar maakten ze me attent op een brahmaan die in heel Gujarat beroemd zou zijn om zijn geleerdheid en die geen moeite zou hebben met de taal van de Angrezi. Ik bezocht hem in zijn huis, hij woonde niet ver van de bibliotheek in een hoekhuis met aan weerskanten een klein balkon, een mooi huis. Maar erg klein, amper breder dan een koe. Aan de kant van de kop zat de deur, ze stond open omdat beneden naast de trap een barbier zijn nering had. Een smalle, lange ruimte, hij had net genoeg plaats om achter zijn klant te staan. Ik moest een lachje onderdrukken toen ik de leraar zag. Hij had zijn haar al tientallen jaren niet meer laten knippen. Noch zijn hoofdhaar noch zijn baard. Hij liet me wachten, ofschoon ik had laten aankondigen waarover ik hem wilde spreken. Dat irriteerde me, de verwaandheid van die kerel. De leraar was heel slordig, overal slingerden boeken rond. Door de open deur kon ik in de tweede kamer kijken. Stapels boeken, opengeslagen boeken, de vloer was amper te zien. Zijn vrouw was aardig. Ze bood me *chai* aan en serveerde versgebakken *puran-poli's*. Ik heb wraak genomen op die arrogante leraar: ik heb ze allemaal opgegeten.'

'Hoeveel?'

'Hoezo hoeveel? Puranpoli's? Wat kan het u of iemand anders schelen hoeveel puranpoli's ik acht jaar geleden gegeten heb?'

'Dat was acht jaar geleden?'

'Hoeveel puranpoli's hebt u dan gegeten? Vorig jaar? Wat wilt u eigenlijk?'

'Rustig maar. Ik wil alleen dat u zich een beetje ontspant.'

'Ik ben ontspannen. Ik vertel, maar u brengt me telkens weer van de wijs.'

'Mijn vraag was niet zo onzinnig als u denkt. Ik ben iets belangrijks aan de weet gekomen, iets wat ik vanaf het begin had moeten weten. U had het over acht jaar. Wil dat zeggen dat u acht jaar bij deze Saheb in dienst bent geweest?'

'Bijna. Ik moest vanuit Anglestan terugreizen, dat duurt maanden, daar hebt u geen idee van, u dacht toch niet dat ik terug was komen vliegen, op de vleugels van de garuda?'

'Acht jaar, voortreffelijk. Die informatie, dat getal zal ik in het begin van mijn brief verwerken, het klinkt indrukwekkend: Naukaram, acht jaar lang trouwe bediende en naaste vertrouweling van de beroemde officier van de eerbiedwaardige Oost-Indische Compagnie, Burton Saheb.'

'Beroemde officier? Waarom beroemd? Hij is beladen met smaad en schande naar huis gestuurd, net als ik later. Hij heeft bij zijn eigen mensen de reputatie van een onaanraakbare.'

'Die indruk had ik tot nu toe absoluut niet.'

'Schrijft u op wat ik u zeg, precies wat ik u zeg? Of voegt u eraan toe wat in uw hoofd opkomt?'

'Ik heb daarnet gewoon iets gezegd, voor de vuist weg, rustig maar, die zin was niet meer dan een voorbeeld, u bent te zenuwachtig, u ademt niet goed.'

'Nee, we gaan het nu niet over mijn ademhaling hebben. We gaan door. De halve middag is al voorbij, ik heb geen tijd, we moeten opschieten. Ik werd bij de leraar binnengelaten. Eindelijk. Ik moest uitkijken dat ik niet op een boek trapte. Het was een klein mannetje, maar hij groeide zodra hij begon te praten. Hij hoorde me uit, alsof ik hem om een gunst vroeg. Alles wilde hij over mijn meester weten. Ik had de neiging tegen hem te zeggen dat hij het recht niet had dergelijke vragen te stellen. Iets weerhield me. Het was een oude, eerbiedwaardige man. Het loon leek hem niet te interesseren; ik heb hem twintig roepie per maand geboden. Er kwam geen reactie, ik wist niet of hij me had verstaan. Ik had verwacht dat hij zich blij zou tonen met de opdracht. Maar nee, zo trots en verwaand als die lui zijn, ongelooflijk. Hij ging er niet meteen mee akkoord Burton Saheb les te geven. Hij stemde alleen toe in een ontmoeting. Ik was al bang dat hij erop zou staan dat Burton Saheb hem bezocht. Dat soort mensen vergeet soms wie ze zijn, ze denken dat de geest de macht heeft. Hij dacht even na en realiseerde zich toen weer hoe de wereld in elkaar zit. We spraken af dat hij twee dagen later zou langskomen.'

8

Een oceaan van kennis

Burton kon zijn ogen niet geloven. Voor hem stond een klein mannetje, wijdbeens, stralend gezicht, de baard lang en wit, de wenkbrauwen grijzig, het haar op het achterhoofd in een staart bijeengebonden – het was de rare snuiter die hen kort voor ze in Bombay aan land gingen bij de reling zo kordaat had toegesproken. Een dwerg bijna, wiens voorhoofd zijn leeftijd gladstreek. In zijn ogen loerde schalkse wijsheid. Respecteer alles, leken ze te adviseren, en neem niets al te serieus. Een kobold als hofnar. Hij had goed gepast als beeld in het reliëf van een hindoetempel. Als het regende, zou het water langs zijn ronde buikje spetteren. Hoe vergaat het u in het land van de vijand? Het kereltje had ook hem meteen herkend. Hoe vaak vervloekt u de commandant die u naar Baroda heeft gestuurd? Dat is de reden waarom wij elkaar vandaag ontmoeten, antwoordde Burton, ik wil ontsnappen aan het ennui door te leren. Ennui? U houdt van ongewone woorden? Dan moet u Sanskriet leren. De wereld is geschapen uit de lettergrepen van die taal. Alles stamt van het Sanskriet af, neem het woord 'olifant', in het Sanskriet *pilu*, waar zit de gelijkenis dan, zult u vragen, volgt u mij naar Iran, daar werd het *pil*, omdat de Perzen korte eindklinkers negeren; in het Arabisch veranderde *pil* in *fil*, want het Arabisch kent geen *p*, zoals u ongetwijfeld weet, en de Grieken, die hingen graag -*as* aan alle Arabische begrippen, als je dan een paar medeklinkers verzet, krijg je *elephas* en van daaruit hoef je nog maar een paar etymologische sprongetjes te maken en je komt uit bij de olifant zoals u hem kent. Wij zullen ons vermaken, ik zie het al. Wat betekent ennui trouwens? Hij liet geen stilte vallen, de oude man, het laatste woord van Burtons uitleg was nog niet weggestorven of hij ratelde alweer door. Upanishe is mijn naam, u hebt hem al gehoord, schrijft u hem nu maar eens op, Upa-nishe, in het Devanagari-schrift, zodat ik kan zien hoe het met uw kennis is gesteld.

Wat een zelfbewustzijn, Burton ergerde zich terwijl hij langzaam letters opschreef die zich kronkelden als de wervels van uitgestorven vissen. Deze man was de eerste inlander die zich tegenover hem niet kruiperig opstelde. Integendeel, het gedrag van de leraar, die de eenzame afdruk van zijn weten op het blad kritisch bekeek, kwam bijna bazig over, zoals hij met zijn tong klakte. Drie keer. Zonder te laten merken of hij loofde of laakte. Hij pakte Burtons pen – moest hij niet eerst om toestemming vragen? – en schreef een regel op het blad. Kunt u dit ontcijferen? Burton ontkende. Het Gujarati niet machtig, stelde Upanishe vast, alsof hij bouwstenen voor een diagnose aandroeg. Wat wilt u leren? Het werd tijd om enig terrein terug te veroveren. Alles, zei Burton. In dit leven? Dit jaar! Eerst een paar talen, Hindoestani, Gujarati, Marathi, ik wil me inschrijven voor het examen in Bombay, dat is nuttig voor je carrière. Haast, zei Upanishe minachtend, die moeten we overwinnen. Dat is het eerste wat we moeten begrijpen. We moeten het eens worden, zei Burton, over lestijden en betaling.

Ik zal een week lang uw honger toetsen, besliste Upanishe, elke middag tot het voor u tijd is voor het avondeten. Na die week kijken we verder. Wat geld betreft, dat kan ik niet van u aannemen. Omdat ik een *mleccha* ben? Upanishe barstte in lachen uit. U hebt het zich al gemakkelijk gemaakt op een paar gemeenplaatsen, zie ik. Ik ben vaak in het gezelschap van Angrezi geweest, voor mij bent u noch een melaatse noch een onaanraakbare, maakt u zich geen zorgen. Nee, het is een oude traditie, wij brahmanen verkopen onze kennis niet op de markt. Maar – onderschat nooit de vindingrijkheid van de brahmaan – we accepteren geschenken. Op Guru Purnima, de dag waarop iedereen zijn meester eert, krijgen wij zoetigheid, sesamballetjes waarin een bescheiden munt of een kostbaar juweel verstopt zit. We maken de balletjes open als we alleen zijn, met onze vingers, als een rijpe guave. U snapt de voordelen van dit gebruik. De leerlingen voelen zich tot niets verplicht, ze hoeven zich niet te schamen als ze gebrek lijden en weinig kunnen missen. En wij goeroes geven een paar van die *laddu's* door aan onze eigen meesters of onze vaders, voorzover die nog leven. Zo wordt de beslissing wie welk geschenk ontvangt overgelaten aan een hogere macht. U zou zeggen: het toeval. Upanishe praatte als een overdreven articulerende toneelspeler bij wie de afstand tussen heffingen en dalingen te groot is. Bovendien zette hij zijn woorden kracht bij met energieke, gedecideerde gebaren. Je kon je niet voorstellen dat hij zich ooit van zijn stuk zou laten brengen. Het anonieme geschenk, viel Burton hem in de rede, een heel interessant idee. U hebt het begrepen, mooi, bij ons worden geschenken niet bekeken zodra we ze gekregen hebben, we vermijden pijnlijke situaties, geschenken dienen niet onder ieders ogen naar de gunst van de ontvanger te dingen. Mag ik nu afscheid van u nemen? Amper had Upanishe die retorische vraag gesteld of hij kwam al overeind. Burton liep met hem mee naar de deur. Ik verheug me op de lessen, Upanishe Saheb. Nu we het met elkaar eens zijn geworden, kunt u mij Goeroe*ji* noemen. Wat ik overigens nog niet heb verteld is dat de *shishya* zich onvoorwaardelijk moet onderwerpen aan het gezag van de goeroe. De goeroe heeft recht op *shushrusha* en *shraddha*: gehoorzaamheid en blind geloof. Vroeger gingen leerlingen met een blok hout naar hun leermeester als symbool van hun bereidheid om te branden in het vuur van zijn kennis. Eigen wegen kunnen ze bewandelen als ze de weg die hun meester uitstippelt tot het eind toe hebben afgelegd.

Een amanuensis stond in de schaduw van het afdak op hem te wachten, een jongen die een bundel droeg met het schrijfgerei van de meester, naar Burton vermoedde, en die zich haastte een parasol voor hem op te houden. U krijgt nu uw eerste les in het Gujarati, zei Upanishe. Wij nemen in het dagelijks leven afscheid met een *ao-jo*, wat zoveel betekent als: kom-ga. Ik ga, opdat ik weer kan komen. Begrijpt u? Goed, mister Burton, tot morgen, ao-jo.

Ao-jo, Goeroeji, zei Burton, en diep in de ogen van zijn leermeester ontwaarde hij de kiem van een mogelijke vriendschap.

෮෧෮෧෮෧෮෧෮෧

9

Naukaram

II Vidyaavaaridhaye namaha I Sarvavighnopashantaye namaha I Aum Ganeshaya namaha II

'Eén ding begrijp ik niet. Je meester was officier, maar ik krijg de indruk dat hij de tijd aan zichzelf had en kon doen wat hij wilde.'

'Hij moest met zijn paard een paar keer naar Mhow. Dat was zijn enige taak, naast de exercities met de sepoys natuurlijk. Iedere ochtend behalve op zondag, dan kwamen de Firangi's bij elkaar om te bidden. Maar Burton Saheb deed daar niet aan mee, hij had weinig op met het geloof van zijn landgenoten. Dat verbaasde me. Hij was meer geïnteresseerd in de *aarti*, het vrijdaggebed, de *shivaratri* en de *urs*. Heel vreemd. Later, toen ik hem vragen mocht stellen die een bediende zijn meester gewoonlijk niet stelt, heb ik hem gevraagd hoe het kwam dat hij zich meer aangetrokken voelde tot het vreemde dan tot het eigen gebed. Hij zei tegen me dat de eigen gebruiken voor hem niet meer waren dan bijgeloof, hocus-pocus ...'

'Wat zeg je ...?'

'Loze kreten, yantru-mantru-jalajala-tantru. Magie ...'

'*Maya.*'

'Voor mijn part, ja. Vreemde tradities vond hij daarentegen fascinerend, omdat hij ze nog niet doorgrondde.'

'Duurde het zo lang voor hij ons bijgeloof doorzag? Je had hem bij mij moeten brengen. Mantra's zijn stenen die onze brahmanen uit hun mond trekken en wij verstijven van eerbied,

63

alsof ze ons iets waardevols aanreiken. Is je niet opgevallen dat magiërs vaak met fakkels zwaaien als ze hun kunstjes vertonen? Dat is om ons af te leiden, net als priesters bij de aarti doen. Hetzelfde foefje. Dezelfde illusie.'

'Ik ben niet zo'n groot man als u, ik kan me daar niet vrolijk over maken.'

'Ik meen het serieus.'

'Oim aim klim hrim slim.'

'Wil je me beledigen!'

'Nee, niet voor de prijs die u vraagt. Ik kan me geen belediging veroorloven. Ik wil doorgaan met mijn verhaal, we moeten niet over onszelf praten.'

'Jij dient vooral niet te vergeten aan wie je respect verschuldigd bent.'

'Zijn regiment had maar één taak. Zolang we in Baroda waren, hoefde het maar één keer per jaar in actie te komen. Ter beveiliging, of nee, eerder ter ere van de maharadja tijdens *Ganesh Chaturthi*. De driehonderd sepoys en de officieren marcheerden dan naar het paleis, in vol ornaat, met de muzikanten die deel uitmaakten van het regiment. Ze begeleidden de processie tot de Vishvamitrarivier. Ze speelden zo hard ze konden om boven het geluid van de klokken, bekkens en spreekhoorns uit te komen. En als de maharadja over de brug schreed, salueerden ze met schoten. De schoten vormden het luidruchtigste eerbewijs van de feestdag en iedereen was uiterst tevreden.'

'Goed, zo is het genoeg, ik ben daar ook geweest, ik weet hoe de Firangi's hun macht demonstreren. Hij had dus tijd, hij was nieuwsgierig en jij hebt een leraar voor hem opgescharreld. Een geschikte leraar zo te horen, een leraar van grote geleerdheid.'

'De beste leraar in Baroda. Onder zijn leiding leerde Burton Saheb onze talen snel. Een jaar later reisde hij naar Bombay, waar hij uitblonk bij de examens Hindoestani en Gujarati. Daarna verdiende hij ook wat meer.'

'Heeft hij dat jou verteld? Van dat geld. Hij moet je werkelijk vertrouwd hebben.'

'Los daarvan veranderde er niet veel. Hij tolkte soms bij de rechtbank. Zoals ik hem ken, vraag ik me af hoe nauwkeurig hij alles vertaalde. Het grootste deel van de dag zat hij thuis, als vanouds. Hij had niets te doen behalve leren. Hij was ijverig, hij ploeterde als een os in een oliemolen. Het jaar daarop gebeurde hetzelfde: hij deed weer examen in Bombay, dit keer in het Marathi en het Sanskriet. Weer slaagde hij met lof en weer keerde hij terug naar Baroda om achter zijn bureau te zitten en door mij met zorgen te worden omringd. Straks heeft hij alle talen gehad, dacht ik, wat moet hij dan? Hij was nog jong. Maar toen, het derde jaar, moesten we weg uit Baroda. Onverwachts. Dat was voor mij een harde slag. Waarschijnlijk hadden zijn bazen gemerkt hoe weinig hij te doen had. Burton Saheb werd overgeplaatst, erger kon het niet. Naar Sindh, in de woestijn, aan het andere eind van de Tharwoestijn.'

'Wacht, wacht, wacht. We weten te weinig over de tijd in Baroda. Je slaat te veel over. Het is van belang te weten hoe die leraar, hoe heet hij ook weer ... Upanishe ... hoe hij Burton Saheb lesgaf.'

'Wat heeft die leraar met mijn werk te maken? Waarom moeten we ons daarmee bezighouden?'

'Tenslotte heb jij hem gevonden, het is voor een groot deel jouw verdienste dat die Angrez zo veel heeft geleerd.'

'Die leraar, Upanishe Saheb, was, zoals ik al zei, geen gewone munshi. Hij beweerde dat Burton Saheb niet als een Gujarati kon leren praten wanneer hij niet als een Gujarati at. Vervolgens raadde hij hem aan geen vlees meer te eten, maar vooral groenten, noten en fruit, en vaker een kleinere portie in plaats van een paar zware maaltijden. De Firangi's verbeeldden zich dat ze een olifantenmaag hadden, zei hij. Burton Saheb nam die vreemde regels over, hij veranderde zijn eetgewoonten en verzocht mij de kok passende instructies te geven, en de kok was daar helemaal niet blij mee, hij was juist zo trots dat hij een paar gerechten van de Firangi's had leren klaarmaken.'

'Zoiets heb ik nog nooit gehoord, dat een Angrez zo hard werkt. Weet je nog hoe ze vroeger werden genoemd? Zij die niet hoeven te werken.'

಄ೲ಄ೲ಄ೲ಄ೲ

10

Ongenaakbaar

Eindelijk een opdracht die wat afwisseling bracht in het leven van alledag, dat al na een week een sleur was geworden. Hij moest een vertegenwoordiger van de Oost-Indische Compagnie escorteren, hem veilig naar Mhow brengen, waar het andere deel van zijn regiment was gelegerd. Geen taak die veel van hem vergde, maar hij zou in elk geval voordat het koelere jaargetijde voorbij was nog even de stad uit kunnen. Voor ze vertrokken sprak de man een gebed uit, een van die gebeden die de indruk wekken dat God zich persoonlijk had belast met de voogdij over deze bescherme-ling. Hij repte met geen woord over zijn werk – misschien had hij als licentiehoudend koopman die opium uit Malwa naar China verscheepte de riem van zijn geweten wat losser moeten maken. Ze namen de weg naar het oosten in de richting van de Narma-darivier. Links van hen sjokte een kudde geiten. Ze kwamen door Kelenpur, een dorp. Daarna bereikten ze de Jambuwa, een rivier zonder water. Waarom zijn rivieren altijd vrouwelijk? Godinnen, om precies te zijn. Burtons poging om een gesprek op gang te brengen werd met een afkeurende blik beantwoord. Een stukje van de weg af zat een ontworteld groepje mannen, vrouwen en kinderen op een kampvuur te koken. Ze kwamen langs Dhaboi, een oud fort waarvan de bouwmeester levend was ingemetseld in de vestingmuren. Gegrom was de enige reactie op die informatie. Deze man was een huis met dichtgespijkerde ramen en deuren. Burton gaf het zoeken naar een geschikt gespreksonderwerp op.

In de verte tekende de Vindhyachalketen zich af. Ze staken de Narmada over bij Garudeshwar. De heiligste rivier van allemaal, merkte Burton op. Hij was niet van plan het zwijgen van de ander voor lief te nemen. Wist u eigenlijk dat je bij de Jamunarivier zeven dagen nodig hebt om je van je zonden te reinigen, bij de Saraswati drie dagen en bij de Ganges één dag, maar dat je de Narmada alleen maar hoeft te zien of je bent van alle schuld bevrijd? Een geraffineerde mythe, vindt u niet? Smerig water, zei de opiumhandelaar. Met reinigende eigenschappen, antwoordde Burton. De opiumhandelaar gaf zijn paard de sporen. Burton had hem al snel ingehaald. Ik ben bang, zei hij, dat u de weg niet weet. En met onze gids zal het moeilijk praten zijn. Hij spreekt gebrekkig Hindoestani en maar één woord Engels: shortcut. Onbeschoft, mompelde de opiumhandelaar. Nog een fascinerend detail over de Ganges. Omdat die rivier zo veel mensen reinigt, wordt ze zelf onrein. Eens per jaar neemt ze de gedaante aan van een zwarte koe en loopt naar de Narmada om een bad te nemen, op een plek niet ver van hier. Het dorp heet ... Beheers je, man. De opiumhandelaar verhief voor het eerst zijn stem. U hebt gelijk, ik verlies me in details. Veel belangrijker: als de koe oprijst uit het water is ze wit, helemaal wit. Denkt u daar maar eens over na. Waarna Burton zijn paard naar voren dreef.

De volgende dag reden ze, nadat ze de bergen in waren geklommen, een paar uur lang in een sukkeldrafje tussen de papavervelden door, die zich aan weerskanten van de weg uitstrekten. Vanuit deze hoogvlakte ontwrichtte de eerbiedwaardige Compagnie het Rijk van het Midden. Een mooie manier om de handelsbalans in evenwicht te brengen, had een commentator van de *Times* vorig jaar geschreven, toen de conflicten in China waren bijgelegd. Slechts één keer had de opiumhandelaar het woord tot hem gericht. Ze draafden op een kar af toen hij vroeg: Wat zou daar nou in zitten? Op een toon alsof hij meer wist, veel meer dan je op het eerste gezicht zou zeggen. Hooi, neem ik aan, antwoordde Burton. Zo schijnt het, maar schijn kan bedriegen, hè? Het was duidelijk dat de opiumhandelaar over de kennis van de ingewijde beschikte. Pas is er een kerel opgepakt met een kar vol smokkelwaar, verstopt onder het hooi. Smokkelwaar, vroeg Burton schijnheilig, wat voor smokkelwaar? Prima kwaliteit, een klein vermogen dat we toen in beslag hebben genomen. Meer had de handelaar niet te zeggen, op enig onverstaanbaar gemompel na bij het afscheid in Mhow. Burton overhandigde de commandant-majoor een boodschap van de brigadier in Baroda en simuleerde een flauwte om te ontkomen aan het gezamenlijke middagmaal, dat ongetwijfeld de rest van de dag zou opslorpen. In plaats daarvan sloop hij naar buiten om het stadje te verkennen.

De zon stond op meedogenloze hoogte. Een paar mannen maakten gebruik van de schaduw onder hun kar. De koeien liepen te smikkelen. Meer gebeurde er niet op het uur van het zenit. Komt u mee! Een jongen klampte hem aan. Komt u mee! U moet de rechter leren kennen. Niemand mag deze plaats verlaten zonder kennis te hebben gemaakt met rechter Ironside. Aan zijn arm werd Burton door de leemachtige steegjes gevoerd. De jongen trok telkens weer aan zijn mouw en pronkte met de namen van hooggeplaatste personen die hij allemaal bij de rechter zou hebben gebracht. Hij somde hun titels al voor de derde keer op toen ze het gerechtsgebouw bereikten. Er lag een tuin omheen, waarmee het recht zich beschermde tegen het vuil van de straat. De *chaukidar* bij de ingang schramde zich aan zijn eigen, vlekkerige riem, maar salueerde toen maar met links en gaf geen kik; het enige wat uit hem kwam, was een straaltje spuug dat langs zijn snor droop.

'Misschien heeft meneer de rechter vandaag geen dienst?'

'De rechter is er altijd. Waar zou hij anders moeten zijn?'

Ze volgden een kiezelweg, ooit sierlijk afgezet met struiken, die nu totaal verwilderd waren. Het grasveld voor de zuilenhal was bezaaid met hurkende inlanders. Tussen de zuilen krasten schrijvers gefluisterde verzoekschriften op papier en voorzagen ze met keurende blikken van een stempel. De jongen betrad het gebouw zelfbewust, zonder om toestemming te vragen; er was ook niemand te zien aan wie hij iets had kunnen vragen. Ongestoord passeerden ze enkele streng kijkende marmeren bustes, waarna ze een zaal betraden die Burton aan een basiliek deed denken – het langgerekte plafond eindigde in een enorme koepel. Aan lange stokken hingen een paar draaiende propellers. Verder had je er vogels die met hun gefladder nog meer lawaai maakten dan de ventilatoren, ontelbare, groene vogels, die kennelijk binnenkwamen via gaten in de koepel. Midden in de zaal, omringd door stapels dossiers, kooien, kandelaars en een reusachtige inktpot, zat een man met een pruik, verdiept in een document. Een heel stuk van zijn bureau vandaan zaten de rekwestranten op hun hurken; tussen hen en de rechter – want wie moest die bleke man met zijn geitensik anders zijn – glansde de vloer. De jongen leek voor het eerst onzeker. Burton bestudeerde de pruik van de rechter, die boven zijn voorhoofd door de tocht opkrulde, wat lager daarentegen als een natte lap langs zijn oren hing. De rechter las kalm door. Hij bewoog niet, zelfs niet toen er een kanarie op zijn rechterschouder landde. En ook de rekwestranten zaten roerloos en zeiden geen woord, als een staaltje van geduld waarmee ze dit eigenaardige idool voor zich wilden winnen. Zonder zijn keel te schrapen of een inleidend praatje te houden verkondigde de rechter plotseling zijn oordeel. Daarna keek hij niet op of om; ook stuurde hij de wachtenden niet weg met een afsluitende zin of een gebaar. In de opgestuwde stilte kwamen zij moeizaam overeind en trokken zich terug.

'Nu!'

'Rechterji! Bezoek. Ik heb bezoek voor u meegebracht, eindelijk weer eens bezoek voor u.'

Terwijl ze samen op een uitnodigend gebaar van de rechter op zijn schrijftafel afliepen, kwam er een mannetje met een emmer aansnellen dat de vloer nog schoner boende, maar stopte bij de plek waar zojuist de inlanders op hun hurken hadden gezeten. Alsof daar een onzichtbare grens was getrokken.

'U bezoekt ons tevergeefs. Ik vrees dat ik u vandaag niets te bieden heb. Zo onaangekondigd. Een hoogst ongelukkige toestand. Ik had heel goed iets kunnen regelen, maar zo krijgt u alleen de onreine vrucht van het toeval in uw schoot.'

'Ik wist niet wat ik in Mhow zou aantreffen. In elk geval hebben we op weg hierheen de boeddhistische grotten kunnen bezoeken.'

'Hebt u de kluizenaar ontmoet?'

'Vandaag was zijn zwijgdag. We hebben een poosje naar elkaar gekeken.'

'Net wat ik zeg. Onfortuinlijk. Hoogst onfortuinlijk. We mogen niets aan het toeval overlaten. De belangrijkste grondregel van de beschaving, dat is me hier wel duidelijk geworden. De vogels schijten op mijn dossiers. Zou dat een doel hebben? Het lukt me niet ze kwijt te raken. Ze worden in deze kooien gelokt en op de bazaar verkocht; het begint trouwens al moeilijk te worden om er klanten voor te vinden. De markt is verzadigd, ziet u. Er komen te veel vogels door die gaten. U hebt geen idee hoelang ik al op een vergunning wacht om de boel te renoveren. Een wonder dat het hier al jaren niet meer echt heeft geregend. God kiest de kant van de gerechtigheid.'

'Vrouwe Justitia is zijn lievelingsdochter.'

'Mijn eigen systeem heb ik ontwikkeld. Me toegelegd op gebieden die ik in de hand kan houden. Wilt u weten hoe?'

'Eigenlijk wilde ik alleen ...'

'Ik heb me afgevraagd: wat stoort ons het meest? Viezigheid? Ja. Opdringerigheid? Nou en of. Nooit op tijd komen? Reken maar! Dus heb ik me voorgenomen die gesels uit te roeien. Ik heb een verboden zone ingesteld, die niemand mag betreden. Neemt u mij mijn onbeleefdheid niet kwalijk, maar uitzonderingen zijn een teken van zwakte. Ik heb geprobeerd een uniform in te voeren. Dat is ongekend, één uniform voor de aanklagers, één voor de beschuldigden, één voor de getuigen. Maar dat was te ambitieus. Ik heb lang nagedacht. Ik ben tot het inzicht gekomen dat de stemmen van die mensen me tot wanhoop drijven. Dat schelle door elkaar heen schreeuwen, dat klinkt alsof er om de woorden wordt gedobbeld. Tot je er gek van wordt. Daarom heb ik een praatverbod ingesteld.'

'De schrijvers voor de deur ...'

'Ieder verzoek moet schriftelijk worden ingediend. Voor de rechtbank wordt niet gepraat. Alleen het oordeel spreekt. Hier heerst elke dag stilte. Ik probeer deze mensen aan het verstand te peuteren hoe belangrijk het is het praten in toom te houden.'

'Een oude ...'

'Maar dat was niet genoeg! Er moest een eind komen aan die eeuwige onbetrouwbaarheid. Wat een kolossale taak. Je zou de mensen de kost moeten geven die dit hebben geprobeerd en faalden. Weet u wat ik heb gedaan? Ik heb een tijdregeling ingevoerd. Dat beschouw ik als mijn grootste prestatie.'

Midden in de zin, toen de rechter had geknikt om zijn woorden kracht bij te zetten, was de punt van zijn geitensik in de inktpot gegleden.

'Onze dag bestaat uit halve uren. Aan elke zaak besteed ik drieëntwintig minuten, zodat er zeven minuten overblijven voor een pauze. U zult zien, direct duiken de volgende op. Even stipt als de Big Ben! Want als ze te vroeg of te laat verschijnen, wordt hun zaak niet behandeld. Geen protest. U kunt achter in de rij weer aansluiten!'

De punt van zijn sik hing nog steeds in de inktpot. Langzaam kleurde het haar vanuit de onzichtbare punt naar boven. Lok na lok kropen blauwe adertjes in de richting van de kin.

'U denkt misschien dat die vogels ook door mijn verstand fladderen.'

Hij lachte. Zijn tanden waren met een blauw laagje bedekt, evenals zijn tong.

'Denkt u wat u wilt, maar ik kan u verzekeren dat ik mijn taak naar behoren vervul, beter dan welke andere godvergeten rechtbank in dit godvergeten land ook. Ik moet me op de volgende zaak voorbereiden.'

Hij tilde een dossier van een lage stapel naast zijn stoel, bracht het bij zijn mond en blies wat onzichtbaar stof weg.

'Stof heb je overal. Geelwortel, dagelijks innemen, dat helpt. 's Avonds, vermengd met een beetje honing, dan kan dat stof geen kwaad. U kunt rustig blijven als u wilt, maar ik ben bang dat de volgende zaak saai wordt. Door en door saai.'

De rechter had zich al in zijn dossier verdiept voordat Burton afscheid had kunnen nemen. De jongen trok aan zijn mouw en leidde hem naar de achteruitgang aan het andere eind van de zaal. Voor ze daar arriveerden, drong zich een vraag aan Burton op. Zijn harde stem werd omgebogen tot een galm.

'Meneer de rechter. Wat was dit vroeger voor gebouw?'

Terwijl de vogels onder de koepel door zijn woorden werden opgeschrikt, keek de rechter hem strak aan met een vreugdeloze blik.

'Een islamitisch grafmonument. En wilt u nu verdwijnen!'

⊙◎◎◎◎◎◎◎◎◎⊙

II

Naukaram

II Aum Pashinaaya namaha I Sarvavighnopashantaye namaha I Aum Ganeshaya namaha II

'Gisteren was geen vruchtbare dag. Ik heb 's avonds de aantekeningen doorgekeken, er zat nauwelijks iets bruikbaars bij. We hebben geld verspild.'

'Wíj hebben geld verspild? Hoe bedoelt u? Ik heb iets betaald, u hebt iets ontvangen.'

'We moeten meer opschrijven over Baroda. Tenslotte zul je in Baroda een nieuwe betrekking zoeken. Sindh is ver weg.'

'Ik heb u alles al verteld over mijn tijd hier.'

'Je hebt Kundalini weggelaten.'

'Met opzet.'

'De schaamte die je aan de dag legt, is nergens voor nodig, heus. Iedereen in de stad weet immers dat Angrezi zonder echtgenotes een concubine nemen, ieder van hen heeft een *bubu*. Jij hebt die Firangi dus een geliefde bezorgd.'

'Hoe weet u dat?'

'Zelfs op plaatsen waar de zon niet bij kan, komt de dichter. Dus wat wil je voor me verborgen houden?'

'In mijn geval ging het anders.'

'Natuurlijk. Daarom wil ik je verhaal ook vastleggen. Het maakt je bijzonder. Het maakt dat je boven anderen uitsteekt, daarvan ben ik overtuigd, ook al ken ik nog geen details.'

'Ik weet niet of het wel zo gunstig is.'

'Hoe vaak heb ik je niet verzekerd: wat niet in je voordeel spreekt, wordt niet opgeschreven.'

'Beter is nog het niet te zeggen.'

'Je bent niet alleen eigenwijs ...'

'Ik hoef niet alles te vertellen.'

'Je weet je eigenwijsheid nog goed te praten ook.'

'Ik wil vandaag niet. Ik ga.'

'Zonder mijn toestemming ...'

'Ao-jo. We zien elkaar morgen.'

'Je bent een dwaas. Ik ben de enige die je kan helpen om je stommiteiten te verdoezelen. Hoor je me, dwaas die je bent.'

༺ഝഝഝഝ༻

12

Met de maansikkel op het voorhoofd

Ineens was ze er. Hij was niet op haar voorbereid. Het eerste wat hij van haar zag, was de ronding van haar blote rug. De onderkant van haar nek. Boven de rand van haar sari een *dupatta* van chamois. De sari was blauw, als diep water. Ze zat in de tuin op een kruk die, als hij zich niet vergiste, uit de keuken kwam. Hij zag haar achterhoofd, haar nek werd kaarsrecht in tweeën gedeeld door haar lange vlecht, waarin rode zijden draden waren verwerkt. Een dun kettinkje hing goudglanzend boven een van haar halswervels als een aangehaakte gedachte. Ze bewoog niet en hij sloeg haar, voor het raam staand, stil gade. Naukaram zou haar natuurlijk niet binnenlaten – wie ze ook was, een zus misschien, of zijn geliefde, nee, dat was uiterst onwaarschijnlijk – voor hij hem om toestemming had gevraagd. Het uiteinde van haar vlecht beroerde het gras. Om dat haar, zwart als glanzende kolen wanneer het zo onbeweeglijk hing, benijdde hij de inlanders. Blond haar was een dwaling van de natuur, teken van een onbezonnen drang tot afwisseling. Haar bloes was van een lichter blauw, als zeewater vlak bij het strand. Waar de mouw van de bloes eindigde, tekende zich de vluchtige aanduiding van een spier af. Misschien vergiste hij zich, misschien zaten haar mouwen te strak. Om haar pols droeg ze een paar zilveren armbanden. Er werd op de deur geklopt. Hij maakte zich los van het raam en nam achter zijn bureau plaats voor hij Naukaram binnen vroeg. Saheb, ik wil u iemand voorstellen, vergeef me dat ik u stoor, een gast. In welke aangelegenheid, Naukaram? Een kennismaking, Saheb, geen aangelegenheid, u zult er geen spijt van hebben, gelooft u mij.

Aan haar gezicht viel hem het eerst de *bindi* op haar voorhoofd op, een aan de kleuren van haar kleding aangepaste stip, intens blauw. Haar gezicht was donker, en het was smal. Naukaram stelde haar in het Engels voor, hij prees haar aan alsof hij haar wilde verkopen. De situatie was onaangenaam en opwindend tegelijk. Een keer gleed haar onderlip onder haar voortanden en meteen weer terug, zo snel dat hij er niet zeker van was of hij het echt had gezien. Hij stelde haar een paar beleefde vragen en pas een paar antwoorden later hief ze haar hoofd op. Haar blik was minder onderdanig dan haar lichaamshouding, haar ogen zwart in wit, als onyx, gevat in kajal. Slechts één tekortkoming had haar volmaakte gezicht: hoog op haar voorhoofd, vlak bij de haargrens, kromde zich een klein litteken in de vorm van de nieuwe maan. Hij verstond niet wat Naukaram zei, hij luisterde niet meer, hij knikte toen zij zich omdraaide en Naukaram naar buiten volgde. Ze liet een lachje achter, zo klein als het omgevouwen hoekje van een bladzijde in een boek. Naukaram kwam meteen terug.

'Wat moest dat, Naukaram?'

'Ik had de indruk dat u naar het gezelschap van een vrouw verlangde.'

'En je bent ervan uitgegaan dat ik niet in staat was daar zelf voor te zorgen?'

'U hebt het druk, waarom zou u zich ook nog met die taak belasten?'

'Zozo.'

'Vindt u haar niet aardig?'

'Ze is betoverend. Bovendien heb je gelijk, hoe zou ik een vrouw kunnen vinden?'

'Misschien moet u uitproberen, een paar dagen, of haar gezelschap u vreugde brengt?'

'Ik ben dat soort arrangementen niet gewend.'

'U hoeft zich nergens druk om te maken, Saheb. Ik regel alles wat u pijnlijk zou kunnen vinden. U hoeft alleen maar te genieten.'

Maar deze vrouw had meer over zich dan alleen de betrouwbare belofte dat ze hem genot zou verschaffen.

∽∽∽∽∽∽∽∽∽

13

Naukaram

II Aum Bhaalchandraaya namaha I Sarvavighnopashantaye namaha I Aum Ganeshaya namaha II

'U mag best weten wat er met Kundalini is gebeurd, ik heb nagedacht. Ik heb niets te verbergen.'

'Zie je me schrijven? Nee! Ik luister alleen maar.'

'Ik heb haar gevonden in een *maikhana*. Ze bediende er de gasten. Mij bracht ze mijn beker melk met *bhang*, dat drink ik het liefst. Ik heb nooit *daru* gedronken, ik haat alcohol. Misschien weet u het niet, maar vrouwen die in een maikhana bedienen, hebben aanzien en ze kunnen dansen. Als een gast hun bevalt en hij legt wat geld op tafel, dan dansen ze voor hem, bij zijn tafel. Ik heb haar gadegeslagen. Ik bedacht hoe geweldig het zou zijn als ze voor mij zou dansen. Ik kon het me veroorloven, dus ging ik er opnieuw naartoe en legde geld op tafel. Ze danste. Voor mij alleen. Toen ze me aankeek, gaf ze me de indruk dat ze heel dicht bij me was, en tegelijkertijd dat ik haar nooit zou kunnen aanraken. Ze was als de pipalboom in het midden van het dorp …'

'Overdrijf je niet een beetje?'

'Misschien. Het maakt niet uit waaraan ze me deed denken. Belangrijk is alleen dat zich, toen zij ophield met dansen, in mijn hoofd een gedachte had genesteld. Ze was een vrouw, ik kon me haar naast Burton Saheb voorstellen, ze zou zijn dorst naar het ongewone lessen. Mijn meester had een gezellin nodig. Hij deed niets terloops, hoe had hij dan zijn lust met incidentele uitstapjes kunnen bevredigen?'

'Hij zat dus niet altijd achter zijn bureau.'

'Ik heb met haar gepraat. Ik heb mijn uiterste best gedaan om de juiste woorden te vinden. Ik wilde haar niet beledigen. Ze moest weten dat mijn aanbod voortkwam uit respect. Ze stemde meteen toe. Ik moet u zeggen dat ik verrast was. Daarna heb ik me om de rest bekommerd.'

'Om de betaling, neem ik aan.'

'Dat niet alleen. Zulke relaties zijn altijd tijdelijk. Ik heb mijn oor te luisteren gelegd. Ik moest mijn meester beschermen. Ik moest hem behoeden voor alles wat fout kon gaan. Daarom heb ik een document opgesteld en het door haar laten tekenen.'

'Hoe?'

'Wat hoe?'

'Hoe heb je het opgesteld? Je kunt niet schrijven, als ik je daaraan mag herinneren.'

'U moet het antwoord kunnen raden. Ik ben naar een lahiya gegaan.'

'En die was bereid zo'n overeenkomst op papier te zetten?'

'Waarom niet. Zoiets gebeurt zo vaak.'

'Waarlijk, we moeten ons land reinigen. Die mleccha's brengen een smeerlapperij mee het land in die ons te gronde richt.'

'Nu overdrijft u.'

'Je hebt geen idee, jij was aan ze blootgesteld, jij was hun pupil, wie weet, misschien ben je inmiddels wel net als zij.'

'Omdat ik ze ken, ben ik een van hen? Dat is belachelijk. Hoe staat het dan met Burton Saheb? Hij heeft zich aan ons blootgesteld. Hij kon, als hij zich kleedde zoals ik gekleed ging, voor een van ons doorgaan. Is hij nu ook een van ons?'

'Er bestaat een verschil tussen een vreemde voor jezelf worden en vermomming. Een groot verschil.'

'Ik weet trouwens dat wij altijd al courtisanes hebben gehad, dat staat zelfs in de *purana's*.'

'Wie heeft je dat wijsgemaakt?'

'Doet er niet toe.'

'Vooruit, wie?'

'Burton Saheb.'

'Burton Saheb! Het gaat om onze tradities en jij vertrouwt de woorden van een mleccha? Sinds wanneer hebben vreemden onze wijsheid in pacht? Courtisanes in de purana's, ha, wat voor weerzinwekkende leugens kunnen we nog meer van ze verwachten?'

'Weet u zeker dat het niet klopt?'

'Genoeg over dit onderwerp. Wat heeft die vrouw dan jou, of jullie, schriftelijk beloofd?'

'Ze beloofde dat ze geen kinderen zou krijgen.'

'Dat heeft ze beloofd?'

'Ze wist hoe ze het moest voorkomen.'

'Laat me raden. Met cashewnoten? Wilde ze een papaja verorberen, telkens als ze vermoedde dat ze zwanger kon zijn?'

'Nee, ze kende speciale mantra's en ze bezat een talisman. Bovendien maakte ze altijd een mengsel uit koemest, een paar kruiden, citroensap en sap van bepaalde andere zure vruchten, en een beetje natron, als ik me goed herinner.'

'En een kippenklauw.'

'Wat zegt u?'

'Laat maar. Je hebt met haar afgesproken wat moest worden afgesproken. We kunnen je aanbevelen als koppelaar. Overigens wordt de taak die je op mijn schouders legt steeds groter, we zullen het eens moeten worden over een hoger honorarium. Ik denk dat ik minstens acht roepie nodig heb.'

◈◈◈◈◈◈

14

Heer der hindernissen

Een paar waren er bereid voor het vaderland te sterven. De anderen klaagden elke avond in de regimentsmess over de offers die ze moesten brengen. Elf onverdraaglijke maanden, riepen ze pathetisch, en een die nog erger was: de meimaand. Burton was door de hitte verlamd. Zijn gedachten verdampten. Hij lag op bed, alleen nog in staat naar de thermometer te turen. Met troebele ogen. Het bed stond midden in het vertrek en werd aan alle kanten omsluierd door lichtgroene, ruwe zijde. Als hij zijn arm uitstrekte, kon hij zijn hand in een koperen schaal met koel water dopen. Het werd om het uur door een bediende ververst. Boven hem een draaiende *pangka* van hout en stof. Hij wist dat de ventilator via een koord, dat door de muur liep, met de grote teen van een van die stille, donkere gestaltes was verbonden, wier enige taak het was hun been te strekken en te buigen zodat hem, de Saheb, frisse lucht werd toegewaaid. Buiten was geen mens te bekennen. Hij hoefde zijn huis niet uit om zich ervan te vergewissen dat de stad even verlamd was als hijzelf. Een jachtige gloeikachelwind veegt het leven van de vlakte. De wolken bestaan uit stof. Het ruikt naar snuiftabak. Baroda is ten prooi gevallen aan lethargie, deze laatste maand voor de verlossende regen komt; de paarden staan met hun kop omlaag en met hangende onderlip aan paaltjes gebonden, te loom om de vliegen te verjagen, en de staljongens hebben het tuig dat ze wilden schoonmaken uit hun handen laten vallen en liggen naast de beesten te snurken. Zelfs de kraaien hijgen van de hitte. Je moet al je lichaamsfuncties op een laag pitje zetten. Vermijd elke onnodige beweging. Maak gebruik van je bedienden, zie ze als je ledematen en je organen. De man had gelijk, zeker, en Burton kon zijn advies ter harte nemen als hij het helemaal niet meer uithield, hij kon Naukaram roepen, kon zijn loshangende katoenen kleding uittrekken en zich naar de badkamer begeven, waar een paar bedienden water over hem heen zouden gieten uit poreuze aarden kruiken. Daarna zou hij wat kunnen lezen.

Hij had ondertussen rondgekeken in Baroda en omgeving, overal was hij geweest, overal waar hij als Brits officier kon komen, en hij had gezien wat slechts een enkeling onder zijn kameraden had gezien. Toch was hij ontevreden. Bezien vanaf zijn paard leken de inlanders figuren uit een sprookjesboek dat in een verarmd Engels was vertaald. En hoe hij zelf overkwam, kon hij wel raden: als een standbeeld. Daarom schrokken ze als de bronzen ruiter het woord tot hen richtte in hun eigen taal. Zolang hij een vreemdeling bleef, zou hij weinig te weten komen, en hij zou een vreemdeling blijven zolang hij als vreemdeling werd waargenomen. Er was maar één oplossing; ze beviel hem zodra hij haar had bedacht. Hij zou zijn vreemdheid afleggen in plaats van te wachten tot ze hem werd ontnomen. Hij zou doen alsof hij een van hen was. Het enige waarop hij nog hoefde te wachten was een geschikte gelegenheid. Hij wist dat het hem niet moeilijk zou vallen, dat was nog wel het opwindendste. De afstand die overbrugd moest worden leek hem klein. Mensen kennen zo veel betekenis toe aan verschillen, terwijl ze met behulp van een mantel kunnen worden weggetoverd, met behulp van een nagebootste tongval kunnen worden verdreven. Alleen al de juiste hoofdbedekking kon tot eensgezindheid leiden.

Er kondigde zich een zandstorm aan. Weldra ruisten zwarte wolken met gretige muilen langs de aarde. Het zand drong door elke opening, door elke kier, en liet overal een dikke laag achter. De lakens waren bruin, hij had met zijn wijsvinger zijn hoofd-kussen kunnen signeren. De wervelwind slokte afval op, ver-scheurde tentdoek en plette graan, tot hij plotseling, uitgeput door zijn eigen waanzin, in elkaar zakte en alles wat hij had weggerukt op de grond liet ploffen.

∞∞∞∞∞∞

15

Naukaram

II Aum Vigneshvaraaya namaha I Sarvavighnopashantaye nama-ha I Aum Ganeshaya namaha II

'Alles werd slechter toen we naar Sindh waren overgeplaatst. De mensen daar zijn onbeschoft en wreed en ze haten vreemde-lingen uit de grond van hun hart.'

'Ik heb nog een paar vragen over Baroda voorbereid. Die moeten we eerst afhandelen.'

'Je had er zandstormen op elk uur van de dag.'

'Een paar dingen begrijp ik niet.'

'Het was niet om uit te houden. Net als bij ons de maand mei. Vooral als ik het eten wilde opdienen. Ik moest alles afdekken.

Het kleinste kiertje was genoeg, dan knarste het eten al tussen je tanden. En overal stof.'

'Ik ben nog niet klaar met het vorige hoofdstuk.'

'Hoofdstuk? Wat voor hoofdstuk?'

'Bij wijze van spreken. Kijk naar me. Valt je niets op? Ik schrijf helemaal niet mee.'

'We hadden geen bungalow meer. Alleen twee tenten, die midden op een zandvlakte werden opgezet.'

'Goed. Zoals je wilt. We komen later nog wel op Baroda terug. Hoezo hadden jullie geen huis?'

'Burton Saheb had niet genoeg geld. Hij kreeg tweehonderd roepie per maand, dat was niet genoeg om een huis van te bouwen, zeker niet voor een man als hij die zo veel geld aan boeken uitgaf.'

'De officieren moesten hun onderkomen zelf betalen?'

'Ja. En ook zelf regelen. Natuurlijk had ik dat voor hem gedaan. Maar het was de moeite niet, omdat Burton Saheb al snel werk kreeg waarvoor hij door het hele land moest trekken. We leerden al reizend een normaal leven te leiden. Dat stelde grote eisen aan mijn aanpassingsvermogen en mijn bekwaamheid om het beste te maken van wat toevallig voorhanden was. U moet ook niet vergeten dat ik er plotseling alleen voor stond. Ik had geen twaalf helpers meer aan mijn zijde. Schrijft u dat maar op. Er was alleen een kok, en een jongen die een beetje bijsprong. Aan hem had je eigenlijk niets. In plaats van een heel huis beheerde ik zeven kisten en moest ik uit zeven kisten een zo comfortabel mogelijk thuis bereiden voor de Saheb. Ik had in die woestijn geen aanspraak. De enige met wie ik me kon onderhouden was Burton Saheb. Met besnedenen kun je geen gesprek voeren, ook al hadden we een gemeenschappelijke taal gehad. Hun gezichten zijn als een vesting, hun ogen als twee kanonnen die altijd op je gericht zijn. Mijn taak was uiterst zwaar, maar ik was ertegen opgewassen, dat mag u van me aannemen. Burton Saheb wilde zelfs tijdens zandstormen lezen en schrijven. Hij zat aan een vouwtafeltje, ik legde ter verfrissing een doek op zijn hoofd. Ik veegde het stof weg dat door de kieren van de tent drong. Hij mocht geen stof in zijn ogen krijgen. Dat doet zo'n pijn, alsof iemand chilipoeder in je ogen heeft gestrooid. Schrijven ging moeilijk. De inkt aan de penpunt klonterde en het papier zat al snel onder het stof, ik kon vegen wat ik wou, ik hield het niet bij. Ik stond achter hem en om de paar minuten boog ik me over zijn rechterschouder en ging met een doek over het blad waarop hij zat te schrijven. Ik herinner me dat hij me een keer lachend vergeleek met een assistent die voor een musicus de muziekbladen omslaat. Wist u dat de Angrezi muziek lezen van papier? Als hij opstond, moest ik alles in de kisten stoppen. Als een vel een dag bleef liggen zag het eruit als een *paratha*. Alleen zat er geen deeg omheen, maar dat vervloekte stof uit Sindh.

༺ঞৎঞৎঞৎঞৎঞ༻

16
Het rookkleurige lichaam

Hij zou de nacht een schop geven. De laatste nachtmerrie verjagen. Buiten zag hij een eenzame voetganger spugen; zijn stappen knersten en hij leek haast te hebben, alsof hij als eerste de dageraad wilde ontmoeten. Kraaien verscheurden met ruwe snavels de resterende stilte. Hij stond voor het raam en drukte zijn voorhoofd tegen het draadgaas. Iemand stak een vuur aan, een begroeting, en de voorbereiding voor de eerste thee van de dag. De geur van mest streek als een ongewassen hand over de dampende velden. De lucht was koel, een beetje vochtig. Hij hoorde Naukaram de deur openen en het blad neerzetten. Hij tastte naar de kan, schonk de zwarte thee in het kopje en druppelde er wat melk bij. Toen hij het kopje naar zijn mond bracht, merkte hij dat de schemering de kamer was binnengeslopen, alsof ze zich schaamde dat ze de nacht elders had doorgebracht. Hij genoot van de warmte van het kopje in zijn handen en voelde hoe ze haar borsten tegen zijn rug drukte. Het was haar manier om hem te begroeten. Wil je een slok thee? vroeg hij, ook al wist hij dat ze nee zou zeggen. Hij kon het bed met haar delen, maar geen kop thee. Ze at nooit samen met hem. Ze woonden op hetzelfde erf, maar zijn maaltijden moest hij alleen nuttigen. Dat hoort zo, had ze gezegd. Ze wees zijn dringende verzoeken en uitnodigingen af, zoals ze tot nu toe ook had geweigerd de hele nacht bij hem te blijven. Als je wakker wordt, ben ik er weer. Ze hield woord – ze hield afstand. Anders dan de courtisanes met wie hij tot nu toe had geslapen, wilde zij dat hij alle lichten uitdeed voor ze zich uitkleedde. Dat was vanaf het begin een voorwaarde geweest. Hij accepteerde haar wens, die hij als een teken van intimiteit ervoer. De maan had hem de eerste keer teder terzijde gestaan. Zijn hand verkende haar huid. Hij probeerde haar op de mond te kussen, ze sloot haar lippen. Het wond hem op dat ze zich aan hem gaf zonder zich te openen. Ze bleek even handig en bedreven als de andere courtisanes. Hij hoefde nergens aan te denken, geen beslissingen te nemen, ze bevredigde zijn behoeften voor hij ze uitte. Ik kijk toe terwijl zij het werk doet, schoot hem door het opgerichte hoofd, een ontnuchterende gedachte die zijn orgasme een stille geboorte bezorgde. Daarna stond ze meteen op, hij had zijn ogen nog niet open of hij hoorde al de wegstervende klank van blootsvoetse stappen. Ze kwam niet terug. Na een paar van zulke nachten liet hij Naukaram weten dat Kundalini haar intrek in de bubukhana zou nemen. Naukaram was blij geweest, oprecht blij, meende Burton te merken, en het ontroerde hem dat Naukaram zich zo om zijn welzijn bekommerde. Op een nacht, want alleen 's nachts was het koel genoeg om de huid van een ander mens te kunnen verdragen, hield hij haar bij haar arm vast toen ze wilde opstaan. Ze protesteerde. Ik moet terug, zei ze. Nog even, blijf alsjeblieft nog even. Ze leunde achterover. Hij stak een lamp aan en draaide hem laag onder haar wantrouwende blik.

Hij trok de sari weg die haar lichaam bedekte, hij wilde naar haar kijken, haar huid zien die de kleur had van donkere rook. Hij wilde alles van haar zien, maar zij hield meteen een hand voor haar schaamstreek en probeerde met de andere tevergeefs haar borsten te verbergen. Hulpeloos overgeleverd aan zijn nieuwsgierigheid richtte ze zich ten slotte op en bedekte zijn ogen met beide handen. Hij verweerde zich zo licht hij kon, hij spreidde zijn tenen en zij begon te lachen, als water dat aan de kook raakt. Hij omhelsde haar, nog altijd blind, hij omhelsde haar lach. Dat begint goed, dacht hij. Wist hij nu maar of zij het fijn vond, met hem.

Hij vond het moeilijk het haar te vragen, het duurde een paar dagen voor hij voldoende moed had verzameld. Jij moet het fijn vinden, heer, zei ze bezorgd. Ik vond het fijn. Dan ben ik ook gelukkig. Het was niet de toon waarop ze het zei en ook niet haar gezichtsuitdrukking, het was iets anders wat zijn argwaan wekte. De woorden leken hem van tevoren bedacht. Hij moest het Naukaram vragen. Niet rechtstreeks, natuurlijk niet. Wat voor gezicht zou zijn bediende zetten als hij hem bij zich riep, bijvoorbeeld terwijl hij een bad nam, en zou zeggen: probeer er eens achter te komen of Kundalini bij mij aan haar trekken komt. Jammer eigenlijk dat hij zich zo'n grap niet kon veroorloven. In plaats daarvan roerde hij het onderwerp voorzichtig, in bedekte termen aan. Ondanks zijn behoedzaamheid was Naukaram ontzet. Af en toe waren zijn reacties buiten alle proportie. Dan stelde hij zich aan als een gouvernante. Je bent een preutse pooier, had Burton hem bijna naar zijn hoofd geslingerd. Saheb, bent u ontevreden over haar? Nee, absoluut niet. Ik zou alleen willen dat Kundalini en ik elkaar nog beter begrijpen. Gaat ze niet in op uw wensen, Saheb? Ik zou graag wat meer van háár wensen weten, daar gaat het om. Het is niet gebruikelijk dat zij wensen heeft. Ik begrijp dat je me niet kunt helpen. Natuurlijk wel, Saheb, ik kan u altijd helpen, altijd.

De volgende avond merkte Kundalini met bedeesde afkeuring

op dat hij zich wel schoor op plaatsen die alle vrouwen zagen en niet op de plaats waarop alleen zij haar blik richtte. Dat was inderdaad niet logisch. Misschien had de hajaum hem daarom willen scheren toen hij nog half sliep. Nu moest hij het zelf doen. Een andere keer, toen hij uitgeput op zijn rug lag en zij haar hoofd op zijn schouder had gelegd, vertelde ze schertsend, met lichte tong, over haar grootmoeder, die mannen altijd met dieren vergeleek en hen in verschillende groepen had ingedeeld. Bij welke groep hoorde hij? Bij de hazen, zei ze. Het klonk niet vleiend. Hoe heten de andere categorieën? Je hebt ook nog stieren en hengsten. Die zijn waarschijnlijk beter? vroeg hij. Nee, een haas zijn is niet erg, als het maar geen snelle haas is. Zijn er dan ook langzame? Ze knikte. Ja, langzame en half snelle. Ook bij de stieren en de hengsten? Ja. Waar slaat die snelheid op? Wacht, ik geloof dat ik het al weet, gaat het om het verlengen van het genot? Ja, het gaat erom op de vrouw te wachten, op haar hoogtepunt. De vrouw heeft een hoogtepunt? Burton had te snel gesproken en had meteen al spijt. Ze keek hem verbijsterd aan. En jij, vroeg hij aarzelend, heb jij een hoogtepunt gehad, bij ons? Ze schudde nee. Omdat ik een snelle haas ben? Ja, bij mij duurt het even. Hoelang? Dat ligt eraan; de vraag is of je de tijd durft te nemen. Heb je nog nooit van *ishqmak* gehoord, van de kunst het hoogtepunt uit te stellen? Nee, nooit. Ik ken andere voorname kunsten, de kunst van de vossenjacht, de kunst van het schermen, de kunst kleine balletjes over groen vilt te stoten, maar de kunst het hoogtepunt uit te stellen, nee, die ken ik niet. Wij doen daar niet aan, bij ons jaagt het ene hoogtepunt het andere na. Ze glimlachte niet eens. Ik zal het je leren, zei ze serieus, zonder op zijn meesmuilende lachje te letten. Als je wilt. En hij antwoordde met een ernst waartoe hij zich moest dwingen: Ja, ik wil jouw hoogtepunt meebeleven. Ik wil het teweegbrengen. Hij legde zijn hand op haar schouder en bekeek het contrast. Hoe komt het dat je zo'n donkere huid hebt? Ze draaide zich naar hem om en keek hem streng aan, alsof hij een onbetamelijke vraag had gesteld. Ze boog zich naar hem toe, tot ze zo dichtbij was dat hij haar bijna niet meer kon zien. Omdat ik op de dag van de nieuwe maan ben geboren, fluisterde ze. En haar ogen knalden als stukken vuurwerk.

Toen ze de keer daarop samen in bed lagen, zij op hem, en zijn steunen de storm verried die zich in hem opbouwde, hield zij in. Ze bewoog niet meer, liet haar handen op zijn borst liggen en begon te praten terwijl ze op zijn pulserende verbaasdheid bleef zitten, begon te praten in volzinnen, op een vertrouwelijke toon, die terloops vertelde en toch al zijn aandacht opeiste. Hij moest zijn stoten temperen om haar woorden te kunnen volgen, een verhaal over cobracourtisanes, wier lichaam men in de loop van jaren aan het gif liet wennen door hun eerst een druppel toe te dienen, vervolgens een paar, en de hoeveelheid op te voeren tot ze een theelepel per dag innamen. Uiteindelijk waren ze in staat een glas vol gif te drinken zonder er last van te hebben. Maar hun zweet, hun spuug en hun liefdessappen waren zo giftig dat iedereen die met hen sliep ter dood veroordeeld was. Zelfs wie een van hun tranen wegwiste en naar zijn mond bracht, moest sterven. Begrijp je, ze konden zich alleen aan hun lust overgeven als ze een man moesten vermoorden. Ze waren niets anders dan moordwapens in dienst van een meester. Ze mochten van niemand houden. Ze vergiftigden iedereen die hen aanraakte, iedereen die hen kuste, of het nu iemand was die ze verachtten of beminden. Kun je je voorstellen hoe ongelukkig ze waren? Burton lag bewegingloos op het bed, zijn lid een bewering die hij had ingetrokken. Ze krabde over zijn borst. Het verhaal is nog niet afgelopen, zei ze. Er was een dichter, misschien wel de meest getalenteerde van het hele land, die op een van die courtisanes verliefd werd zodra hij haar, ongetwijfeld de knapste vrouw van die tijd, had gezien. Het was geen onbeheerste, dweepzieke jongeling, welnee, het was een man met ervaring, die de regels van het hof en de wetten van het gevoelsleven kende. Lang liep hij te tobben, vol twijfel of hij haar zijn liefde moest bekennen.

Toen hij na veel innerlijke strijd had besloten het te doen sprak zij hem aan, op de oever van de Jamuna. Ze wilde les van hem in het Sanskriet. Onder de kunsten die een courtisane mocht beoefenen was dat de enige die zij nog niet beheerste. Hij kreeg toestemming van de heerser haar dagelijks les te geven. Kundalini leunde naar voren, haar lange haar streelde zijn gezicht, daarna richtte ze zich weer op, haar handen verdwenen, hij voelde haar vingernagels langs de binnenkant van zijn dijbenen strijken. Luister goed, zei ze. De courtisane werd verliefd op de dichter, zoetjesaan in de jaren van hun gemeenschappelijke studie, even langzaam als zij ooit aan het gif wende. En op een dag legde ze een dubbele bekentenis af: dat ze van hem hield en dat haar liefde dodelijk was. Ik vraag me dikwijls af wat de dichter op dat moment voelde, toen hun voldragen wederzijdse liefde dood werd geboren. Hij zette haar niet aan de kant. Hij besloot zich met zijn geliefde te verenigen, ook al was het maar voor één keer. Begrijp je, hij wilde goedmaken wat deze vrouw was aangedaan. Een huivering voer Burton door de leden. En toen? Dat is het merkwaardige, dit verhaal kent talloze versies, maar in één opzicht zijn ze allemaal hetzelfde: de man stierf uiteraard, maar terwijl hij doodging, ontspanden zijn gelaatstrekken zich in een gelukzaligheid die je alleen ziet bij mensen die de poort naar de verlossing hebben aanschouwd. Kundalini liet hem liggen, strekte zich naast hem uit en haalde de nagel van haar wijsvinger over zijn verslapte lid. Dat, heer, zei ze, was de kunst het hoogtepunt uit te stellen. Als je bijgekomen bent van mijn verhaal, kunnen we weer beginnen. Hij bezag haar met nieuwe ogen. Hij had haar graag een zoen gegeven die hem zou doen vergeten wie zij was en waarom ze in deze kamer lag. Hij was anders dan die dichter. Hij had bij zichzelf een lafheid ontdekt waarvan hij geen idee had gehad.

இ௰இ௰இ௰இ௰இ

17

Naukaram

II Aum Dhumravarnaaya namaha I Sarvavighnopashantaye namaha I Aum Ganeshaya namaha II

'Genoeg over Baroda, genoeg. We moeten nog veel over Sindh
opschrijven, over mijn betrekking daar. Dat waren jaren waarin
ik me heb afgesloofd en weinig plezier heb gehad.'

'Akkoord.'

'Bedenk wel, ik ben met mijn meester meegegaan, dat spreekt
niet vanzelf. Ik heb daar niet alleen voor hem gewerkt, maar ook
voor het leger van de Angrezi. En ik heb zijn leven gered, dat
moet u in ieder geval benadrukken …'

'Dat doen we ook nog. Goed, je bent dus met hem meegegaan,
maar zijn geliefde, Kundalini, ik kan me niet voorstellen dat een
officier van de Angrezi samen met zijn geliefde verhuist.'

'Dat probleem deed zich niet voor.'

'Hoezo niet?'

'Omdat het zich niet voordeed.'

'Ze heeft hem laten zitten, ha. Je hebt iemand uitgezocht die
niet trouw was. Ze is weggelopen.'

'Nee, dat is een leugen.'

'Waarom reageer je altijd zo fel als zij ter sprake komt? Je
gevoelens zijn overdreven, vind je niet?'

'Wat zijn overdreven gevoelens? Bepaalt u dat? Alles is mis-
gelopen, maar dat is niet mijn fout, ik heb niets verkeerd gedaan.
Als ik een vrouw als Kundalini had gehad …'

'Als Kundalini? Of Kundalini zelf?'

'Ik kan u haar niet beschrijven. Ik was blij als ik wakker werd
omdat ik wist dat ik haar zou zien. Ik zou haar stem horen. Ze
zong als ze zich waste. Ze kende veel *bhajans*. Als zij zong, was het
alsof ze de dag sieraden omdeed. Ze was vaak vrolijk. Niet vanaf
het begin. De andere bedienden keken aanvankelijk op haar neer.

Het waren huichelaars, ze hadden haar allemaal maar wat graag tot vrouw gehad. Ze moesten hun minachting laten varen, zo innemend was ze. Soms zaten we met ons allen in de keuken en maakte ze ons allemaal aan het lachen. Op andere dagen was haar stemming zo somber dat het leek of de hele wereld een boerka droeg. Dan wilde ik haar opvrolijken, maar hoe kon ik haar troosten? Ik was niet degene …'

'Je was verliefd op haar, ik had het kunnen weten. Ze heeft je het hoofd op hol gebracht.'

'Het was niet zo erg geweest als hij me niet in vertrouwen had genomen. Het was bijna niet te verdragen. Hij dacht dat hij liet zien hoezeer hij me respecteerde en waardeerde door met mij over haar te praten, over wat hem verwonderde, wat hem aan haar beviel. Ik kon hem niet tegenhouden. Alles wat ik had kunnen zeggen had me verdacht gemaakt. Hoe langer ze bij ons bleef, hoe openlijker hij met me sprak. Ik wilde er geen woord van horen. Maar het werd nog erger. Hij wilde niet alleen mijn raad, hij wilde ook dat ik een goed woordje voor hem deed bij haar. Hij heeft het me niet opgedragen, maar liet op niet mis te verstane wijze merken wat hij wilde. Ik moest met haar praten, over hem.'

'Je was jaloers op de Saheb. Nu begrijp ik het. Hij bezat al zo veel, zo veel meer dan jij, waarom moest hij ook de mooie vrouw bezitten op wie jij verliefd was. Zo was het toch? Merkte hij niet dat je hem haatte?'

'Ik haatte hem niet. Dat is ook een leugen.'

'Is ze daarom in Baroda gebleven? Heb je haar zwartgemaakt bij die Firangi? Omdat je haar aanwezigheid niet meer verdroeg? Omdat ze tweedracht tussen jullie zaaide?'

'U moet uw mond houden. U praat onzin. Ze was dood, ze was al lang dood.'

'Wat? Waaraan is ze gestorven?'

'U bent onmogelijk. Denkt u nou echt dat ik u ga toevertrouwen wat ik nog niemand heb verteld?'

'Ik heb alleen maar iets gevraagd.'

'U kunt niet alles vragen.'

'Het was een heel redelijke vraag.'

'Betaal ik u geld om u mijn geheimen toe te vertrouwen? U zet mijn leven op zijn kop.'

◈◈◈◈◈◈◈◈

18

Snel gehandeld

Een week later verklaarde Upanishe zich bereid deze leerling les te geven, en Burton droeg Naukaram op van tijd tot tijd grote kalebassen te laten bezorgen bij het huis van de leraar. Wat vind je van hem? vroeg hij. Mij is opgevallen, Saheb, dat hij elke dag op hetzelfde tijdstip arriveert, hij heeft grip op zijn leven, dat is een teken dat hij een belangrijk leraar is. Inderdaad hoorden ze elke middag om vier uur precies de ratelende wielen van de *tonga* en het gesnuif van de muilezel, en als Naukaram de deur opende, kwam de kleine, witbaardige man aanlopen over het tuinpad, met zijn amanuensis achter zich aan en een parasol boven zijn hoofd. Ze dronken chai, hij had hem graag sterk gekruid, en gingen daarna naast elkaar aan het bureau zitten. Naukaram moest drie kussens op de rieten stoel leggen. Voor Upanishe was grammatica een dansvloer waarop hij zijn pirouettes kon draaien. Burton stoorde zich er niet aan. Niemand mocht van een levendige geest verwachten dat hij zich uitsluitend met de aanvoegende wijs van de hulpwerkwoorden bezighield. Aanvankelijk bleef hij met zijn afdwalingen nog op het terrein van de taal. U hebt vast weleens gehoord van onze twee woorden voor man: *admi*, dat stamt af van Adam, die, zoals de moslims beweren, in dit land ter wereld is gekomen, en *manav*, dat komt van Manu, een andere voorvader uit, zoals u zou zeggen, de hindoeïstische traditie. Je herkent de mens aan zijn taal, dat zeggen ze toch? Uit onze taal blijkt dat wij nakomelingen zijn van twee geslachten. Hoeveel kracht zou ons dat niet kunnen geven! Zou het zo beschouwd niet logisch zijn, Goeroeji, dat iedere Indiër zowel hindoe als moslim is? Dat klinkt wat al te vermetel, beste shishya, laten we blij zijn dat ze elkaar verdragen. Maar al spoedig werd het terrein van de taal te klein voor hem. Upanishe maakte een salto en landde met beide benen in de jurisprudentie ... in het oud-Indische strafrecht had je misdrijven tegen dieren ... Drie pirouettes later besprak hij het kastenstelsel – jullie zeggen hoog-geboren, wij zeggen tweemaalgeboren. Geen groot verschil, dat moet u toegeven. En nadat hij de vocatief had uitgelegd, be-loonde hij zijn leerling met een gezegde: Een boek, een pen of een vrouw moet je niet uitlenen, want je krijgt ze nooit meer terug. Hebt u dat van uzelf, Goeroeji? Welnee, het komt uit een gedicht in het Sanskriet, uit een, hoe zou u het noemen, klassiek werk. Verbazingwekkend! Verbaast u zich maar, je verbazen is gezond. Zullen we nog even doorgaan met de les? Het is mooi geweest, Mister Burton, het is mooi geweest. Een shishya die zijn goeroe moe maakt, heb je zoiets ooit gehoord? Het is ongepast! U moet mijn krachten sparen. U hebt uw Goeroeji nog langer nodig dan vandaag.

Op een avond kwam de tonga die hem zou afhalen niet op-dagen. Upanishe moest wachten terwijl Naukaram vervanging probeerde te vinden. Hoewel hij in een gemakkelijke fauteuil zat, met zijn benen op een kruk, werd hij onrustig en knipte hij met duim en middelvinger terwijl hij Burtons vragen over zijn loop-baan beantwoordde. Om de paar zinnen spitste hij de oren, of hij eindelijk wielen hoorde ratelen. Maakt u zich zorgen om uw echtgenote, Goeroeji? Ik ben veel te laat, dat is niet goed. Ik kan er niet tegen. Wij zijn nazaten van een exacte beschaving. In iedere seconde van ons leven spiegelt zich de orde van de kosmos, en iedere verspilde seconde brengt haar in gevaar en kan fatale gevolgen hebben. Sla geen acht op dat geklets over de cycli van

Kala en onze zogenaamde ruimdenkendheid. We moeten stipt zijn. Toen Naukaram onverrichter zake terugkeerde, trommelde Upanishe met zijn vingers op de leuning en schoof hij op de kussens heen en weer. Naukaram had in het hele cantonment geen tonga kunnen vinden. Burton besloot zijn leraar zelf naar huis te brengen, op de rug van zijn eigen paard. De amanuensis kon te voet gaan. O, mijn shishya, u vergt te veel van mij. Hoe kom ik op dat paard? We zullen u erop hijsen. Nee, dat bevalt me niet, een leraar is toch geen meubelstuk. Goed, dan brengt Naukaram wel een stoel buiten. Ik zal het paard stilhouden, zodat u erop kunt klimmen. Ik heb nog nooit op een paard gezeten, niet eens op een muilezel. Ga gewoon in het zadel zitten, Goeroeji, wat meer naar achteren alstublieft, zodat ik er nog bij kan. En als ik eraf val? Houdt u zich aan mij vast, Goeroeji. Voor één keer bent u afhankelijk van mij. O, en zo rijden wij dan door de nacht? Als een verliefd paartje. En als iemand ons ziet? Rijd alsjeblieft niet door de hoofdstraat, neem onverlichte zijwegen, dat is me liever. Burton hield het paard in een lichte draf en Upanishe kwam stilaan tot rust. Dit is een ongewone avond. Ik wil me erkentelijk tonen, of anders gezegd, u iets geven wat me bij deze gelegenheid passend lijkt. Waaraan denkt u, Goeroeji? Aan een mantra. Misschien wel de machtigste van alle mantra's. Beschouwt u deze mantra als tol die ik u betaal, een tol die nooit opraakt:

Purnam adah
Purnam idam
Purnat purnam udachyate
Purnasya purnam adaya
Purnam evavashishyate.

'Dat klinkt mooi, Goeroeji. Met zulke mantra's in het oor ben ik bereid de hele nacht met u te rijden.'

'O, laten we niet overdrijven. Wat heb ik u geleerd? Maat

houden. Bent u niet nieuwsgierig naar de vertaling?'

'Die klinkt vast niet zo overtuigend als het Sanskriet.'

'U hebt gelijk, leert u deze mantra gewoon van buiten. De betekenis komt later wel. Ze werkt, u zult het zien, ze doet wonderen.'

'Wat voor wonderen?'

'U kunt mij daarginds afzetten, de rest van de weg loop ik, alleen. Morgen komt u bij ons thuis voor een eenvoudige maaltijd.'

'Ik dank u voor de uitnodiging.'

'Bedankt u me niet. Dank is als geld. Als je elkaar beter kent, kun je elkaar iets geven wat meer waard is. Ik heb een verzoek. Ik weet niet hoe de buren zullen reageren als wij een Britse officier te gast hebben. Ik wil voorzichtig zijn met u. Misschien kunt u over uw kleren iets inheems aantrekken. Ik weet dat ik veel van u vraag, maar beschouwt u het als onderdeel van uw taalopleiding. U zult makkelijker met mensen in gesprek raken. U hoeft alleen maar ergens te blijven staan, na een paar minuten zult u uw eerste vriendschappen gesloten hebben.'

'Mijn Gujarati is toch niet goed genoeg.'

'Geen wonder. U bent op reis. U komt uit, eens even kijken, uit Kashmir! Ja, u bent een brahmaan uit Kashmir. En als iemand vraagt wat voor brahmaan, dan zegt u een Nandera-brahmaan.'

'Nandera.'

'En als iemand vraagt tot wat voor *gotra* u behoort, zegt u Bharadwaj.'

'Bharadwaj.'

'En als iemand naar uw familie vraagt, zegt u …'

'Upanishe!'

'Waarom niet, een verre verwant die van de roem van deze Goeroeji heeft gehoord en hem daarom wilde opzoeken. Uitstekend.'

'En als ik een Kashmiri tegenkom?'

'Dan maakt u zich bekend als hooggeplaatst officier van de Jan Kampani Bahadur en dreigt u de man in de gevangenis te laten gooien als hij u verraadt.'

'Is het dan niet algemeen bekend dat u met Firangi's omgaat?'

'Vroeger wel, mijn shishya, vroeger kon dat. De tijden veranderen. Onverschilligheid maakt plaats voor afwijzing. Ik hoor de mensen met veel haat over de Britten praten.'

'U overdrijft. Zo erg kan het niet zijn.'

'Misschien. In dit soort zaken kan enige overdrijving geen kwaad. Ik geef toe dat mijn plannetje meer dan één vader heeft. Ik wil ook de buurman graag een poets bakken. En de barbier. Ik wil u als geleerde uit Kashmir voorstellen om het verblufte gezicht van die twee te zien als ik later beken dat mijn gast een Angrez was, nadat zij me uitvoerig en bloemrijk hebben uitgelegd waarom u een typische Kashmiri bent. Komt u vroeg, we eten maar één keer per dag een echte maaltijd, we zullen er een laat middagmaal van maken, zodat u weer naar huis kunt als het begint te schemeren.'

'Ao-jo, Goeroeji.'

'Ao-jo. O, en nog iets. Brengt u alstublieft geen boeken mee.'

Burton dacht eerst dat er achter dat verzoek een grapje school dat hij niet begreep. Hij hoefde evenwel – als inlander verkleed, zo snel had de gewenste gelegenheid zich voorgedaan – de woning van de leraar maar te betreden of hij zag dat boeken werkelijk het laatste waren waaraan dit huishouden behoefte had. De echtgenote van Upanishe, kleiner nog dan haar man en gezegend met een gezicht waarop haar gevoelens openlijk aan het daglicht traden, begroette de gast hartelijk. Blijkbaar dacht ze, om wat voor reden ook, in deze shishya een medestander te vinden in haar uitzichtloze strijd tegen de talloze boeken van haar man, die zich in scheve stapels naast de zitkussens verhieven. Al die stoffige boeken, zei ze nadrukkelijk, de gast in het vizier houdend, kun je ze niet weggooien? Je hebt ze al tien jaar niet meer aangeraakt. Nou en? antwoordde Goeroeji. Jou heb ik ook al tien jaar niet meer aangeraakt. Moet ik jou dan ook weggooien? Burton was ontzet, hij wist niet waar hij moest kijken. Waarin was hij terechtgekomen? Hoe moest hij zich uit deze pijnlijke situatie redden? Hij hoorde beide oudjes lachen, onbedaarlijk lachen, en toen hij opkeek, gaf Upanishe hem een knipoog.

'Jij gaat naar bed met je boeken.'

'Ben je jaloers?'

'Je had met een boek moeten trouwen, niet met mij.'

'Had zo'n boek me zonen geschonken?'

'Jij hebt geen hart.'

'Maar een dik zwart boek in plaats daarvan, ik weet het.'

'Jouw hart slaat niet, je moet het openslaan.'

'Heb je daarom leren lezen, moeder van mijn zonen?'

'Ik had het allang van buiten geleerd als jij er niet telkens iets nieuws in zou schrijven. Ik kan het niet bijhouden. Ik heb het opgegeven. Tien jaar geleden!'

Weer lachten ze samen en ditmaal deed Burton mee. Hij merkte ineens hoe prettig hij zich voelde bij dit oude echtpaar, dat zijn tweezaamheid wakker hield met meedogenloze grappen. Wanneer verstrek je ons iets voedzaams? Merk je niet dat ik praat? Jij praat altijd, als het aan jou lag, zou onze gast verhongeren. Upanishe had deze avond geen geduld met de ernst. Een van onze beroemdste dichters had meerdere vrouwen. Hij is een voorbeeld, velen proberen hem te evenaren en ik verkondig tegenover mijn vrouw al geruime tijd de mening dat ik geen groot dichter kan worden zolang ik maar één vrouw heb. Weet u wat ze me antwoordt? Word jij eerst maar eens een groot dichter, dan kun je er ook vrouwen bij nemen! Burton hoorde haar lach in de keuken klateren. Upanishe leunde tevreden achterover en streek met zijn rechterhand langzaam langs zijn witte baard voor hij de stilte verdreef met de volgende grap. Hun gelach hierover ging gelijk op, ze schaterden zo dat Burton zich met zijn handen om zijn buik voorover moest buigen, zijn ogen dicht bij de ogen van zijn leraar, die uit hun kassen sprongen, over de tafel rolden, zich vermenigvuldigden en door Upanishes knoestige vingers als gebedskralen weer werden opgepakt. Wat zat er in de melk? vroeg Burton nog nagrijnzend. O, bhang natuurlijk, mijn shishya. We willen dat u zich bij ons prettig voelt. De fragiele mevrouw Upanishe stond voor hen: een fee met twee *thali*-schotels in haar handen. Ze legde hem uit wat er in de vijf verschillende schaaltjes zat. Hij viste de stukjes gestoofde en mild gekruide okra één voor één met een chapati uit de schaaltjes, terwijl Upanishe het dorp in sloop van het meisje aan wie hij was uitgehuwelijkt, een jongeling die zich achter bomen verstopte om een blik van haar op te vangen. En bij die vluchtige waarneming bleef het tot de dag van het huwelijk, tot het ogenblik waarop ze omgeven door priesters en familie tegenover elkaar zaten en de doek werd weggenomen die haar hoofd en schouders had bedekt. Schrok je erg? vroeg ze. Ik moet toegeven dat je uit de verte indruk op me had gemaakt. Maar van dichtbij … mijn hart fladderde op en is nooit meer echt tot rust gekomen. Er werd op de deur geklopt: de buren, om de geleerde man uit Kashmir respect te betonen. Ze prezen zijn Gujarati. Later nam Upanishe zijn leerling mee naar beneden en stelde hem voor aan de barbier, aan wie hij vervolgens vroeg of zijn gast even bij hem mocht blijven omdat hij zelf een belangrijke brief moest schrijven. Zoals u ziet, heb ik weinig plaats, verontschuldigde de barbier zich. Burton bleef een hele tijd zitten in het achterste, donkere deel van de krappe ruimte. Hij kon nauwelijks met de barbier praten, want telkens kwamen er weer klanten binnen. De scheerbeurt eindigde met een korte hoofdmassage en een paar zachte oorvijgen. Burton soesde weg tot een zware stem hem uit zijn sluimer haalde. Een stem die begon te schelden. De barbier probeerde de woordenstroom van de klant te stoppen of op zijn minst een andere kant op te leiden. Tevergeefs.

'Vroeger hoefden we maar één klaploper te onderhouden.'
'Ha!'

'Nu zijn de Firangi's erbij gekomen.'

'Ha!'

'De Angrezi zijn nog grotere klaplopers.'

'Ha!'

'We kunnen geen twee maharadja's tegelijk voeden.'

'Ha!'

Uit de achterhoek van de winkel nam Burton het woord.

'U hebt helemaal gelijk.'

'*Are Bapre*, je hebt een gast!'

'Een ontwikkeld man uit Kashmir. Op bezoek bij Goeroeji.'

'Ik ben het met u eens. Die Angrezi vallen bij ons binnen, bestelen ons, zetten zich als parasieten vast en verwachten van ons dat we hun hele leven voor ze zorgen.'

'Je spreekt de waarheid, reiziger. Jullie, mannen uit Kashmir, zijn slavernij niet zo gewend als wij. Het is als met elke parasiet. Hoe hard wij ook werken en hoeveel we ook eten, als gastheer zullen we altijd mager en miezerig blijven.'

'Zo is het precies. Maar wat kunnen we ertegen doen?'

'We moeten ons verzetten.'

'Hoe dan?'

'We moeten diegenen tegen de Angrezi opzetten die wapens hebben, die kunnen vechten. U weet wie ik bedoel?'

'De sepoys.'

'Ja. Wij denken hetzelfde. Dat is me meteen opgevallen. We zijn verwante zielen. Hoe heet u?'

'Upanishe.'

'En uw roepnaam?'

'Mijn roepnaam, eh, ik heet … Ramji.'

'Zeer vereerd. Mijn naam is Suresh Zaveri. U vindt mij op de goudmarkt. We zouden ons gesprek moeten voortzetten.'

Toen Burton het huis van zijn leermeester verliet, was het al laat. Na een paar stappen kwam hij de lampaansteker van de buurt tegen. Hij droeg een ladder op zijn schouder en had een kannetje olie in zijn hand. Burton groette hem uitbundig. De

97

man beantwoordde zijn groet rustig, zette de ladder tegen een houten paal en klom naar de met teer bedekte top.

◈◈◈◈◈◈◈◈◈

19

Naukaram

II Aum Kshipraaya namaha I Sarvavighnopashantaye namaha I Aum Ganeshaya namaha II

'Ik heb zitten denken. Ik heb naar iets gezocht waaruit ook de domste Angrez begrijpt hoeveel ik waard ben. Burton Saheb was een spion. Niet in Baroda. Later, toen we in Sindh woonden. Een belangrijke spion. Een van de belangrijkste. Ik moet u zeggen dat hij te allen tijde toegang had tot de generaal van de Angrezi. Hij voerde lange gesprekken met hem. Weet u hoe dat gegaan is? Mijn aandeel was van wezenlijk belang. Evenals dat van Goeroeji. Wij hebben een spion van hem gemaakt.'

'Schaam je je niet?'

'Ik heb het slecht geformuleerd. We hebben hem niet aangezet tot het plegen van verraad. We hebben ervoor gezorgd dat hij onze kleren kon dragen en voor een van ons kon doorgaan. Goeroeji heeft het hem een keer gevraagd. Hij heeft toen van mij een kurta geleend.'

'Als dat geen teken van vertrouwelijkheid is.'

'Hij was zo opgewonden na zijn bezoek aan Goeroeji en zijn vrouw. Ik was sceptisch geweest toen hij die kurta had aangetrokken. Toen hij verkleed voor me stond, moest ik bijna lachen. Zijn broek was te lang, hij zag eruit als een vogelverschrikker. Maar ik had iets wezenlijks over het hoofd gezien. Ik wist dat die man voor me Burton Saheb was. Ik had me niet afgevraagd hoe mensen die dat niet wisten hem zouden zien. Hij had wat henna-olie op zijn gezicht en zijn handen en voeten gesmeerd en is toen

98

met een tonga de stad in gereden. Hij kwam pas terug toen het al donker was. Hij was opgewonden. Zo opgewonden had ik hem zelden gezien. Hij wilde me alles vertellen. Hoe iedereen hem voor een Kashmiri had gehouden. Hoe fijn hij zich in zijn rol had gevoeld. Hoe hij in een hoek had zitten luisteren en op een gegeven moment was vergeten dat hij er eigenlijk niet bij hoorde. Hij bleef maar praten en ik begreep dat ik zijn vermomming verkeerd had beoordeeld. Hij hoefde zich maar uit te geven voor iemand uit de Himalaya of hij was het ook. Zelfs zijn uitspraak klopte. Niet foutloos, maar zo dat iedereen erin trapte.'

'Heb je ooit een Kashmiri Gujarati horen spreken?'

'Nee.'

'Hoe weet je dan dat zijn uitspraak bij zijn vermomming paste?'

'Zoals ik het me had voorgesteld. Zo klonk het. Een paar dagen later liepen we samen over de bazaar. Hij wilde dat ik de meester speelde en hij de bediende. Voor we op pad gingen, had hij me op het hart gedrukt totaal geen respect tegenover hem aan de dag te leggen. We moesten geloofwaardig overkomen. Hij stond erop de boodschappen te dragen. Ik hield mijn mond, ik heb het spelletje meegespeeld. Het was hem niet genoeg. In het Engels siste hij in mijn oor dat ik hem op zijn donder moest geven, op luide toon, zodat iedereen het kon horen. Om te beginnen ben ik uitgevaren over zijn luiheid. Aarzelend eerst, tot ik er lol in begon te krijgen. Toen heb ik hem uitgescholden voor leugenaar. Misschien heb ik een beetje overdreven. Ineens riep een man ons bij zich, hij stond voor een juwelierszaak. Blijkbaar kende hij Burton Saheb, want hij sprak hem aan met de naam Upanishe. Hij was zichtbaar ontstemd toen hij zag dat Burton Saheb een bediende was. Zo ver is het nu met ons *Bharat* gekomen, jammerde hij, dat ontwikkelde mensen zich aan verraders moeten verkopen, dat ze in het stof moeten kruipen voor overlopers. En hij keek mij aan alsof hij me wilde vertrappen.'

'Heel grappig.'

'Voor mij was het niet leuk. Niet daarna. Burton Saheb was boos op me, ook al had ik precies gedaan wat hij wilde. Hij had er geen rekening mee gehouden dat hij deze kennis tegen het lijf kon lopen. Nu kon hij die man niet meer onder ogen komen; hij had zijn respect verloren. Hoe had hij kunnen verklaren dat hij als trotse Kashmiri bij een Gujarati-koopman in dienst was? Toch droeg deze tegenslag bij tot zijn succes. Vanaf die dag was Burton Saheb bezeten van de gedachte aan vermomming. Hij vroeg mij een kleermaker te laten komen, die hem de maat moest nemen en een aantal kledingstukken voor hem moest naaien. Voor dagelijks gebruik en voor bijzondere gelegenheden. Thuis droeg hij een eenvoudige kurta tot hij gerafeld en op een paar plekken gescheurd was. Ik mocht hem niet wassen. Een kledingstuk voor elke kaste, zei hij. Voor de grap hing hij in die kleren bij de regimentsmess rond en bedelde hij bij andere officieren. Als ze hem wegjoegen, richtte hij zich met verontwaardigde stem tot de hemel om in het zuiverste Engels te klagen over de harteloosheid van zijn landgenoten.'

'Wat wilde hij met die vermommingen? Was het alleen maar een spel?'

'Het was een spel, zeker. Maar er zat meer achter. Eerst dacht hij dat hij op die manier de verveling kon ontvluchten die zijn werk met zich meebracht. Maar het duurde niet lang of hij begon te beseffen dat die uitstapjes best eens lucratief konden zijn. Ik herinner me hoe hij een keer tegen me zei dat de resident zich gedwongen zag maandelijks honderden roepies aan geheime rapporten uit te geven om op de hoogte te blijven van wat zich aan het hof van de maharadja afspeelde. Zelf kon hij op een avond in de stad voor vijftig roepie zeker zo veel informatie bij elkaar schrapen. Jammer, zei hij, dat de resident zo'n idioot was die dergelijke steun niet verdiende. Maar hij zag ongetwijfeld een mogelijkheid om sneller carrière te maken.'

'Een nuttige passie.'

'U hebt gelijk. Het nam hem steeds meer in beslag. Hij verbeeldde zich alras dat hij kon denken, zien en voelen als een van ons. Hij begon te geloven dat hij zich niet verkleedde maar dat hij in iemand anders veranderde. Hij nam dat heel serieus, die verandering. Zijn werkdag werd nog langer. Urenlang oefende hij de kleermakerszit. Tot zijn benen dood aanvoelden en we hem moesten optillen om hem naar zijn bed te dragen. Hij wilde in staat zijn lang stil te zitten om zo'n waardig mogelijke indruk te maken. En als hij even niet samen met Goeroeji zat te leren, verzocht hij mij hem iets bij te brengen.'

'Wat kon jij hem bijbrengen?'

'Veel. Kleinigheden. Details waaraan ik nooit gedacht zou hebben. Hoe nagels worden geknipt, hoe je over je moeder praat, hoe je met je hoofd wiebelt, hoe je op je hurken zit, hoe je je enthousiasme tot uitdrukking brengt. Hij wilde dat ik bij hem kwam zitten als ik hem iets uitlegde of liet zien. Dat heb ik geweigerd. Altijd. Schrijft u dat op. Ik weet grenzen te stellen aan de vertrouwelijkheid. Zo ben ik ook nooit ingegaan op zijn uitnodiging om samen met hem aan tafel te eten. Dat was raar geweest tegenover de andere bedienden. In tegenstelling tot hem was ik er namelijk helemaal niet van overtuigd dat je in je leven een andere rol kunt aannemen.'

☙☙☙☙☙☙

20

Hartendief

Een paar dagen voordat ze plotseling ziek werd, pakte hij haar hand vast en probeerde hij haar in termen die hun ware betekenis verborgen hielden zijn genegenheid te verklaren. Het werd een ramp. Ze onderbrak hem en ontnam hem de kans om door te praten met een vluchtig kusje in zijn nek. Ze kleedde hem uit, en in strijd met de bedachtzame aanpak die ze hem had bijgebracht, voerde ze – met haast onbetamelijke haast – zijn lid bij zich naar binnen. Hij zon op een mogelijkheid om zijn liefdesverklaring eerlijker te verwoorden toen ze stopte. Ze bewoog niet meer, liet haar handen op zijn borst liggen en begon te praten terwijl ze op zijn pulserende verbaasdheid bleef zitten, begon te praten in volzinnen, op een vertrouwelijke toon, die terloops vertelde en toch al zijn aandacht opeiste. Hij moest zijn stoten temperen om haar woorden te kunnen volgen, die een verliefde man beschreven, verliefd op een onbekende die belangrijker voor hem wordt dan wat ter wereld ook. Hij loopt haar na zodra ze haar huis verlaat, hij raakt aan haar verslaafd, verliest haar niet meer uit het oog en kan zich een leven zonder haar niet voorstellen, ze nestelt zich in al zijn gedachten. Op een dag verzamelt hij al zijn moed en zet zich ertoe haar op straat aan te spreken en haar geestdriftig, met overslaande stem, zijn liefde te verklaren, zijn eeuwige liefde, in woorden die maar blijven stromen, totdat ze hem onderbreekt. Ze glimlacht, zodat hij denkt dat het nooit meer donker zal worden, en met een stem die nog betoverender klinkt dan hij zich had voorgesteld, zegt ze: Je woorden zijn prachtig, ze maken me blij, ze betekenen een eer voor me, maar ik verdien ze niet, want mijn zus, die achter mij loopt, is nog veel mooier, nog veel bekoorlijker dan ik. Ik weet zeker dat je haar de voorkeur zult geven als je haar direct ziet. Waarop de onsterfelijk verliefde man zijn ogen van de aanbedene afwendt om een blik, niet meer dan een korte, keurende blik, op de geprezen zus te werpen. De aanbedene geeft de man een stevige klap op zijn hoofd: Is dat nou die eeuwige liefde van je? Ik hoef het maar even over een knappere vrouw te hebben of je keert je al van me af om een blik van haar op te vangen. Wat weet jij nou van liefde!

Hoe durfde ze? Hoe kon ze hem zo uitdagen? Burton wilde zich van haar losmaken. Ze verzette zich, met heel het gewicht van haar lichaam dat op hem rustte, met haar heupen, ze omklemde hem, ze verzette zich tegen alles wat hij probeerde, hij wist niet meer of hij nog woedend was of alweer opgewonden, ze dreef hem met haar lange vingers tot capitulatie, zijn kwaadheid omhulde zijn lust, die niet kon uitbarsten en ook niet kon verflauwen, het was lust die pijn deed en hem zo in verwarring bracht dat hij moest smeken om genade. Hij schreeuwde. Dat was een paar dagen voordat zij ernstig ziek werd.

☙☙☙☙☙☙☙

21

Naukaram

II Aum Manomaaya namaha I Sarvavighnopashantaye namaha I Aum Ganeshaya namaha II

'Amper had hij geleerd voor een Kashmiri door te gaan of hij moest vergeten dat hij er ooit een was geweest. Hij moest een nieuwe gestalte aannemen, een waarbij hij zich het beste maar niet kon herinneren dat hij ooit een Nandera-brahmaan was geweest. Dat was het moeilijke aan de taak die hij zichzelf had gesteld. Hij moest telkens opnieuw wennen. De Angrezi houden zo veel landen bezet. Hij kon niet met één vermomming volstaan. De gedaanteverwisselingen waren als seizoenen. Alsof ik in de lente als khalasi zou werken, in de zomer als *khidmatgar*, in de herfst als *bhisti* en in de winter als hajaum.'

'Ik weet niet of ik daar bewondering voor moet hebben.'

'De tijd in Sindh was verwarrend. We zeilden naar Karachi. Vanuit Bombay. Een reis van niet meer dan een paar dagen. Een reis naar de wildernis. Vanaf de dag dat ik er voet aan land zette, wist ik dat ik er niet hoorde. Ik viel op als vreemdeling. Ik bleef een vreemdeling. Ik had al mijn kracht nodig om niet te vergeten wie ik was. Burton Saheb daarentegen maakte het nog bonter dan voorheen. Hij wilde voor moslim doorgaan. Kunt u zich iets moeilijkers voorstellen? En iets weerzinwekkenders? Hij moest zo veel van buiten leren. De hele dag mompelde hij voor zich uit.

Ik verstond er geen woord van. Toch dwong hij me naar hem te luisteren als hij die barse klanken uitstootte. Mogen alle tongen die zich zo krommen door jicht worden getroffen. Daar bleef het niet bij. Hij moest met een hand op zijn heup lopen. Hij moest het fluiten afleren. Wist u dat die stomme *miyans* denken dat de Firangi's zich met de duivel onderhouden als ze fluiten? In plaats daarvan leerde hij zachtjes neuriën. Hij moest zich aanwennen met zijn rechterhand langs zijn baard te strijken. Hij moest oefenen in lang zwijgen. De stilte voor zich laten spreken. Ik moet u zeggen dat hij dat nog het lastigst vond.'

'Hij heeft dat vast niet allemaal van de ene op de andere dag geleerd?'

'Het kostte tijd. Het heeft maanden geduurd voor hij zijn tulband goed kon knopen. Hij was verbazingwekkend. Hij kon zijn geest volledig aan het geduld toevertrouwen, en hij kon in razernij ontsteken als iets niet meteen gebeurde. En met woedend geduld doorstond hij zelfs de grootste uitdaging waarmee hij werd geconfronteerd: de kameel. Zijn eerste pogingen om op een kameel te rijden eindigden in schande. Ik moet bekennen dat ik me toen kostelijk heb vermaakt. Hij verbeeldde zich dat het voor iemand die kon paardrijden kinderspel zou zijn om een kameel te berijden. Hij sprong met een zwaai op de rug van een dier, zonder zich eerst op de hoogte te stellen van zijn karakter. De kameel jankte, loeide en verweerde zich uit alle macht. Als lastdier was het niet gewend aan een ruiter. Burton Saheb zat nog niet in het zadel of het beest begon naar zijn laarzen te happen. Hij trok zijn zwaard en sloeg de kameel telkens als hij zijn kop omdraaide op zijn neus. Dat ging zo een tijdje door, tot het dier zonder enige waarschuwing vooraf wegdraafde. Eindelijk luistert hij naar zijn bevelen, dacht ik nog. Maar ik had het mis. Alras galoppeerde hij op de eerste de beste boom af en joeg hij onder het doornige boomdak door, en als Burton Saheb niet de tegenwoordigheid van geest had gehad om te bukken, hadden de stekels zijn gezicht opengekrabd en zijn ogen uitgestoken. Toen ook die truc niet hielp, bleef de kameel roerloos staan. Niets wat Burton Saheb deed, kon het dier uit zijn verstarring halen. Hij probeerde alles, praatte op hem in, gaf hem de sporen, sloeg hem met zijn zweep, bewerkte zijn flanken met het rapier. Tevergeefs. De kameel maakte zelf wel uit wanneer hij weer in beweging kwam. Toen het zover was, leek hij eindelijk gewillig. Hij draafde met geheven hals, schijnbaar met zijn lot verzoend, schijnbaar goedmoedig, en Burton Saheb grijnsde mij vergenoegd toe. Lang duurde die grijns niet, want het dier verliet het pad en liep regelrecht op het nabijgelegen moeras af. Vanuit de verte zagen wij hoe Burton Saheb zijn zwaard in de lucht stak, alsof hij overwoog het dier te doden voor het in het moeras verdween. Maar het was al te laat. Het gleed er al in, knikte door de knieën en zakte naar opzij weg. Burton Saheb werd afgeworpen, hij landde in de modder en wij moesten hem, nadat we met gezwinde pas waren komen aanlopen, een lange stok toesteken, zodat hij zich op het droge kon trekken. U kunt zich voorstellen hoe hij eruitzag. We moesten ons leedvermaak onderdrukken. Pas later, 's avonds, konden we vrijuit lachen.'

'Ik kan je verhaal maar moeilijk geloven. Op een kameel rijden en langs je baard strijken maken van een mens bij lange na geen moslim.'

'Ik weet niet of ik het al heb verteld. In Baroda had hij van Goeroeji het een en ander over ons *Santana Dharma* geleerd. Kort voor ons afscheid is hij zelfs met hem mee naar een Shiva-ratrifeest geweest, in een tempel aan de Narmada. Naderhand vertelde hij dat hij de hele nacht met de andere Nandera-brahmanen bhajans had gezongen en God had begeleid toen die op een palankijn de tempel uit werd gedragen. We hadden Sindh amper bereikt of hij vergat alles over Shiva en Lakshmi-Narayan. Hij verdiepte zich in het bijgeloof van de gecastreerden alsof het iets was waarop hij zijn hele leven had gewacht. Ik heb geen idee wat hem daarin zo aansprak. Eerst beweerde hij dat hij het alleen maar bestudeerde om de inlanders beter te begrijpen. Maar mij kon hij niets wijsmaken, ik heb gemerkt met hoeveel overgave hij zich aan de rituelen wijdde en hoeveel tijd hij ervoor overhad om van buiten te leren wat hij nauwelijks verstond. Ik begreep toen dat hij ervan uitging dat hij ook in zijn geloof, evenals in zijn gedrag, zijn kleding en zijn taal, het ene opperkleed voor het andere kon verwisselen. En toen ik dat inzag, verloor ik een deel van mijn respect voor hem.'

'Je bent kleinzielig. Verandering van plaats brengt geloofs-verandering met zich mee.'

'Hoe bedoelt u?'

'Hoe komt het anders dat ons eigen geloof zo veel verschil-lende vormen kent? Omdat de eisen die aan het geloof worden gesteld in het woud anders zijn dan op de vlakte of in de woestijn. Omdat de plaatselijke kruiden de smaak van het hele gerecht veranderen.'

⊙◎⊙◎⊙◎⊙◎⊙

22

Ouder dan zijn broer

We eten zand, we ademen zand, we denken zand. De huizen zijn van zand, de daken zijn van zand, de muren zijn van zand, de balustrades zijn van zand, de fundamenten zijn van rotsgesteente, bedekt met zand. We zijn, dat hebben jullie goed geraden, in Sindh. We maken het goed, wees niet bezorgd. Dit dieet dient onze camouflage. Als wij elkaar midden in deze verlatenheid tegenkwamen, zouden jullie in mij een rechtopstaand, geüniformeerd fossiel zien dat, toegegeven, een zekere gelijkenis met jullie zoon vertoont. Als fossiel overleef je het langst, mijn gezondheid gedijt. Karachi, de haven waar ons imperium sinds kort scheepjes op het droge trekt, is niet meer dan een groot dorp van ongeveer vijfduizend inwoners (misschien zijn het er ook twee keer zoveel,

wie zal het zeggen, het wordt niet bewoond door telbare lichamen, maar door schimmen die zich nu eens splitsen, dan weer
met elkaar versmelten). Karachi – ik herhaal die naam zo graag,
de klank doet denken aan een Napolitaanse vloek, vind je ook
niet, vader? – is omgeven door muren met openingen als wijde
neusgaten, waardoor we in geval van een belegering kokend
water kunnen gieten. Wie zou ons moeten belegeren? Kun je
schaduwen met kokende vloeistof verbranden? Elk huis lijkt een
kleine vesting, maar de vestingen lopen merkwaardig genoeg in
elkaar over. Straten zijn er niet, alleen uitermate nauwe steegjes.
De enige open ruimte is de bazaar, een armzalig exemplaar van
een marktplein, waar de koopwaar wordt beschut door een
gammel dak van dadelbladeren dat noch tegen de regen noch
tegen de zon bestand is. De stank is er meestal hemeltergend,
riolering is een vaag voornemen. Maar jullie hoeven je geen
zorgen te maken, er bestaat een profylaxe tegen cholera en tyfus,
evenals tegen schot- en steekwonden, en zelfs tegen domheid en
halsstarrigheid – die profylaxe heet geluk en dat staat aan mijn
kant. Op goede dagen krijgen we een beetje frisse lucht van zee.
Bij eb rijst een reeks modderbanken op uit het havenbekken. Ze
krikken de schepen op, die dit intermezzo met scheef leedwezen
dulden. De bodem bestaat hier uit leem dat net zo dikkoppig is
als de mens, we moeten de palen de grond in rammen. Er zijn
nog maar een paar bungalows gebouwd, maar de machten die
ons lot blind en stotterend besturen, hebben goed nagedacht over
de toekomst. De paardenrenbaan wordt onze grote trots. Hoe
zullen wij later worden beoordeeld, wanneer Napier de Onverbiddelijke de stralende held van een mythe zal zijn, te vergelijken
met Alexander de Grote? Hoe zal de mensheid terugzien op een
beschaving die een paardenrenbaan aanlegt alvorens een gedachte vuil te maken aan een kerk of een bibliotheek? Zijn wij het
avondland van Jezus of van Equuleus?

Sindh-Hind was de naam die Arabische kooplieden voor dit
deel van de wereld bezigden: Sindh was het land aan deze zijde

van de Indus, Hind, het eigenlijke India, lag op de oever aan gene zijde. Ik ben dus van Hind naar Sindh gegaan, ach, was ik maar bij die oude, beproefde medeklinker gebleven. Gora, wat een ellendig gat, een troosteloze hoop rotsgesteente en klei, een verzameling vuile schuren van leem en vlechtwerk. Wat hier groeit of woekert, levert niet meer op dan een schrale oogst aan doornen en pyrofieten: amper genoeg voor de kamelen, die alles wegvreten. Lieve zus, gewaardeerde zwager, ik weet niet zeker of dit de hel is (onze superieuren houden dergelijke informatie voor ons achter), maar het is in ieder geval het land van de schelle weerschijn, van een glans die alles uitwist, een hitte die doet koken en dampen tot het gezicht van de aarde vervelt, loslaat, tot het barst, openspringt, en er blaren ontstaan. Jullie kunnen je voorstellen dat ik me als een vis in het water voel en dat mijn lichaam dagelijks om nieuwe uitdagingen schreeuwt. Soms schreeuwt het al te hard. De kadavers van vijftig kamelen – nee, zuslief, ik heb ze niet geteld, het gaat om een olfactorische schatting – liggen sinds kort te vergaan in de buurt van het kamp. Toen ik er langsliep, op een afstandje, dat spreekt, werd ik verrast door twee vette jakhalzen die uit hun gerieflijke eetkamer in de buik van een van de kadavers kropen, vadsig van hun gulzige maal.

Zorg dat je nooit hierheen wordt gestuurd, broerlief, dit land is voor oorlog geschapen, ik ruik als het ware de roem die mensen als wij hier zouden kunnen vergaren, maar in vredestijd is het hier even spannend als op een kerkhof na een zandstorm. Heus, het land is nog zanderiger dan de snor van een Schot. Blijf je mooie Lanka trouw – of is die niet van het vrouwelijke geslacht? Ik moet je bekennen dat ik niet eens meer weet of het 'de' of 'het' eiland is. Voor het geval je onverhoopt toch hier terechtkomt, zal ik je verslag uitbrengen van de bordelen in ons grote dorp. Het zijn er drie. Dat verbaast je, hè? Een renbaan en drie bordelen, wat wenst een Engelsman zich nog meer? Een van de bordelen is een exacte kopie van de vrouwenhuizen (zoals mijn bediende Naukaram ze pleegt te noemen) in Bombay en Baroda, een tamelijk beschaafd oord met acceptabele dansvoorstellingen en aardige vrouwtjes met wie je uitstekend kunt converseren, mits je uiteraard het Sindhi of het Perzisch beheerst. Mijn kennis van die talen gaat vooruit en om mijn vorderingen niet in gevaar te brengen ben ik daar stamgast. In het tweede bordeel zie je weinig en dat is ook de bedoeling. Er stijgt stoom op en de klanten zijn ingesmeerd met leem in verschillende kleuren, zodat mannen van gelijk welke afkomst er met elkaar kunnen omgaan. Zolang ze stilzitten, als medespelers in een pantomime, zwijgen ook de verschillen tussen hen. Het leem moet gezond zijn, en na een leemomhelzing van een of twee uur zou niet alleen het lichaam maar ook de lust gereinigd zijn. Ik zal het een dezer dagen eens uitproberen en je dan natuurlijk verslag uitbrengen, mijn beste Edward. Het derde bordeel is het meest berucht, daarover praat je alleen met je hand voor je mond. *Lupanar* heet het heel klassiek, een huis waarin jongens en jongemannen zich te koop aanbieden. Het behoort volgens de geruchten toe aan een vooraanstaande emir en wordt hoofdzakelijk door aristocraten uit de provincie bezocht. In ons soldatenjargon noemen we het de backgammonsalon. Dat amuseert mij zeer, je weet dat ik dol ben op dat spelletje. In die tempel van verderf ben ik nog niet geweest en ik bespeur bij mezelf ook geen enkele neiging om erheen te gaan, maar ik vermoed dat je er het een en ander kunt waarnemen wat nergens anders te zien is. À propos bordelen, ik doe hier mee met een discussie, zo komen wij de avonden door, of het nu hindoevrouwen of moslimvrouwen zijn die de beste courtisanes voortbrengen. Je kunt je niet voorstellen hoe verhit zo'n debat wordt gevoerd. Op hoog niveau. Het argument dat in mijn ogen de doorslag geeft ten gunste van de hindoes, is dat de sacrale prostitutie bij hen een traditie is en het plezieren van de man derhalve tot goddelijke plichtsbetrachting kan worden herleid. Jouw ervaringen, broerlief, zouden het gesprek nog boeiender maken, dus ik smeek je, laat ons weten hoe jouw vonnis zou luiden.

☙❧☙❧☙❧☙❧

23

Naukaram

II Aum Skandapurvaaja namaha I Sarvavighnopashantaye namaha I Aum Ganeshaya namaha II

'U bent vandaag bijzonder slechtgehumeurd.'

'Mijn vrouw loopt te zeuren. Ze laat me niet rustig werken. Ik
heb 's avonds tijd nodig, ik moet me met jouw brief bezighouden, ik moet nadenken, kiezen, inkorten, herschrijven. Die opdracht van jou vereist speciale aandacht.'

'En dus is het mijn schuld dat u ruzie met uw vrouw hebt?'

'Laten we doorgaan. Je verachtte hem dus omdat hij zich als
moslim vermomde. Schaamde je je ook in zijn gezelschap?'

'Ik was er nooit bij als hij zich verkleedde en wegreed. Hij was
soms wekenlang weg.'

'Je was er nooit bij?'

'Nee. Denkt u toch eens na. Zo veel moeite doen om je te
vermommen en dan een ongelovige als bediende? Uit Gujarat?
Onmogelijk. Die mensen gaan alleen met soortgenoten om. Ik
bleef in het kamp. Waar ik niemand kende. Ik bedoel, ik kende
wel een paar andere bedienden van gezicht of bij naam. Maar hun
gezelschap deed me weinig.'

'En de sepoys?'

'Die lieten zich niet met ons in. Ze voelden zich boven ons
verheven. Kunt u zich dat voorstellen? Het zijn ook maar bedienden, en het werk dat zij voor hun meesters opknappen is het
smerigste werk dat er bestaat. Roven en moorden. Toch voelen ze
zich meer dan bedienden die de huishouding op orde houden.'

'En zijn maten? Wat vonden die van zijn gedaanteverwisselingen?'

'Ik weet het niet. Ik zag ze zelden. In de tent konden we geen
bezoek ontvangen. Ik heb alleen gehoord dat ze hem in de mess
voor witte neger waren gaan uitmaken. Ze vonden dat hij zijn

volk ontrouw was door zich als een wilde te kleden.'

'Maar uit militair oogpunt was het toch nuttig? Hij was een verkenner voor het leger van de Angrezi, dus wat hij deed, deed hij toch in het belang van de eerbiedwaardige Compagnie?'

'Jawel, maar zij vonden zijn gedrag niettemin onbetamelijk. Er waren er die al te veel omgang met inlanders ongezond vonden. En er waren er ook die vonden dat ze de informatie die hij vergaarde evengoed konden missen. Hij maakte zich verdacht. Zwaarwegende, kwalijke verdenkingen laadde hij op zich. Alsof hij onkruid binnenbracht in een ingezaaide, verzorgde, gesnoeide tuin. Iedereen weet hoe snel onkruid zich kan verspreiden.'

'Onkruid, ja, onkruid, als het eenmaal door de omheining dringt, als het niet op tijd wordt verdelgd … Heel mooi, vanuit het perspectief van de anderen bekeken geeft ons dat hoop, nietwaar? Overigens, gisteren ben ik het vergeten, maar we moeten over het honorarium praten. Wat je hebt aanbetaald is natuurlijk lang niet genoeg. Ik denk dat het nodig is dat je nog eens acht roepie betaalt.'

'Dat zijn er dan zestien in totaal.'

'En wat dan nog? Hoeveel dagen ben ik al met je bezig? Een halve maan is voorbijgegaan. En dan klaag jij over zestien roepie?'

෨෨෨෨෨෨෨෨

24

Een dappere krijger

Als Burton of Naukaram of een andere vreemdeling over Sindh uitkeek, zag hij een onmetelijke woestijn. De generaal zag daarentegen vruchtbaar land, en hij zag met een voor dromen ongebruikelijke precisie hoe het tot bloei kon worden gebracht. De boeren moesten zelfvoorzienend worden. De grootgrondbezitters die de gebieden langs de oever, de moerassen, in beslag hadden genomen als privéjachtterrein, moest de macht over de Indus worden ontnomen. De overwoekerde, met drijfzand gevulde kanalen moesten worden opengelegd – zó duidelijk was zijn droom, dat hij al werklieden zag lopen met een schop over hun schouder – het rivierwater moest worden gestuwd, er moesten meer sluizen worden gebouwd en via een wijdvertakt irrigatiestelsel moest nieuw akker- en rijstland worden gewonnen. Een kapitein, Walter Scott genaamd, kreeg de opdracht het land op te meten voor er met het uitgraven kon worden begonnen. De droom van de generaal omvatte zelfs de premies die geheven zouden moeten worden. In het kader van een efficiënt en rechtvaardig systeem zou akkerland voor veertien jaar worden verpacht, de eerste twee jaar kosteloos. Hij was uiterst secuur, de generaal. Hij diende zijn tot in de puntjes uitgewerkte droom in meervoud in. Maar de directeuren van de eerbiedwaardige Oost-Indische Compagnie waren bang dat het inblazen van nieuw leven op een dergelijke schaal hun te duur zou komen te staan, in deze tijd met een ongunstige handelsbalans. Pas toen hij de schriftelijke afwijzing van zijn voorstel las, werd de generaal ruw uit zijn droom gewekt, en zag ook hij terwijl hij uit het raam keek niets dan een hopeloze woestenij. De opdracht werd veranderd. Het land hoefde niet meer verbeterd te worden, alleen nog opgemeten.

De mensen in deze woestenij kenden de generaal alleen als Shaitan-bhai, wat zoveel betekent als broer van de duivel. Zijn eigen volk kende hem onder zijn civiele naam – Charles Napier – ook al werd die zelden gebruikt. De generaal verachtte iedereen die tegen hem inging, of het nu een ondergeschikte of een superieur was. Hij genoot van elke nieuwe verovering en het slechte geweten dat hij eraan overhield. Hij wantrouwde iedereen en verwachtte van eenieder dat hij zichzelf overtrof. Ook in het kwade. Zodat hij te zwaar tilde aan de intriges van de inheemse prinsen. Om zich tegen hen te beschermen ontwikkelde hij een strategie die zijn beruchte reputatie nog erger maakte: hij riep op tot de tegenaanval nog voor de tegenstander tot de aanval had besloten. Hij beschouwde die strategie als kunst en nam de slachtoffers op de koop toe, want kunst mag nu eenmaal iets kosten. Hij had grandioze successen behaald in de veldslagen bij Miani en Hyderabad. Dappere overwinningen, waarbij de artillerist die het enige kanon van het Talpurleger bediende opzettelijk een heel stuk boven het hoofd van de aanvallende Britten mikte. Ook de cavaleriecommandant was een verrader die zijn mannen terugtrok en hen ertoe aanzette te vluchten. Zelfs de naam van de slag bij Miani had geen eerlijke ouders. Ze vond eigenlijk plaats in de buurt van het dorp Dubba, wat zoveel als vette huid betekent, en dus reed een gewonde officier door het gebied op zoek naar een elegantere naam voor het toneel van deze glorieuze overwinning.

De betalingen voor het hoogverraad zaten verstopt in de boekhouding, maar wie de toedracht kende, kon eruit aflezen hoe goed het geld voor de geheime dienst was besteed. Toch was ook de kunst van de generaal, zoals bij kunst gebruikelijk, afhankelijk van bepaalde voorwaarden. Generaal Napier was aangewezen op inlichtingen die nauwkeurig genoeg waren om de toekomst steeds een stap vooruit te zijn. Hij was een meesterschutter en verklaarde Burton, toen die een keer naar zijn strategie vroeg, dat je het kon vergelijken met een schot van aanzienlijke afstand: de schutter moest uitrekenen waar het object zich een fractie van een seconde later zou bevinden, hij moest de beweging van het object voorzien om perfect te kunnen mikken. De hand die schoot mocht nog zo vast zijn, je had daar weinig aan als het object op het moment dat de kogel de loop verliet over de wortels van een schijncipres struikelde. Generaal Napier was een pietlut, ook in zijn vergelijkingen. Verantwoordelijk voor het vergaren van inlichtingen was majoor McMurdo, die een netwerk van verklikkers, geheim agenten, speurders en spionnen had gerekruteerd en ieder van hen zo veel schrik aanjoeg dat ze hem heimelijk

Mac the Murder noemden. Majoor McMurdo sprokkelde de schatten bijeen waar generaal Napier op uit was, de woestenij gaf haar geheimen prijs via tal van aanwijzingen, rapporten en achtergrondberichten, die door een ploeg vertalers uit de taal van zand en stof in de taal van haag en gras werden vertaald, want de informanten waren zonder uitzondering inlanders. Zo was McMurdo in staat de generaal elke dag uitvoerig verslag uit te brengen. Maar een scepticus als de generaal ziet aan de blauwste hemel nog de dreiging van wolken, hij wantrouwt de vrede evenzeer als ieder onberispelijk functionerend systeem. Hij was zo paranoïde als mannen die te veel bhang hebben gebruikt. Hij dekte zich in, hij stond erop altijd een tweede schot in de loop te hebben voor het geval het eerste, tegen alle verwachtingen in, de tegenstander zou missen.

Burton was een van zijn reserveschoten, een extra troef in zijn mouw. Burton was het scherpe oog van de generaal in den vreemde, de zogenaamd vreedzame wereld buiten het cantonment. Die rust was bedrieglijk, daarvan was de generaal overtuigd. Burton moest persoonlijk voor Napier zijn ogen en oren de kost geven. Toen hij terugkeerde van zijn eerste leg-je-oor-te-luisterenopdracht was zijn verslag aan de generaal zo ongewoon dat deze zich gesterkt voelde in zijn besluit om deze jongeman met zijn ongelooflijke talenkennis en zijn dwarse aard als verspieder te gebruiken. Richard Francis Burton. De vader eveneens officier. Beide grootvaders dominee. Een deel van de familie uit Ierland. Wat niet verklaarde waarom hij zo donker was. Misschien klopte het gerucht dat een zigeunerin was binnengedrongen in de genealogie. Deze Burton was veel te eigenwijs om in het leger vooruit te komen. Hij behoorde tot de soldaten die je eigenlijk meteen tot generaal moest bevorderen. Of moest ontslaan. Hij bracht zijn relaas met de verve van een hoofdrolspeler die de belangrijkste monoloog van een stuk declameert. Ze hadden, zo oreerde hij, formeel weliswaar grote vorderingen gemaakt met de invoering van het Britse rechtsstelsel, maar de praktische toepassing liet nog te wensen over. De generaal had zelf onlangs negen doodvonnissen ondertekend voor de eerste moordenaars die volgens de regels, na een fatsoenlijk proces, schuldig waren verklaard; hij had ook bericht gekregen dat de vonnissen waren voltrokken. Toch waren drie van de veroordeelden nog in leven. De generaal, die niet rustig achter zijn bureau kon blijven zitten en zijn mensen rapport liet uitbrengen terwijl hij de troepen inspecteerde, terwijl hij naar buiten reed, terwijl hij oefende met schermen, terwijl hij van het ene naar het andere gebouw hinkte, bleef staan en keek Burton door zijn stalen brilletje aandachtig aan, met de neus van een adelaar en de ogen van een valk. Wilt u verwarring stichten? Volstrekt niet. De veroordeelden, Sir, waren rijke mannen. Ze hebben vervangers geronseld, die in hun plaats zijn opgehangen. Bent u mij aan het provoceren, jongeman? Helemaal niet, Sir, ik wijs erop dat de mens de gekste dingen bedenkt om te overleven. Het systeem heeft zelfs een naam: *badli*. Wie laat zich nou vrijwillig in plaats van een ander ophangen? Dat weet ik niet, Sir. Dan zoekt u het uit. Onmiddellijk. Burton wachtte de eerstvolgende terechtstelling af. Hij kwam tussenbeide voor het valluik zich kon openen. Halt. Ik heb reden om aan te nemen dat dit niet de man is die ter dood is veroordeeld. Hoezo? vroegen de omstanders met onschuldige verbazing. Dat weten jullie heel goed, zei Burton. Ik wil met deze sukkel praten, daarna mag hij ongehinderd naar huis. Hebben jullie me begrepen? De man die de strop op het nippertje was ontkomen, bedankte Burton met een stortvloed van scheldwoorden. Dat je neus eraf mag vallen, varkensvreter die je bent, schreeuwde hij. Hij wilde er niets van weten dat Burton hem het leven had gered. Pas veel later, toen hij tot rust was gekomen en begon te wennen aan het idee dat hij zou blijven leven, beantwoordde hij de vraag waarom hij met een dergelijke ruil had ingestemd. Ik ben mijn hele leven arm geweest, zei hij kalm. Zo arm dat ik niet wist wanneer ik weer zou eten. Mijn maag was altijd leeg. Mijn vrouw en mijn kinderen zijn half verhongerd. Het is mijn lot. Maar dit lot gaat mijn geduld te boven. Ze boden me tweehonderdvijftig roepie. Met een klein deel van dat geld heb ik me volgevreten. De rest heb ik mijn gezin nagelaten. Zodat ze een poosje vooruit kunnen. Het leek me het beste wat ik op aarde kon bereiken. Burton bracht opnieuw verslag uit. De wenkbrauwen van de generaal leken touwtjes.

'Hoe kunnen we een eind maken aan deze misstand?'

'Door de armoede af te schaffen?'

'Als mijn hoofd naar iets geestigs staat, sla ik er Lucianus wel op na. Begrepen, soldaat?'

'Geeft u de voorkeur aan de *Alethe Dihegemate*, of verdiept u zich liever in de *Nekrikoi Dialogoi*?'

'Voor een man die zo begaafd is als u staat de wereld gewoonlijk open. Maar ik vrees, Burton, dat u met uw vrijpostigheid tegen heel wat deuren op zult lopen. Had u in ons geval nog andere adviezen?'

'Op het ogenblik niet, Sir. Wel vraag ik om toestemming om die man het geld te vergoeden waarmee hij zijn laatste maaltijd heeft betaald.'

'Is de schuldige dan ondertussen niet geëxecuteerd?'

'Jawel. Maar zijn familie wil nu dat geld terug. Die man die niet gered wilde worden heeft het restant terugbetaald, maar wat hij heeft uitgegeven voor hij naar de galg stapte, moet hij ...'

'Hoeveel?'

'Tien roepie.'

'Een feestmaal!'

'Hij heeft zichzelf voor één keer in zijn leven iets gegund.'

'Op kosten van de staat, blijkt achteraf. Zorgt u ervoor dat niet bekend wordt tot welke uitwassen de Pax Britannica leidt.'

'Komt in orde, Sir.'

෨෨෨෨෨෨෨෨

25

Naukaram

II Aum Viraganapataye namaha I Sarvavighnopashantaye namaha I Aum Ganeshaya namaha II

'Het leven van Burton Saheb veranderde in Sindh. En het mijne ook. Hij ging erop vooruit, ik erop achteruit. Niet dat hij een hogere rang bekleedde of meer geld verdiende. Het huis waarin we woonden, was een tent. In Baroda hadden we twaalf bedienden gehad, nu hadden we er nog maar twee. Aan de buitenkant geoordeeld zou je niet gezegd hebben dat zijn positie belangrijker was geworden. Sindh werd geregeerd door een oude generaal die door iedereen werd gevreesd, zelfs door mensen die hem nog nooit hadden gezien. Burton Saheb werd op een dag bij hem geroepen; hij moest iets vertalen. Bij die ontmoeting heeft hij indruk gemaakt op de generaal, hoe kon het ook anders. Hij was een man, Burton Saheb, die meer in zijn mars had dan de andere Angrezi. Dat kon voor de generaal niet verborgen blijven. Hij ontbood hem opnieuw. Een gesprek onder vier ogen. Ik weet niet waarover ze het hadden. Maar ik weet wel dat er later moeilijkheden ontstonden.'

'Als gevolg van dit gesprek?'

'Ja. De vreselijkste problemen stonden ons te wachten. Ik had geen idee wat voor opdracht de generaal Burton had gegeven. Zelfs zijn rechtstreekse superieuren en zijn maten werden daarover in het ongewisse gelaten.'

'Hij heeft je niets verklapt?'

'Hij moest iets te weten trachten te komen, zoveel heeft hij me verteld. Het betekende dat hij zich onder de miyans moest begeven. Hij scheen zich daarop te verheugen. Toen hij thuiskwam, zo noem ik onze stoffige tent, ook al is het misplaatst, was hij vrolijker dan hij in tijden was geweest. Hij kondigde met veel poeha aan: we gaan op pad, Naukaram, we gaan een kijkje nemen in het land. Het imperium krijgt eindelijk oog voor onze talenten. Hij was die dag gelukkig op een manier waartoe ik hem niet in staat had geacht. Het begon zo goed voor hem. Ik begrijp niet waarom het zo slecht moest aflopen. Zijn opdracht had geen gevolgen voor mijn dagelijks werk. Dat bestond eruit dat ik de woestijn uit de tent probeerde te houden. Ze vond altijd weer een weg om langs me te sluipen. Burton Saheb ging steeds vaker vermomd op stap. Ergens heen. Hij heeft me nooit verteld waarheen. Eerst was hij een dag weg. Maar openhartige gesprekken, stelde hij vast, worden 's nachts gevoerd. Dus bleef hij een paar dagen weg, en uiteindelijk zag ik hem soms wekenlang niet. Ik vond het geen prettig idee dat hij was uitgeleverd aan die wilden, die besnedenen. Voor het eerst sinds ik bij hem in dienst was, kon ik hem niet bijstaan. Ik maakte me zorgen om hem. Hoe kwam hij aan eten, waar sliep hij? Ik wist het niet, hij reed weg zonder bagage. Hij verdween gewoon en ik bleef met mijn zorgen achter tot hij weer opdook. Uitgeput, het slaapgebrek was hem aan te zien. Maar altijd stralend, en altijd kon ik de opwinding die door hem heen stroomde voelen. Na zijn terugkeer vertelde hij me het een en ander over zijn belevenissen. Over merkwaardige gebruiken waaraan hij was blootgesteld. Over grote feesten bij graftombes. Dat soort bijkomstigheden. Ik stond paf. Dat kon toch niet de informatie zijn waarvoor hij moest spioneren.'

'Hij hield het belangrijkste voor je geheim.'

'Hij mocht niemand iets vertellen. Zelfs mij niet.'

◌◍◌◍◌◍◌◍◌

26

Wie zijn leerlingen het vak bijbrengt

Kapitein Walter Scott – jawel, familie van de dichter, een directe nakomeling zelfs – sloeg een baak in de grond. Roodwitte strepen die de woestijn stonden als gevangeniskledij. De aarde zag eruit als een jichtige huid op zwarte klei. Je leert het zo, zei hij. Het is even simpel als patience spelen. Wij doen niets anders dan het onbekende verbinden met het bekende. We vangen het landschap als een wild paard. Met technische middelen. We zijn de tweede voorhoede van de inbezitneming. Eerst wordt er veroverd, dan opgemeten. Onze invloed staat op ruitjespapier. Jij maakt je druk omdat je nog geen troepen aan het werk hebt gezien. Je hoeft je geen zorgen te maken. De cartografische ontsluiting die wij tot stand brengen is van enorme militaire betekenis. Het kompas, de theodoliet en de waterpas zijn onze belangrijkste wapens. Wie vast komt te zitten in het coördinatennet dat wij uitwerpen, is voor de eigen zaak verloren. Hij behoort de beschaving toe; hij is getemd. Doe een oog dicht en stel het andere zo scherp mogelijk. Je hebt als landmeter maar één eigenschap nodig. Je moet heel precies zijn, heel nauwkeurig. Wij landmeters zijn secure mensen. Wen je dus maar wat pietluttigheid aan. Het principe is uiterst eenvoudig. De vaste punten staan in een driehoek. Langzaam gaan wij verder, driehoek na driehoek, polygoon na polygoon. Meer dan een kilometer per dag kunnen we niet doen. Daarom kamperen we wekenlang op dezelfde plaats en zetten we onze driehoeken in alle richtingen uit. Het gaat bij het meten om twee waarden: afstand en hoogte. En natuurlijk ook om de hoek tussen een waarneempunt en een verhoging. En hoe definieer je een hoek, Dick? Als afstand tussen strenggelovigheid en ketterij? Eigenlijk als verschil tussen twee richtingen. Dan zat ik dus ongeveer goed? Weet je wat dat in de wiskunde betekent, Dick, als je 'ongeveer' goed zit? Waarom kost het me toch zo veel moeite een landmeter in je te zien?

Burton zal met een baak in zijn hand zeker geen carrière maken, in zoverre heeft Scottie gelijk. Hij is bij deze eenheid gedetacheerd omdat hij nu eenmaal ergens moest worden gedetacheerd en omdat hij vanuit deze afgelegen kampen makkelijker op strooptocht kan gaan. En hij kan zich nuttig maken met de waterpas. Hij sluit zijn ogen. Het uur van de dag waarop het denken dichtslibt. Hoe moet je de precieze plaats van een punt bepalen wanneer alles zindert. Als hij zijn ogen weer opent, ziet hij een derwisj door de waterpaslijn gaan. Een zwart gewaad, een lappen muts. Ik ben degene die alleen vliegt. De ogen liggen verzonken in een trog van kajal. De handen zijn met monsterlijke ringen versierd. Burton sluit opnieuw zijn ogen. Als hij ze weer opent, is de derwisj in het groen gekleed en zijn de kettingen om zijn hals van zilver en blik, van stof en van edelstenen. Ik ben degene die alleen vliegt. Zijn haar en baard zijn geverfd, oranjebruin als henna. Weer doet Burton zijn ogen dicht. Laat ze lang dicht. Hij spelt alle alfabetten die hij kent. Dan opent hij zijn ogen. Hebben jullie hem gezien, roept hij tegen de wind in naar zijn kameraden. Wat is de waarde? schreeuwen ze terug.

De derwisj was geen eenmalige verschijning. Hoe dichter ze met hun driehoeken bij het volgende dorp kwamen, des te vaker liep hij op veilige afstand langs Burtons taxerende blik. Het was elke keer iemand anders, de derwisj. Hij leek nooit een gestalte aan te nemen die hij al eens eerder had gehad. Merkwaardig dat de anderen hem niet zagen. Op een keer, toen de werkdag bijna voorbij was, besloot Burton hem te volgen. Tot aan een moskee, met een ommuurde graftombe ernaast. Een toegang als een doolhof. Een dichte drom opgewonden mensen. Hij hoorde een lied; het trok hem naar binnen, een lied dat hem trof, dat aan de kalk van een verborgen kamertje in zijn wezen krabde. Die aanraking ging gepaard met een schittering, de plaats voor hem straalde en hijzelf werd met licht doorstroomd. De gelegenheid was feestelijk, de graftombe van de heilige was beladen met een onmetelijk verlangen. Er heerste een gedrang waarin hij vriendelijk werd opgenomen, een voorproefje van het gedrang dat voor de poorten van de hemel zou heersen. Hij bereikte de met een geborduurde, groene lap stof bedekte graftombe niet. Hij werd afgeleid. Tegenover het poortje waar de pelgrims gebukt onderdoor liepen om toegang te krijgen tot de tombe zaten een paar mannen op de grond. Zij zongen het lied dat hem zo ontroerde. Het klonk als een liefdesverklaring aan alles wat leefde. De stem van de zanger, een ongewone stem die de diepe ernst een schrille, haast carnavaleske toonzetting gaf, schroefde zich omhoog, draaide het lied op een steeds sneller roterende schijf. Opeens keek de derwisj hem in de ogen. Het draaien zette zich in hem voort. Neemt u plaats, zeiden de ogen, blijft u hier. Wij zijn allemaal gasten. Wij zijn allemaal reizigers. Wees een van ons. En het lied bleef zijn licht de nacht in werpen, op de dichte, bewegende massa.

ᏇᏇᏇᏇᏇᏇᏇᏇ

27

Naukaram

II Aum Sarvasiddhaantaaya namaha I Sarvavighnopashantaye namaha I Aum Ganeshaya namaha II

'Had je eigenlijk nooit last van een slecht geweten, dat je Firangi's hielp bij het bespieden van je eigen volk?'

'Mijn volk? Dat was mijn volk niet. Hebt u niet geluisterd? Daar wonen hoofdzakelijk besnedenen.'

'Maar toch. Ze staan je nader dan de Angrezi.'

'Iedereen staat mij nader dan een miyan. Weet u wat voor nachtmerries ik daar had? Als ik tenminste niet in beslag werd genomen door de vrees dat Burton Saheb in een of ander steegje de keel kon worden afgesneden. Ik was bang dat ons Gujarat net zo kon worden als Sindh. In mijn nachtmerrie waren wij nog maar met weinigen. Baroda was in rouw gedompeld. Er waren geen klanken in mijn droom. Geen gezangen, geen klokken, geen aarti. De vrouwen liepen in het zwart door de straten, alsof ze op weg waren naar hun eigen begrafenis. De mannen omlegerden onze schuwe beleefdheid, loerend op een reden om hun dolk te trekken.'

'Nachtmerries zijn de schuld van je hoofd, niet van de buren.'

'Met hen kunnen wij geen buren zijn. Ze zullen ons met alle middelen proberen te verdrijven, zoals ze het in Sindh hebben gedaan. Wie weet hoelang wij onder hen in leven waren gebleven als de Angrezi niet waren gekomen.'

'Je droomt, ook al ben je wakker.'

'We moeten ons verzetten, hier, voor ons Gujarat net als Sindh wordt.'

'Wat gebeurde er met de spionageberichten van je meester?'

'Hij legde ze de generaal voor. Onder vier ogen. Ik geloof dat ze goed met elkaar overweg konden, de generaal en Burton Saheb. Wat niet betekent dat ze geen woordenwisselingen hadden. De generaal verwachtte van elke soldaat dat hij bevelen aannam en uitvoerde. Dat hij geen commentaar leverde, tenzij het hem werd gevraagd. Maar Burton Saheb had nooit een aansporing nodig om zijn oordeel te geven. Hij ging tegen de generaal in als hij dat nodig vond. En dat was vrij vaak. Hij was van mening dat de generaal in Sindh te veel te snel wilde veranderen. Zijn rechtsgevoel was te star, dat was Burton Sahebs favoriete voorbeeld: de generaal stootte er volgens hem de inlanders mee voor het hoofd. Gerechtigheid is een aangekweekte smaak, placht Burton Saheb te zeggen. Hoelang heeft het niet geduurd voor wij gewend waren aan pap bij het ontbijt? Hoelang zou het niet duren als we moesten overstappen op, zeg maar, gebakken geitenlever? De generaal had een man laten ophangen die zijn vrouw had neergestoken nadat hij had ontdekt dat zij hem bedroog. Het probleem was dat de man had gereageerd zoals het van een man daar werd verwacht. Die kerels daar snijden bij het minste of geringste hun vrouwen aan stukken. Als hij de vrouw had laten leven, waren hij en ook zijn zoons onteerd. De schande was enorm geweest. Onvoorstelbaar. Ze zouden als paria's zijn, voor iedereen een mikpunt van spot. Hun vrienden zouden hun de rug toekeren. De generaal wilde een signaal afgeven dat de tijden waren veranderd. Burton Saheb veegde hem de mantel uit om zijn eigenzinnigheid. Niet dat hij het gedrag van de man goedkeurde, maar hij besefte meteen hoe weinig begrip dit vonnis onder de inlanders zou vinden. Hij voorzag narigheid. Hij kreeg gelijk. Overal werd gescholden op de waanideeën van de ongelovigen, die een man niet eens toestonden zijn eer te herstellen. De residentie van de generaal werd dagelijks belegerd door groepen die protesteerden en klaagden. Het vonnis bracht vloedgolven van geruchten teweeg over de verdere bedoelingen van de Angrezi. Op een dag stuurden zelfs de courtisanes een delegatie. Burton Saheb was toevallig aanwezig toen ze binnen werden gevraagd, die vrouwen. Ze waren allemaal voorbeeldig bedekt. Een van hen trad naar voren en zette hun bezwaren uiteen. Als overspel niet meer werd bestraft, zouden getrouwde vrouwen het werk van de courtisanes gaan doen. Die zouden dan van hun bestaansmiddelen worden beroofd. Als het zo doorging, zouden ze nog omkomen van de honger.'

☙☙☙☙☙

28

Wie bovenaan staat

Het is *jehannum* bij dag en *barabut* 's nachts. Heb je geen bewondering voor mijn acclimatisatie? Vrij vertaald: overdag heeft de duivel de leiding, 's nachts beëlzebub. Je moet wel een heel speciaal gevoel voor verstrooiing hebben, wil je de tijd hier genoeglijk doorkomen. Me aanpassen is het enige wat erop zit, maar ik mis veel. Het meest nog wel het gezelschap van Goeroeji. Je weet wel, ik heb hem je een keer uitvoerig beschreven. Taalleraren zijn er zat, als muggen in een stal, maar vind maar eens iemand die de heilige onernst van het leven zo kan celebreren als die oude, verrukkelijk grillige Upanishe. Hij heeft mijn leven in Baroda draaglijk gemaakt. Vooral op het laatst. Ik overdrijf niet. Hij had het talent de eigen wanhoop onbelangrijk te doen lijken. Zijn geest stond met één been in het dagelijks leven en zweefde met het andere boven het menszijn. Ik zal hem wel nooit meer zien. Het hindoeïsme is passé, mon cher ami, ik richt me nu op de islam. Past beter bij het landschap hier, vandaar die vele derwisjen. Ik denk dat ik Goeroeji zal vervangen door een ploegje leraren. De evidente geheimen van Al-Islam brengt een man me bij op de oever van de rivier. We zitten onder een tamarindeboom op een vilten kleed, om ons heen de zoetige geur van basilicum, en terwijl hij me onderwijst, kijkt deze leraar, die te honkvast is voor een derwisj en te geïsoleerd voor een *alim*, uit over de rivier en de mensen die zich bij de veerboot verzamelen. Ook heb ik al een leraar gevonden voor Perzisch, de fierste aller talen, heb ik de indruk, nadat ik ben rondgeleid door haar zalen. En nog een derde leraar, een echte derwisj, een wildeman die je tot hoger inzicht leidt door verwarring te stichten. Helaas zien we elkaar zelden. Maar als we elkaar ontmoeten, meestal toevallig, stopt hij me een gedicht toe, alsof ik een arme man ben die te trots is om te bedelen. Hij heeft mijn waterpas uit evenwicht gebracht. Ik ben hem gevolgd en hij heeft me een lied in getrokken, een liedvorm om precies te zijn, die verraderlijker is dan je zou denken, beste kerel. Zo snel is bij ons nog niemand in extase geraakt. Muziek en poëzie, daarmee is dit land gezegend. Het Urdu, de taal die zingt, is zo'n rijke taal dat een gesprek over aardappelen op mij al overkomt als een toneeluitvoering van *Childe Harold*. Ik geniet van de afwisseling.

༺∞༺∞༺∞༺∞༺

29

Naukaram

II Aum Prathameshvaraaya namaha I Sarvavighnopashantaye namaha I Aum Ganeshaya namaha II

'Ik moet u zeggen dat ik in die jaren in Sindh van een vertrouweling in een banneling veranderde.'

'Ben je in ongenade gevallen?'

'Hij keerde zich van me af. Hij besprak nauwelijks nog iets met me.'

'Vind je dat gek?'

'Hoezo?'

'Zo minachtend als jij over moslims praat, zo vol haat, hoe kon hij iemand als jou toevertrouwen wat voor opwindende ontdekkingen hij op zijn nieuwe reis deed?'

'Waarom zegt u vol haat? Ik voelde geen haat. Ik wist nauwelijks iets over de miyans toen wij aankwamen. U weet niet waartoe ze in staat zijn. Ze dwongen onze mensen miyan te worden. De schanddaden waren onverdraaglijk. Is het haat als ik dat zeg? Een *Banyan* werd valselijk beschuldigd. Ik geloof dat hij ruzie had gemaakt met een andere zakenman.'

'Een miyan?'

'Natuurlijk. De beschuldiging was er duidelijk met de haren bij gesleept. En wat besluit de kadi? De Banyan werd afgevoerd. Zijn kleren werden uitgetrokken. Hij werd gewassen zoals de miyans denken dat de mens zich moet wassen. Drie keer hier en drie keer daar, en telkens weer zo'n schorre kreet tussen de bedrijven door. Toen trokken ze hem nieuwe kleren aan en droegen hem naar de moskee. Ze bekogelden hem met gebeden. Hij moest nazeggen dat hij geloofde wat een miyan moet geloven. En alleen omdat hij dat foutloos deed, werd opgewonden bekendgemaakt, je gelooft je oren niet, dat er een wonder was geschied. En toen kwam het ergste: de arme man werd besneden.'

'Met een mes?'

'Waarmee anders? Hij werd voor de rest van zijn leven verminkt.'

'Ik heb gehoord dat het hygiënischer is.'

'Hebt u geen gevoel? Een onschuldig schepsel, iemand van

ons, die simpelweg wordt verminkt. Een mens tot een ander geloof dwingen is een verkrachting die nooit ophoudt.'

'Zeker, zeker. Maar komt zoiets vaak voor? Dat betwijfel ik. Zo'n verhaal zoals jij net vertelt, behoort tot de gebeurtenissen waarover je telkens weer hoort praten zonder dat je ze zelf ooit meemaakt, en je kent ook niemand die iets dergelijks heeft meegemaakt.'

'U sluit uw ogen. Daarom. En als u uw ogen weer opendoet, zal het te laat zijn.'

'Zo is het welletjes. We hebben gisteren al de meeste tijd aan je tirades verspild.'

'Zo ziet u hoe de miyans me nog steeds schade berokkenen. Waarom hebt u me niet onderbroken?'

'Ik dacht dat het je goed zou doen erover te praten. Dit gif vreet je kennelijk van binnenuit op.'

'U moet me onderbreken als ik me op dwaalwegen begeef. Ik heb geen tijd en ook geen geld meer. Ik moet u vragen me tot morgen uitstel van betaling te verlenen. Een van mijn broers is me nog iets schuldig. Hij was indertijd een van de bedienden.'

'Laten we er dan voor vandaag een punt achter zetten. En morgen verdergaan, zonder haat en met het geld dat je me schuldig bent.'

～～～～～～～

30

Heer van de hele wereld

Twee sluiers scheidden hen, de heersers, van de mensen in het land. De sluier van hun eigen onwetendheid en de sluier van het wantrouwen waarachter de inheemse bevolking zich verschool. De generaal wist dat het niet mogelijk was de sluiers weg te trekken, maar hij had zich vast voorgenomen er wat beter doorheen te kijken. Zoals alle bestuurders van het imperium bracht hij zijn dagen achter een bureau door, reed alleen onder escorte het kamp uit en kreeg slechts onder ogen wat volgens de inschatting van de inheemse emirs en van zijn eigen ondergeschikten zijn goedkeuring kon wegdragen. Het zat hem dwars dat hij zo weinig van het land en zijn mensen wist. Zijn adjudanten bestudeerden stapels stukken met de ijver van uilen, maar ze hadden nog nooit een besnijdingsfeest, een bruiloft of een begrafenis bijgewoond. Kennis van het Perzisch, het Urdu of het Sindhi was uitzonderlijk. De situatie werd er in de loop der jaren niet beter op. De jongeren onder zijn ambtenaren en officieren sloten zich nog meer van de inlanders af. Ze hechtten waarde aan een verzorgde, compromisloos Britse verschijning en sloten zich op die manier op in het vacuüm van hun eigen ruimtes. Ze maakten gebruik van hun recht om regelmatig met vakantie naar huis te gaan. Ze keerden met hun echtgenotes terug. Het gevoel voor zedelijkheid was toegenomen, en daaronder verstond men vooral de verdediging van het eigene tegen het vreemde. Die moraal mocht nog zo waardevol zijn in het vaderland, hier verblindde hij de officieren en ambtenaren die eraan waren onderworpen. Ze waren de blinde tentakels van dat monster dat vanuit een klein straatje in Londen de halve wereld leidde. Alleen kennis van de tegenstander maakt ons sterk, zei de generaal. We moeten onze kennis verdiepen. Die weetgierigheid onderscheidt ons van de inlanders. Had iemand ooit gehoord dat een van hen pogingen ondernam om iets over ons aan de weet te komen? Mochten ze dat ooit doen, mochten ze op een dag besluiten ons te onderzoeken, onze tekortkomingen en onze angsten, dan zouden ze ons weleens gevoelig kunnen treffen, dan zouden ze tot tegenstanders van formaat kunnen uitgroeien voor wie wij een passende portie respect moeten opbrengen. Zijn vermaningen hadden geen effect. Hij werd alom beschouwd als een lachwekkende, twistzieke oude man. Dat de generaal een tevreden heerser was, zou niemand van hem zeggen. Af en toe kreeg hij een aanval van razernij en provoceerde hij hen met de bitterste waarheden. Wat voor zin heeft het dat wij Brits-India besturen? Is het goed voor onze veroveringen? Voor het welzijn van de massa? Voor de gerechtigheid? Allemaal onzin. Laten we eerlijk zijn. Het enige doel is het roven en plunderen gemakkelijker te maken. Zijn ondergeschikten hadden geleerd op dat soort momenten hun blik op oneindig te zetten en hun trekken te laten verstarren. Al dat doden, al dat sterven, enkel om ervoor te zorgen dat onze handel beslissende voordelen behaalt ten opzichte van de concurrent. Al dat leed, enkel om de heerschappij van een stel idioten te onderbouwen. We laten ons gebruiken in een galactisch stelsel van ezels. De generaal sloeg de verzenen vergeefs tegen de prikkels. Hoe openlijker hij de waarheid zei, hoe gekker zijn ondergeschikten hem vonden. Zoiets kon je je alleen als opperbevelhebber veroorloven. Ze hielden zichzelf en elkaar voor: de generaal is op weg naar zijn pensioen. Wij zijn de toekomst.

Er waren weinig mannen op wie hij staat kon maken, mannen zoals die Burton, die met betrouwbare verslagen kwam over het doen en laten van de inlanders. Hij praatte graag met hem. Zijn blik op alles was zo fris, alsof de schepping nog maar net had plaatsgevonden. Maar deze jongeman had ook een zwakke kant en die was funest. Het was hem niet genoeg de vreemde samenleving te observeren. Hij wilde er deel van uitmaken. Hij was eraan verslaafd, zo verslaafd dat hij haar zelfs in haar oude, achtergebleven toestand wilde behouden. In dit opzicht stonden ze diametraal tegenover elkaar. De generaal voelde zich gedreven de vreemde samenleving te veranderen, te verbeteren. Die Burton daarentegen wilde haar aan zichzelf overlaten, omdat verbetering van de vreemde samenleving zou betekenen dat ze verdween. De generaal begreep er geen snars van, vooral omdat deze jongeman er nooit een seconde aan had getwijfeld dat de Britse beschaving superieur was aan de inheemse gebruiken en gewoonten. Moest het niet zo zijn dat wat beter was terrein won? Was dat niet de natuurlijke loop van de geschiedenis? Consequent denken was niet de sterkste kant van deze officier. Zoals iedereen wond hij zich op over de alomtegenwoordige domheid, luiheid en wreedheid. Hij kon uitermate denigrerend uit de hoek komen. Zoals met die stelling waaraan hij laatst zo hardnekkig had vastgehouden. Afgunst, haat en kwaadaardigheid zouden het zaad vormen dat de inlander uitstrooit, waar hij maar kan. Niet vanuit een duivelse instelling, maar vanuit zijn instinct, dat zou worden gevoed door sluwheid en een gebrek aan wilskracht. Een krasse redenering. En toch wilde de man die dit soort uitspraken deed de inheemse regels naleven. Soms koesterde hij de verdenking dat zijn eigenmachtige verontwaardiging gespeeld was, dat het zijn manier was om zich in te dekken tegen het verwijt dat hij te slap optrad tegen de inlanders. Hij was een raadsel, die Burton. Hij verkondigde meestal een mening die je niet van hem verwachtte. Moordenaars moesten niet worden opgehangen, had hij bij hun laatste gesprek bepleit. Ze moesten als vanouds voor een kanon worden gespannen en afgevuurd. Weinig verfijnd, dat gaf hij toe. Maar empathie en medelijden moesten volgens hem de beproefde paden van de nuchterheid bewandelen. We mogen de afschrikkende werking niet uit het oog verliezen. De in stukken gereten moordenaar wordt de begrafenis ontnomen die elke moslim nodig heeft om in het paradijs te kunnen komen. Als we ze ophangen, zouden we om dezelfde reden het lijk moeten laten verbranden. Gelijke rechten voor iedereen, dat functioneert hier niet. Ons strafrecht heeft op de lange reis hierheen aan efficiëntie ingeboet. Kijk, iemand opsluiten kan doeltreffend zijn in Manchester, in Sindh is het gewoon contraproductief. In deze contreien ervaart de gemiddelde manspersoon een paar maanden in een van onze gevangenissen als ontspanning. Eten, drinken, soezen en in alle rust een pijp roken. In plaats daarvan zouden we arme misdadigers zweepslagen moeten toedienen en de rijke laten dokken. Dat zou indruk maken. Nee, consequent was hij bepaald niet, die officier met de opdracht persoonlijk verslag uit te brengen aan de generaal.

31

Naukaram

II Aum Avanishaaya namaha I Sarvavighnopashantaye namaha I Aum Ganeshaya namaha II

'Ik ben vandaag maar met één reden gekomen. Ik wil eindelijk iets in handen hebben. Een bewijs dat wij hier al een maand lang elke dag bij elkaar zitten. Iets wat er zo uitziet dat het zestien roepie waard zou kunnen zijn. Een teken dat mij weer doet hopen.'

'We zijn nog niet klaar. Wat kan ik eraan doen dat je zo veel hebt meegemaakt.'

'Wat u daaraan kunt doen? Ik wou alleen een aanbevelingsbrief van twee kantjes toen ik vorige maand naar u toekwam.'

'Van twee kantjes is nooit sprake geweest.'

'Ook niet van honderd.'

'Wat wil je?'

'Dat u voor morgen een voorlopige versie maakt. Een paar bladzijden waar het belangrijkste in staat. Ik wil zo snel mogelijk nieuw werk gaan zoeken. Als de moesson begint, is er in ieder goed gevoerd huishouden een hoop te doen. En de Firangi's brengen hun tijd bijna uitsluitend thuis door. Ik zal ze daar aantreffen als ik de ronde doe om me te presenteren.'

'Ik hou niet van half werk. We moeten wachten tot we klaar zijn en je je met het definitieve, optimale schrijven kunt presenteren. Zo snel is de moesson niet voorbij.'

'Ik sta erop.'

'Nou ja, als je erop staat, dan hoeven we er ook niet over te bakkeleien. Ik sta erop ... Waar heb je dat nou weer geleerd?'

'Een maand is lang. Zo lang dat zelfs iemand als ik doorkrijgt hoe hij aan het lijntje wordt gehouden.'

☙☙☙☙☙☙

32

De heerschappij van de dichter

Rapport aan generaal Napier
<u>Persoonlijk</u>

U hebt mij de opdracht gegeven inlichtingen te verzamelen waaruit wij enigszins kunnen afleiden hoe de inheemse bevolking tegenover ons staat. Ik heb vele uren in het gezelschap van Sindhi's, Baluchi's en Punjabi's uit alle klassen doorgebracht, op markten, in taveernes en aan het provisorische hof van de Aga Khan. Ik heb mijn oor aandachtig te luisteren gelegd bij elke stem en heb vermeden te oordelen over de betekenis van wat gezegd werd. Ik ben ervan uitgegaan dat mijn kijk op de wereld even partijdig is als die van de mensen die mij deelgenoot maakten van hun overtuigingen. Ik heb geen meningen geveinsd die de mijne niet zijn, want ik ben ervan overtuigd dat oosterlingen het doorhebben wanneer je doet alsof. Ik ben niet tegen opvattingen ingegaan en heb ze ook niet aangemoedigd. Ik heb volstaan met de rol van toehoorder en ik kan zonder valse bescheidenheid vaststellen dat ik een populariteit genoot die ik in mijn leven zelden heb ondervonden. Mijn moeilijkste taak zal nu zijn kort samen te vatten wat in talloze gesprekken warrig en wollig, winderig en hoogdravend te berde werd gebracht. Generalisaties zijn onverbiddelijke nivelleerders waarvoor we moeten uitkijken als de duivel voor wijwater, toch had ik ze soms nodig om uw opdracht te vervullen en de verzamelde informatie zo te ordenen dat u er ook echt iets aan hebt. Kom eindelijk ter zake, hoor ik u zeggen, en ik haast me aan die wens te voldoen.

De inlanders zien ons heel anders dan wij onszelf zien. Dat klinkt banaal, maar toch moeten wij dat besef in de omgang met hen steeds voor ogen houden. Zij vinden ons helemaal niet dapper, slim, grootmoedig of beschaafd, ze zien in ons niets anders dan schurken. Ze vergeten niet één van de beloften die we niet zijn nagekomen. Ze zien niet één van de corrupte ambtenaren over het hoofd die geacht worden ons rechtssysteem in te voeren. Ze ervaren onze manieren als aanstootgevend, en natuurlijk zijn wij gevaarlijke ongelovigen. Veel inlanders verlangen naar een dag van wraak, een oostelijke nacht van de lange messen zoals ik het zou willen noemen, ze kunnen de dag niet afwachten waarop de smerige indringer wordt verjaagd. Ze doorzien onze huichelarij, preciezer gezegd, de tegenstrijdigheden in ons gedrag voegen zich in hun ogen samen tot een allesomvattende huichelarij. Als de Angrezi erg veel vroomheid tentoonspreiden, zei een oude man in Hyderabad tegen mij, als ze onze oren volproppen met sprookjes over de opgaande zon van het christendom, als ze een loflied zingen op de verspreiding van de beschaving en de eindeloze voordelen die zij ons, barbaren, zou brengen, dan weten wij dat de Angrezi een nieuwe diefstal aan het voorbereiden zijn. Als ze over waarden beginnen te spreken, zijn we gewaarschuwd. Je zou die man voor een cynicus kunnen uitmaken, maar dan wel een intelligente cynicus, die aanzien geniet. Daar een voorbeeld meer zegt dan honderd beweringen, wil ik graag verslag uitbrengen van een andere gebeurtenis. Een paar maanden geleden werd in een afgelegen deel van het land ten westen van Karchat een Baluchi gevangengenomen, een stamhoofd dat ervan werd beschuldigd roofovervallen op onze aanvoerwegen te hebben georganiseerd. Deze Baluchi stond bekend als een gewiekst en ervaren duellist, wat de officier die de arrestatie had verricht op het idee bracht hem uit te dagen voor een duel. Hij moet zich verbeeld hebben dat zijn overwinning onze militaire superioriteit zou aantonen. Het opperhoofd werd op een oud, vermoeid paard gezet, de officier sprong met een zwaai op zijn fitte, ervaren hengst. Met veel ophef en bravoure zette hij de eerste aanval in, andere aanvallen volgden, maar hoe vaak hij ook op de ander afstormde, hoeveel stoten hij ook uitdeelde, de Baluchi weerde alles af met zwaard en schild. De officier, die een hoge dunk van zichzelf als beoefenaar van de vechtkunst had, raakte steeds gefrustreerder. Hij hoorde de inlanders dingen roepen die hij niet verstond; in zijn oren klonken ze spottend, hij zou de strijd van man tot man niet kunnen winnen, hij zou de reputatie die hij onder zijn kameraden genoot kwijtraken. Hij viel nog één keer aan, met getrokken pistool, en in plaats van een stoot uit te delen schoot hij de Baluchi van dichtbij neer. Dit verhaal wordt overal verteld, het woekert en ontwikkelt giftige loten waarin het onrecht dat is geschied tot duivelse hoogte stijgt. Er zijn veel verschillende versies in omloop, maar het geraamte dat ik heb geschetst, is bij allemaal hetzelfde. Zwaarder dan het gedrag van de officier weegt voor de inlanders het onrecht dat deze man niet voor een fatsoenlijke krijgsraad is gedaagd om zich voor zijn misdaad te verantwoorden. In tegendeel, hij is bevorderd, hij bekleedt tegenwoordig een hoge rang.

๑๐๑๐๑๐๑๐๑๐

33

Naukaram

II Aum Kavishaaya namaha I Sarvavighnopashantaye namaha I Aum Ganeshaya namaha II

De lahiya haalde de map tevoorschijn, een map van fijn leer. Hij had hem gekocht toen hij zich realiseerde hoeveel vellen hij al had volgeschreven met de geschiedenis van Naukaram. Ze moesten bij elkaar worden gehouden, hij was ineens bang geweest dat hij ze kwijt zou raken, al was het er maar één, dat was al erg genoeg. Dus had hij van een deel van zijn honorarium deze map gekocht, waarna er natuurlijk ruzie over deze overbodige uitgave was ontstaan met haar die de boekhouding doet. Hij vouwde de map een beetje open, net ver genoeg om er met twee vingers een bladzijde uit te kunnen trekken. Hij las de tekst, rustig, aandachtig. Hij had ineens het gevoel te kunnen rennen als een jongeman, de heuvel naar de stad op, die hij onlangs diep hijgend en met zwarte vlekken voor zijn ogen had bedwongen, daarna omlaag, hij vloog bijna, hij haalde de pietluttige vertelling van die bediende in, ze had hem op weg geholpen, daar was hij dankbaar voor, maar nu moest hij het verhaal vleugels geven. *Aum Balaganapati*, niet-waar, zeven lettergrepen, zeven tonen die het verslag van deze gesjeesde bediende zin en schoonheid zouden verlenen. Wat voor schoonheid? Niet iedereen kon toveren. Mocht het wel? Wat een benepen vraag. Mocht hij het leven van een ander vervalsen? Waarom zo gewetensvol? Hij moest van die houterigheid af, die paste alleen helden op oude miniaturen. Beweging! Souplesse! Bovendien loog Naukaram geregeld tegen hem, dat was duide-lijk, het was niet zijn werkelijke leven dat hij voor de lahiya uitstalde, het was een bruidmooie versie waaruit al het lelijke was weggepoetst, geschminkt, gecamoufleerd, met zeven lagen zijde op elke schaafwond, logisch, wie zegt er nu de waarheid, wie durft echt eerlijk te zijn? Hij was er nooit achter gekomen als hij niet had doorgevraagd. Hij had het een en ander aan het licht weten te brengen, hij had een neus voor leugens, maar wat pijnlijk voor hem was, zou Naukaram tot het laatst toe verzwij-gen. Dus had hij als lahiya geen andere keus dan zelf toe te voegen wat was weggelaten. Het was zijn plicht het verhaal aan te vullen.

Wie was Kundalini? Wie was zij echt? Hij had een pujari opgezocht die op zijn talrijke pelgrimstochten vele uithoeken van het land had gezien. Het gesprek met hem was uitermate nuttig geweest, zijn vermoedens waren bevestigd. De pujari had uit de afkomst van Kundalini bepaalde conclusies kunnen trek-ken. Phaltan in het district Satara wees erop dat haar familie aanhanger van de Mahanubhav-gemeente was. Onder hen had je veel *devadasi's*. In de tempels daar kreeg ik er telkens weer een aangeboden, maar ik heb steeds geweigerd, vertelde de pujari; als je de leeftijd van een grootvader hebt, moet je je niet gedragen als een jongeman die vader wil worden. Kundalini was een devadasi geweest, er was genoeg wat daarop wees. Ze moest in een tempel hebben gediend en vervolgens zijn weggelopen. Devadasi's krijgen nooit toestemming, had de pujari uitgelegd, om op jonge leeftijd, in hun vrouwelijke bloeitijd, de tempel te verlaten. Pas als de priesters hen niet meer kunnen gebruiken, worden ze vrijgelaten, maar vaak zijn ze zo aan het leven in de tempel gewend dat ze bang zijn voor de wereld daarbuiten. Als de pujari's barmhartig zijn, mogen oudere devadasi's in de tempel blijven om de vloer te vegen en water te halen. Kundalini was jong. Als het haar was gelukt zowel een officier van de Angrezi als zijn bediende te verleiden, moest ze heel aantrekkelijk zijn geweest. Waarom was ze weggelopen? De lahiya was op bezoek gegaan bij een van zijn vrienden, zijn enige vriend eigenlijk, de enige wiens gezelschap hem niet irriteerde. Een man van de dichtkunst en de muziek, die veel van de wereld wist wat de lahiya verborgen was gebleven omdat hij een leven lang de wereld slechts door de ogen van zijn klanten had leren kennen. Eigenlijk had hij de opdracht van Naukaram alleen terloops willen vermelden, maar zijn vriend had zijn armen om zijn buik geslagen, die even kolossaal was als de koperen ketel waarop hij met ringen om al zijn vingers trommelde als hij zijn liederen zong, en had om het hele verhaal gevraagd. Zijn vriend had voor Kundalini een belangstelling getoond die bijna ongepast was. En hij kon heel wat vragen beantwoorden. Wel stoorde het de lahiya dat hij al zijn uiteenzettingen begon met de zin dat het toch algemeen bekend was dat vrouwen in een maikhana hun lichaam verkochten, daarom heetten ze 'de geliefden', niet omdat ze zo lieftallig waren, dacht je dat soms? En het was toch ook algemeen bekend dat degenen die konden dansen en bhajans konden zingen, ooit devadasi's waren geweest. Weer die term. Devadasi. Er was geen twijfel meer mogelijk. Een concubine die god en priesters met elkaar delen. Zo had zijn vriend het niet geformuleerd. Hij had hem uitgelegd dat devadasi's niet met een sterveling mochten trouwen omdat ze met de god van de tempel waren getrouwd, die ze dienden, die ze aan- en uitkleedden, die ze wiegden, eten gaven en aanbaden, voor wie ze alles deden wat een goede echtgenote zou doen. Alleen één ding moest de versteende, bronzen godheid zich ontzeggen, zodat het de priesters waren die met de devadasi's de liefde bedreven. Maar dat was toch algemeen bekend. Damp steeg op rond de lahiya, alsof er regen op de uitgedroogde kleiaarde was gevallen, alsof de aarde weer ademde. Hij nam snel afscheid van zijn vriend. De gang naar huis was als een wandeling na de eerste regenval. Op zijn kamer stak hij wierookstokjes van sandelhout aan, hij bezwoer zijn vrouw hem onder geen beding te storen, pakte een nieuw blad en schreef op wat hij nu wist over de devadasi Kundalini, die gevlucht was voor de pujari in de tempel, een lelijke man met een slechte adem, die qua opleiding en ontwikkeling niet aan haar kon tippen. Ze was vertrouwd met de belangrijke, heilige teksten, terwijl hij de soetra's die hij niet goed kende ter plekke verzon, hij plakte heilige uitgangen aan betekenisloze lettergrepen, en omdat zij merkte wat hij deed, strafte hij haar en deed hij haar pijn als hij haar nam. (Was dat overdreven? Helemaal niet. Zo waren ze, die smerige, half geleerde brahmanen, een schande voor hun kaste.) Ze kon *bhakti*-liederen zingen, ze kende er veel en droeg ze zo voor dat een asceet zich door haar liefde voor god liet overweldigen en een levensgenieter opgewonden raakte door de belofte van lichamelijke bevrediging. Nee, dat laatste streepte de lahiya weer door. Het was wel toepasselijk maar ook ongepast. Hij mocht zich niet laten meeslepen door deze vrouw die liederen zong waarin *dharma* en *kama* met elkaar versmolten. Ze was dus voor de pujari, die haar een keer te vaak had misbruikt, naar Baroda gevlucht. (Waarom nu juist naar Baroda? Deed er niet toe, hij hoefde niet elk raadsel op te lossen.) Misschien kende ze hier een andere devadasi. Ze ging in de maikhana werken, waar ze Naukaram ontmoette, een klant, aan wie ze zich gaf tegen beta-ling, en hij stelde haar voor aan zijn meester. Het besef kwam plotseling, natuurlijk, hoe was het mogelijk dat hem dat was ontgaan, Naukaram had niet het geluk van zijn meester op het oog gehad, hij had aan zichzelf gedacht, alleen aan zichzelf. Hij wilde niet steeds naar de maikhana om Kundalini te bezoeken, hij wilde haar in de buurt hebben. Daarvoor moest hij een offer brengen: hij moest haar delen met zijn meester. Waarom ook niet. Als god en zijn priesters een geliefde met elkaar konden delen, waarom dan niet een officier van de Oost-Indische Compagnie en zijn bediende? Zo moest het ongeveer zijn gegaan. De lahiya was heel tevreden. Dit is pas gewetensvol, dacht hij bij zichzelf, het verhaal zo vervalsen dat het waar wordt.

∞∞∞∞∞∞∞

34

Heer der hemelse heerscharen

Al dagen wachtte alles op de grote regen. Zwarte, opgezwollen wolken lieten de zon tot een glinsterende munt verschrompelen. Golven sloegen tegen de kademuur, steeds hoger, sloegen eroverheen; de wereld was onrustig. De huizen trotseerden de nevel, een paar vogels doolden schril en steil door de lucht, alsof ze bang waren het vliegen te verleren. In Bombay, zo stond in de krant te lezen, was een golf – als de hongerige tong van een kameleon – op de dijk van Colaba gesprongen en had daar het eerste slachtoffer geëist; geen vissersboot had de vrouw in het woelige water kunnen vinden. Flarden krantenpapier fladderden op, hoger dan de vogels, bomen bogen, lichter dan halmen. Losse bladeren vlogen de voorbijganger als hosties in de mond. Voor de eerste druppel viel, twijfelde niemand eraan dat hij op komst was; de geuren kondigden het overduidelijk aan. De eerste druppel ging zachtzinnig te werk en ook de volgende liepen op hun tenen, als opwarmertje. Onschuldig, onschuldig als tere miniaturen op het raam. Puntjes die even stilhielden voor ze vervloeiden. Achter hen liet een melkachtige sluier straten, markten, huizen en wij-

137

ken verdwijnen. Wat was er te horen? Trommels, extatisch klinkende kreten, de wind die betweterige tonen aansloeg, opgevangen door palmbladeren die ze doorgaven – wie had op dit moment wanhoop van geluk kunnen onderscheiden? Dan slaat de regen toe, alsof de aarde een flink pak slaag heeft verdiend. De tijd trekt zich terug, de moesson begint, redde wie zich niet achter stevige muren kan verschansen, wie niet kan vertrouwen op de waterdichtheid van zijn dak.

Burton, die na een val van zijn paard languit op bed lag, naakt, probeerde Kundalini's vingers te volgen. Ik zou haar liefkozingen willen begrijpen, dacht hij. De enige taal die hij niet kon leren. Betekenden ze eigenlijk wel iets? Het ruisen van de regen werkte ontnuchterend. Losse druppels rolden van de oververzadigde lippen van de aarde. Alles lag onder water, ook de wortels en de gaten in de grond. Zijn paard was erin weggezakt, en pas toen hij in de modder lag, had hij zich de waarschuwing uit de regimentsmess herinnerd: dat je na het invallen van de moesson als het even kon moest thuisblijven. Zijn verdiende loon, hoorde hij ze achter zijn zere rug al zeggen. Zelfs met open ogen zou hij niet kunnen zien of haar vingers meer deden dan alleen hun plicht. Op vette jaren volgen magere. Bij hem kon je met het enkelvoud volstaan: na een jaar van vervulde verlangens volgde een jaar waarin de ontevredenheid opnieuw toesloeg. Het was stiller buiten, hij kon de stortregens horen die genadeloos over de stad werden uitgegoten. Veel hutten zouden worden weggespoeld. Van zijn hals tot zijn stuitje beroerde ze elke wervel en omcirkelde hem zonder dat de druk van haar vingers veranderde. Haar hand wist altijd de weg. Ze wist verbazingwekkend veel over het menselijk lichaam. Ze verliet de kamer. Hij was slechtgeluimd. Ze gaf hem zo veel, ze deed gretig haar best om hem te behagen, ze maakte haar haar los omdat hij dat fijn vond en ze vlocht het als hij afwisseling wilde, en soms was ze zelfs speels. En toch, toch hield ze zo veel achter. Er waren momenten waarop ze in een verte keek die hij niet kende. Ze verliet hem telkens weer zonder afscheid of verklaring. Nooit bracht ze de hele nacht met hem door. Ze gaf geen gehoor aan zijn verzoek om hem iets over haar familie, haar jeugd, haar verleden te vertellen. Ze stond hem niet toe verliefd op haar te worden en hij was ervan overtuigd dat ze alle gevoelens onderdrukte die ze voor hem zou kunnen koesteren. Afgezien van haar dankbaarheid, die ze geregeld tot uitdrukking bracht op een toon, met een houding, waarin geen plaats was voor intimiteit. Na veel innerlijke strijd had hij zich ertoe gedwongen met haar hierover te praten. De moeilijke taken in het leven: hoe vraag ik mijn geliefde, mijn gekochte geliefde welteverstaan, waarom wij niet verliefd op elkaar worden als twee debutanten op een bal? Ze ontweek zijn vraag, tot hij haar zo in het nauw bracht dat ze reageerde met een woede die hij nooit achter haar had gezocht. Ik ben een melaatse, haar stem was een eensnarig instrument, ik kan jarenlang bij je in de smaak vallen, of bij een andere man, tot mijn lichaam me verraadt, tot er niets meer van mijn schoonheid over is, dan heb ik geen andere keus dan met hangende pootjes terug te gaan naar god, met als enig voordeel dat er dan geen mannen meer zijn die zich aan me willen bevredigen. Alleen de nabijheid van de dood beschermt me tegen jullie lust. Hij zweeg. Je denkt toch niet dat ik me niet wil bevrijden? Dat wil ik wel. Maar niet ten koste van een nieuwe leugen. Jij wilt liefde? Voor hoelang? Hoelang zul je hier zijn? Een paar jaar, dan trek je verder, en zelfs als je hier bleef, zou je op een gegeven moment willen trouwen met een vrouw van je eigen volk, om met haar kinderen te krijgen. Nee, onderbrak hij haar, dat wil ik niet, trouwen, kinderen, dat is niets voor mij. Toen viel er een stilte die hen uiteendreef.

De geur van olie greep hem als een golf. Ze was teruggekomen. De warme olie vloeide over zijn huid. Hij wist dat ze nu zijn wrevel zou smoren; ze zou zijn lust prikkelen, steeds meer, en dan ineens stoppen. Ze bewoog niet meer, liet haar handen op zijn borst liggen en begon te praten terwijl ze op zijn pulserende verbaasdheid bleef zitten, begon te praten in volzinnen, op een vertrouwelijke toon, die terloops vertelde en toch al zijn aandacht opeiste. Hij moest zijn stoten temperen om haar woorden te kunnen volgen over een wijze koning, die door een heilig man met de appel der onsterfelijkheid werd beloond. De koning was eerst zielsgelukkig, tot hij besefte dat hij in zijn eentje onsterfelijk zou zijn en dat alles wat hem vreugde schonk in het leven zou vergaan. Hij geeft de appel door aan zijn echtgenote. De vrouw neemt het geschenk in ontvangst als het hoogste blijk van waardering, maar denkt stiekem dat de koning het haar slechts uit gewoonte heeft gegeven. Ze geeft de appel aan de adjudant die zich als een buitengewone minnaar heeft doen kennen. De adjudant geeft de appel door aan een courtisane die hij aanbidt en zij schenkt de appel – na lang nadenken – aan de koning van het rijk, want hij is tenslotte de opperste mecenas en beschermheer van haar kunst. De koning houdt de appel in zijn hand, hij begrijpt wat er is gebeurd. Hij vindt nergens troost. Hij roept de hele hofhouding bij elkaar en vervloekt degenen die hem bedrogen hebben. *Dhik tam tsha tvam tsha,* Kundalini begon haar heupen weer te bewegen, *madanam tsha imam tsha mam tsha,* haar handen klauwden zich in zijn dijen. Zeg me wat dat betekent, hijgde Burton. Ze versnelde haar bewegingen, *vloek op haar en vloek op jou,* haar borsten schommelden traag als wilde ganzen in de vlucht, *op de liefde een vloek en op de geliefde,* ze ademde zwaar, *en vervloekt zij ook ik.*

Daarna lag ze naast hem. Ze waren gescheiden als water en olie. Uitgeput van de liefdesstrijd. Hij had het gevoel alsof al het leven zich in deze ene kamer had samengebald. Tot hij de roep van de koekoek hoorde. Haar vingers kropen over zijn borst, even rustig en vastberaden als een plant die door een raam naar binnen groeit. Als zij in het ontwortelde maanlicht iets zou zeggen, zou het klinken als een gedicht. Hij kuste haar gesloten oog, nam de pupil tussen zijn lippen. Hij was hard als een edelsteen die zich niet laat doorslikken. Alleen zijn lippen voelden dat haar oog bewoog, als een kogelvis vlak onder het wateroppervlak, als een knikker die niet blijft liggen. Het was benauwd in de kamer. Hij stond op, ondanks haar protest. Het verzoende hem met haar, hij dacht ze hem niet wilde missen, niet eens de minuut die het duurde om naar het raam te lopen en het te openen. Hij hoorde de kikkers kwaken, hij draaide zich met een liefkozend lachje naar haar om, doe dicht, riep ze, doe dicht. Maar de insecten zaten al binnen voor hij haar verzoek kon inwilligen: termieten, motten, vuurvliegjes, sprinkhanen, kevers, honderden birbahu-ti's die leken op reepjes rood fluweel – alles zat onder, ook het bed en hun lichamen.

Het regende acht dagen en acht nachten vrijwel aan één stuk door. Er was geen appèl, geen dienst, geen slippertje. Het was onmogelijk op jacht te gaan. Er was alleen het bed, waarin ze lagen en bleven liggen.

⚬⚬⚬⚬⚬⚬⚬⚬

35

Naukaram

II Aum Ganaadhyakshaaya namaha I Sarvavighnopashantaye namaha I Aum Ganeshaya namaha II

'Je hield van haar.'

'Ja, dat heb ik u toch al verteld.'

'Ze was je geliefde. Jullie waren samen, ze lag in je armen, jullie waren een paar.'

'Hoe weet u dat?'

'Ik heb lang nagedacht. Je verhaal gaat me aan het hart. Mijn echtgenote beweert zelfs dat ik mijn plichten als heer des huizes verwaarloos.'

'Aan het hart? Wat betekent dat? Als iemand zegt dat iets hem door het hoofd speelt, snap ik dat. Het hart heeft geen geheugen.'

141

'Hart of niet, jullie zaten in een verdraaid lastige situatie.'

'We hebben het nu niet meer over de aanbevelingsbrief, neem ik aan?'

'Heb je haar bezeten voor je haar aan Burton Saheb hebt gekoppeld?'

'De woorden die u gebruikt ... die kloppen niet.'

'Ik wil het weten!'

'Ja. Ik heb haar bezeten. Ervoor en erna.'

'In zijn huis?'

'Ja, in zijn huis, in ons huis. Bent u nu tevreden?'

'Als hij thuis was?'

'Soms, dan was ze 's nachts eerst bij hem en daarna bij mij. Maar meestal als hij op reis was, naar Mhow, naar Bombay. Een keer moest hij naar Surat.'

'Schaamde je je niet?'

'Hoezo ik? Hij had zich moeten schamen. U begrijpt het niet, bij hem was het alleen maar lust, hij begeerde haar. Ik hield van haar, ik hield echt van haar, ik zal niet liegen, als zij en ik alleen waren, reageerde ik op haar zoals iedere stomkop, je had ontzaglijk veel *tapas* nodig om haar te kunnen weerstaan. Ik geef het toe, maar dat is toch niet waar het om gaat. Ik heb haar aanbeden, hij haalde haar door het slijk.'

'En de andere bedienden?'

'Die wisten alles, hoe had ik het voor hen geheim kunnen houden?'

'Als ze nou eens iets verraden hadden?'

'Ze waren van mij afhankelijk. Zoiets hadden ze nooit gedurfd.'

'Je was dus blij met de situatie die je in het leven had geroepen?'

'Nee, ik was niet blij. Er is iets gebeurd wat ik niet had verwacht. Ik kon het niet voorzien. Het ergste wat er kon gebeuren.'

'Ik weet het. Dacht je dat ik vergeten was dat ze is doodgegaan?'

'Daarvoor, daarvoor nog. Voor mij is ze meermaals gestorven. Ze wilde ineens niets meer van me weten.'

'Lichamelijk?'

'Ze heeft me geen verklaring gegeven. Ik had haar niets gedaan. Eerst heeft ze me een paar keer afgewezen, ze was ziek of ze was moe; ik heb haar met rust gelaten. Ik heb haar gerespecteerd. Toen zei ze tegen me dat ze niet meer met mij alleen in een kamer wilde zijn, ze wilde niet meer dat ik haar aanraakte.'

'Ze voelde meer liefde voor de Firangi.'

'Liefde? U weet niet waarover u het heeft. Haar liefde was altijd alleen maar geveinsde liefde. Valse liefde.'

'Waarom heeft ze jou dan versmaad? Valse liefde kent toch geen grenzen.'

'Ze verbeeldde zich dat ze de saheb aan zich kon binden. Hij was ondertussen van haar afhankelijk, ze heeft uitgerekend hoeveel juwelen die afhankelijkheid waard kon zijn. Die buit wilde ze niet op het spel zetten. Zo'n vrouw kijkt alleen naar materieel gewin.'

'Dacht je er ook zo over voor ze je afwees?'

'Ze had me dat niet mogen aandoen.'

'Als ze zo berekenend was als jij haar beschrijft, dan heeft ze zich alleen aan jou gegeven omdat het nodig was.'

'Ik had respect voor haar.'

'Maar als ze kon liefhebben.'

'Dat kon ze niet.'

'Je oordeel over haar is niet eerlijk. Ik heb haar niet gekend, maar als het klopt wat je zegt, als jij en die Firangi allebei zulke krachtige gevoelens voor haar ontwikkelden, moet zij die gevoelens in elk geval voor een deel hebben beantwoord. Of zijn jullie verliefd geworden op een hersenschim? De indruk die ik krijg, is dat twee blinden een vrouw hebben gedeeld die met alle geweld gezien wilde worden.

⟨രെ⟩⟨രെ⟩⟨രെ⟩⟨രെ⟩

Een mijn van deugd

Ongeveer negentienhonderd jaar geleden, en als u hebt opgelet, mijn shishya, dan weet u inmiddels dat het bij ons op een eeuw meer of minder niet aankomt, langgeleden dus werd in de roemrijke stad Ujjayini, die nu Ujjain heet, een prins geboren, die een naam droeg die hem tot alles machtigde, een naam die veel te groot was voor een enkeling, maar die hem was toegekend in de hoop dat deze uitverkorene boven zichzelf uit in de naam zou groeien, een ambitieuze verwachting die zelden in vervulling gaat, want in de meeste gevallen wordt de mens verslonden door een naam waarvoor hij eigenlijk te klein is. U vraagt zich af hoe hij heette, hoe die grote naam luidde, nietwaar? Het was Vikramaditya. U bent een goede leerling, ik hoef het niet voor u te vertalen. Een verheven naam, wat te verheven voor het leven van alledag. Hij werd afgekort tot Vikram, niet omdat de oude geslachten aan tijdgebrek leden, maar omdat deze korte vorm de jongeman tot overzichtelijke heldendaden uitdaagde. Als prins al werd onze held Vikram genoemd, en als koning Vikram is hij generaties lang bekend gebleven. Jullie Engelsen zouden zijn naam nog verder hebben ingekort, tot Vik. En jullie zouden het boek waarover ik u vandaag wil vertellen, mijn shishya, *Vik en de vampier* noemen, wat zou klinken als een verhaal voor kinderen, terwijl het een verhaal is voor mensen die nergens bang voor zijn. Koning Vikram was niet de troonopvolger van het koninkrijk van Ujjayini, dat privilege kwam zijn halfbroer Bhartirihari toe, en Vikram was dan ook vast een eremiet geworden, door het land reizend om niet verleid te worden tot de zonden die je te binnen schieten als je stilzit, wanneer zijn broer Bhartirihari dit niet had verhinderd en zich na een teleurstelling die hij niet kon verkroppen, een teleurstelling in de liefde, niet op het doornigste en stenigste pad had begeven dat er bestaat. Stelt u zich voor, mijn shishya, dat u een appel cadeau krijgt, een appel die onsterfelijk maakt, werkzaam voor één mens, en u geeft dit cadeau door aan uw geliefde, en die, voelt u de afgrond naderen, geeft de appel aan …

'Haar minnaar. Dat verhaal ken ik al.'

'O. Van wie?'

'Weet ik niet. Ik heb het ergens opgevangen.'

'Een gelukkig mens die zulke kostbare verhalen opvangt. Al is het maar in bed.'

Burton zweeg. Zijn gedachten tolden over elkaar heen. Hoe had Upanishe over Kundalini gehoord? Naukaram had vast niets gezegd. De andere bedienden zouden er met geen woord over durven reppen. Ging Upanishe met andere Britse officieren om? Hij durfde het hem niet te vragen. Hij geneerde zich en bovendien kende hij het antwoord al: voor een goeroe blijft niets verborgen. Een slinger die voor de grap een duwtje kreeg en serieus bleef zwaaien. Vanaf die dag merkte hij hoe de goeroe zijn relatie met Kundalini in het onderwijs verwerkte; hij merkte het aan de onderwerpen die hij aansneed en de gezegdes waarop hij hem onthaalde. Op een keer zei de leraar midden in een gesprek dat alle kanten op ging: Echt lichamelijk genot vind je maar op één manier, door wat je met moeite bereikt bij een vrouw die de jouwe niet is! Burton was dergelijke verrassingen inmiddels gewend. Zijn verbijstering zoiets te vernemen uit de mond van deze geachte en eerbiedwaardig uitziende leraar bleef binnen de perken. Hij informeerde braaf naar de geestelijke vader van deze wijsheid. Dat is een uitspraak van Vatsyayana, mijn shishya, de schrijver van een werk dat voor jou erg nuttig kan zijn. Het heet *Kama Sutra*, en er staat precies in wat de titel belooft: de leer van de liefde.

'Bedoeld wordt de goddelijke liefde?'

'Als u het over de liefde hebt waartoe god ons in staat stelt, ja. Maar niet de liefde tot god, daarvoor bestaat in dit werk weinig aandacht.'

'Ik wist niet dat u zich ook met dat soort onderwerpen bezighoudt.'

'U weet niets. Voor u zit de grootste vakman op het gebied van de *Kama Sutra*.'

'Waarom hebt u mij dat niet eerder verteld, Goeroeji?'

'O, mijn shishya, de weg van het weten is een lange weg. Wie leerling wordt bij een schilder van miniaturen, mag het eerste jaar alleen lijnen, cirkels en spiralen tekenen op een houten bord, en als hij die vaardigheid volledig beheerst, mag hij een paar lotusbloemen tekenen, een ree hier, een paar pauwen daar. En als de bloemen en de dieren hem in de strenge ogen van de meester goed afgaan, mag hij aan een paar details van een miniatuur meewerken. Maar dat, mijn shishya, wordt hem pas na jaren toegestaan. Moet ik je al onze schatten in één keer aanreiken? Zou je er dan niet gauw genoeg van krijgen? Nee, je zult ze langzamerhand leren kennen, en sommige zullen altijd voor je verborgen blijven.'

'Ik ben nieuwsgierig, Goeroeji. Wanneer kan ik dat boek lezen?'

'Dat wordt moeilijk, mijn shishya. Hoe moet ik het tussen al mijn boeken vinden?'

'Ik zou u kunnen helpen.'

'Er liggen duizenden boeken. De bladzijden kleven vaak aan elkaar en soms ontbreekt de titelpagina.'

'Het werk zou me niets uitmaken.'

'Ik heb gehoord dat het stof van boeken die al een hele tijd ergens liggen giftig is, dat het zich vastzet in de longen en dat je, als je eenmaal bent aangetast, je hele leven loopt te hoesten.'

'Dat zal wel meevallen.'

'O, en ik vergat te zeggen dat de *Kama Sutra* in een ouderwets Sanskriet is geschreven.'

'Wat vindt u van twee dagen Sanskriet in de week?'

'In soetra's, waarvan de betekenis zich alleen openbaart aan wie niet alleen de taal, maar ook de tijd van toen uitstekend kent.'

'Daartoe acht u uw beste shishya niet in staat?'

'Ik moet erover nadenken. De *Kama Sutra* wordt al snel verkeerd begrepen.'

'Kunt u mij niet op zijn minst één soetra leren? Als voorproefje?'

'Eén soetra kan geen kwaad. Eens even kijken, mijn shishya, welke voor een man van uw kaliber geschikt is. Ik zal u iets leren uit het zesde hoofdstuk, het hoofdstuk over courtisanes. Deze vrouwen, zegt Vatsyayana, en eigenlijk vat hij alleen samen wat Dattaka vóór hem heeft verwoord, en diens wijsheden berusten ongetwijfeld weer op de geschriften van zijn voorgangers, deze vrouwen tonen zich nooit in hun ware licht, ze verbergen altijd hun gevoelens, of ze de man nu liefhebben of niets voor hem voelen, of ze met hem samen zijn omdat ze dat fijn vinden of omdat ze hem van zijn rijkdommen willen beroven.'

☙❧☙❧☙❧☙❧

37

Naukaram

II Aum Shubhagunakaananaaya namaha I Sarvavighnopashantaye namaha I Aum Ganeshaya namaha II

'Je bent laat.'

'Ik heb geen geld meer voor een tonga.'

'Nog altijd geen werk gevonden?'

'Nee, niets.'

'Het schrijven moet toch indruk gemaakt hebben?'

'Ik word weggejaagd voor ik het kan aanbieden. Het moet eerst nog door iemand gelezen worden, dat geweldige schrijven van u, ten minste door één van die Firangi's. Ik heb me vergist. Ervaring in de omgang met de Firangi's, ja, ja. Ik heb me daarop laten voorstaan. Belachelijk, ik weet het. Ik ging ervan uit dat ze belangstelling zouden tonen. Hoe kom ik erbij? Omdat ik het ben. Nakauram, de man die zo veel heeft meegemaakt, zo veel heeft geleerd, zo is veranderd. En wat zien die Firangi's die mij niet kennen? Mij niet. Natuurlijk niet. Burton Saheb had me niet afgewezen. Mijn verhaal had zijn nieuwsgierigheid gewekt. Hij had op zijn minst een paar minuten de tijd genomen. Ik ben wanhopig.'

'Welnee, bhai-Saheb, welnee. Er hoeft maar één van die Firangi's aan het schrijven te snuffelen en zijn eetlust is gewekt.'

'Er hoeft er maar één al die bladzijden in de hand te nemen, hè? Dat is toch wat u zegt? Er moet er één beginnen te lezen. Wat doet hij daarna? Nou, hij heeft ze me naar het hoofd gesmeten. Wat ik me verbeeldde, vroeg hij, om mijn betrekking bij een officier op te blazen tot zo'n dik sprookje.'

'Dat is niet echt gebeurd.'

'Het is echt gebeurd. De vellen zijn nu ook vuil. In dat huishouden wordt waarschijnlijk niet goed schoongemaakt. Als iemand me had kunnen gebruiken, dan hij. Het was de bungalow naast ons. Ons huis staat leeg. De tuin is verwilderd. Het gerucht gaat dat daar de geest van een vrouw rondspookt. Wij beiden hebben een dik sprookje ter wereld gebracht. Wie zal het voeden? Dit was de enige Firangi die ik heb gezien. De rest liet me de boodschap overbrengen dat ze me niet nodig hadden. Telt de stad inmiddels zo veel goede bedienden? Verwaande Goanen, u weet wel, die schepselen die zich als Firangi's kleden en een kruis om hun hals dragen dat hen hindert bij het lopen. Een zo'n kerel heeft me in de zon laten wachten. Zijn meester had geen zin om iets te lezen. Het was te heet. Waar zou hij blijven als hij alles moest lezen wat willekeurige passanten hem voorschotelden? Het wil er bij mij niet in dat die Firangi zo veel woorden heeft verspild. Hoe vaak komt het eigenlijk voor, vroeg ik hem, dat er iemand met een schrijven in de hand voor de deur staat? De Goaan had er plezier in mij voor het hoofd te stoten. Ik kon me een dag nuttig maken in de keuken, stelde hij voor, dan zou het hoofd van de huishouding kunnen kijken of ik iets waard was. Het was zo vernederend.'

'Niet de moed verliezen.'

'U hebt makkelijk praten. Ik weet hoe licht de zorgen van andere mensen wegen. Ik heb zelfs de leraar opgezocht, Shri Upanishe. Ik had gehoopt dat hij zich mij herinnerde, ook al zijn er bijna vijf jaar verstreken. Zijn zoon deed de deur open. Een rijzige man. De leraar was zo klein. Hij was in de rouw, de zoon. Zijn moeder was gestorven. En zijn vader, zei hij, had zich teruggetrokken in een ashram. Ergens aan de Ganges. De zoon was vriendelijk, net als zijn moeder. Hij bood zijn hulp aan. Ik ben snel weggegaan. Hoe zou hij me kunnen helpen? Hulp van mensen die niet echt kunnen helpen maakt de vernedering nog groter. De barbier beneden, naast de ingang, was nog dezelfde man. Hij herkende mij niet. Maar al had hij dat wel gedaan, wat had ik aan hem gehad?'

'Het zijn moeilijke tijden, daar is iedereen het over eens. Ik vind het vervelend om het er juist nu over te hebben, maar we zijn mijn honorarium wat uit het oog verloren. Het bedrag is nogal opgelopen, een niet onaanzienlijke schuld. Tien roepie, ik heb het gisteravond uitgerekend. Als u het goedvindt, wil ik u een voorstel doen waar we volgens mij alle twee baat bij hebben. We moeten een bedrag afspreken dat de rest van het werk omvat. Om het even hoelang het nog duurt.'

'U hebt vast ook nagedacht over de hoogte van dat bedrag?'

'Mijn voorstel is: u betaalt nog eens zestien roepie. En dan hebben we het verder niet meer over geld.'

38
Wie het offer aanneemt

Nooit vertelde ze iets over zichzelf. Het was verkeerd haar in de slaapkamer onder druk te zetten. Ze hield hem op afstand terwijl ze hem prikkelde. Als ze haar lippen van hem had losgemaakt, kon hij er zijn ogen niet van afhouden. Terwijl ze van boven haar heupen op hem drukte, staarde hij naar de belofte van haar mond, de glinstering van haar zwijgen, haar vlecht raakte los – ze gaf zich aan haar seksuele driften over, begreep hij, als het verdriet in haar al het andere dreigde te verlammen – ze ademde zwaar, haar halsketting brak, de parels rolden langs haar borsten op zijn lichaam. Hij keek overal, zijn ogen haastten zich over hun beider lust. Ze ademde zwaarder, hij verried waarheen hij zich haastte, en zwaarder, en hij, hij had nog maar enkele beroeringen te gaan toen ze stopte. Ze bewoog niet meer, liet haar handen op zijn borst liggen en begon te praten terwijl ze op zijn pulserende verbaasdheid bleef zitten, begon te praten in volzinnen, op een vertrouwelijke toon, die terloops vertelde en toch al zijn aandacht opeiste. Hij moest zijn stoten temperen om haar woorden te kunnen volgen die verhaalden van een wijze, een brahmaan met de naam Auddalaka, die als jongeman werd ingewijd in alle vedische rituelen, ook die waarbij de vereniging van man en vrouw als offer werd gevierd. Maar op een dag begeerde Auddalaka, die zo bedreven over de symbolische kracht van de vulva kon oreren, een studente die Vijaya heette, en hij bekokstoofde dat hij in het kader van een rite gemeenschap met haar had, maar daarmee stelde hij zich niet tevreden, hij verlangde ook naar gemeenschap buiten het ritueel, en zo kwamen ze bij elkaar, die twee jonge mensen, en de lust en het plezier dat ze elkaar bereidden, overtrof al het andere en kreeg een betekenis die uitsteeg boven het rituerel waarmee de mensen hun toegang tot de goden in stand hielden. Kundalini verstomde. En? vroeg Burton. Tot nu toe heb je ieder verhaal afgemaakt. Ze zweeg. Haar zwijgen groef zich bij hem naar binnen. Hij sloeg zijn blik neer en keek naar de streep fijne haartjes die als een rij minuscule miertjes van haar schaambeen over haar buik tot haar navel liep en vanuit haar navel verder tot het kuiltje tussen haar borsten. Zijn hand gleed over die haartjes, haar trotse *romavali*, een magische verbinding als het ware tussen aarde en hemel, zoals zij zelf beweerde. Het betrouwbaarste teken van haar schoonheid, vond ze. Hij was het niet met haar eens, maar zij zou zich eerder van het leven beroven dan deze haartjes uittrekken. Zijn hand volgde de lijn tussen haar hart en haar schoot. Toen ze elkaar weer aankeken, meende hij in de diepe vijver van haar ogen een flikkering van genegenheid te ontwaren. Hij glimlachte tegen haar, en uit dat lachje leidde ze waarschijnlijk af dat haar ogen te veel hadden beloofd, want ze begon weer te bewegen, ze duwde hem het domein in waar zij de scepter zwaaide en was gretiger dan anders, krabde en beet gretiger, alsof ze de smaak van zijn lichaam kon vasthouden voor het geval hij morgen zou vertrekken, alsof ze blijvende ornamenten kon achterlaten op zijn huid. Vermoeid verlieten ze het terrein van de liefdesstrijd. De mooiste tijd waren de minuten waarin geen gedachte hem belastte, de mooiste tijd, dacht hij, was de tijd die hij niet waarnam. En hij besefte dat die tijd alweer voorbij was. Hij richtte zich op en zoog aan haar lippen, alsof hij een verdovende nectar zocht. En zij, zij greep zijn linkerhand, ze speelde met de vingers, legde ze kruiselings over elkaar, trok aan de uiteinden tot ze knakten, en gleed een gezang binnen dat slechts geleidelijk vanuit een neuriën zijn betekenis prijsgaf:

Op een zomerse dag
in de schaduw onder de boom
daar ligt zij, daar ligt zij
haar kleren trekt ze omhoog
om haar hoofd te beschermen
zo zegt zij, zo zegt zij
tegen de stralen van de maan.

෧෧෧෧෧෧෧෧

39

Naukaram

II Aum Yagnakaayaaya namaha I Sarvavighnopashantaye namaha I Aum Ganeshaya namaha II

De tweede dag begon de lahiya zich zorgen te maken. Niet dat
Naukaram nooit eerder verstek had laten gaan. Hij was een keer
ziek geweest, en een andere keer had hij wrok gekoesterd over
zogenaamde beledigingen. Maar beide keren was de lahiya op de
hoogte geweest. Dit keer had hij geen reden om weg te blijven.
Hij was de laatste tijd moedelozer geweest dan anders, willoos
bijna, slap. Dat was het probleem met de lagere kasten: ze gaven
gemakkelijk op als het even tegenzat. Het was niet prettig de
hele dag aan de kant van de straat op iemand te zitten wachten.
Midden tussen de jakhalzen die zich de kans niet lieten ontnemen om de spot met hem te drijven. Ze konden niet uitstaan
dat hij al weken een klant had die hem dagelijks bezocht, in deze
tijd van het jaar waarin één opdracht per week al als een zegen
werd beschouwd. Angst maakte zich van hem meester. Stel dat
Naukaram niet meer kwam. Stel dat zijn verslag hier ophield.
Dat zou het verhaal verminken. Dat mocht niet gebeuren, ze
waren bijna klaar. Nu stoppen zou verschrikkelijk zijn. De
felheid van zijn angst verbaasde hem, maar gaf hem ook kracht.
's Middags besloot hij Naukaram te gaan zoeken. Geen gemakkelijke taak. Hij wist niet waar hij woonde, hij wist alleen dat hij
zijn intrek had genomen bij familie in de buurt van het Sar-
karvadapaleis. Hij deed navraag in alle winkels in de wijk. Kent
u een rijzige, licht gebogen man die als bediende bij een Firangi
heeft gewerkt? Kent u iemand die Naukaram heet? Niemand
kende hem. Dat hij hem ten slotte toch vond, was aan het toeval
te danken. Hij liep een maikhana binnen omdat hij door dorst
werd gekweld en zijn voeten zeer deden. Voor hij iets kon
bestellen zag hij een vertrouwde gestalte. Naukaram, die alleen

aan een tafeltje zat en nauwelijks nog aanspreekbaar was.

'Ik dacht dat u geen daru dronk.'

'Speciale dagen vragen om speciale drankjes.'

'Wat is er gebeurd?'

'Niets. Ik ben op. Meer niet.'

'Hoezo op?'

'Dat gaat u niets aan. Onze samenwerking is, hoe zal ik het zeggen, ze is afgelopen.'

'U wilt niet meer?'

'Ik kan niet meer. Ik ben een man zonder waarde. Ik heb geen roepie meer. Alleen schulden.'

'Bij wie?'

'Ik ben van de ene broer naar de andere gelopen, van *Mama* naar *Kaka*. Nu leent niemand me meer iets, en degenen die me iets zouden kunnen lenen, willen eerst het geld terug hebben dat ze me al hebben geleend. Ik heb bij zowat iedereen schulden, snapt u. Omdat het zo lang duurt met die brief die geen brief is.'

'U kunt nu niet opgeven.'

'En dat zeg jij! Jij hebt het verhaal zitten rekken om me van mijn geld af te helpen. Je hebt me kaalgeplukt. Ik moest geld lenen. Ik heb alle spullen verpand die ik had meegebracht uit Europa. Ik heb bij mijn familie moeten bedelen om jouw honorarium bij elkaar te schrapen. Je hebt me bij de neus genomen. In de hele stad heb ik schulden en wat heb ik ervoor gekregen, niets, niets concreets. Alleen een stapel papier die niemand wil lezen.'

'U kunt nu niet opgeven. Luister, als je zo ver gekomen bent, moet je de zaak ook afmaken. U doet me denken aan een man die jaren geleden op diefstal werd betrapt. De rechter bood hem aan zijn straf zelf te kiezen: ofwel een kilo zout eten, of honderd stokslagen of een geldboete.'

'Nu ben jij de kletskous.'

'De dief koos het zout, hij at en at en deed zichzelf geweld aan, maar toen hij bijna alles op had, verbeeldde hij zich dat er geen snufje meer bij kon, en hij riep: stop, stop met dat zout, ik neem toch liever de stokslagen. Hij werd geslagen, negentig keer, of vijfennegentig, toen verbeeldde hij zich dat hij geen klap meer kon verdragen en hij riep: stop, stop met die stokslagen, laat me alsjeblieft de boete betalen.'

'Slimme lahiya. De domme bediende die niks begrijpt. Jij kunt lezen en schrijven. Je bent brahmaan.'

'Het geeft niet als u geen geld meer hebt, ik geef u uitstel van betaling.'

'Wat een gulheid ineens! Vier roepie zal niet genoeg zijn, vrees ik. Weet je nog? Er komt op zijn minst nog acht roepie bij.'

'Laten we geen oude koeien uit de sloot halen. Het is mijn beroep.'

'Als er ooit een eerbiedwaardig beroep heeft bestaan, dan dit. De achtenswaardige lahiya. Zo veel arme stumpers die hij kan uitbuiten. Het is om te gillen.'

'Alstublieft. Het zal u goeddoen uit te praten en het hele verhaal te vertellen. Laten we het geld vergeten.'

'Wat? Wil je me alles terugbetalen?'

'Uw verhaal gaat me werkelijk aan het hart, zoals ik u al eerder heb gezegd. Ik zal papier en inkt ter beschikking stellen, u hoeft nog maar een paar dagen vol te houden. En aan het eind zal ik u een schrijven overhandigen zoals nog nooit een bediende in handen heeft gehad.'

'Wat heb ik daaraan? Dat is niet goed genoeg. Je moet echt met iets beters komen.'

'Goed, luister, mijn laatste bod.'

'Ik ben benieuwd.'

☙❧☙❧☙❧☙

40

Onvergeeflijk

Op de dag waarop ze ziek werd, vroeg Kundalini Burton met haar te trouwen. Dat ze er zo bleek en mager uitzag, schreef hij toe aan haar nervositeit. Hij voelde zich overrompeld, en naderhand verachtte hij zichzelf om zijn erbarmelijke reactie en beschouwde hij zich als onwaardig, een onwaardige figuur die haar niet verdiend had. Hij verstrikte zich in uitvluchten. Ze onderbrak hem met een bitter lachje. Wees maar niet ongerust, mijn heer, we zullen geen vier keer om het heilige vuur lopen en ook niet naar het altaar schrijden. Mijn wens betreft alleen de *Gandharva vivaha,* een bescheiden plechtigheid waarvoor alleen twee guirlandes nodig zijn en de belofte bij elkaar te blijven zolang we bij elkaar willen blijven. Het is een ceremonie ter ere van het vanzelfsprekende. We hebben voor deze plechtigheid niet eens de hulp van derden nodig; de gandharva's, de hemelse minnezangers, zullen voor ons getuigen. Wat is dat voor flauwekul, zei hij, wat heb je aan zo'n overeenkomst? Ze smeekte hem haar wens in te willigen; het was voor haar zo belangrijk. Ik mag niet met een sterveling trouwen, verklaarde ze. Waarom niet? Dat kan ik je niet zeggen, het heeft te maken met het geloof, de overgave aan een tempel. Hij hield zich van de domme. Ze smeekte opnieuw met matte ogen. In zekere zin ben ik al getrouwd, met een godheid, meer kan ik je niet zeggen. Maar mag je dit tweede huwelijk dan wel sluiten? Het zou voor mij een bevrijding zijn, dat kun je nu niet begrijpen, maar als je me vertrouwt, zul je het begrijpen, ik beloof het je. Hij had haar moeten geruststellen, meteen moeten zeggen dat het goed was, hij had haar smekende, matte blik met een 'ja' moeten verblijden, maar hij was bezeten van het verlangen de starheid in hun verhouding te doorbreken. Hij was te veel van de situatie aan het profiteren om die situatie goed te kunnen beoordelen. Achteraf werd hij verteerd door twijfel en berouw en vroeg hij zich af of zij had vermoed hoe ziek ze was, of hij haar zelfs zieker had gemaakt door tegen haar te zeggen dat hij binnenkort antwoord zou geven, hoewel het antwoord voor het oprapen lag. Zou hij haar leven hebben gered wanneer ze meteen waren getrouwd, met de minnezangers als getuigen? Het feit alleen al dat hij zoiets voor mogelijk hield, gaf aan hoe groot zijn verwarring was.

ඦඦඦඦඦඦඦ

41

Naukaram

II Aum Amitaaya namaha I Sarvavighnopashantaye namaha I Aum Ganeshaya namaha II

'Ik heb haar gevonden. Dat was niet eerlijk. Ik moest haar handen vouwen. Toen ik Burton Saheb liet roepen, had ik de lelijkste sporen al verwijderd. Hij wilde meteen de oude dokter laten halen. Ik weet niet hoe vaak ik moest zeggen: 'ze is dood', voor het tot hem doordrong. Hij ging op de rand van het bed zitten en kwam urenlang niet meer overeind. Ik moest de praktische zaken regelen. Wie had dat anders gedaan? En het bleek heel moeilijk, moeilijker dan we ooit hadden kunnen denken. Ze weigerden haar te verbranden.'

'Wie, ze?'

'De priesters. Burton Saheb was verbijsterd. En zo woedend dat ik dacht dat hij de verbranding met getrokken wapen zou afdwingen. Ik wilde hem de reden verzwijgen, ik ontweek zijn vragen, maar hij dreef me in het nauw en uiteindelijk moest ik hem vertellen dat het een kwestie van reinheid was. Of zij als onrein gold vanwege haar relatie met hem? Ja, zei ik, daarom ook.'

'U hebt een oplossing gevonden?'

156

'Ik kwam een man tegen in de buurt van de verbrandingsplaats. Een van die melaatsen die daar rondhingen. Zijn halve gezicht was weggevreten, zelfs de helft van zijn tong. Hij was niet om aan te zien. Zijn stem klonk schril als die van een beest dat levend gevild wordt. Ben je verdwaald, jochie? Ik wilde wegrennen. Maar ik bleef staan. Vraag me niet waarom. Ik vertelde hem zelfs over onze zorgen. We zullen jullie helpen, zei hij. Breng het lijk hier, 's nachts als iedereen slaapt, en wij zullen doen wat gedaan moet worden. We hebben een pujari als jullie dat belangrijk vinden. Zelfs zijn spuug is heiliger dan de huichelaars die jullie hebben weggestuurd. Die verschuilen zich 's nachts, dan moeten ze oppeuzelen wat ze overdag hebben buitgemaakt. Nog nooit heb ik hulp met zo veel tegenzin aanvaard. We hadden geen keus. Het was een goed voorstel, ook al werd het op intimiderende toon gebracht. Het duurde een hele tijd eer ik Burton Saheb had overtuigd. Eer hij begreep dat ons niets anders restte. Al zijn invloed en zijn macht waren nutteloos. Ik wilde onder de bedienden vrijwilligers zoeken die ons zouden helpen haar lijk naar de rivier te dragen. Hij hield me tegen. Wij doen dat samen, zei hij. Alleen wij tweeën. Dat is onze plicht. We wikkelden haar in doeken. We wachtten tot iedereen naar bed was. Ik opende de deur van de bubukhana en de poort naar de straat, we tilden haar op, ik bij de benen, Burton Saheb bij het hoofd, en we gingen op pad ...'

De lahiya schreef alles mee, regel na regel vulde zich met het verslag van Naukaram, en tussen de regels door fladderden zijn gedachten weg, weg van deze vlakke beschrijving. Storm en dood, middernacht en een verbrandingsplaats, wat een tafereel, en deze fantasieloze man beschreef het als een inventaris. Waar bleven de naakten, de schaamtelozen, die uitpuilende potten juwelen bewaakten, verstopt door hebzuchtige vrekken wier gierigheid sterker was dan alle angst? Waar bleef de yogi die huiveringwekkende feestmuziek maakte door met twee scheenbeenbotten op een schedel te slaan? De lahiya luisterde nauwelijks nog, hij popelde om afscheid te nemen. Hij snelde naar huis, wuifde de groet van zijn vrouw weg en trok zich meteen terug in de tweede kamer, bang dat ook maar een van zijn vele ideeën vervloog voor hij het had opgeschreven. Haastig noteerde hij het eerste beeld dat bij hem was opgekomen, tekende hij roetbruine wolken die vormeloos als plompe monsters langs de hoogvlakte van het firmament rolden. En daarvoor, in het midden, twee mannen, een meester en zijn bediende, beiden vreemden op deze plaats, in deze nacht, beiden langs meer wegen met elkaar verbonden dan ze beseffen, dan ze zichzelf durven bekennen. Ze sjorren met moeite een lijk mee, het lijk van een geliefde, hun geliefde. De maansikkel is niet lichter dan een olifantenslagtand die net uit een moddergat komt. De meester tilt het lijk over zijn schouder, het is een sterke man, die zelfs het gewicht van voorbije liefde door een storm kan slepen. De ander, de bediende, zoekt een pad, met aarzelende schreden, alsof hij elk moment verwacht te struikelen. Het begint te regenen. De grond glinstert, een akelig wit. Een verre lichtstraal breekt door alle dofheid heen, als een gouden streep die het donkere oppervlak van een proefsteen dooradert. De twee mannen volgen deze streep, omdat er nergens anders licht is, of omdat de bediende vermoedt dat het de gloeiende as van de verbrandingsplaats is waarvan het licht uitnodigend door de nacht dringt. Ze komen bij de *smashana*, een open vlakte naast de rivier, een plaats die je zelfs overdag moet mijden. Geen mens te zien, denken beide mannen het eerste moment, en de bediende vraagt zich af of hij het slachtoffer is van een misselijke grap. Maar de stank van de dood stijgt op uit de aarde. De bediende blijft weifelend staan. Hoe kan hij zich ooit van de bezoedeling bevrijden na het betreden van deze onreine grond? De meester loopt daarentegen door, beschermd door zijn onwetendheid, het lijk bemoeilijkt zijn gang. Hij stapt op achtergebleven botten, een geluid alsof een monster met zijn tanden knarst. De bediende houdt een uiteinde van zijn tulband voor zijn mond en volgt hem. Voor hen flakkeren de spookachtige, dofrode vlammen, alsof het jakhalzen zijn die de erbarmelijke resten menselijk leven verslinden en tot op het witte bot afknagen. Boven het vuur zweven vluchtige gestalten die moeten controleren of het lichaam waarvan ze zijn bevrijd, tot as is verbrand, en die in de wacht staan tot het nieuwe lichaam dat ze willen bewonen bereid is hen op te nemen. Er zijn er ook die op de smashana thuis zijn. De geesten van de op achterbakse wijze vermoorden lopen met bloedende ledematen rond, gevolgd door de skeletten van hun moordenaars, wier poreuze botten door nog maar een paar pezen bij elkaar worden gehouden. Terwijl de wind blijft jammeren en de gezwollen vloed gorgelt met het bloed van al die vergeefse levens. De twee mannen, die de moed van een paar levens hebben verbruikt, zijn niet alleen. Aan het andere eind van de verbrandingsplaats zit een groepje sloebers bij elkaar onder een afdak dat tevergeefs regen en wind tracht te trotseren. Midden in de groep zit de man met het halve gezicht, naast hem een stok die stevig in de grond staat. Hij is gekleed in een okerkleurige dhoti, zijn bovenlichaam is slechts bedekt met lang haar, dat in vettige, luizige strengen afhangt. Paardenhaar. Witte kalkstrepen omrasteren zijn lichaam en om zijn heupen draagt hij een korset van botten. Als hij niet beweegt, is hij een standbeeld. Hij staat op. Daar zijn jullie, zegt hij. Het is geen welkomstgroet. En dat daar willen jullie kwijt. Praat niet zo over haar, onderbreekt de meester hem. En de bediende vraagt zich af of hij zijn verstand kwijt is. We hebben wat hout achtergehouden. Wij hebben een zwak voor wat in de schaduw groeit, daarom zullen wij er voor de verbranding van haar die wij niet kenden maar die wij als een van ons beschouwen, sandelhout bij doen. Haar afscheid zal lekkerder ruiken dan het afscheid van een Nagar-brahmaan. De meester legde het lijk op de grond. Van jullie wordt verder niets meer verwacht. Integendeel, we willen dat jullie verdwijnen. Jullie hebben hier niets te zoeken, of het moet als getuigen van jullie eigen nachtmerrie zijn.

☙☙☙☙☙

42

Zonder hindernissen

'Ik was verbaasd in de *Bombay Times* van afgelopen week te lezen wat voor resultaten we met de missionering hebben behaald.'

'Gezien de omstandigheden, luitenant Awdry, staan we er niet slecht voor.'

'Niet slecht? Kom nou. Het kan gewoon niet slechter.'

'We mogen niet ongeduldig zijn.'

'*Bien sûr*, geduld is de belangrijkste burgerplicht.'

'U twijfelt er toch niet serieus aan dat we vooruitgang boeken? Langzaam en gestaag, dat geef ik graag toe.'

'Eerwaarde Posthumus, volgens mij staan de resultaten tot nu toe in geen verhouding tot de gebruikte middelen. De hindoes hadden met half zoveel geld in de helft van de tijd bij ons twee keer zoveel zieltjes gewonnen.'

'Dat is het toppunt, mister Burton!'

'Onzin, Dick, je weet toch zelf dat hindoes niet aan bekering doen.'

Groot diner in de mess. Tussen twee voorzitters aan de beide uiteinden van een lange tafel, twee oude heren wier hersens gesmolten waren in de hitte en die zich alleen nog konden herinneren wat er het krachtigst was ingestampt: de militaire dril. Ze stonden niet toe dat serieuze gesprekken het avondeten vergiftigden, een beperking die ze bij deze gelegenheid niet konden waarmaken, want de ene grijsaard had tijdens de eerste regendagen een fikse verkoudheid opgelopen en werd volledig in beslag genomen door zijn gesnotter, en de andere verstond alleen wat er in zijn oor werd gebruld. Hij glimlachte om het geanimeerde gesprek tussen Richard Burton, luitenant Ambrose Awdry en de Eerwaarde Walter Posthumus, en schoof een gekookt stuk kalkoen in zijn mond.

'Wijs volk, wijzer dan wij. Vrijwillige missionering? Dat is een contradictio in adjecto. Hoe kwam het dat de Portugezen succes hadden in Goa? Omdat de Katholieke Kerk heidenen beter weet te overtuigen dan de Anglicaanse? Natuurlijk niet. Er is maar één verklaring: het gebruik van geweld. Geen gezeur. Geweld. Vasco da Gama had acht franciscaner monniken en acht kapelaans bij zich. Ze zouden preken, dat was de bedoeling, maar de kardinalen vermoedden dat preken weinig zou opleveren, ervaring maakt gewiekst, en ze hadden besloten de bekering via het zwaard te laten verlopen. Nog voor zijn landing in Kalikut liet de goede Da Gama, die in eigen land wordt geroemd om de verovering van land en zielen, een compleet schip met islamitische pelgrims in brand steken. Eenmaal aan land was hij bepaald niet uitgeblust, vergeef me de woordspeling, en liet hij alle opstandige vissers gewoon doodschieten. In een handomdraai kleedden de Indiërs zich als Portugezen, namen ze Portugese namen aan, zopen ze meer dan de Portugezen zelf en holden ze vaker dan zij naar de heilige mis.'

'Wij vertrouwen daarentegen op het woord, op de boodschap.'

'U bent beter op de hoogte dan ik, heren, dat is duidelijk, misschien kunt u mij opheldering verschaffen. Ik heb gehoord dat die Portugese missionarissen zich vermomd hadden. Kennelijk zijn ze als onverzorgde kluizenaars door de streek getrokken. Ze zouden zelfs een mengeling van het evangelie en inheemse legenden hebben gepreekt.'

'Het masala-evangelie.'

'En tijdens processies zouden ze naast de heiligen in de palankijnen een paar hindoegoden hebben gezet. Uiterst mysterieuze aangelegenheid ...'

'Blasfemisch, zou ik liever zeggen.'

'Niet zonder kunst, en niet zonder succes.'

Best interessant, dat gesprek. Op een gegeven moment is de mens dankbaar voor iedere causerie die een beetje wil bloeien. Wat had hij niet doorstaan bij het laatste diner in de mess, toen een of andere kerel moest worden onderscheiden en de brigadier die de laudatie hield in de drukkende hitte een carrière uitspon waarvan de details zo opwindend waren als de vliegen op tafel. Van tijd tot tijd trad een khidmatgar met een tulband zo groot als een trofee naar voren om ze te verjagen, en de doek waarmee hij dat deed, zwiepte langs de gebogen hoofden van de gasten die waren ingedut. Toen de brigadier aan het eind van zijn ambtelijk verstijfde pluimstrijkerij kwam en het hiep-hiep voor de held van de avond riep, drong het niet door tot de slap hangende oren. Niet alleen het gebruikelijke stelletje zat voor zich uit te suffen, iedereen aan tafel was ingedommeld. Daar stond de brigadier, met hoogrood hoofd, en Burton moest hem redden door met een bijna leeg glas madeira in de hand uit volle borst hoera te roepen, zodat alle hoofden opschrokken uit hun sluimer en gelaatsspieren rondfladderden als vogels bij wie een steen in het nest was gegooid, waarna Burton de brigadier met een grijns aanspoorde tot een tweede hiep-hiep, en hij toen dat uitbleef maar meteen het lied 'For he's a jolly good fellow' aanhief; de anderen zochten krassend en hoestend aansluiting terwijl de brigadier aan het hoofd van de tafel hulpeloos toekeek, als een bevelhebber wiens troepen heilloos uiteenvielen; de stemmen renden elkaar omver en het was werkelijk zo, *nobody can deny*, dat de laatste regel evenals de hele verkurkte avond bij het weggieten alle kanten op spatte.

'Wat is zo'n succes waard als je de zuilen van je geloof opgeeft?'

'U laat zich liever uitlachen door de heidenen omdat de oprichter van ons geloof de zoon van een *badhahi* was.'

'Wat doet het ertoe wat Jozef voor beroep had? Dan maken we toch een krijgsman van hem, we geven hem gewoon een ander beroep, kies maar uit, als het maar niet tot de laagste kaste behoort, dat preekt vast een stuk prettiger.'

'Bedankt voor uw goede raad, Burton. Als we zo beginnen, kunnen we meteen de hele Bijbel herschrijven.'

'Geen slecht idee. Laten we aannemen dat Jozef de zoon van een prins in Mathura was, en dat de slechte maharadja alle kinderen in de buurt liet doden omdat hij door een profetie wist dat de rond middernacht geboren heiland onheil zou brengen …'

'U maakt het te bont.'

'Kalm aan, beste man, kalm aan.'

'Een grote menigte te eten geven is natuurlijk een indrukwekkende prestatie. Aanmerkelijk meer indruk zouden we maken als onze Jezus van Mathura het een of andere monster zou bedwingen. Een boze slang wurgen. Dat moet toch mogelijk zijn.'

Bij deze diners werd veel schapenvlees gegeten. Rundvlees was ondenkbaar, de verklaring eenvoudig: een hogere vorm van kannibalisme. Varkensgebraad was helemaal onvoorstelbaar, ieder van hen had weleens een varken op de bazaar gezien – in de modder rollen was veel te zwak uitgedrukt; bovendien waren alle keukenhulpen moslim. Af en toe dook er een ham op, door allen begeerd als een knap nichtje dat op het verkeerde pad was geraakt en daarom overdreven keurig moest worden gekleed, wat de ham de naam *wilayati bakri* opleverde, Europees lam of anders gezegd: onschuldig lammetje. Menig hindoe raakte natuurlijk helemaal geen vlees aan, eigenaardig gedrag waarvoor de brigadier een simpele verklaring had, die hij tot lering ende vermaak van elke nieuwe gast eindeloos herhaalde: Hindoes geloven in wedergeboorte, nietwaar, en zij denken dat iemand die niet goed heeft geleefd terugkomt als een dier, nietwaar, nou, en daarom eten ze dus geen vlees, want anders zouden ze bang zijn dat ze hun eigen grootmoeder opeten, nietwaar.

'Waarom gebruiken we geen andere middelen?'

'In plaats van het evangelie, Ambrose?'

'Nee, in plaats van de preek en het geweld. We kunnen ervoor zorgen dat het aantal christenen stijgt door gratis eten uit te delen. Met die vrijgevigheid zouden we twee vliegen in één klap slaan: de mensen gezond voedsel geven en het christendom verspreiden. Wat denken jullie, wat zou een succesvolle coëfficiënt zijn tussen zakken rijst en de doop?'

'Zoiets zou best kunnen werken, maar bedenk eens wat voor distributienet je nodig zou hebben om te zorgen dat al die nieuwbakken christenen het volhouden. Nee! Waarom zijn jullie er allemaal zo op gebrand van goede heidenen slechte christenen te maken? Geloven jullie soms dat we de hindoes alleen maar Europese of christelijke kleren aan hoeven te trekken en ze een beetje hoeven te trainen om te zorgen dat hun gedachten en gevoelens Europees en christelijk worden? Nonsens. Kijk naar de sepoys. Voelen die zich niet doodongelukkig in die dikke stof die ze van ons per se moeten dragen?'

'Zodra we elkaar de rug toekeren, trekken die jongens hun uniform uit en vervangen het door een luchtige kurta. Wat weten wij van hen? Eigenlijk zou het ons niet mogen verbazen als ze op een dag hun wapens op ons richten, eigenlijk zouden we dan niet verbijsterd mogen zijn, ook al beelden we ons in dat we hen goed behandelen en zo hun trouw verdienen.'

'En hoe vaak ziet u uw schapen, eerwaarde? Hebt u zich al eens afgevraagd hoe die mensen de rest van hun tijd doorbrengen? Hoe ze zich gedragen, wat ze over ons zeggen, wat ze onder elkaar bekokstoven?'

'Ik vrees dat ik genoeg dronkemanspraat heb gehoord. Ik denk dat ik maar eens opstap.'

'Luister, eerwaarde. Onze macht berust uitsluitend op het feit dat de inlanders een hoge dunk van ons en een lage dunk van zichzelf hebben. Zodra ze ons beter leren kennen, en dat zal gebeuren wanneer ze zich massaal bekeren, verliezen ze elk respect. Ze zullen hun minderwaardigheidsgevoel overwinnen en in verzet komen. Ze zullen zich tot een overwinning in staat achten, in plaats van er zoals nu van uit te gaan dat ze voor altijd overwonnen zijn. Zo kunnen we over een generatie voor een ramp komen te staan. Want over één ding zullen wij het toch wel eens zijn: de Indiërs hoeven zich maar één dag te verenigen en met dezelfde stem te spreken, of wij worden weggevaagd.'

'Zolang ze bang van ons zijn, hoeven we ons geen zorgen te maken, is dat het?'

'Angst leidt tot wantrouwen, wantrouwen tot valsheid. De zwakkeling en de lafaard weten precies waarom ze hun buurman niet vertrouwen.'

'Klinkklare onzin! Ik sta werkelijk versteld. Zelfs al zou u uit politiek en militair oogpunt gelijk hebben, dan nog kunnen we de heidenen toch niet aan de eeuwige verdoemenis prijsgeven? Moeten we hun onze beschaving om zulke opportunistische redenen onthouden? Nee – de missionering zal doorgaan. U zult zien, zelfs al duurt het honderd jaar, Brits-India zal christelijk worden, en pas dan zal dit land werkelijk tot bloei komen. Neemt u mij niet kwalijk, heren, dat ik me nu terugtrek, want u hebt me op een goed idee voor mijn zondagspreek gebracht.'

෴

43

Naukaram

II Aum Avighnaaya namaha I Sarvavighnopashantaye namaha I Aum Ganeshaya namaha II

'Hij wist niet dat ze een devadasi was geweest?'

'Nee.'

'Hij zal toch wel iets vermoed hebben?'

'Nee, totaal niet.'

'Dus heeft niets zijn gevoelens overschaduwd?'

'Ik heb zijn gevoelens te laat onderkend. Ik heb onderschat hoeveel ze voor hem betekende. Dat ben ik pas gaan beseffen toen ze dood was.'

'Hij had verdriet, hij rouwde?'

'Op zijn eigen, kromme manier. Hij deed niets zoals andere mensen. Zijn eerste opdracht na de nacht van haar verbranding was dat ik apen voor hem moest halen. Om het even welke apen, sterker nog, het zou mooi zijn als het verschillende soorten apen waren en ze ook in leeftijd verschilden. En niet hetzelfde geslacht hadden. Ik dacht dat hij gek aan het worden was. Ik wist een stuk of zes apen op te scharrelen, die ik samen met een paar andere bedienden op een kar naar de bungalow bracht. Ze blaften, kakelden en jankten, bij alle huizen kwamen de tuinlieden naar buiten om zich aan ons te vergapen. Ik schaamde me vreselijk. Het volgende bevel van Burton Saheb leverde het definitieve bewijs dat hij gek was geworden. Hij wilde dat we de apen in de bubukhana onderbrachten. Toen deelde hij me mee dat hij die avond bezoek kreeg, ik moest voor zes gasten laten dekken en ervoor zorgen dat hetzelfde aantal bedienden klaarstond om op te dienen. Stom van mij, maar ik kwam niet op het idee zes en zes bij elkaar op te tellen. Wie had ook kunnen vermoeden wat er zou gebeuren? Niemand van ons had dat verwacht.'

'Het ongewone is altijd pas achteraf te verklaren.'

'Bij het avondeten gaf hij ons de opdracht de apen in huis te brengen. Hij stond aan een uiteinde van de tafel en begroette de beesten hartelijk, als oude vrienden. Geen van de andere officieren heeft hij ooit zo'n ontvangst bereid. Hij liet ze op de stoelen aan de grote eettafel plaatsnemen en verkondigde dat hij met hen zou dineren. Hij stelde ze aan ons voor, in het Engels, de andere bedienden verstonden niets. Ze hadden trouwens al hun aandacht nodig om de apen te vangen en weer op de stoelen te zetten. De grote baviaan zou doctor Casamaijor zijn, de kleine baviaan secretaris Routledge, beiden in gezelschap van hun echtgenotes, een derde aap werd als adjudant McCurdy voorgesteld en de lelijkste aap van allemaal was pastoor Posthumus. Ik lachte, maar niet van harte, het was alsof ik mijn lach uit een aangebrande pan krabde, en de andere bedienden lachten mee. Eigenlijk wilde ik me afwenden, maar ik dacht dat die hele onzin sneller afgelopen zou zijn als ik deed of ik de grap waardeerde. Ik had me vergist. Hij schreeuwde tegen ons dat we onze gasten moesten bedienen en dat hij geen insubordinatie duldde. Hij dreigde ons allemaal het huis uit te zetten als we zijn gasten niet met respect behandelden, en ik merkte aan zijn stem hoe serieus hij dat meende. Ik gaf de bedienden een teken met het opdienen van het avondeten te beginnen. Natuurlijk bleven de apen ook daarna niet op hun stoel zitten, telkens moest er weer een van hen worden opgetild en naar zijn plaats worden gebracht. Burton Saheb deed alsof hij daar niets van merkte, hij speelde de gastheer, praatte op hen in, besprak de nieuwste intriges aan het hof met hen, het was moeilijk je ogen en oren te geloven. Hij ging tekeer tegen de kliek van de Nagar-brahmanen, die toen bijna alle adviseurs van de maharadja leverde, op zijn minst alle ministers. Hij begon over het verzoek van de Angrezi om hun hegemonie aan het hof te doorbreken en vroeg zijn gasten naar hun mening, en als een van de apen dan gromde of blafte, riep hij enthousiast: Luister, luister, heren, dames, wat een verrukkelijke repliek! De apen smeten met het bestek, ze gooiden de wijn om, ze sloegen met hun poten in de soep, ze proefden een paar bonen en begonnen elkaar er toen mee te bekogelen. Pas toen het vlees kwam, werden ze wat rustiger. Het smaakt ze, riep Burton Saheb uit. Halleluja, dat het ze eeuwig mag smaken. We moesten hem zijn bed in dragen, zo dronken was hij aan het eind van de avond. We schaamden ons in zijn plaats, maar we waren blij dat we die waanzin achter de rug hadden. We wisten niet dat het spelletje zich elke avond zou herhalen. En elke avond bedronk Burton Saheb zich, alleen was hij zijn bed niet in gekomen. Het was zo akelig wat ik in die tijd met hem meemaakte, ik kon de aanblik bijna niet verdragen.'

'Erger dan akelig, het was tegennatuurlijk.'

'En het werd nog erger. Een van de beesten was een apin. Hij beweerde dat hij haar van secretaris Routledge had afgesnoept. Ze was nu zijn geliefde, hij maakte haar op, deed haar oorbellen in en legde een ketting om haar rimpelige hals. Ze was zo klein dat ze onder de tafelrand verdween als ze zat. Van een andere officier had hij een kinderstoel geleend, waar ze bij het eten in mocht zitten. Hij begon haar liefste te noemen. Haar het hof te maken. Hij betrok de khidmatgar bij zijn charade. Hij vroeg hem telkens weer: is ze niet geweldig? Is ze niet schattig? Zal ik vragen of ze een zus heeft, voor jou? Het was zo vernederend dat de khidmatgar is weggelopen. Hoewel hij geen ander werk had.'

'En overdag, wat deed hij overdag met die apen?'

'Hij beweerde dat hij hun taal leerde. Hij begon klanken op te schrijven. Op een dag vroeg hij mijn mening. Wat volgens mij het geschiktst was om de taal van de apen weer te geven, het Devanagari-schrift, het Gujarati-schrift of zelfs het Latijnse schrift.'

'Upanishe heeft hij dat vast niet gevraagd.'

'Nee, inderdaad. Waarom zegt u dat?'

'Zo gek was hij dus ook weer niet. Hij besefte heel goed wat hij zich kon permitteren, en tegenover wie. Tegenover jullie liet hij zich volledig gaan. Tegenover Goeroeji niet, voor hem had hij te veel respect. Wat hebt u hem geantwoord?'

'Ik heb mijn mond gehouden. Dat deed ik in die periode steeds, mijn mond houden. Ik geloof, zei hij, dat Chinese karakters uiterst adequaat zouden zijn, ach, wat doet het ertoe, ik kan moeilijk vanwege die primaten ook nog eens Mandarijn gaan leren. Hij had een woordenboekje van hun klanken gemaakt, hij dacht zestig verschillende woorden te hebben verzameld. Daar was hij trots op. Hij beweerde dat hij binnenkort met de apen zou kunnen praten.'

෧෨෧෨෧෨෧෨෧

44

Ontvanger van alle berouw

'Hé, Naukaram, we hebben hoog bezoek. Waarom hou je ons geen gezelschap?'

'Neemt u me niet kwalijk, Burton Saheb, maar ik kan dat niet, bij apen komen zitten.'

'Wat is er aan de hand met jou en je vriendelijkheid tegenover gasten, Naukaram? Ben jij nou mijn steun en toeverlaat? Dan moet je je toch echt anders gedragen.'

'Laat me met rust, Saheb.'

'Kom hier!'

'Ik heb ook verdriet, Saheb.'

'Om wie, Naukaram? Het is voor iedereen klote, goed, dat weten we dan, maar je hebt weer eens iets gemist, hè, Naukaram. Met ons gaat het namelijk prima, wij voelen ons opperbest.'

'Om haar.'

'Om haar? En wie mag dat dan wel zijn, die raadselachtige haar?'

'Om Kundalini, Saheb.'

'Wat fluister je, beste man. Bijna dacht ik Kundalini te verstaan. Dat kan toch niet. Jij? Hoezo jij? Voor jou was ze toch niet meer dan een, hoe kunnen we dat in aanwezigheid van deze dames een beetje netjes zeggen, eens kijken, een hoer, is dat de juiste beschrijving? Een hoer die je me kon aansmeren.'

'Ik heb haar meegebracht omdat ik van haar onder de indruk was.'

'Hij was van haar onder de indruk. Ach. De tranen springen in mijn ogen.'

'Ik mocht haar.'

'Als vrouw, Naukaram? Als vrouw?'

'Ja. En dat gevoel werd steeds sterker. In haar aanwezigheid voelde ik me gelukkig en als ze wegging, was ik verdrietig en verheugde ik me op haar terugkeer. U weet toch hoe ze was.'

'Ik weet het, ik weet hoe ze was, ik weet het beter dan jij. Jij hebt alleen maar naar haar gekeken, je hebt haar stem gehoord, en moet je zien wat voor uitwerking ze op je had. Mijn hooggeëerde gasten, mag ik u voorstellen: een verliefd man.'

'Wat wist u over Kundalini, Saheb?'

'Alles weten is geen maatstaf, geen doel. Als je het zo vraagt: ik wist genoeg over haar.'

'Weet u waar ze heen ging als ze ons verliet?'

'Op feestdagen, bedoel je? Naar haar familie natuurlijk.'

'Ze had geen familie. Haar moeder heeft haar als meisje aan een tempel gegeven en haar nooit meer gezien.'

'Je vergist je, je hebt iets verkeerd begrepen. Dat zou ze me verteld hebben.'

'O ja? Hoezo? Waarom zou ze u dat vertellen? Ze was bang dat u het verkeerd zou begrijpen. Ze was bang van u.'

'Je liegt. Verkeerd begrijpen? Wat zou ik verkeerd begrijpen? Ik had medelijden met haar gehad.'

'Misschien. Maar misschien had u haar ook veracht. Dat weet je van tevoren nooit zeker.'

'Waar ging ze dan heen?'

'Dat kan ik beter niet zeggen.'

'Naukaram! Ik gooi je vanavond nog het huis uit. Dat zweer ik je ten overstaan van al die apen hier. Waar ging ze heen?'

'Naar de tempel waar ze is opgegroeid.'

'Ze is in een tempel opgegroeid?'

'Ja, voor ze naar Baroda kwam.'

'Ze woonde in die tempel?'

'In een kamertje, achter de tempel.'

'En wat deed ze daar?'

'God dienen, Saheb. Ze was een dienares van god.'

'En waarom zou ik dat verachtelijk vinden?'

'Ik kan niet meer zeggen.'

'Integendeel. Je zult me alles zeggen. Maak je geen zorgen, ik ben weer bijna nuchter.'

'Ik ben banger voor u als u nuchter bent.'

'Wat was er in die tempel?'

'Ze heeft niet alleen god gediend. Ze heeft ook de priester gediend.'

'Hoe dan? Ze heeft voor hem gepoetst, gekookt?'

'Nee, anders gediend.'

'Je bedoelt als vrouw? Probeer je dat te zeggen, als een *nauch-*meisje?'

'Zo ongeveer.'

'En dat moet ik geloven?'

'Het is de waarheid, Saheb.'

'Hoelang?'

'Dat weet ik niet.'

'En als ze terugging, heeft ze weer met die priester …?'

'Nee, dat denk ik niet. Vast niet. Ze is bij hem weggelopen, hij heeft haar slecht behandeld. Daarom kwam ze naar Baroda.'

'Dat heb je allemaal voor me verzwegen?'

'Ze moest terug. Het was de enige plek waar ze zich geborgen voelde, ondanks de priester. Ze miste de tempelruimtes, ze wilde weer voor god zitten, hem lucht toewaaieren. Het is merkwaardig. Ze voelde zich alleen daar geborgen. Ook al had hij haar nog zo slecht behandeld.'

'Daarvan heb je me niets verteld. Ik heb zin om je een pak slaag te geven.'

'Hoe kon ik vermoeden, Saheb, dat u hier niets van wist. U ging toch veel vertrouwelijker met haar om dan ik. Ik kende haar alleen van de gemeenschappelijke uren in de keuken. We aten soms samen. Soms zaten we op de veranda als u op reis was. U weet zelf hoe zelden dat voorkwam. Hoe had ik me kunnen aanmatigen met u over de intieme geheimen te praten van iemand die veel dichter bij u stond dan bij mij?'

45

Naukaram

II Aum Devavrataaya namaha I Sarvavighnopashantaye namaha I Aum Ganeshaya namaha II

'Je hebt alle grenzen overschreden. Het is onvergeeflijk wat je hebt gedaan. Hoe kon je met mijn geheimen te koop lopen? Ze waren alleen voor jouw oren bestemd. Mogen lahiya's alles zomaar doorvertellen? Mogen zij op de markt betalen met de munt die hun in bewaring is gegeven? Ik heb me in je vergist, je bent geen eervolle man. En alsof dat nog niet erg genoeg is, heb je ook nog leugens over me verteld, leugens die me in deze stad te gronde zullen richten.'

'Wat dan, wat dan? Ik lieg niet!'

'Ik kon het niet geloven.'

'Iemand heeft me belasterd.'

'Nu lieg je alweer. Ik heb het met eigen oren gehoord. Een zanger, hij zong eerst een bhajan. Maar daarna droeg hij zijn eigen verzen voor en die waren allesbehalve heilig, ze waren vulgair, bedoeld om het publiek te vermaken. Hij dreef de spot met de Angrezi en de Sardarji, hij dreef de spot met een wellustige oude man die in liefde voor een wasvrouw was ontbrand en daarom iedere dag zijn kleren liet wassen. Dat soort flauwekul. Toen dreef hij de spot met een bediende die verliefd was op de bubu van zijn meester, een devadasi, die beide mannen zou hebben uitgebuit. Ik verstijfde. Eerst dacht ik aan toeval, tot die verklaring niet meer mogelijk was. Ik was bang dat de toeschouwers zich ieder moment konden omdraaien om naar mij te staren. Het was pijnlijk. En ik voelde me gekwetst. Maar het was niet half zo pijnlijk en kwetsend als wat daarna kwam. De bubu, zong hij vergenoegd, hij had zo'n weerzinwekkend zelfingenomen stem, had een kind gekregen toen de heer een paar maanden op reis was. Ze had de pasgeborene gedood en de bediende had haar geholpen het lijkje in het bos te begraven.'

'Zoiets heb ik hem nooit verteld.'

'Je geeft dus toe dat hij het van jou had.'

'Het is een vriend, ik heb hem om raad gevraagd. Ik wist niet goed hoe ik verder moest met uw verhaal. Het is niet zo makkelijk als u denkt. Soms kan ik het niet aan. Nooit heb ik iets over een dood kind gezegd. Nee, wacht, wacht, er schiet me iets te binnen: die dode aap, weet u wel, die Burton Saheb zelf in de tuin heeft begraven, dat hebt u me verteld. Misschien heb ik het over de begrafenis van de aap gehad. U moet toegeven dat die begrafenis de krankzinnige afsluiting was van een idiote periode en bij wijze van vergelijking, begrijpt u, heb ik verteld dat hij dat beest heeft begraven alsof het zijn eigen kind was. Het was een onschuldige vergelijking.'

'En de rest dan? Wat voor onschuldige vergelijkingen heb je nog meer rondgebazuind? Wie is er voor die andere onzin verantwoordelijk, zeg me dat eens. Wie?'

'Voor welke onzin?'

'Voor de verzen van die jakhals die jij je vriend durft te noemen. Ze eindigden ermee, nooit van mijn leven heb ik me zó geschaamd, ze eindigden ermee dat de bediende de bubu zou hebben vergiftigd. Omdat ze zijn liefde niet beantwoordde, omdat hij door jaloezie werd verteerd. Hij beroofde haar van het leven omdat hij het niet kon verdragen haar in de armen van zijn meester te zien.'

'Nee, nooit zou ik zoiets zeggen. Niet eens denken. U haalt dingen door elkaar. Dat verhaal dat mijn vriend heeft voorgedragen, was helemaal niet uw verhaal. Misschien heeft hij zich laten inspireren door wat ik hem heb verteld, dat zou kunnen, ja, dat moet het zijn, hij heeft zich vast erdoor laten inspireren, maar daarna heeft hij er zijn eigen verhaal van gemaakt.'

'Op mijn kosten.'

'Het gezwam van een *manbhatt*, daar hebt u toch geen last van?'

'Wie kan die twee verhalen uit elkaar houden? Iedereen die een beetje van mij weet, zal die wetenschap vermengen met het gif van de lasterpraat.'

৩৩৩৩৩৩৩৩

46

Zoon van twee moeders

De eerste keer dat Burton van hem hoorde, was de man niet meer dan een naam, een naam waarin alle scheldwoorden en beledigingen samenkwamen die hij in de stad over zich heen kreeg. Hij heette de bastaard van Baroda. Hij was alleen onder die naam bekend. Je kon je moeilijk voorstellen dat hij ooit een andere naam had gehad. Hij was een uitgestotene, met wie niemand die zichzelf ook maar een beetje respecteerde ooit contact zou hebben als hij niet af en toe, wanneer de officiële tolken op reis waren, bij de rechtbank werd ontboden. Van deze taak kweet de bastaard zich met bravoure. Hij leek de beklaagden, die onwillig aan deze vertoning deelnamen, gerust te stellen. Hij wist met verbazingwekkende tact aan de wensen van de rechter te voldoen. De inheemse dialecten vloeiden hem als vanzelf uit de mond, maar zijn grammaticaal correcte Engels klonk alsof hij het te lang bij zichzelf in quarantaine had gehouden. De bastaard van Baroda ging verder namelijk nooit met Britten om. Alleen voor de rechtbank gebruikte hij het Engels dat hij geleerd had van zijn Ierse vader, die was gedeserteerd en hem ergens achter de noordwestelijke grens bij een inheemse vrouw had verwekt. De minachting die zijn vader indertijd ten deel was gevallen, was op hem overgegaan. Met een niet onbelangrijk verschil. Terwijl zijn vader zich aan de vervloekingen had onttrokken en al met al een gelukkig leven had geleid, was zijn zoon er hulpeloos aan overgeleverd. Burton kwam de bastaard van Baroda toevallig op straat tegen. Hij herkende hem aan zijn kleding, aan het bonte allegaartje waarover hij al had gehoord. Wie zou er anders rondlopen in een afgedragen legerjack, versteld met lapjes in alle kleuren van de regenboog, over een lange *pathani* van ruwe stof, op het hoofd een bolhoed vol gaten? Om zijn hersens te koelen, luidde een van de grappen die over hem de ronde deden. Burton dwong zijn paard tot een sukkeldrafje waarmee hij de man langzaam inhaalde, en sprak hem in het Hindoestani aan. Zonder op te kijken gaf de voetganger antwoord in het Engels. Burton volhardde in het Hindoestani. Spreek Engels met me, zei de man nors. Waarom zou ik? Omdat ik een Brit ben. Jij? Burton was verbaasd over zo veel brutaliteit. Wie zich in dit land allemaal Brit durfde te noemen! Je bent een bastaard, zei Burton voor hij zijn paard de sporen gaf, niet onvriendelijk, maar op een toon die geen tegenspraak duldde. En zoals elke bastaard, dacht hij, verenig je in jezelf het slechtste van beide kanten. Dat is de wet van de natuur: het negatieve handhaaft zich ten koste van het positieve.

De bastaard leek vastbesloten Burtons oordeel met zijn gedrag te bevestigen. Op de verjaardag van de koningin dook hij voor de regimentsmess op en eiste toegang. Al haar onderdanen dienden het recht te hebben deze feestelijke gebeurtenis met haar te vieren. Hij kon zich gelukkig prijzen dat hij slechts in de kraag werd gevat en op straat werd gegooid. Maar zo snel gaf de bastaard zich niet gewonnen. Even later klonk er in de regimentsmess een kreet, al snel gevolgd door een tweede uitroep, die niet minder verbaasd klonk. Lieve deugd, dat hou je toch niet voor mogelijk! Ze schaarden zich rond de spionnetjes bij de ramen en staarden naar een welhaast duivelse onbeschaamdheid. De bastaard zat aan de rand van de straat, waar het verschoten gazon begon. Hij had een wit tafellaken neergelegd en stalde daarop een keramieken, met klimop beschilderd servies in countrystijl uit. God weet waar hij het had opgeduikeld. Uit een kan met zwanenhals schonk hij voor zichzelf thee in, ze zagen aan de donkere kleur dat het echte thee was, niet de lichtbruine chai die deze kerels gewoonlijk dronken. Hij pakte het oor van het kopje tussen duim en middelvinger, mijn god, hij stak zelfs zijn pink in de lucht, en zonder zich iets aan te trekken van de bewakers die om hem heen stonden te schreeuwen, nam hij genoeglijk een slokje. Het kopje werd hem uit de hand geslagen, de hete thee kletste – opzettelijk of per ongeluk – in het gezicht van een van de bewakers. Het kopje viel op de grond, het was niet meteen kapot, maar brak onder de laarzen van de bewakers die zich op de tengere man stortten. Burton moest met een paar maten naar buiten rennen om te voorkomen dat ze de bastaard doodsloegen. Bloedend lag hij tussen de scherven. Niemand wist waar de bastaard woonde en hem de mess in dragen was ondenkbaar. De officieren die naar buiten waren gerend, stonden een poosje om hem heen en maakten toen de een na de ander rechtsomkeert om door te feesten. Burton gluurde telkens weer uit het raam. Hij kon die man daar niet zomaar laten liggen. Naukaram en een paar andere bedienden waren snel geroepen. Ze droegen de bastaard naar Burtons bungalow en legden hem op het bed in de bubukhana. De aanwezigheid van de apen zou de bewusteloze man niet storen. De belofte van een fles oude port haalde de oude Huntington over zijn wonden te verbinden en te onderzoeken of hij niets had gebroken. De volgende ochtend was de bastaard verdwenen.

Vanaf toen liet hij zich bij de rechtbank niet meer zien. Hij bracht zijn dagen op drukke kruisingen door en preekte een waarheid die niemand begreep. De inlanders lieten hem met rust en noemden hem met een behoorlijke portie respect *qalander*, een door god gekuste nar. Op een ochtend vroeg, op de belangrijkste marktdag van de maand, klom hij in een boom langs de straat die vanuit het oosten de stad in liep en schreeuwde uit alle macht: *Duniya chordo, Jesu Christo, pakro. Har har Mahadev.* Verloochen de wereld en aanvaard de heiland. Lang leve de almachtige. Iedereen had het vol ongeloof over het uithoudingsvermogen van zijn stem. Hij schreeuwde die zinnen nog steeds toen de kooplieden 's middags naar de omliggende dorpen terugkeerden. Niemand durfde het gedrag van een qalander te voorspellen, zodat alleen de Britten verbaasd waren toen de bastaard van Baroda op een dag rondliep in een pak waarvan de mouwen zijn handen opslokten en waarvan de broekspijpen over de grond sleepten. Het patroon van het pak leek verdacht veel op de Union Jack. Gehuld in de vlag van Hare Majesteit paradeerde de bastaard een dag lang door Baroda, hij hing voor het eerst sinds het pak slaag dat hij op de verjaardag van de koningin had gekregen bij de regimentsmess rond, tot hij werd weggejaagd. Niet zonder eerst te hebben geroepen dat niemand hem kon slaan, want dat zou een schending zijn van de heiligheid van de vlag en van de waarden die met deze vlag mee wapperden. De verbazing veranderde in vurige verontwaardiging toen een officieel bericht uit Surat de oplossing van het raadsel bracht. Een paar dagen geleden was midden in de nacht de Union Jack van de mast bij de ingang van het cantonment gestolen. Het duurde niet lang of de erop uitgestuurde sepoys – de verontwaardiging was ook weer niet zo groot dat de officieren ervoor uit de schaduw kwamen – vonden de bastaard. Geen seconde te vroeg, want hij probeerde net een straathond die hij regelmatig te eten gaf, een stuk van de vlag om te doen. De bastaard werd in de gevangenis gegooid en menigeen vond dat hij daar maar moest blijven tot de wereld voorgoed van zijn aanwezigheid werd verlost. Burton was de enige die tot ieders verwondering voor hem opkwam. De bastaard moest worden vrijgelaten, betoogde hij, want hij kon er niets aan doen dat hij een mislukkeling was, het was een erfenis waarmee zijn ouders hem hadden opgescheept, en in plaats van de stumper te beschimpen deden ze er beter aan uit dit onappetijtelijke geval de lering te trekken dat het bloed van het westen zich niet moest vermengen met het bloed van het oosten, want die vermenging, mijne heren, verscheurt beide kanten, zoals onze Union Jack tot zijn schade heeft ondervonden.

⊙⊙⊙⊙⊙⊙⊙⊙

47

Naukaram

II Aum Dvaimaturaaya namaha I Sarvavighnopashantaye namaha I Aum Ganeshaya namaha II

Nog een laatste open plek moest hij invullen. Niet de moeite
waard. Eigenlijk kon je zeggen dat hij zover was. Het eerste deel
van zijn literaire werk was zo goed als voltooid. Was het geen tijd
om zich een beetje voldaan te voelen? Had hij van Kundalini
geen prachtpersonage gemaakt? Ze kon de vergelijking met *Shakuntala* doorstaan, en hij met … Nee. Dat ging te ver. Het dui-
zelde hem. Hij was zulke gedachten niet gewend. Het was van een
verrukkelijke frisheid, het besef dat hij iets geweldigs had gepresteerd. Waarover moest hij zich nog helderheid verschaffen?
Eigenlijk alleen over de vraag waarom Kundalini aan de tempel
was geschonken. Het moest een belofte zijn geweest. Wanneer
doen mensen zulke buitensporige beloftes? Als ze naar een kind
verlangen. Ja, dat was het, de eenvoudigste, de elegantste oplossing. De moeder van Kundalini was onvruchtbaar, ze klampte
zich aan haar gebeden vast en zwoer niet één keer, nee, zulke
beloftes worden duizend keer herhaald, alsof god doof is of zwak
van geheugen, dat ze, als ze kinderen kreeg, haar eerste dochter als
bruid aan god zou geven. De god die haar gebeden verhoorde,
bleek geen gulle gever. Hij schonk haar slechts wat hij later weer
zou terugkrijgen. Hij schonk haar niet meer dan één kind, een
dochter, en dat kind betaalde Kundalini's moeder als prijs voor
het haar geschonken kind. Wat een godsdienst! Wat een vondst!
Hij werd nog duizeliger. Hij was buitengewoon tevreden.

'Iedereen vraagt naar je, waar je bent, hoe het met je gaat. Wat
moet ik tegen ze zeggen?'

'Heb je me niet gehoord?'

'Ik heb geen gezicht meer waarmee ik de buren onder ogen kan
komen.'

'Hou toch onderhand eens je mond.'

'De hele tijd zit je hier maar, met je papieren en je pen, waarom kom je nooit tevoorschijn als een gast ons bezoekt?'

'Omdat ik iets beters te doen heb.'

'Vervloekt zij dat geschrijf van je. Je hebt nergens meer tijd voor. Je hebt je gezin verruild voor deze letters. Is dat nou die geweldige uitvinding, die van mannen kluizenaars maakt, eenzaam te midden van de mensen?'

'Je begrijpt het niet, ezelin die je bent. Altijd heb ik moeten opschrijven wat anderen me dicteerden. Het waren altijd dorre brieven, troosteloze brieven. Verzoekschriften, eigendomsoverdrachten. Ik formuleerde zo goed als ik kon en soms maakte ik zo'n tekst een beetje mooier, maar ik bleef altijd een slaaf van andermans plannen. Ook al was ik slimmer dan de meeste klanten, ik moest hun onzin opschrijven. Dat wordt nu anders. Dat is al anders. Begrijp je niet hoe belangrijk dat is?'

◈◈◈◈◈◈◈◈◈

48
Zoon van Shiva

Upanishe wachtte tot het bijna te laat was eer hij zijn shishya het belangrijkste leerde wat hij een vreemde kon leren. Hij wachtte ermee tot de nacht van Shiva, tot Burtons geest uit puur slaapgebrek tot een ellips was verbogen. Hij wachtte tot de huldiging van de god bijna voorbij was. Ze waren naar de tempel teruggekeerd nadat ze Shiva over drie heuvels hadden gedragen en telkens als de palankijn was neergezet, om giften hadden gevraagd. De menigte had verschillend gereageerd. De dragers hadden de palen resoluut omklemd, de jongens hadden hun overgave omgezet in een cirkelende dans en de gifteninzamelaars hadden zich van alle middelen bediend om de geldbuidels open te krijgen, zelfs van grove grappen. Hij had lopen zweten als een conferencier die genoot van een taak waartegen hij niet was opgewassen; de andere gelovigen waren in toenemende extase om de draagstoel heen gelopen. Goeroeji stond klaar om te gaan slapen. In een wit hemd en een *pajama*. Hebt u weleens van Adavaita gehoord, mijn shishya? Zoals hij het zei, zag Burton een *mithaiwallah* tegenover zich die hem een nieuwe lekkernij probeerde te verkopen. Die toon was bedrieglijk, zoals hij inmiddels wist, de ernst zou zachtjes, haast sluipend, volgen. Adavaita betekende heel eenvoudig 'zonder tweede'. Luister, mijn shishya, en zeg me dan of u ooit zo'n scherpe gedachte hebt gehoord. Volgens Adavaita bestaat er niets buiten een enkele realiteit die een indrukwekkende naam draagt – god, het oneindige, het absolute, brahmaan, atman, hoe we het ook mogen noemen. Deze realiteit beschikt over geen enkel kenmerk waarmee zij kan worden gedefinieerd. Op iedere poging haar te beschrijven moeten we antwoorden: nee! We kunnen zeggen wat het niet is, maar niet wat het is. Alles wat lijkt te bestaan, de wereld van onze geest en onze zintuigen, is niets anders dan het absolute in een valse gedaante. Het enige wat onder deze stroom van waanideeën van het ego bestaat, is het ware zelf, het ene. *Tat tvam asi* zegt Adavaita, dat ben jij! Daarom, mijn shishya, en dat is het laatste wat ik u zal zeggen voor we ons te slapen leggen, is elke gedachte die tweedracht zaait een vergrijp tegen de hoogste orde. Daarom geldt het al als geweld wanneer wij elkaar als vreemden zien, wanneer wij elkaar als een ander beschouwen.

Upanishe ging slapen. In de verte sloegen bekkens met een heldere klank tegen elkaar. De bhajanzangers zouden de hele nacht doorgaan. Burton sluimerde in. Hij wist niet wat hem had gewekt. Hij richtte zich op. Keek om zich heen. Dicht naast elkaar lagen de lijven, de hele voorhal met lichte slaap bedekt. Hij was een van die lijven. Een heffing in de adem van het universum. Een niets bijna. Hoeveel troostrijker was het niet te geloven dat hij alles was en dat alles in hem was. Deze mensen gingen altijd in de massa op, ze sliepen iedere nacht te midden van vele anderen, ze waren het gewend een van de vele lijven op een hobbelige bodem te zijn. Hij spitste zijn oren. Een nieuwe bhajan werd ingezet. Andere stemmen vielen in, zongen het lied mee, begeleid door kreten van verrukking en handen die naar voren stootten. In de onderbreking, bij de negende slag op de tabla. Terwijl god met een fijn straaltje water werd gekoeld. Zo zacht, dat hij het alleen kon horen bij de stomme slag. Urenlang hadden ze naast die straal gezeten. Herhaal de naam van god, had Goeroeji hem geadviseerd, dan krijg je het niet koud in je hoofd, mijn shishya. Burton verstond niet genoeg Sanskriet, de litanieën vermoeiden hem. Zijn aandacht nam de omgeving onder de loep. De lievelings- bloem van de godheid lag over de grond verspreid, driebladig, verwijzend naar de hindoeïstische triniteit en het beginsel van de eeuwige verandering. Het eelt op de voeten van de pujari. Een nog niet wit geworden haartje op het hoofd van Goeroeji. Toen het na zes uur voorbij was, droeg de priester de verdiensten die hij met de puja had verkregen over aan de gelovigen. Het pragmatische van het geloof, wezenlijker dan welk wetboek ook. In de nacht van Shiva en de dag en de nacht ervoor was het gevoel erbij te horen zo sterk geweest dat het een verlokkende gedachte voor hem was de rest van zijn leven deel uit te maken van deze familie, deze plaats, deze rituelen. Hij schrok van dat verlangen. Mooi op het eerste gezicht, bedreigend als hij er wat langer over nadacht. Hij stond op, liep om de tempel heen en ging bij de wakenden zitten. Hij zong een bhajan mee, zijn stem de diepste onder het afdak van de tempel. Toen hij zich bij zonsopgang waste in de rivier, hoorde hij een van de jonge mannen aan zijn vriend vragen: Waar komt die Firangi vandaan? Wie weet wat hij thuis over ons zal vertellen. Weet jij dan wat zijn gotra is? vroeg de vriend gevat.

Toen Burton thuis in de spiegel keek, herkende hij zichzelf niet. Niet omdat hij uiterlijk was veranderd, maar omdat hij zich een ander mens voelde.

49

Naukaram

II Aum Ishaanaputraaya namaha I Sarvavighnopashantaye namaha I Aum Ganeshaya namaha II

'Ik heb je al uitgelegd dat de mensen in Sindh miyans zijn. De meesten dan. Onze schrijnen leken er misplaatst. Omdat ze zo zeldzaam waren. Een beschamende vertoning, dat kan ik je vertellen. Bij ons zijn ze zo vanzelfsprekend. Daar niet. De tempels die er nog waren, zaten in grotten en holen, de guirlandes waren verdroogd. De godin, Singhuvani heette ze, zag eruit als Durga, ze was op haar leeuw te ver naar het westen gereden. Ik weet dat het onzin is wat ik zeg, maar zo kwam het op me over. Ik had zin om de schrijnen op te pakken en mee naar huis te nemen. Een idiote gedachte, ik weet het. In de door graven aangevreten heuvels van Makli. De besnedenen beweren dat daar een miljoen van hun heiligen begraven liggen. Ze overdrijven natuurlijk. Een miljoen heilige *sulla's*? Kom nou!'

'Alsof wij nooit overdrijven.'

'Wij overdrijven als het om goden gaat, zij als het om mensen gaat.'

'Is dat zo? Misschien is dat de reden waarom moslims er geen dierentuin vol goden op na houden.'

'Aan wiens kant sta jij eigenlijk?'

'Er zijn meer dan twee kanten. We moesten dit stekelige struikgewas maar eens verlaten, vindt u niet? Wat wilde u me over die heuvels vertellen?'

'Overal waren tekenen van ons Santana Dharma te zien. Na zo veel eeuwen van onderdrukking. Tussen de graven. Rechtopstaande stenen. Als je dichterbij kwam, was duidelijk de *shiva-linga* te herkennen, vermiljoenrood bestrooid, net als bij ons. En de waterbekkens hadden de vorm van yoni's. Dat het gebeente van die besnedenen midden tussen de linga's en yoni's ligt, was voor mij een troost. Ik voelde leedvermaak.'

'Als die miyans zo erg zijn als u beweert, waarom hebben ze dan die linga's en yoni's niet vernield? Niemand laat zoiets toch graag op zijn begraafplaats staan?'

'Weet ik veel. Ze hebben een miljoen graven in die heuvels gemaakt en dan moeten wij blij zijn dat ze een paar shiva's hebben overgelaten?'

'Die heiligen, wat waren dat voor mensen, wat hebben ze gedaan dat ze zo veel eer hebben verdiend?'

Naukaram rolde een beschrijving uit met de routine van een stoffenkoopman die het patroon door en door kent en niet de illusie heeft dat de klant zich meteen laat strikken. In zijn verhaal klonk iets door wat het scheppingsvermogen van de lahiya stimuleerde. Aan het eind van de middag was die prikkeling uitgegroeid tot een idee. Hij verkleedde zich niet eens, zijn vrouw was gelukkig niet thuis, maar legde meteen een maagdelijk vel papier klaar en doopte zijn pen in de inkt. Wonderen, schreef hij op het nieuwe vel, beginnen met een gevaar, met het overwinnen van een gevaar. Met een onbegrepen zegening. Een eenzijdig begrepen zegening. Vissers op een boot die in een storm terechtkomen. Overgeleverd aan het natuurgeweld grijpen ze naar het gebed. Tot wie bidden ze, wie smeken ze om hulp? De heilige man van hun dorp, het enige vertrouwde wezen dat zich niet bang laat maken door het geweld. Ze werpen de storm zijn naam toe. Als een aanbeveling. Als een oplossing. Ze worden gered. De storm gaat liggen. Ze leven, dankzij de heilige man uit hun dorp. Hoe kunnen ze vermoeden dat god zich over hen heeft ontfermd, aan wie ze zo zelden denken? Ze keren terug naar hun dorp. Wat hebben ze te vertellen? Ze vertellen over een storm die niet tot hun ondergang leidde. Over een wonder. De golven smeten het bootje alle kanten op, de wind scheurde de zeilen, ze waren verloren geweest als ze niet de naam van de heilige man hadden geroepen. En ze zwoeren dat zijn gestalte voor hen verscheen, dat zijn stem hun moed insprak, dat zijn aanwezigheid hun angst verzachtte en de storm kalmeerde. Ze geloven in zijn verschijning. Hoe zouden ze anders het wonder kunnen verklaren dat ze nog in leven zijn? En de heilige man? Hoe reageert hij wanneer hij hoort van de kracht die hem wordt toegedicht? Slaat hij zijn ogen neer en glimlacht hij verzaligd? Laat hij zijn leerlingen zeggen dat hij de panische kreten van de vissers heeft gehoord en zijn geest naar hen heeft laten uitgaan? Zullen de vissers zich niet dankbaar betonen? Ook met gulle gaven? Zullen ze de volgende keer als ze uitvaren niet bij voorbaat bidden tot de heilige man? Zullen vissers uit andere dorpen mettertijd hun voorbeeld niet volgen? Als ze horen dat de vissers steeds heelhuids terugkeren met een goede vangst. De heilige man heeft zich als wonderdoener bewezen. Weten jullie dan niet dat de boot gezonken is, dat de vissers verloren waren, maar dat de heilige hen met de krachtige hand van zijn geest uit de diepte heeft getrokken? Weten jullie dan niet dat hij een dolfijn heeft gestuurd die de drenkelingen op haar rug aan land heeft gebracht? Wie kon zulke wonderen weerspreken? Wat voor reden was er om zulke wonderen te weerspreken?

De lahiya leunde achterover. Hij rustte even uit en las toen over wat hij had geschreven. Bruikbaar, dacht hij, hij zou het zijn geestesbroeders van de Satya Shodak Samaj laten lezen. Ze zouden het weten te waarderen. Er bestonden veel geschriften over wonderen, maar over het ontstaan van wonderen had je er maar weinig. Terwijl dat toch veel wonderbaarlijker was dan de wonderen zelf.

᭢᭢᭢᭢᭢᭢᭢᭢

50
Met grote oren

Een ratjetoe lijken ze eerst, dat soort winkels, een verzameling prullaria. Ze versperren het uitzicht, de houten lepels en blikken pannen die overal hangen, ze bedekken de toonbank, de lucifers en stukken zeep die heen en weer worden geschoven als de verkoper een pen zoekt om op te tellen wat niet uit het hoofd kan worden uitgerekend. Ze staan in de weg, de propvolle zakken rijst, linzen en kikkererwten, de manden met kruiden, en ergens daartussen blijkt er dan ongelooflijk genoeg ook nog plaats te zijn voor bergen snoepgoed en grote kruiken olie, waar zo veel uit wordt gegoten als er in de door de klant meegebrachte fles past, terwijl in het ruw getimmerde rek tegen de achterwand kostbare koopwaar ligt opgeslagen, zoals fijne tabak, goede thee en dadels uit Medina. Geen klant kan zo'n winkel bij zijn eerste bezoek overzien, hij zal vaak terugkeren en eerder uit beleefdheid dan uit overtuiging vragen of ze misschien ook melasse hebben, en tot zijn verbazing zal de verkoper zijn hand uitsteken naar een tot dan toe verborgen nis en het gevraagde product op de weegschaal leggen. De *bazzaaz*, de verkoper, die niet uit deze stad afkomstig is, heeft zijn winkeltje nog maar pasgeleden geopend. Er wordt snel bekend waarom een bezoek aan zijn *dukaan* de moeite loont – vanwege de dadels, de tabak, de ingemaakte gember en het snoepgoed, en vanwege de bazzaaz zelf, een voornaam man met wie je een voortreffelijk gesprek kunt voeren. Hij heeft nooit haast. Hij komt niet uit deze streek. Misschien is hij daarom zo royaal. Afwegen doet hij altijd in het voordeel van de klant. Vooral, is dat jullie ook opgevallen, bij vrouwen die hem een lachje gunnen. Als het waar is wat ze zeggen, komt Mirza Ab-doellah, de bazzaaz, oorspronkelijk uit Bushire en is hij deels Pers, deels Arabier, een man die in zo veel gebieden is opgegroeid en met zijn nering door zo veel streken is getrokken, dat hij vele talen kent maar er geen een echt beheerst. Soms vermengt hij ze zelfs. Als er geen klanten zijn, schaakt hij met zijn buurman. Meestal wint hij, hoewel hij liever kletst dan nadenkt. Ook luistert hij graag, die bazzaaz. Zijn ogen belonen je als je hem iets vertelt. Je bent hem dankbaar dat hij naar je heeft geluisterd. Je neemt hem mee – hij heeft de zoon van de buren gevraagd op de winkel te passen en beloont hem zo gul dat de jongen niet meer weg wil – naar een bijeenkomst van vrienden na de *tarawih*. Het is het seizoen voor ernstige gesprekken. Je neemt hem mee naar degenen die opium roken en hasj drinken. Hij is aangenaam gezelschap, het is *kayf* met hem ergens te zitten en de tijd tot de laatste kruimel op te roken. Als hij één slechte eigenschap heeft, deze nieuwe vriend, dan is het zijn haat tegen de Angrezi. Een man moet evenwichtig oordelen. Hij moet kunnen inschatten wat mogelijk is. Hij moet zich kunnen schikken. Dat begrijpt de bazzaaz niet. Hij scheldt op de ongelovigen die het land onteren, op de parasieten die het bloed uit het land zuigen. Er zijn er heel wat die zijn mening delen. Ze komen vaak bij elkaar en denken aan Afghanistan. Zestienduizend ongelovigen trokken zich terug uit Kabul, en maar één van hen bereikte Jalalabad. Dat zijn cijfers die me bevallen, zegt een man met vergrote pupillen, die zijn woorden prakt als te lang gekookte *daal*. De Angrezi kregen hun verdiende loon, voegt een ander eraan toe, er hadden voor mijn part dubbel zoveel slachtoffers mogen vallen. Wat een geschenk van de Almachtige dat zij nu ook eens ondervonden hoe het is om te verliezen, hoe het is om te worden vernederd, hoe het is om machteloos te zijn. Maar goed – de bazzaaz vraagt voor het eerst het woord – het was voor hen niet meer dan een eenmalige ramp, een uitzondering. Wij leven in een ramp. En als Sindh nou eens een tweede Afghanistan kon worden, valt een jongeman hem met pathos in zijn stem in de rede, als wij ons land nou eens konden reinigen met het bloed van de Firangi's. Dat zal hun misschien een lesje leren. De bazzaaz knikt alleen maar en strijkt over zijn dichte baard. De man met de vergrote pupillen praat als een kip zonder kop, dat weet iedereen, maar die jongeman, wie weet, die heeft iets wat de moeite van het doorgronden waard is. Een van de aanwezigen die tot nu toe hebben gezwegen, herinnert aan de slag bij Miani. Hij heeft nog maar weinig trekjes genomen, hij is nog wat nerveus. Wij hadden vijfduizend doden te betreuren, de Angrezi tweeënhalfduizend. Hoe kan het dat de offers aan de ene kant talrijker zijn dan het hele leger van de tegenstander? Zoiets zou de Almachtige niet goed moeten vinden, dat valt buiten de spelregels die wij kunnen verdragen. Achteromkijkerij, loos geleuter. Zoals bij iedereen bijna. Wat zijn er maar weinig bereid iets te doen, te vechten. De bazzaaz is niet kieskeurig bij het kiezen van zijn contacten. Hij bezoekt zelfs koppelaars en verwerft een schat aan geruchten met de fijne tabak die hij aanbiedt. De naam van mollah Mohammed Hasan, de hoogste in rang van de ministers van Kalat, ligt op ieders lippen. Hij is in een persoonlijke vete met de heerser verwikkeld, met Mir Mehrab Khan. Hij is sluw, hij heeft de Angrezi wijsgemaakt dat de Khan via allerlei intriges hun belangen in Afghanistan ondergraaft. Die domme Angrezi – zo dom zijn ze niet, Janab Saheb, als ze niet alleen ons hebben overwonnen maar pasgeleden ook de Sikhs – die stomkoppen, zei ik, zijn erin getrapt; ze hebben Mir Mehrab Khan onder druk gezet en nu slaat hij terug. Vandaar al die overvallen. Hij zal de Angrezi niet openlijk uitdagen. Ik heb gehoord, Janab Saheb, dat de Angrezi van plan zijn op te treden tegen Karchat. Als dat plan tot jou is doorgedrongen, kan het niet veel waard zijn. Dan is er in de hele stad vast geen strijder meer te vinden. Moet een verijdeld plan zijn. Ik heb ook gehoord dat de Angrezi maar een plan hoeven te overwegen of *moehtaram* Khan is al op de hoogte. Vind je dat vreemd? Dacht je dat een van de partijen gespaard bleef voor verraad? Nee, ik vraag me alleen af wat zo'n Angrez is aangeboden, waarmee ze hem hebben omgekocht. Zo is hij, deze Mirza Abdoellah met wie wij onze avonden doorbrengen. Altijd relevante vragen op het puntje van de tong.

◈◈◈◈◈◈◈

51

Naukaram

II Aum Shurpakarnaaya namaha I Sarvavighnopashantaye namaha I Aum Ganeshaya namaha II

'U gaat voortdurend tekeer over de miyans. Wat hebt u eraan
hen zo te beledigen?'

'Ze besnijden zich om zich van ons te onderscheiden. Ik respecteer dat verschil.'

'U hebt er de nadruk op gelegd dat Burton Saheb een van hen
leek. Maar hoe heeft hij dat dan voor elkaar gekregen? Hij was
toch niet besneden?'

'Niets ontgaat je. Sluw als een lahiya, zouden ze moeten zeggen. Burton Saheb heeft veel fouten gemaakt. Hij heeft zich vaak
gedragen op een manier die een heer niet past. Maar niets was zo
schandelijk als dat. Ik kon het niet geloven. Hij heeft niet eens
geprobeerd deze schande voor mij te verheimelijken. Stel je
voor.'

'Wie heeft hem besneden?'

'Ik weet het niet.'

'Het moet flink pijn hebben gedaan. Bij een volwassene.'

'Hij moet ontzettend veel pijn hebben gehad. Dat is zeker.
Maar hij heeft niets laten merken. Een paar weken was hij heel stil
en bleef hij de hele tijd in de tent. Zijn verdiende loon. Domheid
verdient geen medelijden.'

'Of je als mens ook verandert wanneer je besneden bent? Of
het iets doet met je innerlijk, met je geest?'

'Mij is niets opgevallen. Ik weet alleen dat zijn vermomming
prima functioneerde en dat hij daar dolblij om was. Boeren
renden niet meer weg zodra ze hem in het oog kregen. Jonge
vrouwen trokken zich niet meer in hun huizen terug als hij op
zijn paard kwam aanrijden. Bedelaars bestormden hem niet meer
met hun lijdensverhalen. Zelfs de honden blaften niet meer tegen
hem.'

'De besnijdenis was dus de moeite waard geweest.'

'Zo bezien wel, ja. Maar wat een offer.'

'Waarom vindt u het zo belangrijk?'

'Ik heb er veel over nagedacht. Ik had tijd. Besnijdenis is niet alleen weerzinwekkend, maar ook onzinnig. Waarom zou Allah hun iets geschonken hebben wat ze niet nodig hebben? Waarom zou hij hun lichaam van iets voorzien wat ze er meteen na de geboorte moeten afsnijden? Ik kan er de zin niet van ontdekken. Als de voorhuid overbodig is, of slecht, zou Allah hem dan niet allang hebben afgeschaft? Maar nee. Dit is het beste bewijs hoe onzinnig het geloof van die miyans is. En omdat het zo onzinnig is, moeten ze het zo fel verdedigen.'

෴

52

Het kwaad bestraft

Rapport aan generaal Napier
<u>Geheim</u>

Heden kan ik een succes melden waarop wij ons enigszins kunnen laten voorstaan. Het gebruik van de badli, die pestbuil op het gestaalde lichaam van onze Vrouwe Justitia, is uitgeroeid. Voor het eerst in de geschiedenis van dit land hebben we het principe erdoor gekregen dat de veroordeelde en de gestrafte een en dezelfde persoon dienen te zijn. De welgestelden in Sindh zullen ons rechtsstelsel voortaan met meer respect bejegenen, ze zullen onze doodstraf vrezen. De succesvolle oplossing van dit probleem zou ons de ogen moeten openen voor verdere misverstanden. We moeten niet in zelfgenoegzaamheid vervallen, want het zal nog heel lang duren voor onze rechtsopvatting zich heeft vastgezet in elk inheems hart en elke inheemse geest. Als voorbeeld voor de uitdagingen die ons nog te wachten staan, moge een voorval uit Boven-Sindh dienen, waarvan ik door een samenloop van omstandigheden zelf getuige was. In Sukkur werden vijf beruchte rovers opgepakt, met een deel van de buit die ze hun slachtoffers hadden afgenomen alvorens hen voor het gemak met een dolk te doden. De bewijzen waren verpletterend, de mannen legden een bekentenis af. Ze werden opgehangen, en om de afschrikkende werking nog te vergroten liet men hen aan de galg hangen, met het strenge bevel aan de bewakers in geen geval toe te staan dat er iemand bij hen in de buurt kwam. De volgende ochtend keerde de officier terug om te controleren of aan zijn bevel gevolg was gegeven. (Ik vergezelde hem.) Verbluft stelden we vast dat er nog maar vier galgen op de heuvel stonden, maar dat er, quasi ter compensatie, aan een van de resterende galgen twee lijken hingen. Alleen verschilde een van de lijken – qua kleding en in een ander, weinig appetijtelijk opzicht – duidelijk van de andere, de lijken van de rovers. De bewakers werden direct ter verantwoording geroepen. Ze gaven toe dat ze 's nachts in slaap waren gevallen en bij het wakker worden hadden geconstateerd dat er niet alleen een galg was gestolen, maar ook een van de lijken. Bij het verdwenen lichaam ging het om de aanvoerder van de roversbende, wat tot verschillende speculaties leidde. De bewakers hadden in hun verwarring en uit angst voor de gevolgen de eerste de beste man die 's ochtends vroeg langs kwam lopen in de kraag gevat en zonder veel plichtplegingen opgehangen. De bevelvoerende officier werd razend, zoals ieder normaal mens die zich met iets volkomen onbegrijpelijks geconfronteerd ziet. Zijn woede werd nog meer geprikkeld door het gedrag van de bewakers, die geen enkele schaamte of twijfel aan de dag legden. De officier hield een lange donderpreek: hij bezwoer hun met bewonderenswaardige bezieling, dat moet gezegd, ook al was het resultaat gering, hun barbaarse minachting voor het menselijk leven op te geven, nu ze de hoogste beschaving op aarde dienden. Nadat hij aldus een beroep had gedaan op moraal en verstand, zweeg hij uitgeput, waarop een van de wachters het woord vroeg. Luitenant, neemt u ons niet kwalijk, maar wij hebben in de bagage van deze reiziger iets gevonden wat we u wilden laten zien. We werden naar een kar geleid die we tot dan toe over het hoofd hadden gezien en een van de bewakers trok het dekzeil weg. Voor ons lag een verminkt lijk. Kennelijk had de reiziger die ze toevallig hadden opgeknoopt een sluipmoord begaan. Het kostte me moeite de bewakers hun leedvermaak kwalijk te nemen toen ze uitriepen: Zegt u ons nu wie de hoogste rechter is; God in zijn almacht en onfeilbaarheid of een van die zwetende rechters uit uw land, voor wie alle details van een geval moeten worden vertaald door mensen die niet altijd evenveel belang hebben bij de waarheid. Ik overdrijf niet als ik zeg dat de officier op dat moment niet alleen alle wind uit de zeilen werd genomen, maar dat hij ook tot een onmetelijk diepe wanhoop verviel. Hij zwoer deze kerels nooit meer iets te willen bijbrengen, en ik vrees dat hij zich daaraan houdt. Ik liet hem over aan zijn eigen grimmige gedachten, want ik wist niet of ik hem nu wel of niet in zijn voornemen moest sterken.

෯෨෯෨෯෨෯෨෯

53

Naukaram

II Aum Uddandaaya namaha I Sarvavighnopashantaye namaha I Aum Ganeshaya namaha II

'Hij heeft me een keer meegenomen. Naar Sehwan. Hij was niet verkleed. Integendeel. Het doel van zijn bezoek was erachter te komen hoe de besnedenen reageerden op een officier van de Angrezi die een van hun heiligdommen bezocht. Burton Saheb was er vast van overtuigd dat zo'n bezoek lang niet zo gevaarlijk was als iedereen altijd riep. Hij was van mening, en daaraan zie je hoe sympathie het verstand kan uitschakelen, dat de besnedenen ten onrechte als agressief en onverdraagzaam werden beschouwd.'

'U loopt al vooruit op de afloop?'

'Ik wil voorkomen dat je rare ideeën krijgt. In Sehwan lag het graf van de Rode Valk. Zo heet een van hun derwisjen. Op de plaats van een Shivatempel. Een dergelijke brutaliteit zou bestraft moeten worden. We moeten hem een keer uitgraven, de tempel die er oorspronkelijk stond. Deze heilige was een vreemde. Hij kwam ergens vandaan, niemand weet waar, vestigde zich in Sehwan en hing rond bij de hoeren. Hij zou wonderen hebben verricht.'

'U bent een principieel tegenstander van wonderen?'

'Nee, ik weet dat sommige sadhoes krachten beheersen die wij niet begrijpen.'

'Sommige derwisjen ook.'

'Niet die derwisjen daar. Ik heb daar alleen maar bedelaars ontmoet. Smerige bedelaars. Negen van de tien waren daar bedelaar.'

'Net als bij onze tempels.'

'Onze sadhoes wachten geduldig tot je hun iets geeft. Bij de besnedenen trekken ze je aan je kleren en laten ze je niet met rust. Ze zaten overal, ze zaten te roken, doen sadhoes ook, ik weet het, iedereen had een chillum in zijn hand. Ze hoestten, en wat niet uit te houden was, waren die kreten die telkens weer klonken. *Mast kalandar*, die kreet. Ik kan hem niet meer horen.'

'Dat begrijp ik. Dat begrijp ik. Zo vergaat het mij ook.'

'Echt waar?'

'Nou en of! Wij wonen naast een tempel. *Sita-Ram Sita-Ram Sita-RamRamRam*, als ik dat uit de verte al hoor, word ik niet goed.'

'Ik heb je door. Je trucje. Je overdrijft de overeenkomsten en versluiert de verschillen. Moeten we het daar dan bij laten?'

'Het is geen trucje. Ik kijk verder dan de zinsbegoocheling waardoor u zich laat misleiden.'

'Als jij het allemaal zo goed weet, waarom zitten we dan hier bij elkaar? Ik ga nu.'

'Rustig maar. Alles is toch tijdelijk. We zitten te bekvechten alsof er absolute waarheden bestaan. Laten we naar uw verhaal terugkeren. Ik zal niets doen behalve schrijven. Maar hou op over de besnedenen. Zo veel primitieve haat is u onwaardig.'

'Weet je wat? Je hebt niet helemaal ongelijk. Ik moet je zeggen, die derwisjen droegen gewichten om hun lichaam om het leven moeilijker te maken. *Malang* heetten ze, gevangenen van god, die figuren die met zware kettingen rondliepen. Dat deed mij inderdaad aan onze sadhoes denken. Je ziet: de besnedenen hebben onze onzin overgenomen.'

'En Burton Saheb? Hoe werd hij ontvangen?'

'Als een vriend, dat moet ik toegeven. De besnedenen waren heel voorkomend. Ze hebben hem rondgeleid. Ze waren trots op zijn belangstelling. Alleen bij het graf mocht hij niet komen. Maar dat kon hem niet schelen. Hij gaf me een knipoog toen ze hem dat tot hun spijt moesten mededelen. En later, op de rit terug naar het kamp, zei hij dat Mirza Abdoellah de schrijn dan maar een bezoekje moest brengen. Een mens ziet meer, zei hij, als hij met zijn tweeën is.

⊛⊛⊛⊛⊛⊛⊛⊛

54

Tot roem en tot eer

De muezzin hoestte een stukje kofta uit dat 's nachts in zijn keel was blijven steken. Toen ontfermde hij zich over de eerste lettergreep en rekte die uit, evenals de tweede, alsof hij aan het elastiek van een katapult trok waarmee hij de slaap van de mensen wilde raken. Burton hoorde voeten kletsen op weg naar het bad. Hij had slecht geslapen, levendig gedroomd. Hij had een man van achteren gezien, met een cape om, die in een onvruchtbaar landschap aan een graf stond. Een hond die een poot miste, hinkte langs. In de grafsteen was een naam gebeiteld, RICH BARTON, in een onbeholpen handschrift. Andere mensen kwamen bij het graf staan en keken stil naar de steen. Ieder van hen vroeg: wie is de man die hier begraven ligt? Niemand wist daarop een antwoord. Dat is droevig, zeiden de mensen. En ze legden een doek op het graf voor ze zich omdraaiden. Ver weg van het stof van zijn voorvaderen, zei een van hen in het voorbijgaan. Alleen de man met de cape bleef maar bij het graf staan, roerloos. Hij hief niet eens een hand op om de dode te eren die niemand zich blijkbaar herinnerde. Waarom stond die naam op de grafsteen? Een van de jongemannen van het huis riep naar hem dat hij de *wazoe* kon verrichten. Het gebed is beter dan de slaap, hield de muezzin de wijk voor. Het gebed is beter dan de slaap. Het eerste gebed van de dag was kort. De spirituele vorm van het koude water dat hij in zijn gezicht gooide. Niet alleen om wakker te worden. Ook om rechtop te staan, oprecht te buigen, de juiste houding voor de dag aan te nemen. Daarna dronk hij thee met zijn gastheer, Mirza Aziz. Ze waren bevriend geraakt. Als Mirza Abdoellah haalde hij al weken de oogst binnen van zijn charisma en geduld. Hij werd doorgegeven, van het ene huis aan het andere. Een man die het verdiende geëerd te worden. Had de profeet, moge God hem vrede en zegen schenken, niet aangeraden: sta in de wereld als een reiziger? Mirza Abdoellah was die vreemde reiziger. Hij wist ondertussen precies hoe hij bij mensen in het gevlij kon komen, wat voor soort humor in welke dosis werkte. Hij was al door velen ontvangen, deze nobele reiziger die de kunst van de conversatie verstond. In de eerbiedwaardige Mirza Aziz, die zich heel vanzelfsprekend met hem had verbroederd, vond hij de beste informant die je je kon wensen. Door familiebanden verbonden met de belangrijkste families, handelde hij in alles, ook in kennis. Burton bewonderde hem. En hij wist dat hij hem op een dag moest verraden. Want Mirza Aziz speelde een dubbelspel dat de

Britse belangen schaadde. Hij was altijd uitstekend geïnformeerd – Burton moest er nog achter zien te komen hoe – over de plannen van de Britten, en verkocht die informatie aan de rebellen in Baluchistan. Tot nu toe was het niet meer dan een vermoeden, opgebouwd uit aanwijzingen die zich opstapelden. Als zijn met egards omringde gast moest hij geduldig wachten tot hij zijn argwaan kon hardmaken – de generaal hield niet van vage verdenkingen. Hij voelde zich daar niet prettig bij. Mirza Aziz was niet alleen een samenzweerder maar ook een patriciër, die de mooiste muziekavonden in de stad organiseerde. Burton trok aan de waterpijp en sloot zijn ogen om zich over te geven aan de gezangen. Het zou lang duren voor hij er het fijne van wist. Een strofe bleef haken in zijn hoofd. De zon gaat niet vanzelf schijnen als je het gordijn opendoet. De vrouwelijke stem zong met broze zelfverzekerdheid. De zon gaat niet vanzelf schijnen als je het gordijn opendoet. Als Mirza Abdoellah, de bazzaaz uit Bushire, voelde Richard Burton zich dichter bij het geluk dan als officier van de eerbiedwaardige Oost-Indische Compagnie.

☙❧☙❧☙❧☙❧

55

Naukaram

II Aum Yashaskaraaya namaha I Sarvavighnopashantaye namaha I Aum Ganeshaya namaha II
'Die miyans beweren dat Mohammed hun de goddelijke wet heeft gegeven, maar waarom er zo veel gaten in die wet zitten, mag je niet vragen. Het barst van de hiaten, die allemaal moeten worden opgevuld met oude gebruiken. En let op, want nu wordt het pikant: die gebruiken zijn vaak niet alleen weerzinwekkend, maar ook in strijd met de goddelijke wet.'
'Hoe kan het anders, het is een wet die door mensen is gemaakt.'

'Het slechtste garen wordt gebruikt om de gewijde stof te verstellen. Dat is toch absurd?'

'Wat ik niet begrijp, is hoe u verklaart dat Burton Saheb, in uw ogen een beschaafd, ontwikkeld man, zoals u zo vaak hebt beweerd, zich zo tot dit geloof aangetrokken voelde als alles aan die miyans zo stom zou zijn. Of stond alles wat hij leerde, wat hij deed, in dienst van zijn werk als spion?'

'Nee, zijn belangstelling was echt, zijn sympathie was echt. Het is mij een raadsel. Zijn leraren waren bij lange na niet zo imponerend als Upanishe Saheb in Baroda. Hij bad zelfs met de miyans, kun je je zoiets voorstellen? Die trotse Burton Saheb boog en veegde met zijn knieën en zijn voorhoofd de grond schoon. Er is geen verklaring. Misschien omdat het hem zo gemakkelijk afging. Hij was beter dan wie ook in staat zich moeiteloos in de wereld van de ander te begeven, wie die ander ook was. Hij kon zich de omgangsvormen en de waarden van mensen die tegenover hem stonden eigenmaken. Zonder zich in te spannen. Soms zonder er bewust voor te kiezen.'

'Had hij zelf geen waarden? Geen wetten waarvan hij overtuigd was?'

'O jawel, hij had wel degelijk zijn eigen wetten. Hij verwachtte volledige trouw. Het maakte hem kwaad dat de Angrezi mensen die aan hun kant hadden gevochten in de steek lieten als de troepen zich terugtrokken. We verdienen onze reputatie, mopperde hij, dat we een mens uitbuiten als we hem nodig hebben en hem laten vallen zodra hij zijn nut heeft verloren. Als je eenmaal een verbond hebt gesloten, moet je je ook eraan houden, tierde hij. We kunnen onze bondgenoten niet aan hun lot overlaten, aan ballingschap, armoede, of zelfs mishandeling en de dood.'

'Hij zag de tegenstrijdigheden waarmee wij allemaal leven en benoemde ze.'

'Als hij iets deed, was alles mogelijk.'

'Hij was als het weer tijdens de moesson.'

'Verrassend. Vaak zeer verrassend. Soms deed hij precies het tegenovergestelde van wat hij had gepreekt. Of hij maakte zich vrolijk over iets wat hij voorheen heilig had verklaard.'

'Kunt u mij een voorbeeld geven?'

'Hebben we nog niet genoeg over hem gepraat?'

'Alstublieft, een laatste voorbeeld.'

'Toen we in Sehwan zaten, waren een paar Angrezi in de buurt naar oude schatten aan het graven, overblijfselen van een kamp van Iskander de Grote. Ze waren erg vlijtig en een beetje licht-gelovig. En om de een of andere reden ergerde Burton Saheb zich aan hen. Dat was een van die dingen. Ik wist nooit wanneer hij ergens ontstemd over zou zijn. Het duurde geen week of de miyans in die buurt verkochten de naïevelingen vervalste oude munten. Maar op een dag moesten al degenen die in het kamp de spot hadden gedreven met de gravers hun hatelijkheden inslik-ken. Er werd een vondst gedaan: kleischerven met afbeeldingen uit een oud, verloren land van de Firangi's, dat Etruskië heette. De gravers kwamen ermee naar ons kamp om te pronken met hun succes. Ik schaamde me voor hen. En ik schaamde me voor Burton Saheb, die deze kleischerven zelf voor zonsopgang in de grond had gestopt.'

'Was je erbij toen hij dat deed?'

'Nee, maar ik weet het zeker.'

'Hoezo?'

'Hij had een vaas die rond die tijd verdween. Zijn vriend Scott Saheb verdacht hem ook, maar Burton Saheb bezwoer dat hij onschuldig was. Hij liep zelf altijd te wroeten, hij groef van alles op, maar hij schrok er niet voor terug mensen die zijn passie deelden op zo'n grove manier voor de gek te houden.'

⊛⊛⊛⊛⊛⊛

56

De baas van het spul

Niemand zou op het idee zijn gekomen medelijden te hebben met de generaal, ook al was hij een halve invalide. Misschien kwam dat doordat hij geen maat wist te houden, of het nu om loftuitingen of berispingen ging. Hij werd van alle kanten belaagd. Steeds feller, hoe langer zijn heerschappij over Sindh duurde. Achteraf werden zelfs zijn successen op het slagveld ter discussie gesteld. Degenen die erbij waren, bleven hem onvoorwaardelijk steunen, maar de tallozen die de gebeurtenissen alleen van horen zeggen kenden, bestreden zijn weergave tot in de kleinste details. De generaal begreep dat de regels van de politieke ethiek rekbaar waren, maar sjoemelen met de moraal was voor hem ondenkbaar. Hij rookte niet, dobbelde niet om geld, dronk niet – waarom leeft u eigenlijk, wilde Burton hem ooit vragen, maar hij had zijn woorden op het laatste moment ingeslikt – en had de basis voor zijn slechte reputatie al op jonge leeftijd gelegd, toen hij de soldaten van zijn regiment met de zweep van hun drankzucht genas.

'Wat hebt u te melden?'

'Ik ken inmiddels een van de tussenpersonen die de leiders van de Baluchi's van uitgebreide inlichtingen voorziet. Maar ik weet nog niet hoe hij aan die inlichtingen komt. Ik heb meer tijd nodig.'

'Zolang de opstand maar niet uitbreekt voor u uw onderzoek hebt afgerond.'

'De situatie lijkt op het ogenblik rustig.'

'Hoe wordt die informatie doorgegeven?'

'Meestal via Sidi's.'

'Sidi's? Verklaar u nader, soldaat, in plaats van met begrippen te strooien die niemand kent.'

'Nakomelingen van slaven uit Oost-Afrika. Je komt ze overal

tegen met enorme waterhuiden op hun rug, lasten torsend waar een buffel nog moeite mee zou hebben. Ze heten vaak Sidi als individu en Sidi's als groep.'

'Waarom maken de opstandelingen juist gebruik van die mensen?'

'Die staan buiten het systeem. Zitten niet in zo'n web van familie, clan of stam dat alles zo ingewikkeld maakt.'

'Maak voort, soldaat. Ik zou dit raadsel graag zo spoedig mogelijk oplossen. Ik heb zo'n gevoel dat ik hier niet lang meer zal zijn.'

'Hier in Sindh, Sir?'

'Hier op aarde.'

'Zulke gevoelens zijn vaak bedrieglijk.'

'Het is al belachelijk dat ik nog leef.'

'Hoe bedoelt u, Sir?'

'Ik heb ooit een kogel in mijn rechterneusvleugel gekregen, die zich boven mijn oor in mijn kaak boorde. Ik lag op het gras en twee veldartsen probeerden de kogel eruit te peuteren. Hij zat diep in het bot en hoe hard ze ook trokken, ze kregen het ding er niet uit. Ook niet nadat ze een gat van zeven centimeter in mijn wang hadden gesneden. Een van de twee stak zijn duim in mijn mond en drukte, terwijl de andere trok, en zo sprong de kogel er ten slotte uit, met een hoop botsplinters. Sindsdien heb ik geregeld het gevoel dat ik stik. Mijn been is gebroken, mijn broer heeft het op de een of andere manier bij elkaar gebonden en het is genezen. Zo slecht weliswaar dat het jaren later opnieuw gebroken en gezet moest worden. Het doet bij elke stap pijn. En 's nachts kan ik niet slapen van mijn reuma. Wat heeft het dan nog voor zin?'

'U doet zinvol werk.'

'Meent u dat, soldaat? Het gros schijnt me hier afgeschreven te hebben.'

'Sir, zou ik u een netelige vraag mogen stellen?'

'Ga uw gang, soldaat.'

'De verantwoording die u is opgedragen voor een land dat zo complex in elkaar zit, zo onbegrijpelijk is, zo veel verschillende kanten heeft, valt die u soms niet zwaar?'

'Nee. Ik heb daar totaal geen last van. Macht uitoefenen is nooit onplezierig.'

◈◈◈◈◈◈◈◈◈

57

Naukaram

II Aum Pramodaaya namaha I Sarvavighnopashantaye namaha I Aum Ganeshaya namaha II

'Vandaag zal ik je verklappen hoe ik hem het leven heb gered. Je hebt het verdiend. Je hebt geduldig gewacht. Je wordt vast door nieuwsgierigheid verteerd. Het begon ermee dat ik hoorde dat Burton Saheb in de gevangenis zat. Nee. Ik hoorde dat een paar aanhangers van Mirza Aziz gearresteerd waren. Ik wist dat Mirza Aziz een vertrouweling van Burton Saheb was. Hij was van plan geweest een paar dagen bij hem door te brengen. En toen hij niet terugkwam, concludeerde ik daaruit dat hij misschien samen met de anderen was opgepakt.'

'Als officier van de Angrezi? Dat kan toch niet?'

'Precies. Daarom heb ik me eerst tot zijn commandant gewend. Die toonde zich volledig onverschillig. Luitenant Burton verdwijnt toch regelmatig, zei hij, wat zou er aan deze verdwijning zo anders zijn? Toen schoot me te binnen dat hij gekleed was als een miyan en dat hij in het bijzijn van de anderen niet met de waarheid op de proppen kon komen. Dan had Mirza Aziz zijn gezicht verloren en had Burton Saheb zich met zijn vermomming voorgoed onmogelijk gemaakt.'

'Hij had zich toch in de gevangenis bekend kunnen maken?'

'Dat dacht ik eerst ook. Maar hoe langer ik erover nadacht, hoe meer ik ging twijfelen. Als ze allemaal samen in een cel zaten, kon hij moeilijk om een gesprek onder vier ogen met de bewakers vragen, want dan zouden de anderen denken dat hij hen wilde verraden. Daarom zou hij, dat leek me veel waarschijnlijker, gewoon afwachten tot ze allemaal werden vrijgelaten. Mijn meester was niet iemand die bang was voor een nachtje in de gevangenis. Integendeel, hij zou het als een ervaring zien, iets wat hij graag een keer meemaakte.'

'Het bleef niet bij een nacht.'

'Na drie dagen begon ik me ernstig zorgen te maken. Ik wist niet met wie ik de zaak kon bespreken. Kapitein Scott was met de groep landmeters in Boven-Sindh. Burton Saheb werkte allang niet meer bij hem omdat zijn ogen ontstoken waren geraakt. Verder wist niemand wat hij precies uitvoerde. Behalve de generaal. Wat had ik moeten doen? Naar het hoofdkwartier gaan en een onderhoud met de heerser van Sindh aanvragen? Ik wachtte nog een dag af. Toen ging ik naar de gevangenis. De Angrezi hielden hun tegenstanders gevangen in een oud fort op een heuvel ten oosten van de stad. Ik moet u zeggen dat de aanblik alleen al angstaanjagend was: een gebouw als een berg. Ik moest veel trappen beklimmen. De poort, die maar aan één kant openstond, benam me mijn laatste moed. Hij was voorzien van enorme ijzeren pinnen, bedoeld om olifanten buiten te houden. Vroeger. Er liep een rilling over mijn rug toen ik erlangs liep. Achter de poort moest ik mijn verzoek kenbaar maken aan twee verveelde sepoys. Ik vroeg of ik de commandant kon spreken. Ze lieten me niet zomaar bij hem. Ik moest zeggen waar het om ging. Dat weigerde ik. Wel zei ik dat ik de bediende was van een Angrez, een officier. Na veel vieren en vijven brachten ze me bij de commandant. Wat die voor een kamer had! De ramen waren weliswaar klein, maar ze boden uitzicht over het hele land. Ik deelde hem mede dat er per ongeluk een Angrez, een officier nog wel, gearresteerd was. Dat zou hij dan wel weten, antwoordde de officier bars. Misschien toch niet, sprak ik hem behoedzaam tegen. Het is een spion, in vermomming. U zou hem niet herkennen. Hij geloofde me niet. Maar hij was onder de indruk van mijn standvastigheid. Ik beschreef Burton Saheb, tot en met de kleding die hij bij zijn vertrek had gedragen. De commandant raakte geïntrigeerd. Dat zullen we nog weleens zien, zei hij ten slotte en hij kwam overeind. Hij zei me bij de poort te wachten. Na een tijdje werd ik weer binnengeroepen. Toen ik opnieuw door de zware poort liep, kromp mijn hart weer in elkaar, alsof het graag door een spleet was weggeglipt. Het is zoals ik vermoedde, zei de commandant. De man die jij beschrijft, is duidelijk geen Angrez. Hoe weet u dat zo zeker? flapte ik eruit. De commandant grijnsde. We hebben hem vriendelijk verzocht zich uit te kleden. Hij is besneden, en bovendien spreekt hij geen woord van onze taal. Dat geeft hij tegenover de anderen niet toe, wierp ik tegen, en besneden is hij omdat hij zich pasgeleden heeft laten besnijden. Juist met dit doel. Onzin! Een Engelsman laat zich niet besnijden. Wat mij interesseert, is wat je met je leugens beoogt. De stem van de commandant was angstaanjagender dan wat voor dreigend gebaar ook. We zullen erachter moeten zien te komen wat je in je schild voert. Toen hij dat zei, dacht ik dat het met me gebeurd was.'

58

De onoverwinnelijke

Een lijkwade lag over het land. De weinige akkers waren bedekt met een dunne laag witte as, die een onverklaarbare glans verspreidde, en de weinige planten staken uit de grond als sporadische baardstoppels op de rimpelige huid van een oude man. Het water in de rivierbeddingen was verdampt tot een modderige stank. De bomen waren verdord. Mirza Abdoellah lag net als alle anderen te rusten. In de kamer was het koeler en na een voortreffelijk middagmaal voelde zijn lichaam zwaar aan. Geschreeuw. Een morsige afdruk in zijn lichte slaap. De geluiden verdichtten zich tot nevel. Ze klonken te hard voor een nachtmerrie, ze kwamen dichterbij. De deur sprong open, een paar mannen kwamen binnenstormen. Pakten hem bij de armen, gooiden hem op de grond, schopten hem. Een klap op zijn achterhoofd. Voor hij zijn bewustzijn verloor, voelde hij nog de handen die hem betastten. De grond onder hem was glad en voelde bij zijn hoofd koud aan. Het duurde even voor hij in het donker zijn benen vond. Wie is hier nog meer? Zijn stem klonk hem vreemd in de oren. Alsof er een korst omheen zat.

'Aha, onze vriend is wakker.'

'We zijn gevangengenomen.'

'Door wie?'

'Horen jullie dat? Hoe gezegend zijn de vreemden in hun argeloosheid. Wat denk je? Door de Angrezi natuurlijk.'

'De Angrezi!'

'Ja. Het goede nieuws is dat Mirza Aziz ontsnapt is. Hij lag als enige niet te rusten toen ze het huis binnenvielen.'

'Mashallah.'

'Er is ook slecht nieuws. Omdat Mirza Aziz ontsnapt is, willen de Angrezi weten waar hij zich verborgen houdt. En ze zullen ons folteren tot ze erachter zijn.'

'Weten wij het dan?'

'Nee, niemand van ons weet het. Dat zal ons niet behoeden voor de pijn. Maar voor u ziet het er een beetje anders uit. U kunt proberen te verklaren dat u op doorreis bent, dat u uit Perzië komt, dat u toevallig in het huis van Mirza Aziz was.'

'Wat schiet ik daarmee op?'

'Niet veel, ben ik bang. Zelfs als ze u geloven, ligt de verdenking voor de hand dat u in contact staat met de sjah.'

'De tijd is dus gekomen om de prijs te betalen voor mijn vriendschap met Mirza Aziz.'

Ze vervielen weer in zwijgen. Ze konden niet eens fatsoenlijk bidden. Het plafond was te laag om rechtop te staan. Ze wisten niets over de windstreken. Geknars, een lichtschijnsel. Een fakkel die voor het eerst de ruimte waarin ze zich bevonden verlichtte. Een cel. Dikke muren. Kleffe rijst op een *tawa*, die door een sepoy in het midden werd neergezet. Ze moesten eten met hun vieze handen. Zijn medegevangenen keken hem onderzoekend aan. Ze vroegen zich waarschijnlijk af of ze hem konden vertrouwen. De fakkel was snel opgebrand. Het duurde niet lang of een van hen werd uit de cel gehaald. Hij bleef lang weg. Ze wisten niet of het dag of nacht was. Toen hij teruggebracht werd, was hij niet in staat hun te vertellen wat er met hem was gebeurd. De angst maakte de cel nog benauwder.

◈◈◈◈◈◈◈◈◈

59

Naukaram

II Aum Durjayaaya namaha I Sarvavighnopashantaye namaha I Aum Ganeshaya namaha II

'De commandant knikte naar de sepoy achter mij. Hij had mij ongetwijfeld geslagen als ik geen voorzorgsmaatregel had genomen. Ik had een bewijs bij me. Dankzij een vooruitziende blik zoals ik die zelden in mijn leven had gehad. Alstublieft, riep ik uit, een ogenblik alstublieft, ik wil u iets laten zien. En ik greep in mijn zak en haalde het uniform van Burton Saheb eruit. En wat kleiner spul. Gelooft u mij, ik lieg niet. U kunt mij ondervragen, ik weet heel veel van de achttiende infanterie. Ik ken de namen van de andere officieren. Haalt u hem alstublieft uit de cel en vraagt u het hem als hij alleen is. Goed, zei de commandant langzaam. Maar jij komt mee. Samen met twee andere sepoys liepen we een vertrek met een kale vloer in, waar geen enkel meubelstuk stond. Even later werd Burton Saheb binnengebracht. Ik schrok van zijn voorkomen. Kent u deze man? vroeg de commandant hem. Burton Saheb reageerde niet. De commandant liet de vraag door een van de sepoys vertalen. Nee, zei Burton Saheb zonder aarzelen. De commandant keek mij wantrouwend aan voor hij zich weer tot Burton Saheb wendde. Toch beweert deze man dat hij u kent. Hij beweert dat hij bij u in dienst is. Hij beweert zelfs dat u een Britse officier bent. De sepoy moest zijn woorden eerst vertalen, zodat het even duurde voor het antwoord van Burton Saheb kwam. Ik weet niet wat hiervan de bedoeling is. Ik heb u al gezegd dat ik een koopman uit Perzië ben en met deze hele zaak niets te maken heb. De commandant dacht even na. Toen beval hij mij het vertrek te verlaten, samen met de sepoys. Ik weet niet waarover ze hebben gepraat. Burton Saheb heeft het nooit met mij over die dag gehad. Pas een uur later kwamen ze naar buiten. Ze negeerden mij allebei. De commandant keerde terug naar zijn kantoor en Burton Saheb liep door de zware poort naar buiten, riep een tonga, stapte in en verdween. Hij wachtte niet op mij. Toen ik thuiskwam, lag hij al te slapen. In zijn vuile kleren. Ik maakte een bad klaar. Ik was bang voor zijn wispelturige woede. Toen hij wakker werd, behandelde hij me net als anders. Niet vijandig. Ik durfde niet over die episode te beginnen en hij heeft er nooit met een woord over gerept. Niet eens een toespeling heeft hij gemaakt.'

'Je hebt er helemaal niets meer over gehoord?'

'Jawel. Doordat ik luistervink heb gespeeld. Toen hij de zaak met zijn leraar besprak. Je had meteen moeten zeggen wie je was, zei de leraar tegen hem. Dit is jouw strijd niet! Dacht je dat je zo eenvoudig van kamp kunt wisselen? Het was pure ijdelheid wat je hebt gedaan. Waarop Burton Saheb antwoordde: Jullie denken alleen in grove patronen, vriend en vijand, wij en zij, zwart en wit. Kunnen jullie je niet voorstellen dat daar iets tussen zit? Als ik de identiteit van iemand anders aanneem, kan ik voelen hoe het is om hem te zijn. Dat denk je maar, zei de leraar. Je neemt met zijn kleren zijn ziel niet over. Nee, natuurlijk niet. Maar wel zijn gevoelens, want die worden bepaald door de manier waarop anderen op hem reageren, en dat merk ik. Ik moet je zeggen dat ik met hem te doen had. Burton Saheb smeekte bijna, zo graag wilde hij geloven dat het waar was wat hij zei. De leraar kende echter geen genade. Je kunt je vermommen zoveel je wilt, je zult nooit ervaren hoe het is om een van ons te zijn. Jij kunt te allen tijde je vermomming afleggen, die laatste uitweg staat altijd voor je open. Wij zitten daarentegen gevangen in onze huid. Vasten is niet hetzelfde als honger lijden.'

⁂

60

Toegetakeld

Toen werd hij uit de cel gehaald. Hij vermoedde dat de anderen verraad van hem verwachtten. Hij had zichzelf gezworen zijn vermomming trouw te blijven. Wat was ze waard als hij haar verloochende zodra hij enige tegenstand ondervond, en bij de eerste zware beproeving meteen terugglipte in de veilige haven van de imperiale bescherming? Dat zou kleinzielig zijn, dan was hij geen knip voor zijn neus waard. Hij zou in dat geval geen van zijn aangenomen vrienden nog onder ogen kunnen komen. De ruimte waarin het verhoor plaatsvond, was reusachtig, met een hobbelige vloer en kromgetrokken muren. Hij herkende de Engelsman die achter de enige tafel zat: een medewerker van majoor McMurdo. Naderhand zou hij zich herinneren dat de Engelsman geen enkele keer was opgestaan, dat hij de hele tijd bij het raam was blijven zitten, stukken bestudeerde en af en toe een aantekening maakte. Hij bleek de motor achter alle pijn en toch was hij er nauwelijks bij betrokken. Een sepoy ondervroeg hem over zijn naam, zijn afkomst. Zijn relatie met Mirza Aziz. Hij gaf antwoorden die waar hadden kunnen zijn. Zoals verwacht spitsten de mannen die hem verhoorden hun oren toen hij zich voor Pers uitgaf. De Engelsman keek op nadat de klein gebouwde tolk naast hem de informatie had vertaald. Mirza Abdoellah herkende in zijn blik de begeerte naar een onverwacht succes, naar promotie. Was deze officier op een samenzwering gestuit die verder reikte dan Baluchistan, tot Perzië, en die bijgevolg vast ook Afghanistan en – wie weet – misschien zelfs Rusland omvatte? De ontdekking van zo'n samenzwering zou beslist een forse verhoging van rang en pensioen met zich meebrengen. Hij begon het beeld van zo'n samenzwering met zijn vragen te omsingelen. Hij wilde horen wat het dichtst bij dat beeld in de buurt kwam. Ongeduldig wuifde hij antwoorden weg die een andere kant op wezen. Mirza Abdoellah nam zich voor deze officier, die een manilla opstak, aan te geven wegens ongeschiktheid. Toen de drieste eigengereidheid van de vragen hem te veel werd, schold hij de officier uit. Het viel hem op dat de tolk zijn termen afzwakte. Maar de ondervrager had de toon opgevangen en keek weer op. Mirza Abdoellah herkende nu iets anders dat hem vertrouwd voorkwam. Verontwaardiging dat een inlander het hart heeft bezwaar te maken. Van zich te doen horen. Een brutaliteit die niet kan worden geduld, die een mens hels kan maken. Het volgende moment werd een bak koud water van achteren over zijn hoofd gegoten. Ik heb gehoord, zei de sepoy met de hoogste rang, dat de gevangenen vroeger werden uitgekleed. Ik begrijp dat niet. In natte kleren krijg je het toch veel kouder. Het is me wel duidelijk, zei de officier achter het bureau, dat je niet vrijwillig zult prijsgeven wat je weet. Daarom zullen we geen tijd meer verdoen met praatjes en beleefdheden. We zullen je laten zien wat we met je van plan zijn. De tolk was nog niet klaar of hij voelde de klappen, in zijn knieholtes, op zijn rug, op zijn nieren. Mirza Abdoellah merkte hoe elk ander gevoel behalve de pijn verdween. Hij zwikte opzij en viel op de koude vloer. Hij begon te trillen. Een van de folteraars zette een laars op zijn gezicht en bleef zo een tijdje staan, voor hij kalm zei: We zullen je vader verbranden. Even zweeg iedereen, toen begon de officier weer vragen te stellen, maar die waren zo eenzijdig, zo bezijden elke waarheid, dat Mirza Abdoellah ze niet had kunnen beantwoorden, ook al had hij het gewild. Hij kromde zich op de vloer. Hij richtte zich op, er scheurde iets in zijn linkerschouder, hij probeerde uit te leggen waarom hij niet kon weten wat ze van hem wilden weten. Hij was een eenvoudige bazzaaz op doorreis. De stem die hij hoorde, leek van recht achter zijn oor te komen. We kunnen andere dingen met je doen. We kunnen je in een vrouw veranderen en deze stok – Mirza Abdoellah voelde een lichte pijn in zijn achterste – kunnen we in je Khyberpas rammen. Dat vinden jullie toch zo lekker? Op dat moment begreep hij dat de sepoy met de hoogste rang een Bengaal was, waarschijnlijk een hindoe. En hij besefte welke noodlottige verbintenis de eerzucht van de officier was aangegaan met de afkeer van de man die optrad als zijn rechterhand. Hij rook de sigaar alsof hij hem zelf in zijn hand had, die geur van half vergane bosgrond, die weldra in een geur van verrotting zou veranderen. Het laatste wat hij voelde, was zijn oor, en later kon hij zich alleen nog de geur van verbrand vlees herinneren.

◈◈◈◈◈◈◈◈◈

61

Naukaram

II Aum Vikataaya namaha I Sarvavighnopashantaye namaha I Aum Ganeshaya namaha II

'Hij herstelde verrassend snel van zijn wonden. Maar hij was uitgeput. Hij interesseerde zich niet meer voor het land. Soms lag hij dagen op bed. Af en toe las hij een krant. Dat was alles. Hij lag daar maar en had niet eens zijn ogen dicht. Het is vreselijk als een mens tegen zijn eigen aard ingaat. Ik wist niet of hij wel of niet aanwezig was als ik in de kamer iets te doen had. Op een keer hoorde ik ineens zijn stem. Naukaram, we moeten hier weg. Terug naar Baroda, Saheb? Dat kan niet. Als we hieruit willen komen, moeten we terug naar Engeland.'

'Wat voor werk kon hij als officier in Engeland doen?'

'Dat vroeg ik me ook af. Destijds. Maar ik begreep al snel welke kant het op ging toen Burton Saheb begon te doen alsof hij ziek was. Eerst was hij zogenaamd niet lekker. Hij jammerde in het bijzijn van anderen hoe ellendig hij zich voelde. Hij verscheen niet op het ochtendappèl en bleef weg uit de regimentsmess. Hij bezocht de garnizoensarts, ondersteund door twee enorme Baluchi's van minstens één meter tachtig. De arts toonde zich bezorgd. Hij informeerde of hij dronk, of hij rookte. Niet één sigaar, zwoer Burton Saheb. Af en toe een glas, ik drink het zelden leeg.'

'Klopte dat?'

'Hij maakte in die tijd een paar flessen per avond soldaat, maar hij rookte niet, dat was waar, hij kon de geur van manilla's niet verdragen sinds ik hem uit de gevangenis had bevrijd. Vraag me niet waarom, ik weet het niet. Hij stelde iemand aan om voor zijn deur op wacht te staan en bezoekers bijtijds aan te kondigen, zodat zij Burton Saheb altijd in bed aantroffen. Hij liet zijn kameraden al om acht uur 's avonds goedenacht wensen. Natuurlijk sijpelde dat door naar de arts. Burton Saheb begon met veel nostalgie over het korps te praten en vertelde met smartelijke stem dat het zijn leven zou ruïneren als hij het moest verlaten. Hij verbood me zijn kamer op te ruimen. Ook schoonmaken mocht ik niet. Overal slingerden kopjes, op de tafel lag zacht geworden toast. Het was weerzinwekkend. Ik had in die weken nauwelijks iets te doen. Hij gaf me geld om me in de stad te vermaken. Ik had maar één taak: hem laat op de avond, als niemand me zou zien, een dienblad met sla, curry, ijs en port brengen. Dat werd allemaal bezorgd door een van zijn vrienden, die hij kon vertrouwen. Overdag verduisterde hij zijn kamer, 's nachts stak hij nooit een lamp aan. Hij slikte iets waarvan hij zich beroerd ging voelen en stuurde mij dan om twee uur 's nachts op pad om de dokter te halen. Hij stelde een testament op en vroeg de arts uitvoerder te worden van zijn laatste wil, zoals de Angrezi het testament noemen. De arts werd steeds inschikkelijker, ik geloof dat hij prijs stelde op zijn nachtrust. Het duurde niet lang of hij was ervan overtuigd dat Burton Saheb voorlopig niet geschikt was voor de dienst. Hij gaf hem twee jaar om uit te zieken. Twee jaar! De Angrezi zorgen goed voor hun mensen. Zijn soldij zou worden doorbetaald. We reisden eerst een jaar lang door het land, we kwamen tot Ooty. Dat zul jij niet kennen, dat ligt in de bergen. In het zuiden, ver hiervandaan. Daar kon je zien hoe energiek Burton Saheb in werkelijkheid was. Maar toen kwam er gerechtigheid, zoals altijd als er reden voor is. Burton Saheb werd ziek. Echt heel ziek. Zo ziek dat hij bijna was gestorven.'

೧೦೧೦೧೦೧೦೧೦

62

Niet de dood

Rapport aan generaal Napier
Strikt geheim

U had mij de opdracht gegeven uit te zoeken hoe het kon dat de opstandige stamvorsten van de Baluchi's onder leiding van Mir Khan meer dan eens op de hoogte waren van onze plannen en derhalve, vooraf gewaarschuwd, in staat waren op tijd te vluchten of zich te verbergen. Al maanden ben ik voor deze aangelegenheid onderweg, ik heb talloze plaatsen bezocht, ik heb mijn oor overal aandachtig te luisteren gelegd, maar tot voor kort wees niets op een verrader in onze eigen gelederen. Bij onze laatste bespreking hebt u mij de bijkomende opdracht verstrekt om na te gaan of, en zo ja in welke mate, Britse officieren het bordeel bezoeken dat Lupanar wordt genoemd. Stellig hebt u niet in de verste verte eraan gedacht dat beide kwesties met elkaar verbonden konden zijn. Ik heb ook dit bevel van u opgevolgd en vrees de onaangename plicht te hebben u enkele uiterst onverkwikkelijke bevindingen voor te leggen. Het Lupanar onderscheidt zich noch qua inrichting noch qua bediening van andere bordelen, het enige verschil is dat de courtisanes geen vrouwen zijn maar jongemannen en als vrouw verklede mannen. De jongelingen kosten twee keer zoveel als de mannen; niet alleen omdat het zulke mooie, nobele schepselen zijn en de liefde tot hen de puurste vorm van liefde is, een opvatting die de soefi's hier kennelijk van de platonisten hebben overgenomen, maar ook omdat hun scrotum als teugel kan worden gebruikt. Dit bordeel wordt, dat kan ik nu met zekerheid bevestigen, regelmatig door een paar officieren van ons bezocht. De meesten van hen worden erheen gedreven door nieuwsgierigheid en verveling en we mogen ervan uitgaan dat zij de verlokkingen ter plaatse weten te weerstaan. Maar een paar vinden er precies wat ze zoeken. Van speciaal belang lijkt mij het geval van degenen die tegen hun wil tot handelingen zijn gedwongen waarvan ze normaal niet gediend zijn. De eigenaar van het Lupanar, de emir, is een connaisseur op het gebied van blanke jongemannen en heeft volgens de informatie van mijn zegslieden Britse bezoekers van zijn etablissement al diverse malen zo dronken gevoerd dat ze bewusteloos raakten of in ieder geval geen eigen wil meer hadden en hij met hen kon doen wat hem beliefde. Een voor de hand liggende gedachte zou kunnen zijn dat hij zich op die manier wreekt voor de vernedering die hij door onze heerschappij ervaart, maar naar mijn mening is hij gewoon belust op de schoonheid van blonde, onbehaarde jongelingen. Mij is ter ore gekomen dat een van die griffins de volgende ochtend zijn verbazing zou hebben geuit dat de inheemse alcohol irritaties aan het posterieur teweegbracht. Dat alles zou weliswaar een beetje onsmakelijk zijn maar weinig kwaad kunnen met het oog op onze veiligheidssituatie, ware het niet dat een paar officieren in dit Lupanar kennis wordt ontlokt die zij beslist voor zich dienen te houden. Ik heb mijn zegsman, die dit bordeel regelmatig bezoekt en familie is van de exploitant, beloofd geen namen te noemen. Hij zweert dat er al vaak waardevolle informatie is terechtgekomen bij de emir, afkomstig van loslippige officieren in hun roes, of in de verrukking of intimiteit die erop volgt. En als wij bedenken dat de emir in kwestie, de Lupanar-emir, een zwager is van Mirza Aziz, kunnen we ons voorstellen hoe het netwerk dat ons zo veel hoofdbrekens heeft gekost in elkaar zit.

๑๑๑๑๑๑๑๑

63

Naukaram

II Aum Mritunjayaaya namaha I Sarvavighnopashantaye namaha I Aum Ganeshaya namaha II

De lahiya schreef: Deze tekst van mij is een ketting van uitgelezen parels die ik om de hals van uw welwillende en aandachtige waarneming zou willen hangen, dierbare lezer; dit verhaal van mij is een bloeiende bloem die ik in de hand van uw hartelijke en meelevende gemoedsbeweging zou willen leggen, dierbare lezer; dit werk van mij is een stof van fijne zijde, die ik om het hoofd van uw scherpzinnige en verstrekkende wijsheid zou willen draperen, dierbare lezer.

Waarna hij zijn pen weglegde en de hele tekst doorlas, één keer, en toen nog eens, de nacht werd ondertussen grijs, en hij was geroerd door de onaantastbaarheid van het geschrevene, de

212

tranen stonden in zijn ogen. Niet dat het zonder fouten of tekortkomingen was. Als hij opnieuw mocht beginnen, zou hij ... Ha, wat een onzin om zo te denken. Het belangrijkste was dat het werk hem ontsteeg, machtig en vreemd, alsof het niet uit hem was voortgekomen, alsof hij niet alles had gestuurd, en de zin schoot hem te binnen die de onbekende architect van de Kailash-tempel in Ellora op zijn bouwwerk had gezet, de indrukwek-kendste zin die een schepper ooit had achtergelaten: Hoe heb ik dit klaargespeeld?

Er moest nog één ding gebeuren. Het slot, zelfs al zou het om niet meer dan een alinea gaan, moest niet door hemzelf worden geschreven. Geen mens zou het hele verhaal moeten kennen. Zoals niemand de hele Kailash-tempel kon overzien. De lahiya riep zijn vrouw – hij hoorde al een poosje de geluiden van het huishoudelijk werk dat ze 's ochtends vroeg deed – en legde haar zijn verzoek voor. Ze was verbaasd, en een paar weerbarstige ogenblikken lang dacht ze erover te weigeren. Toen stemde ze toe. Ze hoopte dat ze hun gezamenlijke leven konden voortzetten zodra deze opdracht af was, hun leven van voor de tijd dat deze Naukaram was opgedoken en haar man het hoofd op hol had gebracht. Hij bedankte haar omslachtig, richtte zich moeizaam op en liep naar buiten. Hij zou op deze dag niet naar de straat van de lahiya's gaan, hij zou niet schrijven. De dag van morgen misschien ook niet. En daarna, ach, wie zou het zeggen. Burton Saheb – een onverankerde herinnering schoot door zijn hoofd – had volgens Naukaram ooit zijn verbazing erover uitgesproken dat in het Hindoestani een en hetzelfde woord zowel 'morgen' als 'gisteren' betekende. Wat kon je daaruit al opmaken? Was het woord voor 'eergisteren' geen ander dan het woord voor 'overmorgen'?

Naukaram verbaasde zich dat de lahiya zo laat was. Dat was nog nooit gebeurd. Hij zag een vrouw langs de stoffige straat lopen. Alles aan haar straalde kracht uit. Een paar andere schrij-vers groetten haar. Ze nam hem onderzoekend op voor ze vroeg wie hij was. Ze stelde zich voor als de vrouw van de lahiya. Hij zou vandaag niet komen, waarvoor hij zich verontschuldigde. Hij had haar gestuurd, omdat hij het slot van het verhaal niet zelf wilde horen.

'Waarom niet?'

'Dat is een oude traditie. Zoals ook geen mens de hele Mahabharata zou moeten lezen.'

'Dat wist ik niet. Ik heb zoiets weleens van Burton Saheb gehoord. Hij vertelde me dat Arabieren denken dat ze binnen een jaar doodgaan als ze alle verhalen uit Duizend-en-een-nacht hebben gehoord.'

'Bijgeloof.'

'Hoorde hij niet bij de Satya Shodak Samaj? Ik dacht dat hij niets van bijgeloof moest hebben.'

'Hij noemt het overlevering. Ieder mens is bijgelovig. Sommigen geven hun bijgeloof een andere naam. Kunnen we beginnen? Ik heb niet veel tijd. Mijn kleinkinderen komen vanmiddag.'

'En de betaling? Wat heeft hij u over de betaling gezegd?'

'Hij heeft het er niet over gehad. Waarschijnlijk is hij het vergeten. Weet u, hij heeft vast genoeg van u ontvangen. Laten we de betaling maar vergeten.'

'Niet zijn betaling, mijn betaling.'

'Uw betaling?'

'Hij moet mij betalen.'

'Dat begrijp ik niet.'

'Zo hebben we het afgesproken. Hij betaalt mij geld als ik hem het hele verhaal vertel.'

'Moet ik dat geloven? Hij heeft zijn verstand verloren. Hoelang is dat al aan de gang?'

'Niet pas sinds gisteren. Een paar weken al. Anders was ik niet doorgegaan. U kent hem toch, hij is nieuwsgierig.'

'Is hij helemaal gek geworden? Wie heeft nu ooit zoiets gehoord. Een lahiya die zijn klanten betaalt. Hij gedroeg zich al vreemd sinds u naar hem toe bent gekomen. Maar zo wordt hij helemaal een mikpunt van spot.'

'Alleen als u het iemand vertelt. Wij hebben afgesproken dat we het er met niemand over hebben.'

'Reken maar dat hij van mij iets te horen krijgt!'

'Praat u er niet over. Alstublieft. Het zou voor hem zo veel kapotmaken.'

'Wat krijgen we nou? Bent u ineens zijn bondgenoot? Jullie hebben voortdurend ruziegemaakt. Dat weet ik heel goed, hij heeft zich bij mij beklaagd.'

'We hebben samen een hele weg afgelegd. Dat maakt veel uit. Kunt u het niet laten zoals het is?'

'Goed. En nu, wat doen we met de afloop van het verhaal? Mij interesseert het eigenlijk niet, en daar ik geen geld bij me heb ...'

'Ik vraag niets. Het wordt mijn afscheidscadeau aan uw man. Ook al wil hij het niet lezen. Wie weet, misschien verandert hij van gedachte. Schrijft u maar, het is niet veel, we kunnen het slot toch niet inslikken.'

'Goed. Heeft het einde een titel?'

'Op het schip. Schrijft u: op het schip. En daarna schrijft u: aankomst in het land van de Firangi's.'

'Klinkt goed.'

'Bent u van plan net zoveel commentaar te leveren als uw man?'

'Nee, vanaf nu hou ik mijn mond. U zult zien, er komt geen zuchtje meer over mijn lippen.'

'Het schip heette Elisa en ik dacht dat het een dodenschip was. Burton Saheb zag er slecht uit. Zijn lichaam was uitgemergeld, hij liep gebogen, zijn ogen waren ingevallen en zijn stem had alle volheid verloren. Hij had toestemming gekregen om naar huis terug te keren. Om daar op krachten te komen. Als hij daartoe nog in staat was. Ik dacht echt dat het schip een dodenschip was. Ik was niet de enige. Een van zijn vrienden in Bombay had tegen hem gezegd: Het staat op je gezicht te lezen dat je dagen geteld zijn. Luister naar me, ga naar huis om daar te sterven. Kort nadat we waren uitgevaren kwamen we in een windstilte terecht. Het water was zo glad dat Burton Saheb de zee een kerkhof voor de golven noemde. Ik zorgde voor hem zo goed ik kon en dacht: wat doe ik straks in dat onbekende land als mijn meester doodgaat? Ga ik dan ook dood? Mijn zorgen hielden niet aan. Het begon te waaien en we zeilden met een krachtige wind uit het zuidoosten naar gezondere contreien. Burton Saheb herstelde verbazingwekkend snel en nog voor we het land van de Angrezi bereikten, was hij volledig genezen. In die dagen voelden we ons nauwer verbonden dan ooit tevoren, en ook later zouden we elkaar nooit meer zo na staan. Hij vertrouwde mij toe wat er in Sindh was gebeurd, waarom hij had gedaan alsof hij ziek was, zonder te weten dat hij echt heel ziek zou worden. Onder de Angrezi gingen geruchten over zijn bezoeken aan het bordeel waarin, neemt u mij niet kwalijk, mannen zich aanboden. Er werd gezegd dat Burton Saheb de boel te grondig had verkend. Hij zou het niet gelaten hebben bij rechercheren maar ook zijn overgegaan tot proberen. Zijn reputatie was aangetast. En zijn superieuren, die hiervan op de hoogte waren, namen hem niet in bescherming. Ze waren kwaad vanwege zijn gebrek aan onvoorwaardelijke trouw. Ik had met hem te doen alsof zijn verdriet het mijne was. Nooit ben ik zo dicht bij het ware medeleven met een ander schepsel geweest dat onze heilige leermeesters van ons verlangen. We liepen een haven binnen die Plymouth heette en eindelijk zag ik het. Dat Engeland. Ik zag mals groen en lieflijke heuvels in de verte. En de passagiers, vooral degenen die lang in hitte of woestijn hadden gediend, hadden een glazige blik in hun ogen. Ik weet zeker dat niemand zijn ogen zo ver opensperde als ik. Ik kon niet geloven dat het zo mooi was, dat land dat ze Engeland noemen. Ik wendde me tot Burton Saheb en ik herinner me nog precies wat ik zei, woord voor woord: Wat zijn jullie, Angrezi, voor mensen dat je zo'n paradijs vrijwillig verlaat om naar een godvergeten land als het onze te reizen?'

❦❦❦❦❦

64

Oneindig bewust

De generaal las het rapport keer op keer; geen tekst in zijn leven
had hij zo vaak herlezen. Hij zocht naar een weg om deze soldaat
te behoeden voor de consequenties van zijn plichtsbetrachting.
Niet alleen had hij zich in een moeras begeven waarvoor de
omschrijving 'een beetje onsmakelijk' een ongepast understate-
ment vormde, hij had ook blootgelegd wat niet mocht bestaan,
zodat de schande rond deze onfrisse zaak ongetwijfeld ook op
hem zou terugvallen. Tot overmaat van ramp weigerde hij,
althans schriftelijk, een deel van de informatie bekend te maken,
vanwege een belofte die hij een inlander had gedaan. Dat zou in
slechte aarde vallen. McMurdo wilde een gesprek met deze
Burton, over wie hij al zo veel rare dingen had gehoord. Ze
ontboden de luitenant in de werkkamer van de generaal. Hij
was verbaasd een heel gezelschap hoge pieten aan te treffen. De
generaal deed het woord. Hij praatte langzaam en maakte een
vermoeide indruk.

'Majoor McMurdo wil uw onderzoek voortzetten en moet
daarom weten wat de namen van uw zegslieden zijn en hoe de
officieren heten die deze gelegenheid bezoeken.'

'De namen van onze officieren kan ik u niet geven omdat ik ze
niet ken. Toen ik in de Lupanar was, heb ik er geen officier
gezien. De namen van mijn zegslieden mag ik u niet vertellen.'

'Waarom niet?'

'Omdat ik mijn woord heb gegeven dat ik dat niet zou doen.'

'Toch alleen maar aan inlanders.'

'Ik heb het op mijn baard en op de koran gezworen.'

'Hij maakt grapjes, mijn god, hij maakt grapjes op het meest
ongepaste moment.'

'Ik kan die eed niet breken.'

'Dat meent u niet, soldaat. Zeg ons dat u dat niet echt meent.'

'Ik ben heel serieus, Sir.'

'Voor u betekent de belofte tegenover een simpele inlander meer dan de veiligheid van onze troepen?'

'Ik heb voor de veiligheid van onze troepen het een en ander gepresteerd, als ik u daarop mag wijzen, Sir, en ik heb het volste vertrouwen dat wij op een andere manier weldra achter de hele waarheid kunnen komen. Ik kan het vertrouwen van die man niet beschamen.'

'Je zult moeten kiezen, Burton. Hij of wij.'

'Ik ga ervan uit, majoor, dat een mens trouw kan zijn aan verschillende loyaliteiten. U roept een onoplosbaar conflict in het leven terwijl dat nergens voor nodig is.'

Ze zeiden geen woord meer, de verzamelde heren met hun hoge rang, de generaal, zijn speurhond McMurdo en hun adjudanten. Ze keken elkaar aan, en met die blikken sloten ze hem voor de rest van zijn leven buiten, buiten het krijgswezen, buiten hun gemeenschap. Hij besefte op dat moment dat hij het nooit verder zou schoppen dan compagniescommandant. Niet na de notitie die ze na dit gesprek zouden opstellen, een aantekening over zijn onbetrouwbaarheid die hij nooit meer zou kwijtraken. Je kon van karakter veranderen, eigenlijk kon je bijna alles aan jezelf veranderen, behalve je dossier. Ze zouden iets vernietigends noteren, iets in de trant van … zijn kennis inzake inlanders, hun denkwijze, hun tradities, hun taal is diepgaand en zou van groot nut kunnen zijn. De nabijheid die zijn kennis voedt, heeft bij luitenant Burton evenwel verwarring omtrent zijn loyaliteit teweeggebracht, die in strijd is met de belangen van de Kroon. Met spijt moeten wij vaststellen dat we de mate van zijn trouw voortaan niet goed meer kunnen inschatten.

૭૭૭૭૭૭૭

o

Kille thuiskomst

Het was een barre ontvangst. Naukaram en hij, twee krenten die in zuurdesem werden gegooid. Een grauwe lucht vol rook en roet, ongeschikt om in te ademen. De koude, grijze hemel deed hen rillen. Alles aan de stad was klein, kleinburgerlijk, kleingeestig, benepen, de nietige eengezinshuizen hadden iets onderdanigs, op de openbare pleinen lag de melancholie met zichzelf overhoop. En dan dat eten! Primitief, halfgaar, flauw, het brood bestond alleen uit kruimels zonder korst. Te drinken was er een penetrant ruikend medicijn dat de naam bier of *ale* droeg. Wat hun ook werd voorgezet, er viel niet aan te ontkomen: ze waren bij de barbaren beland. De winter die volgde, was verschrikkelijk. Elke boom leek op een rinkelende kandelaar. Koude mistflarden drongen de huizen binnen en brachten bronchitis en griep met zich mee. De kolen waren geregeld op en soms was de gasdruk zo laag dat ze het moesten stellen zonder hun belangrijkste troost – ze konden de chai niet zetten die de middagen draaglijk maakte. Burton wilde zijn land zo snel mogelijk weer verlaten om op bezoek te gaan bij familie in het min of meer acceptabele Frankrijk. Hij was onverzoenlijk. Hij wilde zich niet aanpassen aan de middelmaat. Hij trok kleding aan die shockeerde: kurta's in felle kleuren, uitzonderlijk wijde, katoenen pofbroeken, strakke beenwindsels en gouden gondelierssandalen. Ook al had hij het koud. Zo liep hij door Londen, zo liep hij de clubs binnen, in gezelschap van Naukaram met wie hij, zodra hij zeker wist dat de aanwezigen hem hadden opgemerkt, luidruchtig converseerde in talen die niemand verstond. Soms ging hij te ver en maakte hij misbruik van de toegeeflijkheid waarmee iemand die in India had gediend werd bejegend; de leden van de club kregen dan genoeg van zijn provocaties en wezen hem de deur. Een keer had hij bijna een pak slaag gekregen. Alleen de woeste blik in zijn ogen hield zijn verontwaardigde en al tamelijk aangeschoten landgenoten nog tegen. Het was een avond waarop verhalen, afkomstig van de diverse fronten van het imperium werden uitgewisseld. Na veel in nostalgie en overdrijving gemarineerde herinneringen declameerde een oudere man met vochtige ogen een tweeregelig vers dat ze allemaal kenden: *Such is the patriot's boast, where'er we roam, his first, best country ever is at home.* En hij hief zijn glas voor een heildronk op koningin en vaderland. Burton proostte mee. Nauwelijks had hij zijn glas weer weggezet of zijn stem donderde door de ruimte en bracht alle anderen in een wijde kring tot zwijgen. Deze toost, mijne heren, doet mij denken aan een oerdegelijke mop. Moet u horen. U zult hem niet vergeten, dat garandeer ik u. Gaat over twee lintwormen, vader en zoon. Ze worden uit het achterste van een mens gescheten, pardon, zo gaat die mop nou eenmaal, waarna vader lintworm zijn kop uit de stront steekt, de stront een beetje van zich afschudt, om zich heen kijkt en tevreden tegen zijn zoon zegt: Het is altijd nog het vaderland.

Ze voeren naar Frankrijk. Naar het vasteland. Je zult zien, beloofde hij Naukaram, dat het leven op het continent beter te verdragen is. Het is me in uw land goed bevallen, Saheb. Zijn ouders brachten de zomer in Boulogne door. Ze leidden een bescheiden bestaan. Zijn vaders pensioen stelde hen in staat een huisje te huren met een kleine aanbouw voor de bedienden. Een Italiaanse kok met de naam Sabbatino was sinds Pisa, waar zij lange tijd hadden gewoond, bij hen in dienst. Naukaram en Sabbatino moesten een kamer delen. De kok had het vertrek al bezet met zijn geuren. Die waren niet prettig voor Naukaram. Hij en de kok hadden geen gemeenschappelijke taal en hun verhemeltes waren elkaar a priori vijandig gezind. Sabbatino was een man die veel belang aan het behoud van zijn gewoontes hechtte. En die er niet aan twijfelde dat de kok een bevoorrechte positie innam onder de bedienden. De anderen waren aangesteld om zijn werk te verlichten. Burton was zelden thuis. Hij verdween voor lange wandelingen. Hij genoot van de aanwezigheid van jonge vrouwen van zijn eigen soort. Voor Naukaram was niet duidelijk wat zijn positie in het huisje was. De ouders van de Saheb meden hem, ze gaven hem nooit een opdracht. Hij durfde niet alleen weg te gaan; hij was bang dat hij zou verdwalen. Het enige wat hij kon doen was in zijn kleine kamertje zitten wachten. De kok had het daarentegen de hele dag druk; Naukaram keek weleens toe, maar dat gebeurde niet vaak. Als hij zich in de keuken waagde, meestal om zijn eigen, vegetarische maaltijd te bereiden – dat kon hij aan niemand overlaten, en al helemaal niet aan deze mleccha – vloekte de kok voor zich uit, in zijn taal. Hij vloekte zo veel, hij leek zijn eten met vloeken te kruiden. Naukaram was niet verbaasd te merken dat Burton Saheb ook de taal van de kok beheerste. Hij onthield de klank van een paar vloeken en vroeg Burton Saheb ze te vertalen. Hij leerde de vloeken van buiten. *Corbezzoli! Perdindirindina! Perdinci!* Sapristi! Wel potverdomme! Heremijntijd! Ze klonken goedmoedig in vergelijking met wat hij de besnedenen had horen zeggen. Op een middag stond hij de kok in de weg en de kok gaf hem de kans niet zich te verontschuldigen of een paar stappen achteruit te zetten; hij schreeuwde meteen: *E te le lèo io le zecche di dòsso!* Naukaram kon niet antwoorden omdat hij niet wist waarvoor hij werd uitgescholden. Burton Saheb lachte. Hij wil de teken van je lijf afkrabben. Dat wil zeggen dat hij je een pak slaag wil geven. Naukaram kende niet genoeg scheldwoorden om de kok met gelijke munt te betalen. Op een avond toen hij vergat een soufflé te serveren (de kok was trots op zijn soufflés), stond de kok te vloeken dat de vonken eraf vlogen. *Bellino sì tu faresti gattare anche un cignale!* Naukaram kon niet eens de helft onthouden. Burton Saheb moest de kok vragen wat hij had gezegd. Hij verschafte Naukaram met een geamuseerd lachje opheldering. Hij heeft tegen je gezegd dat je zo knap bent dat zelfs een everzwijn zou kotsen als hij je zag. Hoe durft hij, zei Naukaram. Trek het je niet aan. Zo is hij nu eenmaal. Een paar dagen later wist Naukaram zeker dat de Italiaan expres in een vleesgerecht had geroerd met zijn, Naukarams pollepel, die hij in een speciaal glas bewaarde en die alleen voor vegetarische gerechten mocht worden gebruikt. Dat had Burton Saheb de kok uitvoerig uitgelegd. Nu rook de lepel weerzinwekkend. Goed dat hij het op tijd had gemerkt. Daar de kok toch alleen harde taal verstond, sloeg Naukaram hem met de lepel achter op zijn hoofd. De kok tolde met een schreeuw om zijn as. Hij had een mes in zijn hand waarmee hij vloekend in de lucht pookte. Naukaram draaide zich om en verliet met de lepel in zijn hand de keuken. Hij moest in het Italiaans leren vloeken en schelden. Burton Saheb hielp hem. Had je nog van me tegoed voor het Gujarati, verklaarde hij. Eerst de basiskennis. *Stronzo. Merda. Strega.* Naukaram begon door de keuken te stappen en die woorden om de beurt uit te stoten, zo fel en hatelijk als hij kon. De kok antwoordde met een hele batterij projectielen die meer lettergrepen telden. *Cacacazzi. Leccaculo. Vaffanculo. Succhiacazzi.* Naukaram bekommerde zich niet meer om de vertaling. Hij wist dat hij nog steeds het onderspit delfde. Als je hem echt kwaad wilt maken, leerde Burton Saheb hem, moet je zeggen: *Quella putana di tua madre!* Naukaram brulde het de mleccha bij de eerstvolgende gelegenheid in het gezicht. En de belediging kwam aan. Krachtiger dan hij had verwacht. De kok zweeg en keek een andere kant op. De volgende dag nodigde Sabbatino Naukaram met een gebaar uit naar het fornuis te komen, hij wilde hem iets laten zien. Er ging een ongewone vriendelijkheid van hem uit. Naukaram naderde de kok voorzichtig. Ze gingen samen bij een reusachtige pan staan; de kok tilde het deksel op. Een koeienkop kwam tevoorschijn, rustig voor zich uit sudderend, de ogen gelaten op Naukaram gericht. *Ti faccio sputare sangue!* Sabbatino had die woorden nog niet helemaal uitgesproken of hij voelde hoe de man met de donkere huidskleur hem in de kraag vatte en over de houtskoolkachel heen duwde. Hij voelde hoe de hitte de haartjes op zijn onderarmen schroeide. Hij ramde zijn hoofd in het gezicht van de donkerhuid. Ze vielen op de grond, ze stootten de pan om en toen Burton, gealarmeerd door het lawaai, uit de eetkamer de keuken in stormde, zag hij de kok, de bediende en een koeienkop op de vloer liggen, en het gekrijs dat de Italiaan ten beste gaf, werd overstemd door het gejammer dat uit de diepste diepten van Naukaram losbrak.

Het was niet mogelijk Naukaram nog langer te huisvesten. Burtons ouders waren gewend geraakt aan de goede keuken van Sabbatino, terwijl Naukaram overbodig was. Burton betaalde hem genoeg geld voor de overtocht en ook nog een bedrag waarvan hij in Baroda een huisje kon kopen. En hij zou hem uitstekende referenties hebben meegegeven als die brutale kerel niet was blijven volhouden dat alles wat er was gebeurd de schuld was van zijn meester. Waarom hebt u mij niet ... Hij snauwde dat hij zijn bek moest houden. Dat was het probleem met deze mensen. Ze konden geen persoonlijke verantwoordelijkheid nemen. Geïrriteerd verklaarde Burton in een kort briefje dat Ramji Naukaram uit Baroda van november 1842 tot oktober 1849 bij hem in dienst was geweest. En hij tekende met zwier.

ARABIË

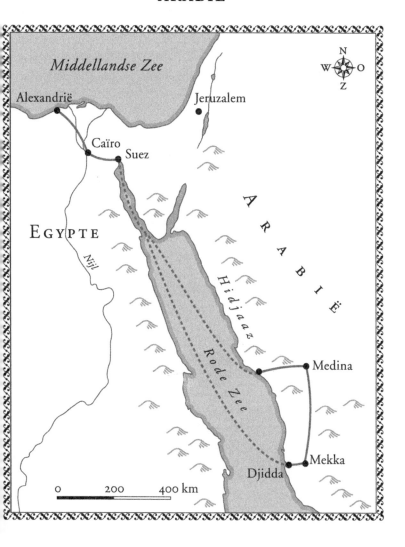

De pelgrim, de satrapen en
de zegel van het verhoor

Aan de grootvizier
Reshid Papa
Topkapipaleis
Istanbul

Assalaamoe alaikoem wa rahmatoellahie wa barakaatoehoe.
Vrede zij met u, vrede zij met uw beschermelingen!

Wij zouden uw aandacht op een aangelegenheid willen vestigen
die op het eerste gezicht misschien niet van uitzonderlijke betekenis lijkt en die de belangen van het kalifaat niet direct bedreigt, maar die naar mijn bescheiden mening toch om de grootste waakzaamheid van de regering vraagt. U herinnert zich
ongetwijfeld dat ik meer dan een jaar geleden melding maakte
van een Britse officier die de hadj had volbracht, tot groot vermaak van de pers alhier, die hem vierde als de held van het
seizoen. Een paar weken geleden verscheen bij uitgeverij Long-
mann Green het persoonlijk verslag van deze man, Richard
Francis Burton geheten, luitenant in het Britse leger, over de
schandelijke hadj die hij verkleed als Pathaan vanuit India heeft
ondernomen. De kranten hier trekken behoorlijk wat ruimte uit
voor deze publicatie; de loftuitingen over deze dappere daad,
deze schitterende prestatie, zijn niet van de lucht en de ene krant
overtreft de andere in pluimstrijkerij. Kennelijk wordt de fantasie
van de lezers in het Britse koninkrijk op het ogenblik nergens
meer door geprikkeld dan door vermetele expedities in gebieden
die het voorstellingsvermogen van het grote publiek te boven

gaan. Boeken in de trant van: ik ben er geweest en heb het met eigen ogen gezien, verkopen er beter dan bij ons de schelmenverhalen over Nasreddin Hodja.

De reden voor dit succes lijkt mij enerzijds voor de hand liggend en onschuldig, anderzijds verborgen en duivels. De onderdanen van het Britse imperium willen deel hebben aan het avontuur van de verovering van de wereld, ze willen gevoed worden met eigentijdse legenden waarmee ze zich kunnen identificeren. Tegelijkertijd koester ik echter de verdenking dat dit soort publicaties de bodem rijp moeten maken voor een nabije toekomst waarin deze gebieden niet meer ver en onbekend zijn maar deel uitmaken van het imperium, dat het gaat om gewenning vooraf aan vreemde streken die het Britse rijk binnenkort wil inlijven. Zo weerspiegelt deze schijnbaar onbeduidende aangelegenheid naar mijn oordeel een verontrustende ontwikkeling die toenemende aandacht behoeft, vooral omdat het in dit geval niet om woestijnen in Afrika of de jungle in India gaat, maar om ons Allerhoogste Heiligdom, om de Gezegende Plaatsen Mekka en Medina, moge God ze verheffen.

Het is mij uiteraard bekend dat ambassadeur Viscount Stratford de Redcliffe zowel uw vertrouwen als dat van de sultan geniet, en zijn steun is ongetwijfeld nodig om de hervormingen door te voeren waarmee Uwe Excellentie met prijzenswaardig vooruitziende blik is begonnen, maar als ik in alle deemoed een voorstel mag doen, pleit ik ervoor de achtergronden van dit geval met passende vastberadenheid doch ook onder strikte geheimhouding te onderzoeken. De ware bedoelingen van luitenant Richard F. Burton en zijn opdrachtgevers (naar men zegt de Royal Geographical Society, een dubieuze organisatie die beweert zich alleen voor lengte- en breedtegraden te interesseren) zijn niet af te leiden uit zijn aantekeningen, hoewel ze drie boekdelen van totaal 1265 bladzijden beslaan. Aan de hand van het beschikbare en met de nodige zorgvuldigheid bestudeerde materiaal konden wij geen duidelijkheid verkrijgen omtrent de motieven voor dit zogenaamde avontuur – bij ontdekkingsreizen wordt meestal alleen de eerste beloond, en zoals bekend zijn er al eerder christenen geweest die onder valse voorwendselen de hadj hebben verricht – of omtrent de werkelijke resultaten van deze zogenaamde expeditie. Om u tot een preciezere indruk in staat te stellen stuur ik u alle drie de delen, in de vaste overtuiging dat het Engels u geen moeilijkheden zal bereiden.

Moge de zegen en de genade van God met u zijn.

Ebu Bekir Ratib efendi
Ambassadeur van de Hoge Poort in Londen

༒྾྾྾྾྾༒

'Ik ken jou!'
  'Mij? Bedoelt u mij?'
  'Ja, jij daar, ik ken jou.'
  'Hoe is dat mogelijk, efendi?'
  'Blijf staan.'
  'Een vergissing.'
  'Je gezicht, zo alledaags is dat niet.'
  'U vergist zich. Wij zien er allemaal hetzelfde uit.'
  'Ga je naar Alexandrië?'
  'Nee.'
  'Waarheen dan?'
  'Ik ga op hadj, mashallah.'
  'Op een Brits schip?'
  'Ik ben in het land van de Franken geweest.'
  'Als bediende?'
  'Als koopman.'

229

'Een lange overtocht, nietwaar?'

'Ja, een lange overtocht.'

'Stormachtige zee vandaag. Daar kan jullie soort niet zo goed tegen, hè? Je hebt gauw weer vaste grond onder de voeten.'

'Het maakt mij niets uit, vaste grond, nou ja, het is natuurlijk wel beter.'

'Wacht, jij komt uit India, nietwaar?'

'Nee.'

'Jawel, we hebben elkaar daar ontmoet.'

'Nee, ik ben van mijn leven nog nooit in India geweest.'

'Maar je Engels dan, je praat Engels met een Indisch accent.'

'Mijn Engels is niet goed.'

'Waarom ben je er zo op gebrand dat we elkaar nog nooit hebben gezien?'

'Laten we dan zeggen dat we elkaar kennen, maar als we ons niet herinneren waarvan we elkaar kennen, is het toch alsof we elkaar niet kennen?'

'Hoe heet je?'

'Mirza Abdoellah.'

'Uit Perzië, nietwaar? Je komt uit Perzië! Mirza? Een sjiiet, hè?'

'Hoe luidt uw hooggewaardeerde naam?'

'Wat een brutaliteit, dat zou in India ondenkbaar zijn … Kapitein Kirkland, als je het dan zo graag wilt weten.'

'Als we over mijn geloof spreken, moeten we ons op zijn minst aan elkaar hebben voorgesteld.'

'Het is al goed; je hebt een voornaam gezicht, Abdoellah, dat kan ik niet ontkennen, en een voornaam gezicht vergeet ik nooit. We komen morgen pas in Alexandrië aan. Voor die tijd schiet me vast te binnen waar we elkaar hebben ontmoet.'

'Insjallah, kapitein Kirkland. Het zou mooi zijn als we ontdekten wat ons bindt.'

℘✕✕✕✕✕℘

Wat een arrogante kwast. Ongelooflijk. In Bombay had hij indertijd minder hoog van de toren geblazen. Hij hoorde bij het onooglijke vulmateriaal aan de onderkant van de rangorde. Een schertsfiguur in de mess. Kon de namen van zijn ondergeschikten nooit onthouden. Een minkukel. Al etend krijgt men honger, al carrière makend eigenwaan. Hoe die hem zo-even behandelde! Die windbuil verbeeldt zich dat hij meer is dan een ander. Een schop onder zijn kont moest hij hebben, maar dat kan hij zich helaas niet veroorloven, niet nu, niet als Mirza Abdoellah. Het zou te veel aandacht trekken. Hij zit gevangen, gevangen in deze rol, uitgeleverd aan elke stomkop die hij tegenkomt. De kleding aantrekken was gemakkelijk geweest en fatsoen en etiquette had hij ook zo weer onder de knie. Nu moet hij de vernederingen nog leren verdragen. Voornaam gezicht? Wat weet die gecastreerde vogelverschrikker, die flapdrol van voorname gezichten? Verbazingwekkend dat die barbaar uit Wiltshire hem heeft herkend. Zes jaar hebben ze elkaar niet gezien. Hoe is het mogelijk dat hij door zijn kleren, de walnotenolie en zijn volle baard heen heeft gekeken? Misschien heeft zijn manier van lopen hem verraden, zijn houding. Iemand als Kirkland, die zijn dagen op het exercitieveld doorbrengt, let daarop. Overigens was hij niet zo zeker van zijn zaak geweest als hij beweerde. Daar kun je bij deze uilskuikens van op aan: ze zetten hun veren op als ze niet zeker zijn van hun zaak. Tegenover inlanders uiteraard, alleen tegenover inlanders. Een waarschuwing, deze ontmoeting, dat wel, een nuttige wenk van het lot. Wees voorzichtig, hoed je voor toevalligheden, ze brengen de al te zelfverzekerde ten val.

⌀∞∞∞∞∞∞⌀

'Ik wil een pas aanvragen.'
  'Waar kom je vandaan?'
  'Uit India.'

'Waarvoor heb je een pas nodig?'

'Voor de hadj.'

'Naam?'

'Mirza Abdoellah.'

'Leeftijd?'

'Dertig.'

'Beroep?'

'Arts.'

'Arts? Zo zo, een arts uit India? Kan ik niet beter "kwakzalver" opschrijven?'

'Liever "charlatan".'

'Je durft me tegen te spreken?'

'Integendeel. Ik bevestig alleen uw oordeel.'

'Bijzondere kenmerken, afgezien van onbeschoftheid?'

'Geen.'

'Dat is dan een dollar.'

'Een dollar?'

'Daarvoor krijg je de bescherming van het machtige Britse imperium. Dat is je toch wel een dollar waard?'

'Het grote imperium heeft mijn dollar nodig?'

'Zwijg, kip die je bent, of ik laat je eruit gooien. Hier tekenen, als je kunt schrijven tenminste. Krabbel anders een teken van je domheid neer. Zo. Nu moet je nog naar de *zabit*, de plaatselijke politie moet de pas contrasigneren, anders is hij niet geldig.'

⁂

Hij zal niet alleen arts zijn. Ook derwisj: een uitstekende combinatie. Als arts zal hij het vertrouwen van de mensen winnen. Als hij hen kan helpen, alleen als hij hen kan helpen. Hij durft wel wat aan. Hij heeft al in de geneeskunde geliefhebberd. De laatste maanden heeft hij intensief gestudeerd, boek voor boek zijn kennis vergroot. Nu heeft hij oefening nodig; aan gelegenheden

232

zou het in Caïro niet moeten ontbreken. De inheemse geneeskunde heeft zich ver van haar Gouden Eeuw verwijderd; bovendien zijn de meeste mensen in deze contreien door suggestie te genezen, en daarin is hij een meester. En de figuur van de derwisj zal hem beschermen tegen de aanvallen van kwezels. Hij zal niet helemaal serieus worden genomen. Ongebruikelijk gedrag zal door de vingers worden gezien. Een derwisj kan uit het negeren van de wet zijn eigen warrige zegen putten. Hij heeft het goed voor elkaar: hij heet Mirza Abdoellah, hij is derwisj, en hij is arts.

❧ ❧ ❧ ❧ ❧ ❧

Van de zabit naar de *moehafiz*, waar hij een hele tijd op zijn hurken zat, tot een functionaris hem de informatie toewierp dat hij voor de bevestiging naar diwan Kharijiyah moest. Na enig zoeken vond hij een enorm gebouw met een warrige geometrie, waarvan de buitenmuren zo wit waren gewassen dat ze in het schelle zonlicht pijn deden aan je ogen. In de gangen stond, hing en lag een menigte wachtenden. Het bleek een misvatting om een open deur als uitnodiging op te vatten. De aangesproken functionaris richtte zich op van zijn lessenaar om zijn geschreeuw kracht bij te zetten, te midden van stapels dossiers die bijna tot het plafond reikten. Mirza Abdoellah liep weer naar buiten. De weinige bomen op de binnenplaats waren van alle bladeren beroofd. Geen briesje glipte langs de bewakers bij de toegangspoort. Hij richtte zich met zijn verzoek tot een politieofficier die het zich op een schaduwrijk plekje gemakkelijk had gemaakt. Stoor me niet, zeiden de gesloten ogen en de uitgestrekte benen, het volgelukzalige gezicht. Al toen hij hem aansprak, besefte de vragensteller de vergeefsheid van zijn poging. Geen idee, mompelde de officier nauwelijks verstaanbaar, met roerloze oogleden. Mirza Abdoellah had het met omkoping kunnen proberen, maar dat was voorbarig en niet goedkoop, of met een dreigement, dat

233

gezien zijn armoedige kleding weinig indruk zou maken. Zo restte hem alleen de mogelijkheid waarover elke smekeling beschikt, de keuze van de machtelozen: hij kon de officier zo hardnekkig lastigvallen dat de man iets ondernam om van hem af te komen. Hij deed een pas naar voren en herhaalde zijn vraag. Donder op, werd er nu gesnauwd terwijl de ogen opengingen. De smekeling bleef staan waar hij stond, met gebogen hoofd en onbuigzame bescheidenheid. Hij leunde naar voren en sprak voor de derde keer zijn verzoek uit. Donder eindelijk op, hond die je bent! Maar, fluisterde Mirza Abdoellah, hoe staat het dan met de broederschap onder moslims ... Hij kon zijn pleidooi niet afmaken, want de officier maakte zich los uit zijn dromen, met een nijlpaardstaartzweep in zijn hand.

Mirza Abdoellah zocht verder naar informatie waar die maar beschikbaar leek, bij andere politieagenten, schrijvers, staljongens, ezeldrijvers en lanterfanters. Hij kreeg steeds meer het gevoel verdwaald te zijn in een encyclopedie die uitsluitend uit kruisverwijzingen bestond. In zijn doffe wanhoop bood hij een soldaat tabak aan en beloofde hem een stevige munt als hij hem hielp, en de man, in zijn nopjes met de tabak en het toegezegde geldstuk, nam hem bij de hand en leidde hem van de ene hooggeplaatste naar de andere, tot ze een imposante trap op liepen en terechtkwamen bij Abbas efendi, de plaatsvervangend gouverneur, een klein mannetje met vooruitgestoken kin en twee loerende droesemoogjes. Wie ben jij? vroeg Abbas efendi, en zijn ogen verloren hun belangstelling toen de man hem werd voorgesteld als een derwisj op hadj. Naar beneden! snauwde hij, een voor smekelingen onbegrijpelijke aanwijzing, maar de soldaat had genoeg aan dit antwoord om een kamer te vinden waar men zich met zijn zaak zou bezighouden.

Hij wachtte voor de deur, te midden van mannen uit Bosnië, Roemelië en Albanië, allemaal blootsvoets, met brede schouders, duistere wenkbrauwen en een boze uitdrukking op hun gezicht, boeren uit de bergen met lange pistolen en *jatagans* aan hun riem en een paar kledingstukken over hun schouder, wier borrelende ontevredenheid overkookte toen een ondergeschikte verklaarde dat zijn meester, de bevoegde functionaris, die dag niet meer te spreken was. De wachtenden vatten de overbrenger van de honende mededeling in de kraag en betichtten hem en zijn meester van luiheid, en de vloeken die grommend uit hun keelholte rolden, dwongen de ambtenaar tot uitvoerige verontschuldigingen, de bezweringen van een dompteur die de controle over zijn wilde dieren dreigt te verliezen.

De volgende dag ontving Mirza Abdoellah de toestemming om vrij te reizen door heel Egypte.

e/sc/sc/sc/sc/sc/s

Het viel niet mee bij de kamers in de karavanserai te komen. Het smalle trappenhuis zat vol. De treden waren zo steil dat de dragers van muur naar muur wankelden. Na hen volgde een omvangrijke groep vrouwen, steevast babbelend met de vrouw achter hen, zodat hun gesprek tree voor tree de trap af kwam, terwijl hun kinderen de gaten tussen hen opvulden en hun handen langs de vuile muren lieten glijden. Toen de laatste vrouw langs hem liep, verschenen boven drie soldaten, die in de nauwte een mop uitwisselden. Ze bleven staan voor de clou en vervolgden hun afdaling brullend van het lachen. Mirza Abdoellah glipte direct achter hen de trap op. Halverwege kwam hij een te zware, niet meer zo jonge man tegen, die geen aanstalten maakte om zich tegen de muur te drukken. Mirza Abdoellah stelde zich voor en de man ook: Hadji Wali, koopman, stamgast in deze *wakalah*. Mag ik u op de thee vragen? Beleefd nam Mirza Abdoellah de uitnodiging aan. Ik moet een paar instructies geven, de koopman wees naar de binnenplaats en lachte even. Beneden waren de werkplaatsen, de winkels, de opslagruimtes. En ik moet naar boven, zei Mirza Abdoellah. U bent nog jong,

235

merkte de koopman op, die paar treden zullen u geen moeite kosten. En hij lachte weer. Zijn trieste blik en zijn praatgrage mond leidden kennelijk ieder een eigen leven.

De twee kamers die elke gast ter beschikking werden gesteld, waren niet gemeubileerd. Vlekken ter grootte van doodgeslagen muggen sierden de muren. Dikke spinnenwebben hingen aan de zwarte daksparren, door de ramen kwam stoffige lucht, van het oorspronkelijke glas waren alleen brokstukken over, waar hier en daar papier overheen was geplakt. Mirza Abdoellah leunde naar buiten. Dit was in elk geval beter dan de binnenplaats te moeten delen met vastgebonden vee, kermende bedelaars en bedienden die zich languit op enorme balen katoen in gedachten verzonken lagen te krabben. Hadji Wali stak de binnenplaats over, hij zwaaide naar hem en herhaalde met gebaren zijn uitnodiging van daarnet. Niet veel later dook een bediende op die hem voorging naar de gezellig ingerichte buitenkamer van de koopman.

Deze stad, dit Caïro is een plaag – Hadji Wali was op de kelim gaan liggen, maar zijn op een rond kussen gevleide hoofd kwam niet tot rust – wie is er op het vervloekte idee gekomen hier een stad neer te zetten, tussen stinkend water en dood gesteente? Je wordt hier gestoken of gebeten door alles wat kruipt of vliegt. Het staat me tegen Alexandrië te verlaten, maar de commercie loopt nu eenmaal niet met een boog om Caïro heen; ellende is de prijs die we betalen voor welvaart en rijkdom. En u, hoe bent u hier terechtgekomen? Dat u niet uit dit stofgat komt, kan ik aan u zien en horen. U kunt rustig roken hoor, u hoeft niet zo moeilijk te doen, ik kan niet goed tegen die rozensmaak, maar de geur laat je even vergeten waar je bent. Ik vind u er niet uitzien als een gewone Pers. Ik begrijp het al, ik begrijp het al. U hebt werkelijk een lange reis gemaakt, in vergelijking daarmee lijken mijn reizen bezoekjes bij de buren. U begaat een fout, dat moet ik u zeggen, ik ken mijn landgenoten, als ze zwak staan in het geloof, troosten ze zich door de misleide Perzen ervan langs te geven, met scheldpartijen, maar soms ook met een pak slaag. Ik verzeker u dat u overal drie keer zoveel zult betalen als andere pelgrims, en u mag zich gelukkig prijzen als u tijdens de hadj niet ten minste één keer wordt afgeranseld. Drink nog wat, kom, drink nog wat. Leg de titel *mirza* af, oprechtheid is mooi, maar niet als je er last van hebt, als sjeik zult u onderweg wat veiliger zijn. Daar u goed thuis bent in de geheimen van de geneeskunde, moet u gebruikmaken van uw kennis; weliswaar wemelt het bij ons van de artsen, maar wie resultaten bereikt, wordt snel bekend en wordt bejegend met een respect dat te pas kan komen. Ik merk dat u in het leven uw eigen weg bewandelt, dat weet ik te waarderen, alleen krijg je zelden de kans je weg aan anderen uit te leggen. Domoren zijn het, de mensen die alles in een pot gooien en hem dan stukslaan omdat hij de verkeerde vorm heeft. Sjeik Abdoellah, ik beschouw u als mijn vriend, maar hoed u voor eerlijkheid en openhartigheid. Verberg steeds, zoals wij plegen te zeggen, wat u vindt, wat u voelt en wat u voorhebt.

৩৵৵৵৵৵৵৩

Aan de gouverneur van de Hidjaaz
Abdoellah pasja
Djidda

Volgens onze gegevens is de ongelovige die op hadj is gegaan en daarover een verslag heeft geschreven al eerder in Hindoestan werkzaam geweest als spion. Daaruit kunnen we concluderen dat de Royal Geographical Society als dekmantel dient voor het verkennen van die gebieden die nog niet onderworpen zijn aan de Britse koningin. Voor ons staat niet de ontwijding van de heilige plaatsen op de voorgrond, maar bezorgdheid over de geheime bedoelingen van het Britse rijk. Het als *safarnameh* vermomde verslag, een steengroeve van nauwkeurige waarnemingen en berekeningen, is verbazingwekkend rijk aan kennis

– onze oelama hebben de geleerdheid van de auteur bevestigd, maar weten is niet hetzelfde als geloven, voegen zij hieraan toe. We moeten aannemen dat de schrijver de gewone lezers niet alles toevertrouwt. We vermoeden dat luitenant Richard Francis Burton informatie heeft verzameld over onze positie in de Hidjaaz, over de omvang van onze troepen en de inrichting van onze defensie. We vermoeden verder dat hij onderzoek heeft gedaan naar de houding van de bedoeïenen tegenover onze heerschappij en naar hun bereidheid de wapens tegen ons op te nemen. We sturen u hierbij alle relevante documenten: een lijst van personen die met hem zijn meegereisd, kopieën van de belangrijkste passages uit de tekst met inbegrip van zijn bij tijd en wijle verhelderende commentaar, voetnoten en wat dies meer zij. U doet er goed aan zorgvuldig na te gaan of deze man alleen onderweg was, of hij wellicht handlangers en medeplichtigen had, of hij op de een of andere manier is opgevallen en of zijn gedrag ons uitsluitsel kan geven over zijn bedoelingen. Uit getuigenverklaringen over zijn doen en laten tijdens de hadj kunnen we misschien afleiden hoe zijn opdracht luidde en welke politieke overwegingen eraan ten grondslag liggen. De sultan vermoedt de aanwezigheid van een gigantische onderaardse rivier, die de fundamenten van onze macht in de Hidjaaz dreigt weg te spoelen. Bedenk dat Abdoelmecids scherpzinnigheid al vaak de enge grenzen van ons verstand heeft beschaamd en kom in actie, met Gods hulp.

getekend Grootvizier Reshid pasja

☙❧❧❧❧❧❧☙

De zon moet ondergaan en de maan moet krimpen voordat Caïro zich als een schelp opent en haar schoonheid in silhouetten openbaart. Zomerse sterren, over onzichtbare armoede gestrooid, gewagen van een betere schepping. Strepen indigo scheiden de voorgevels van de huizen. Bij elke stap zakt hij weg in lood. Is het dit wat hem altijd weer naar den vreemde trekt – die tijdelijke blindheid? In Engeland was het allemaal zo vriendelijk, groen, netjes, lag alles er zo keurig bij. Hoe kon een land zo ongeheimzinnig zijn? Zware balkons met houten tralies rijgen zich aaneen; elke straat lijkt dood te lopen. Wat hij verder nog kan onderscheiden ontsnapt met behulp van zwakke olielampen aan de stevige omhelzing van de nacht. Doorgangen, opgangen, gouden lichtgeschenken die van de trappen af golven. Geen lijn is recht; in deze contreien hebben ze een voorkeur voor de boog, die zelfs wordt aanbeden. De ronding, daaraan valt niet te tornen, verstevigt het geloof meer dan de rechte hoek. Vooral wanneer ze is beschreven met heilige woorden in een fijn schrift. Gebouwen knagen aan de steeg, uitspringende pijlers duiken plotseling op als onooglijke bewakers. Eerst ziet hij de minaret alleen boven de daklijst en dan, ineens, de glanzende uitnodiging van de gewelven. Het is weer tijd voor een gebed. Hij luistert naar zijn eigen ademhaling als hij zijn handen in de kom doopt en elke vinger apart wast. Het geklater van het water maakt hem rustig. Zijn natte voeten drogen bij elke stap over de tapijten verder op. Hij vindt een plaatsje naast een pilaar. Ieder woord zou zinloos zijn zonder intentieverklaring, de kompasnaald die het gebed leidt. Een kaars vlakbij werpt een schijnsel op zijn gevouwen handen. Achter zijn half gesloten ogen is alle onrust vervlogen. Zijn laatste gedachten verdwijnen, zoals de druppels aan zijn wenkbrauwen, aan zijn baard. Hij geeft zich over aan het ritme van de bewegingen. Alles is vergeten behalve de vaste punten van het gebed, die vanzelf spreken. Daarna, als hij uit de moskee komt, voelt hij zich met alles verzoend. Een paar palmen steken hun kop in de wind, de nacht is in al zijn fragmenten wonderbaarlijk en hij, de eenzame wandelaar, kan zich het vuile, jachtige, schrille en beklemmende leven van de klaarlichte dag niet meer voorstellen.

C/XC/XC/XC/XC/XC/3

Sjeik Mohammed Ali Attar was hem als leraar aanbevolen en inderdaad, toen de oude man binnenkwam, stonden de lessen hem op het gerimpelde voorhoofd geschreven. *Aywa, aywa, aywa,* mompelde hij voor hij met zijn les begon: een doortimmerd juridisch vertoog waar geen speld tussen was te krijgen. Sjeik Abdoellah liet de leraar praten tot hij moe was, maar nog lang niet klaar. Toen pas nam hij het woord om uit te leggen wat voor geestelijk voedsel hij zichzelf had toegedacht, waarna hij de geleerde sjeik Mohammed Ali Attar verzocht hem dat te leveren en niets anders. Sjeik Mohammed vervulde zijn wens langs allerlei omwegen; het duurde niet lang of hij bemoeide zich overal mee en stond zijn leerling op alle levensterreinen bij met berispingen en goede raad. Aywa, aywa, aywa, wat betekent hadj dus? Een streven. Waarnaar? Naar een betere wereld. Wat zijn wij op aarde anders dan reizigers met een hoger doel? Hoe belangrijk zijn onze tijdelijke zorgen in vergelijking met de eeuwige beloning? Dus als je gezond bent en jezelf onderweg kunt onderhouden, als je genoeg geld hebt om overal water te kopen en de reiskosten te betalen ... wat zit je nou de hele tijd te schrijven, beste man, wat voor slechte gewoonte is dat? Dat heb je zeker in het land van de *Farandjah* geleerd? Heb berouw, voor het te laat is. Heb berouw. Aywa, aywa, aywa, als je de *ihraam* draagt, mag je je haar niet knippen of kammen, ook niet om het wat korter te maken, noch je hoofdhaar noch je baard, je mag je dus ook niet scheren, noch het haar onder je armen, bij je geslacht of welk andere lichaamsdeel ook, en mocht je in dit opzicht een misstap begaan, dan moet je als compensatie 0,51 liter voedsel aan de armen van Mekka schenken, dat geldt voor één haar, voor twee haren het dubbele, ik moet je zeggen, verspil je kostbare kennis niet, mijn zoon, je hebt jezelf en je twee bedienden te onderhouden. De dokters in Egypte zouden niet eens *Alif* en *Ba* schrijven zonder beloning. Schaam je je voor je prestaties, dat je geen betaling vraagt? Wat probeer je jezelf en ons te bewijzen? Je zou je nog beter op een berg kunnen terugtrekken en dag en nacht je gebeden opzeggen. Aywa, aywa,

aywa, denk eraan, je moet in Safa beginnen en naar Marwa lopen, en dat stuk loop je zeven keer, het hele stuk, geen stap minder, en als je de tel kwijtraakt, ga dan uit van je laagste schatting en reciteer de glorierijke Koran, en als je de groene markering in het midden bereikt, versnel je je pas en ren je de paar stappen naar de tweede groene markering, wat ik niet begrijp, beste man, is dat je bediende twee pond vlees heeft opgeschreven en jij hem laat begaan, je hebt hem niet ter verantwoording geroepen. Waar gaat dat heen? Zeg jij nooit: moge God ons behoeden voor de zonde van de verkwisting? Aywa, aywa, aywa, zeven stenen moet je gereedhouden voor de eerste pilaar, die het dichtst bij de Al-Khayfmoskee staat, en je gooit de stenen na elkaar, je mikt zo goed je kunt op de pilaar, en als je hem niet raakt, moet je nog een keer gooien, en als je klaar bent, loop je door naar de volgende pilaar. Heb je een vrouw? Nee? Dan moet je een slavin kopen, jongen, heus! Je gedrag is niet normaal en de mannen zullen over je zeggen – vergeef me, ik zoek mijn toevlucht tot God – dat je in werkelijkheid loopt te watertanden bij het zien van de vrouwen van andere moslims.

Zo gaf sjeik Mohammed zijn leerling sjeik Abdoellah les in de voorkamer van een onderkomen in een wakalah in Caïro, maar hij was bereid, zoals hij aan het eind van hun ontmoeting luid en herhaaldelijk verkondigde, hem overal heen te begeleiden, tot de donkere zijde van de berg Kaf.

❧✿✿✿✿✿❧

Het is een kwestie van geduld, van zijn tong de tijd gunnen zich aan te passen, zich rekkend en strekkend te voegen naar de kortademige keelklanken dicht bij het verhemelte. Zijn bovenlichaam heen en weer te wiegen bij de heffingen en dalingen van een vloeiend gebed. Zijn rechterhand te laten doen wat rechtmatig en rein is. Zittend en in drie dankbare teugen te drinken.

Zijn baard te betrekken bij verwondering en bedachtzaamheid. Elke verwachting, elke gedachte aan de toekomst in te kleden in een insjallah. Eraan te wennen dat hij nu, na rijp beraad, een Pathaan is, geboren en getogen in Brits-India, en daarom beter thuis in het Hindoestani dan in de dialecten van zijn Afghaanse voorouders. Hij is eraan gewend geraakt, het is vertrouwd geworden, vanzelfsprekend. Hoe lang is niet de weg die hij heeft afgelegd sinds hij als jonge student op eigen houtje het Arabische schrift probeerde te ontcijferen en een Spanjaard trots demonstreerde hoe vlot hij al kon schrijven. In plaats van lof oogstte hij hoon, en de señor met zo'n versierde Iberische naam wees hem erop dat hij rechts moest beginnen. Je had in Oxford geen onderwijs in het Arabisch, er was geen alternatief voor het Latijn, verkeerd uitgesproken door oude mannen die zich door niemand de les lieten lezen.

Veel moeilijker is het te voldoen aan wat van een derwisj wordt verwacht. Zalvend praten heeft weinig zin. Ook met een beheerste, weloverwogen houding kom je niet ver. Grof en ongemanierd moet hij zich gedragen, als iemand die zich aan geen beschaving onderwerpt, neerkijkt op kleine, menselijke zorgen, en zich verheven voelt boven orde en redelijkheid. Of iemand dicht bij God staat, valt niet te meten met een meetlat zoals ze op de bazaar gebruiken. Na het ochtendgebed zingt hij de *zikr*, tot zijn overgave begint te koken en zijn kreten zich in de slaperige oren van zijn buren prenten. Wie zijn pad kruist, werpt hij een duistere blik vol bedekte dreigementen toe. Hij laat geen gelegenheid voorbijgaan om gewilligen te hypnotiseren, en zijn ze willoos dan zet hij hen tot handelingen aan die hen als belachelijke creaturen ontmaskeren. Pijnlijk zijn de lessen van een derwisj voor krentenkakkers en kleingeestigen. Hij wacht niet lang voor hij de gehypnotiseerden terughaalt en hun verzoekt de omstanders te verklaren dat ze zich uitstekend voelen. Als tegenwicht voor de magie moet er genezing zijn.

Ongelooflijk hoe snel hij het in Caïro tot veelgevraagd dokter heeft geschopt. Kort na zijn aankomst was hij neergehurkt bij een van de dragers op de binnenplaats van de karavanserai en had hij in diens troebele oog wat zilvernitraat gedruppeld, onderwijl fluisterend dat hij – sjeik Abdoellah – nooit geld aannam van mensen die zich geen dokter konden permitteren. Een derwisj komt een vettere buit toe, dat zul je begrijpen. De volgende dag klopte de drager op zijn deur om hem te bedanken – het ging veel beter met zijn oog – en achter hem stond een vriend met een andere kwaal. Sjeik Abdoellah gaf hem een paar pillen, de toestand van de patiënt verbeterde, evenals de reputatie van de nieuwe medicus. De deur naar zijn voorkamer – in de achterkamer liet hij niemand toe – werd belegerd door armoedzaaiers, die de dokter ook na hun genezing opzochten, nu om het leven dat hij voor hen had behouden te kunnen voortzetten. Waarop hij woedend werd, zo verschrikkelijk woedend dat de eisers gauw afscheid namen, voor de derwisj bedacht dat hij letsel niet alleen kon genezen maar het ook kon toebrengen.

Nadat het volk hem beroemd had gemaakt, meldden zich patiënten uit een beter milieu, schoorvoetend de moed verzamelend om zelf na te gaan wat er waar was van de geruchten. Hij werd naar een patriciërshuis geroepen en had een ernstige faux pas begaan als hij niet op het laatste moment op de binnenplaats hadji Wali tegen het lijf was gelopen, die zich afvroeg waar de dokter te voet naartoe ging. De koopman bezwoer hem altijd – dat was hij aan zijn stand verplicht – te vragen om een bediende met een muilezel die hem afhaalde en begeleidde, ook al stond het huis van de zieke om de hoek. Een van mijn mensen kan de boodschap wel even brengen, bood hadji Wali aan, en hij riep meteen een van de mannen bij zich die daar rondhingen. Onderweg naar zo'n patriciërshuis was het nuttig, zo leerde hij mettertijd, de bediende van de rijken uit te horen, die moeilijk kon weigeren de vragen van een strenge derwisj te beantwoorden. Kennis van familieverhoudingen en gemoedstoestanden was de halve genezing. Hij maakte een deemoedige entree, boog voor alle aanwezigen en bracht zijn rechterhand naar zijn lippen en voorhoofd. Als ze hem vroegen wat hij wilde drinken, vroeg hij iets waarvan hij zeker wist dat ze het niet hadden, en nam uiteindelijk genoegen met koffie en een waterpijp. Hij voelde eerst de pols van zijn patiënt, bekeek dan de tong en keek ten slotte in de pupillen. Hij ondervroeg de zieke uitvoerig en demonstreerde vervolgens zijn geleerdheid. Zijn uiteenzettingen waren nu eens met Grieks, dan weer met Perzisch gelardeerd, of op zijn minst, als zijn kennis niet toereikend was, verrijkt met Griekse en Perzische uitgangen. De patiënt praatte oeverloos over zijn klachten – tijdelijke verzwakking van één van de vier gemoedsgesteldheden, zo luidde meestal de diagnose, waarna de arts uit India iets voedzaams voorschreef, iets stevigs, bijvoorbeeld een dozijn kolossale broodpillen, gedrenkt in aloësap of kaneelwater, tegen de dyspepsie van de welgestelde. Ook liet hij de kans nooit schieten om er 'in naam van God' een pijnlijke therapie aan toe te voegen, die inhield dat de zieke 'in naam van de Albarmhartige' de huid regelmatig moest masseren met, 'in naam van de Ontfermer' een borstel van paardenhaar. De behandeling culmineerde in het onvermijdelijke afpingelen op het honorarium. De arts vroeg vijf piaster, de patiënt maakte bezwaar, de arts bleef onverzettelijk, tot de patiënt, scheldend op de mateloze hebzucht van de Indiërs, een paar munten op de grond gooide, zich kwaad bleef maken, zelfs openlijk aan zijn genezing twijfelde en tot de slotsom kwam: De wereld is een kadaver en degenen die ernaar verlangen, zijn aasgieren. Dergelijk onbetamelijk gedrag kon de derwisj niet op zich laten zitten: hij dreigde toekomstige aandoeningen niet te behandelen, nooit meer een voet in dit huis te zetten en andere heelmeesters niet te verzwijgen welke beledigingen hij hier had moeten ondergaan.

Tot slot diende hij nog een recept achter te laten, waarvoor hij om pen, inkt en papier verzocht, en dan schreef hij in een handschrift dat zijn eigen krullen nauwelijks in bedwang wist te houden … in de naam van God … lof zij de Heer aller werelden, de heelmeester, de gezonde … en vrede zij met zijn familie en zijn begeleiders … daarna moge hij echter honing, kaneel en album graecum in gelijke, halve eenheden vermengen, en een heel deel gember, dat door het honingmengsel dient te worden gemalen; daarvan dienen balletjes ter grootte van een vingernagel te worden gedraaid, waarvan men er dagelijks één op de tong dient te leggen, tot het met het speeksel vervloeit. Voorwaar, de werking zal wonderbaarlijk zijn … en hij moge zich verre houden van vlees en vis, van groenten en zoetigheid, en van alle voedsel dat winderigheid of zuur veroorzaakt … zo zal hij gezond worden met de hulp van de Heerser en Heler.

En de vrede – wassalaam!

Was het recept verzegeld met een afdruk van zijn zegelring, zowel aan het begin als aan het eind van de tekst, dan was zijn bezoek succesvol afgesloten, waarna het afscheid waardig verliep, met wederzijdse uitingen van hoogachting.

e/x/x/x/x/x/x/o

Aan de Sharif van Makkah,
Abd al-Muttalib bin Ghalib,
en aan de opperkadi,
Sjeik Jamal

Mijn geachte broeders in de islam zou ik op de hoogte willen stellen van ons onderzoek betreffende de Britse officier Richard Francis Burton, die twee jaar geleden de hadj heeft ondernomen met de bedoeling, naar wij vermoeden, de Hidjaaz en de heilige plaatsen te verkennen. Aan de hand van zijn gedetailleerde beschrijvingen zijn wij erin geslaagd een paar van de mannen op te sporen die met hem zijn meegereisd en vele dagen en maanden met hem hebben doorgebracht, die hem zelfs in al-Madinah en

al-Makkah, God moge ze verheffen, in hun huizen hebben uitgenodigd en onthaald. Wij zijn van plan die mannen te verhoren
om opheldering over deze godslasteraar te verkrijgen. Wij kunnen ons niet anders voorstellen dan dat u bij die verhoren aanwezig wilt zijn, en wij zouden uw wijsheid als een welkome
adviseur beschouwen.

getekend Abdoellah pasja,
gouverneur van Djidda en de Hidjaaz

e/x/x/x/x/x/o

In de geneeskunst maakte hij opmerkelijke vorderingen. Hij
werkte zich op, van verstopping naar galstenen, hij opende zijn
eerste abces, hij behaalde successen bij slaapstoornissen en lage
rugpijn. Die sjeik Abdoellah, werd er al snel verteld, is een
spoorzoeker op het gebied van kwalen, hij vindt ziektes op de
tast. Ondertussen waren het vooral patriarchen die hem lieten
komen, mannen met gebiedende stemmen en vetzucht, die last
hadden van jicht en chagrijn. Heerschappen die hem als een
koning ontvingen en als een charlatan betaalden. Vaders die het
leven van hun kinderen in zijn handen legden.

Op een dag liet een van hen de dokter komen om met een
grote omhaal van vrome woorden te peilen of hij ook bereid was
de vrouw des huizes te behandelen. En de dokter, die zich al een
poosje trachtte voor te stellen hoe het zou zijn om tot een harem
te worden toegelaten, het laatste domein dat voor hem tot nu toe
gesloten was gebleven, verborg zijn blijdschap achter het plechtig
voorgedragen gebod dat het zijn plicht was ieder mens bij te
staan, ongeacht afkomst, inkomen of geslacht. Hierna informeerde de patriarch hem over de klachten van zijn vrouw, over
pijn en braakneigingen, symptomen die op zowat iedere ziekte
konden duiden. Alleen mijn onderzoek, antwoordde de arts, kan

uitsluitsel geven over de aard van de aandoening. Hij had al eens vrouwen behandeld, vlak na zijn aankomst in Caïro: slavinnen uit Abessynië. De eigenaar, die tegenover de karavanserai woonde, had de hulp van de arts ingeroepen bij een zaak die hem tot wanhoop dreef. Sjeik Abdoellah vreesde een dodelijke ziekte en was bang geweest dat hij zou falen. De slavinnen zaten samengeperst in een armzalig vertrek. Ze keken hem vrijmoedig aan en giechelden. De slavenhandelaar wees naar een van de jonge vrouwen. Ze is knap, had hij gezegd, ze is minstens vijftig dollar waard. Helaas drukt ongemak de prijs. Het gebrek is me bij de koop niet opgevallen. Niet dat ik het had kunnen vaststellen. Ook de arts kon niets ongewoons aan de jonge vrouw ontdekken, afgezien van haar kolossale zitvlak, maar dat hoorde vast bij de kenmerken die haar hoge waarde bepaalden. Misschien kunt u mij uitleggen wat er mis is met haar, had hij gevraagd. Natuurlijk, tenslotte kunt u het overdag helemaal niet waarnemen. De grijns van de slavenhandelaar was niet te harden. Ze snurkt! Als een neushoorn. Sjeik Abdoellah schoot in de lach, van pure opluchting. Een neushoorn? Merkwaardig, hè? De anderen maken zich er vrolijk over, ze zijn jong, ze slapen toch wel. Dit kleine mankement vormt voor mij geen probleem. In mijn land ben ik beroemd, een van mijn namen luidt *Gargharesha*, en u zult verbaasd zijn te horen wat dat betekent: de bedwinger van het snurken. Ook de slavenhandelaar gaf nu van opluchting blijk. Een hypnose later was de jonge vrouw genezen, dat beweerde de arts tenminste. De slavenhandelaar beloofde te betalen na eerst de volgende nacht te hebben afgewacht. Een van zijn gemakkelijkste successen.

Een bediende van de patriarch verzocht hem mee te komen. De arts liep zijn verwachtingen tegemoet: lang, krullend, inktzwart haar, fluweelzachte huid, slanke armen, een voortzetting van het ooglachje dat hem in stegen werd geschonken, en andere bekoorlijkheden. Hij kende de leeftijd van de patiënte niet, misschien was zijn opwinding voorbarig. Achter de bediende aan, een paar trappen op, langs een balustrade naar een deur. De bediende bleef staan, draaide zich om naar de dokter en vroeg hem wat zijn beste oog was. De dokter was hierop niet voorbereid en wist niet aan welk oog hij de voorkeur moest geven. De bediende ging achter zijn rug staan, legde een zwarte blinddoek over het linkeroog van de arts en knoopte hem op zijn achterhoofd vast. Hij controleerde of de doek goed zat en opende toen pas de deur waarvoor ze stonden. Als vrouwen maar half zoveel waard zijn als mannen, bedacht de dokter, dan is het niet meer dan billijk dat mannen hen maar half te zien krijgen. Eerst dacht hij dat ze alleen waren, maar toen hoorde hij geroezemoes. Hij vermoedde een paar vrouwen achter het scherm dat de kamer verdeelde. Voor hem stond een laag bed, daarnaast lagen een paar grote, dikke kussens. Neemt u plaats, sjeik, zei de bediende. De dokter nam de waardigste zit-houding aan waartoe hij in staat was. Hij voelde hoe iemand hem van achteren naderde. Lichtjes, haast onmerkbaar draaide hij zijn hoofd naar rechts en zag vanuit zijn ooghoeken drie vrouwen in zijn gezichtsveld treden: drie paar muiltjes, drie huisgewaden. Twee van de vrouwen schenen de derde te ondersteunen. Sjeik, hoorde hij de bediende links van hem zeggen, als u nu dit hier wilt gebruiken, alstublieft. De arts keek naar het voorwerp dat hem in de hand werd gedrukt. Het was een caleidoscoop. Zet hem tegen uw oog, zei de bediende. Roep hard als u mij nodig hebt; ik sta voor de deur. De dokter drukte de cilinder tegen zijn rechteroog. Kleuren braken uiteen, brokstukken, bij elkaar gegooid, uit elkaar geslingerd. Hij trok de caleidoscoop weg – wat moet ik hiermee! – de stem van de bediende maande hem: Niet weghalen! Geduld, u krijgt genoeg te zien. Hij zette het uiteenspattende mozaïek weer tegen zijn oog. Hij hoorde stof ritselen, hij voelde de wrevel die een chronische ziekte oproept. Iemand raakte de caleidoscoop aan. De kleuren sprongen weg, hij zag een kleine hand, een wandkleed, een neus die zich terugtrok in een gezicht, het onbedekte gezicht van een meisje, wier blik geamuseerd en nieuwsgierig op de half geblinddoekte, half gebinocleerde arts rustte. Hij glimlachte en richtte het apparaat op de bewegende lippen van het meisje. Ik ben niet ziek, zei ze, het gaat om mijn moeder. De kijkbuis in zijn hand dwaalde verder, naar de vrouw die op het bed lag. Alles aan haar was verborgen, behalve haar pijn. Hoe moet ik haar onderzoeken? De dokter lachte grimmig. Ik had evengoed thuis kunnen blijven om de diagnose te stellen. We kunnen het net als bij de andere dokters doen, zei het meisje. Zegt u mij wat u nodig hebt, en ik help u. Als we met de pols konden beginnen, zei de dokter, dat zou mooi zijn. De arm van de zieke werd hem aangereikt. Na de pols kwamen de ogen, de keelholte. Met zijn linkerhand hield hij de caleidoscoop vast, met zijn rechterhand tastte hij de pijnlijnen af die langs de rug van de vrouw liepen, langs nieren en lever tot de krozige buik, waar zijn onderzoek stopte. Een keer moest hij de caleidoscoop wegleggen om een zwelling met beide handen te bevoelen. De vrouwen hielden hem niet tegen.

Het onderzoek bereidde hem weinig vreugde. De vrouw liet van tijd tot tijd een knorrend gegrom horen, waarop haar dochter reageerde met kirrende susgeluidjes. Niets aan het lijden van zijn patiënt wekte bij hem enig medeleven. De dokter wilde de teleurstelling zo snel mogelijk achter de rug hebben, temeer omdat hij geen idee had hoe hij de pijn van zijn patiënt kon verlichten, laat staan hoe hij de vrouw kon genezen. Hij hing een verhaal op over een dieet en verklaarde dat hij een recept zou uitschrijven en aan de heer des huizes zou geven. Hij wilde al afscheid nemen toen de derde vrouw, die er tot nu toe het zwijgen toe had gedaan, hem verzocht nog even te blijven, nu hij er toch was, zij had ook een klacht, een kleinere. Maar eerst moesten ze hun moeder terug naar haar bed brengen. De dokter verklaarde zich akkoord. Hij bleef zitten en genoot van de naklank van de stem die het laatst tot hem had gesproken. De derde vrouw was ouder dan haar zus, volwassen, slank, statig, een zelfbewuste dame. De twee jonge vrouwen keerden terug. Ik ben getrouwd, zei de oudste van de twee. Zet u alstublieft dat ding weer tegen uw oog, zei de jongste. Mijn man verwacht kinderen van mij – ieder woord leek haar veel zelfoverwinning te kosten – en geduld is niet zijn sterkste kant. Ze trok haar sluier weg en ontdeed zich van haar bovenkleed. Alles ligt in Gods hand, mompelde de dokter. Zeker, sjeik, antwoordde ze, maar misschien is er bij mij iets niet in orde, en ligt dat in uw hand. Ze droeg iets donkerroods. Als zo'n beroemde arts als u mij zou kunnen verzekeren dat ik kan baren ... De dokter kon zijn caleidoscoop niet van haar gezicht afhouden. Natuurlijk, mompelde hij en hij ging helemaal op in haar trekken, die het stempel droegen van haar verdriet. Mag ik eens in uw ogen kijken? Hij naderde haar gezicht tot op de halve el die het oogglas mat. Haar diepdonkere ogen waren twee vissen die door een onpeilbare geest zwommen. Hoog op haar wang, onder het rechteroog, zat een moedervlekje, alsof ze was vergeten een zwarte traan weg te vegen. Van dichtbij leek het overbodig, maar in het geheel van haar gezicht droeg het bij tot haar perfectie. Ze ging liggen. Ga uw gang, sjeik. Hij aarzelde. Hoe moest hij de vruchtbaarheid van een vrouw onderzoeken? Hij nam eerst haar pols op, om tijd te winnen, maar dat leidde alleen maar tot nog meer twijfel. Hij kon haar geen kind beloven. Een paar onschuldige vragen naar eetlust en spijsvertering verleenden hem verder uitstel. De schuldvraag in een vreemd huwelijk ging hem niets aan, zelfs als arts niet. Hoe kon hij een toezegging doen die van zo grote betekenis was? U bent geremd, sjeik, onderbrak ze zijn gedachten, tastbaar nabij. U moet mij echt onderzoeken, er staat meer op het spel dan alleen mijn leven. Ik weet dat u zich hierbij niet op uw gemak voelt, maar wilt u alstublieft over uw aarzeling heen stappen en mij onderzoeken? Het zusje knielde naast haar neer en begon haar uit te kleden. En als u er te veel last van hebt, legt u dat apparaat maar weg. In geval van nood mogen we de regels vergeten, nietwaar? En ze keek hem aan met een blik waarin hij graag urenlang had verwijld. Hij zag haar lichte, lichtelijk gewelfde buik. Het zusje pakte zijn hand en legde die op de navel. Hij zag zijn hand door het oculair, alsof hij deel uitmaakte van een anatomisch stilleven. Hij durfde zijn hand niet te bewegen. De huid voelde koel en fluweelzacht aan. Zoals verwacht. Geschrokken nam hij zijn opwinding waar. Zou er iets van te zien zijn onder zijn djellaba? Hij kon niet met de caleidoscoop in zijn hand langs zijn eigen lichaam omlaag kijken. Hoe pijnlijk. Zij zou zich nog verder uitkleden en hij zou op haar leed alleen maar kunnen reageren met onbeheerste lust. Hij moest weg. Hij trok zijn hand terug. Neemt u me niet kwalijk, ik moet gaan. Beide zussen keken hem verbaasd aan. Hij stond al, liet de caleidoscoop vallen, keek naar de deur. Het ligt niet aan u, vergeeft u mij. Hij stond al bij de deur. Ik heb geen excuus. Wacht, riep de oudste van de twee zussen. Als het zo niet gaat, kunt u de blinddoek ook afdoen. De dokter rukte de deur open en rende naar buiten. Hij haastte zich weg met de smaak van zijn eigen ontoereikendheid op de tong.

೮/૪/૪/૪/૪/૪/૭

In de maand moeharram van het jaar 1273
Moge God ons zijn gunst en genade laten ondervinden

SHARIF: Wij danken de gouverneur voor zijn uitnodiging. Deze aangelegenheid is waarlijk, we kunnen het niet anders uitdrukken, van zo grote betekenis dat zij onze aandacht, ons aller aandacht, in de allerhoogste mate vergt.

GOUVERNEUR: Voor we ons met deze zaak bezighouden, moeten we misschien toch eerst, zolang ons verstand nog helder is, de rekening van de *naib al-Haram* afhandelen.

KADI: Natuurlijk, natuurlijk. Het bekende voor het onbekende. Vanochtend hebben de sharif en ik alle rekeningen van de opzichters van de Kaäba nagetrokken. De inkomsten zijn gestegen, godzijdank, een groei van twaalf op honderd.

SHARIF: In deze akte hier staat het aantal buidels aangegeven dat wij dit jaar naar Istanbul zullen sturen, en wij overhandigen u zoals gebruikelijk alle documenten in kwestie, niet alleen de eindbalans maar ook de verdeling van alle inkomsten, alle vaste kosten, alle onvoorziene uitgaven, renovaties en al die andere dingen waar ik op het ogenblik niet op kom, zoals gewenst, zodat we niet van onregelmatigheden beticht kunnen worden, een eerlijke afrekening, zoals door u ingevoerd.

GOUVERNEUR: Uitstekend. Van de eunuchen schijn je op aan te kunnen. Verheugend, onze samenwerking op dit gebied, werkelijk verheugend.

KADI: Verheugend voor u, tenslotte zijn wij degenen die betalen. U hebt reden tot tevredenheid, voor ons is het een plicht om blij te zijn.

SHARIF: De kadi bedoelt ...

GOUVERNEUR: Ik begrijp wel wat de geachte kadi bedoelt. Hij ziet in hoe duur de heilige plaatsen ons komen te staan. De bescherming ervan kost ons jaarlijks evenveel als een veldtocht, en dit jaar, waarin we een dure oorlog te voeren hebben, is de financiële toestand van het kalifaat uiterst kritiek.

SHARIF: Prachtige successen op het slagveld, dat moet ik zeggen, onze gebeden zijn verhoord, we hebben de ongelovigen op hun nummer gezet.

KADI: Voortreffelijk. Mij is nochtans ter ore gekomen dat de overwinning tegen Moskou vooral aan het Britse en het Franse leger te danken was.

SHARIF: En aan God de Almachtige ...

KADI: Gedankt zij Hij.

SHARIF: Reden temeer om de vrede te waarderen die bij ons heerst.

GOUVERNEUR: De kadi is te jong om zich de grimmige tijden te kunnen herinneren waarin wij niet dezelfde bescherming konden bieden als nu. Toen Mekka, God moge haar verheffen, overvallen werd door veertigduizend woestelingen. Sharif Ghalib, zoon van Sharif Masad, had de Wahhabieten onderschat. Ze hebben geroofd, gemoord, en heilige plaatsen vernield, want die zouden een dwaalleer verspreiden. Wat leren wij daarvan? Dat we nooit meer zo zwak mogen zijn als toen. Onze troepen moesten zich in de vesting verschansen, ze wilden zich wel verzetten, maar waren niet in staat de stad te verdedigen.

KADI: En Sharif Ghalib?

SHARIF: Ik was een kind, mijn eigen herinneringen kan ik niet vertrouwen, maar mij is verteld dat mijn vereerde vader, vrede zij met hem, ijlings naar Djidda is vertrokken om van daaruit het verzet te organiseren.

GOUVERNEUR: Dat heb ik ook gehoord. Ofschoon er ook hardnekkige geruchten de ronde doen dat hij zich daar heeft verstopt.

SHARIF: Hoe eervoller een familie is, des te meer vijanden ze heeft. Veel vijandschappen gaan generaties lang door.

GOUVERNEUR: Onze bescherming is, denk ik, dit geld meer dan waard. De Wahhabieten zijn gulzig, in dat opzicht lijken ze op de Britten. We zijn door hebzucht omgeven, daarom moeten we gezamenlijk op onze hoede zijn. Als we niet alles willen verliezen.

KADI: Sommigen van ons hebben meer te verliezen dan anderen. De Wahhabieten overdrijven zo nu en dan, maar als het om het geloof gaat, staan ze sterk, en dat kan tegenwoordig niet van iedereen worden gezegd.

GOUVERNEUR: Laten we overgaan tot de zaak waarvoor we bij elkaar zijn gekomen. Hebt u de stukken gelezen die ik u heb gestuurd? Die Britse officier heeft de mensen die hem op zijn hadj hebben begeleid uiterst nauwkeurig beschreven. Hij noemt zelfs hun namen. Valse namen, dachten wij eerst, maar dat bleek niet zo te zijn: we hebben de meeste van die mensen weten te vinden. We zullen hen in de loop van de komende maanden verhoren, als God het wil. Twee van hen wonen overigens in Egypte. We hebben onze broeders daar verzocht hen te ondervragen. Pas vanochtend hebben we antwoord

gekregen. Het goede nieuws is dat beide mannen nog leven –
ze hebben bereidwillig informatie gegeven.

KADI: En het slechte nieuws?

GOUVERNEUR: Dat zult u zien. Ik vind het moeilijk te bepalen
wat we aan deze getuigenissen hebben. Maar leest u zelf.

SJEIK MOHAMMED

*Natuurlijk herinner ik me die man. Ik ben er trots op dat ik zijn
leraar ben geweest. Aywa, aywa, aywa. Sjeik Abdoellah was een
ontwikkelde, voorname man, een uitstekend arts, zelf heb ik zijn
hulp niet nodig gehad, God zij gedankt, maar verhalen over zijn
bekwaamheid lagen in ieders mond, hij was een dokter die
daadwerkelijk genas. Een goede moslim, die haast helemaal opging
in kwesties inzake het geloof, praktische zaken lieten hem koud, ik
heb hem vaak moeten waarschuwen, als ik er niet op had gelet, was
hij nog veel vaker belogen en bestolen. Er was maar één ding aan
hem, nu u het me zo nadrukkelijk vraagt, dat me niet in orde leek:
hij had geen echtgenote – weet u of hij ondertussen getrouwd is? – al
die tijd al bid ik voor hem dat hij een goede vrouw mag vinden, het
beviel me niet, die blikken die veel vrouwen hem toewierpen; hij was
een rijzige man met een knap gezicht, vol licht, geen mens kan de
verleiding een leven lang weerstaan; de profeet, moge God hem vrede
en zegen geven, wist ook dat de mens zich het beste tegen de zonde kan
verweren door de verleiding weg te nemen. Maar afgezien van die
zorg? Nee, nee, u zaait twijfel die niet gerechtvaardigd is, dat is niet
alleen ongepast, dat is gevaarlijk. Hij was de meest serieuze leerling
die ik ooit heb gehad, gewetensvol, u zult het niet geloven, soms, als ik
om een van de moeilijke passages in de glorierijke Koran niet heen
kon, lazen we de strofe samen, een paar keer, en dan drong hij er bij
mij op aan toe te lichten wat er stond, en ik moet toegeven dat ik dan
weleens, heel zelden doe je dat als leraar, veinzen dat je iets weet, dat
ik hem dan dus, niet blindelings maar wel met versleten, half toe-
geknepen ogen, een verklaring gaf die ik zelf ook maar raadde, en ik*

verwacht dan, want zo gaat het bij andere leerlingen ook altijd, dat
mijn bedriegerijtje wordt geaccepteerd en spoedig in vergetelheid
geraakt, zodat mijn eer is gered, maar deze leerling luisterde naar elk
woord van mij, hij had mijn bedrog door en verloor zijn zelfbeheer-
sing, en hij riep met luide stem: Waarlijk, er is geen kracht en geen
macht behalve in God, de Hoogste, de Grootste. Waarop ik door
schaamte werd overmand en fluisterde, de deemoed hervindend die
elk van ons betaamt: Vrees God, o mens! Vrees God. Wat denkt u,
zou een ongelovige het heilige boek zo beschermen tegen de hoogmoed
van een oude leermeester?

೭/ꕔ/ꕔ/ꕔ/ꕔ/ꕔ/೨

Van begin af aan had hij gevoeld dat hij de man niet kon
vertrouwen. Nu hij zo veel misbaar maakte als waarschijnlijk
alleen een corpulente, Albanese *bashibazuk* vermocht, was het te
laat. Waarom was hij zo stom geweest? Straks zou de hele
karavanserai weten dat de gevierde dokter zijn vriendschap
had geschonken aan een bullebak, een ongelikte beer. Erger
nog, veel erger, de geachte derwisj had deelgenomen aan een
drinkgelag. Als derwisj kon hij zich het een en ander permitteren, maar dit niet! Ook al had hij zich geen razernij aange-
dronken en was hij niet helemaal laveloos, in tegenstelling tot de
Albanees, die om zich heen sloeg alsof hij de eer van zijn zuster
probeerde te verdedigen nadat hij haar zelf aan een bordeel had
verkocht.

Pas de dag ervoor hadden ze elkaar leren kennen. Sjeik Abdoellah, die even langskwam voor een groet, trof in de kamer van
hadji Wali een breedgeschouderde man met kolossale wenkbrauwen, vurige ogen, dunne lippen en een kin waaraan je een boot
had kunnen vastmeren. De man was hem al eerder opgevallen,
zoals hij met militaire dikdoenerij door de herbergen liep te
paraderen, altijd met een hand tegen zijn lichaam, alsof hij

een wapen aan zijn riem had hangen. Hij hinkte als hij liep en deed zijn best om het beetje beschaafdheid dat hij bezat achter extreme botheid te verbergen. Het gesprek met hem verliep moeizaam. Hij bediende zich alleen van het Arabisch als hij zich verstaanbaar moest maken, anders ratelde hij Turks. Toen hadji Wali naar de binnenplaats werd geroepen, boog Ali Agha zich naar sjeik Abdoellah en fluisterde tegen hem: Raki? Zoiets heb je hier in huis niet, antwoordde de sjeik behoedzaam, waarop de Albanese officier van de irreguliere troepen honend grijnsde en de sjeik voor ezel uitmaakte.

Toch bezocht Ali Agha hem de volgende dag op zijn kamer alsof het vanzelf sprak. Hij praatte zich op snelheid, haalde amper adem, trok gulzig aan zijn waterpijp en begeleidde zijn Turkse stortvloed met gebaren die de rokerige lucht doorkliefden. Toen hij ten slotte opstond en de sjeik zijn voorbeeld volgde, sloeg hij een arm om diens taille, alsof hij uit was op een krachtmeting. De Albanese officier had kennelijk geen hoge dunk van de Indiase dokter, zo losjes en nonchalant pakte hij hem vast. Het volgende ogenblik vloog hij door de lucht, zijn hoofd landde op het matras, zijn achterste op de stenen vloer en zijn benen vlak naast de waterpijp. Hij richtte zich op en keek zijn gastheer voor het eerst met belangstelling aan. Wij tweeën, wij zullen het goed met elkaar kunnen vinden! Hij kwam overeind. Je mag me nog een pijp aanbieden. Hij zette zijn vuisten in zijn zij. Ik blijf nog even. Uit zojuist verworven waardering voor de sjeik schakelde hij op Arabisch over en rebbelde even naarstig als daarvoor, maar nu verstaanbaar, over de heldendaden in zijn leven. Om een en ander aanschouwelijk te maken stroopte hij zijn mouwen op, trok hij zijn broekspijpen omhoog, wees hij op wonden en volgde hij met zijn vinger de topografie van oude kwetsuren waarover je van alles en nog wat zou kunnen vertellen. Bij ons in de bergen spelen zelfs kinderen met hun leven, wie een Turk kwaad maakt, wordt door iedereen gewaardeerd. Ik was de brutaalste, die Turk legde zijn geweer aan, bang was ik niet, de kogel versplinterde

mijn scheenbeen. Na nog eens drie lofredes op zijn eigen groot-
heid verklaarde hij de dokter tot zijn kameraad, wat de reden was
waarom hij een verzoekje aan hem had: een beetje gif, kon hij dat
van hem krijgen, niet te veel, wel betrouwbaar spul graag, want
hij had die vijand die tot zwijgen moest worden gebracht. Hij
toonde zich niet verrast toen de dokter meteen een kistje open-
maakte en hem vijf korrels overhandigde. Voorzichtig liet hij ze
in het zakje vallen dat om zijn hals hing. Had hij vragen gesteld,
dan had de dokter hem waarheidsgetrouw medegedeeld dat het
om kalomel ging, of – om een gangbaarder begrip te gebruiken –
kwikzilver, dat urine en gal stimuleert en krachtiger laxeert dan
welk ander middel ook. Bij het afscheid drong de bashibazuk de
sjeik een omhelzing op en bezwoer hem dat ze samen moesten
drinken, niet nu, maar vanavond, laat op de avond, dan kom jij
bij mij op mijn kamer.

Toen het stil was in de karavanserai, sloop sjeik Abdoellah met
de dolk in zijn riem de kamer van Ali Agha binnen. Niemand zou
iets merken; bovendien kon hij weggaan wanneer hij wilde. Eén
glas, meer niet, vanwege de verhalen waarop de Albanees hem
zou onthalen. Het werd tijd dat hij zich weer eens vrijmoedig
amuseerde. Toen hij arriveerde, bleken de voorbereidingen voor
het festijn al getroffen: midden in de kamer stonden vier kaarsen
voor een eenzaam bed. Daarnaast soep, een terrine met koud
rookvlees, een paar salades en een schaal yoghurt. De gerechten
waren rond twee flessen opgesteld, de ene slank en lang, de
andere vlak en klein als een flacon. Beide flessen waren in natte
lappen gewikkeld om ze te koelen. Wees gegroet, broeder. Je
verbaast je over de tafel? Dacht je dat een Albanees niet weet hoe
je moet drinken? Kom naast me zitten. Hij trok de dolk uit zijn
riem en gooide hem in een hoek, en de sjeik volgde zijn voorbeeld
voor hij plaatsnam. Ali Agha pakte een kleine beker, inspecteerde
hem pijnlijk nauwkeurig, veegde de binnenkant met zijn wijsvinger schoon, vulde hem tot de rand met brandewijn uit de
lange, slanke fles en bood hem zijn gast met een vluchtige buiging

aan. Sjeik Abdoellah loofde de gever terwijl hij de beker aannam. Toen leegde hij hem in één teug. Hij zette de beker omgekeerd op de grond, om te demonstreren dat hij wist hoe het hoorde. Die ceremonie zette zich beker na beker voort. Slokken water verzachtten het brandende gevoel in hun keel en af en toe namen ze een hapje van het voedsel. De Albanese officier was het gelag alleen begonnen, hij was al een tijdje geleden uitgevaren en bevond zich inmiddels op volle zee, toch sloeg hij de ene na de andere beker achterover, zonder de controle over zichzelf te verliezen of zijn plezier in het vertellen van sterke verhalen kwijt te raken. Als bij ons in de bergen twee mannen ruzie hebben, trekken ze allebei hun pistool en zetten het op elkaars borst. Ali Agha pauzeerde om de spanning te verhogen. Zo ruziën ze door, tot ze het met elkaar eens zijn, want als een van hen de trekker overhaalt, wordt hij meteen doodgeschoten door een derde, die erbij staat. Waarna de bashibazuk het gezicht van zijn drinkgezel inspecteerde om misplaatste tekenen van ontzetting of minachting te ontdekken. Bij het zien van het vrolijk lachende gelaat van sjeik Abdoellah greep hij tevredengesteld naar de flacon, bevochtigde zijn handpalmen met parfum en sloeg de geur op zijn wangen. Sjeik Abdoellah volgde zijn voorbeeld. Wacht, geen verhaal meer! Hij was de ruigheid beu en verlangde naar betovering, hij had zin om de dictaten van de scherprechter en de krachtige parfumgeur te ontvluchten via een gedicht, een passend gedicht waarvan hij de eerste woorden afvuurde als een kanonschot om de Albanees de pas af te snijden:

De nacht is aangebroken, vriend
Voed ons vuur met wijn
Zodat wij, terwijl de wereld slaapt,
In het donker de zon kunnen kussen.

De laatste twee regels sprak hij uit als een liefdesverklaring. Wat een gedicht! Ali Agha's gezicht lichtte op. Dat er zulke gedichten bestaan! Hij kuste de sjeik op zijn wangen, een paar keer, tot die het gezicht van de Albanees tussen zijn handen nam en vriendelijk wegduwde. Ze dronken nog een beker en leunden achterover. Met het mondstuk in hun hand bliezen ze genietend dikke rookslierten de lucht in. Ali Agha evalueerde de avond en verklaarde zich meer dan tevreden met het verloop van hun fatsoenlijke zonde. Maar het duurde niet lang of zijn tevredenheid zakte in. De bashibazuk werd onrustig, hij had nieuwe hoogtepunten nodig. Hij richtte zich op, drukte zijn handpalmen tegen elkaar en riep: Dat is het, broeder. We moeten iets groots verrichten. Iets werkelijk groots! Wat is er grootser dan dit? vroeg de sjeik ongeïnteresseerd. We moeten onze vriend hadji Wali bekeren. Hij weet niet hoe je van het leven moet genieten. Wat een grappig idee, merkte de sjeik op. Ken jij soms een betere prooi? Nee! De bashibazuk was vastbesloten. Het moet hadji Wali zijn, niemand anders. We zullen hem het zuipen leren als de tafel van één. Hij zal ons dankbaar zijn als hij zich straks net zo fijn voelt als wij. Waarom ook niet, tolde het sjeik Abdoellah door het hoofd, wie weet, misschien wil hij graag, een bekeerling incognito, misschien zit hij wel op een uitnodiging te wachten. Op onze uitnodiging. Hij stond op en verklaarde met opgeblazen waardigheid dat hij hadji Wali ging halen.

De koopman had zich al te ruste gelegd. Hij verbaasde zich over de penetrante geur die zijn jonge vriend verspreidde, en ook over de verrassing die de Indiase dokter hem beloofde, met kinderlijk enthousiasme in zijn stem. Met tegenzin volgde hij hem naar de kamer van Ali Agha, waar hij nog nooit was geweest. De bashibazuk sprong op, pakte hem bij zijn schouders en drukte hem omlaag op een van de zitkussens. Voor hij het besefte, had hij al een beker in zijn hand en was die beker al gevuld, en tot zijn ontzetting begreep hadji Wali dat de ander hem alcohol wilde laten drinken. Walgend weigerde hij het aanbod. De bashibazuk trok beledigde grimassen en volhardde in zijn uitnodiging. Hadji Wali weigerde strak en stijf. Ali Agha trok een minachtend gezicht en bracht de beker naar zijn lippen. Hij klokte de inhoud naar binnen, likte nadrukkelijk zijn lippen af, drong zijn gast een waterpijp op en maakte zich op voor de volgende aanval. De hadji protesteerde tevergeefs dat hij deze zonde zijn hele leven uit de weg was gegaan, hij beloofde de volgende dag met hen te drinken, hij dreigde met de politie, hij citeerde de Koran. Hij was nog niet aan het eind van zijn bezwerende soera gekomen of Ali Agha ademde diep in. Zonde is zonde, en morgen is morgen, maar wat in de Koran staat, weet ik ook, nog beter zelfs. Hij slingerde zijn armen naar voren alsof hij giften rondstrooide onder de aanwezigen. De Koran, doceerde hij zelfbewust, als een alim van de Al-Azharuniversiteit, spreekt zich een paar keer uit over alcohol. Drie keer. De Albanees stak drie vingers op. En alle drie de keren wordt er iets anders gezegd. Hoor maar. De eerste keer: God waarschuwt voor te veel zuipen. We vragen ons af wanneer hij dat deed. Hij deed dat voor hij de avondmaaltijd had gebruikt. De tweede keer: God heeft de avondmaaltijd gebruikt, hij heeft een beetje zitten pimpelen, hij voelt zich niet zo lekker, dus geeft hij ons de sterke raad om ... maar niet ... te zuipen. Dat neemt iedereen zich voor die een borreltje te veel opheeft en er niet goed tegen kan. Dan de derde keer: God verbiedt het zuipen volledig ... geen druppel meer ...! en wanneer was dat, beste broeders? Dat was de volgende ochtend, toen God wakker werd met een vreselijke kater. Ha! Waarom zou je je houden aan de regels van een drinkebroer met een kater als je zelf nog nooit een slok hebt geproefd?

Eer Ali Agha, die erg ingenomen was met zijn verhaal, aan de pointe was toegekomen, was hadji Wali al opgesprongen en de kamer uit gelopen, zonder zich te bekommeren om wat hij achterliet: zijn kepie, zijn pantoffels en zijn pijp. Hem achterna-gaan durfde de bashibazuk niet. In plaats daarvan begon hij parfum op kepie, pantoffels en pijp te sprenkelen en de koopman voor muilezel uit te maken, in meer talen dan hij beheerste. Hij nodigde zijn achtenswaardige gast uit de rest van het avondeten niet te laten staan, en ze bedienden zich rijkelijk van de soep en het rookvlees en hielpen de spijsvertering een handje met nog een waterpijp. Een zoete vrede daalde neer, die de bashibazuk andermaal verstoorde. Voor de onvaste vuist weg verkondigde hij dat hij naar mooie danseressen verlangde, naar een beetje spektakel, om zijn ogen te verblijden. Dat is in een wakalah verboden, zei sjeik Abdoellah. Wie, schreeuwde Ali Agha verontwaardigd, heeft dat verboden? De pasja zelf, antwoordde de sjeik, de pasja in al zijn wijsheid. Als het is zoals je zegt, verklaarde Ali Agha plechtig, terwijl zijn vingers zijn slordige snor opdraaiden tot twee rechtopstaande naalden, dan zal de pasja zelf voor ons moeten dansen. En hij stormde naar buiten.

Sjeik Abdoellah kwam kreunend overeind. De avond liep uit de hand. Dit is je laatste kans, maant een benevelde, innerlijke stem hem dringend. Keer terug naar je kamer, doe de deur dicht en ga naar bed. Maar de duivel slaat altijd op hetzelfde aambeeld en de sjeik maakte zichzelf wijs dat hij de bashibazuk in zijn verwardheid terzijde moest staan, dus volgde hij hem de gang door, trok hem bij de balustrade weg en bezwoer hem, met woorden en een stevige ruk aan zijn smoezelige rode *foestaan*, naar zijn kamer terug te keren. Maar Ali Agha luisterde even slecht naar hem als hij naar een echtgenote zou luisteren. Hij ergerde zich aan de vreugdeloze raadgevingen, zijn woede groeide. Hij stompte als een blinde bokser om zich heen, trof alleen lucht, telkens weer alleen maar lucht, toen stopte hij en boog zijn hoofd, alsof hij luisterde, alsof hij op een ingeving wachtte. Sjeik Abdoellah liet hem los. Misschien was de storm voorbij en kon hij meteen afscheid nemen. Nee, de bashibazuk stortte zich op de dichtstbijzijnde deur, brak die met zijn schouder open en waggelde een ruimte binnen waarin, zoals duidelijk werd bij het licht van de halve maan, twee oudere vrouwen naast hun mannen op de grond lagen te slapen. Ze werden wakker, en wie weet wat ze dachten te zien, maar wat het ook was, geïntimideerd toonden ze zich bepaald niet, ze verweerden zich – terwijl ze overeind kwamen – met een hagel van de vreselijkste verwensingen, waar zelfs een Albanese officier van de irreguliere troepen van onder de indruk raakte. Hij aanvaardde een geordende terugtocht en tuimelde, op de vlucht voor de tongen van de grommende vrouwen, de smalle trap af, boven op de warm ingepakte nachtwacht, wiens gesnurk overging in gekrijs. Onder de bedienden die op de binnenplaats sliepen en die nu allemaal in beweging kwamen, bevond zich ook de assistent van Ali Agha, een vrij jonge, robuuste Albanees, die zijn meester naar zijn kamer wilde brengen en de sjeik vroeg hem daarbij te helpen. Maar de bashibazuk liet zich niet tot bedaren brengen, hij schopte en spuugde en sloeg om zich heen en schreeuwde … jullie, honden, ik heb jullie onteerd …! tot andere bedienden hem bij armen en benen pakten. Ze droegen hem de trappen op en sleepten hem zijn kamer binnen, gadegeslagen door alle bewoners van de karavanserai, die geschrokken en nieuwsgierig hun kamers uit waren geglipt en nu blootstonden aan de beledigingen van de dronken Albanees: Jullie Egyptenaren! Jullie zijn een geslacht van honden! Ik heb jullie onteerd, ik heb Alexandrië, Caïro en Suez onteerd! Dat waren zijn laatste woorden, voor hij, amper in bed liggend, in een diepe slaap viel. In het geharrewar had een van de helpers de fles raki omgestoten en de opgeluchte bedienden moesten op blote voeten door de natte stank de kamer uit schuifelen. Sjeik Abdoellah pakte de flacon, sprenkelde een flinke dosis op het bed en op de vloer, en gaf hem buiten voor de deur aan de bediende van Ali Agha. Om de sporen uit te wissen, zei hij. Toen hij zich in zijn kamer terugtrok, zag hij aan de andere kant van de gang hadji Wali met een lamp in zijn hand naar hem staan kijken. Niet verwijtend, zoals hij had verwacht. Wel teleurgesteld, en met de droevigste blik van heel Caïro.

ↄↄↄↄↄↄ

In de maand safar van het jaar 1273
Moge God ons zijn gunst en genade laten ondervinden

HADJI WALI : *Ik kon mijn misleide vriend nog maar één raad geven:*
vertrek onmiddellijk voor de hadj. Ik wist te goed wat er zou
komen. De hele karavanserai zou alleen nog over deze nacht
praten, over de Albanese bashibazuk, wiens boosaardigheid on-
geëvenaard was, en over de Indiase dokter, die zich als een
ongelooflijke huichelaar had ontpopt. Niemand zou zich meer
herinneren dat de vreemde dokter zo veel mensen had genezen
zonder er iets voor te vragen. Zijn reputatie was verwoest. Was hij
in Caïro gebleven, dan had hij naar een andere wijk moeten
verhuizen. Wie kan zoiets begrijpen? Zo'n goed mens. En toch,
toen de duivel hem te pakken kreeg, vergooide hij zijn eer en zijn
goede naam voor een paar bekers sterke drank met een idiote
Albanees. Wat een verspilling!

KADI : Dat zegt genoeg. Walgelijk. Maar als de geachte gouverneur van mening is dat zulke afgrijselijke lectuur de waarheidsvinding dient … Meer bewijs hebben we eigenlijk niet
nodig – zijn geloof was pure huichelarij.

GOUVERNEUR : Als iedereen die af en toe drinkt, wordt uitgesloten van het ware geloof, zou de gemeenschap der gelovigen
heel klein worden.

KADI : Is dat tegenwoordig het officiële standpunt van het kalifaat? Sultan Abdoelmecid, zo wordt beweerd, houdt wel van
het rode gif uit Frankrijk.

GOUVERNEUR : Ik heb het over de feiten. Zelfs hier in de Gezegende Stad, heb ik me laten vertellen, wordt raki te koop
aangeboden.

SHARIF : Wat kunnen we ertegen doen. Straf …

KADI : … wordt niet consequent opgelegd.

HADJI WALI: *Ja, ik heb hem inderdaad afgeraden zich voor Pers uit te geven, omdat ze hem overal met minachting zouden bejegenen en hem in de Hidjaaz in elkaar zouden slaan of misschien zelfs vermoorden. Hij heeft mijn raad zeer bereidwillig opgevolgd, dat is waar, maar moet je daaruit opmaken dat hij niet was wie hij beweerde te zijn? Ofschoon me eigenlijk nooit helemaal duidelijk is geworden voor wie of wat hij zich uitgaf. Hij hulde zich in vaagheid. Hij sprak met zo veel tongen. Maar ik liet me niets wijsmaken. Ik wist natuurlijk dat hij een afvallige was. Nee, niet zoals u het bedoelt, dat kan ik niet geloven. Hij hield iets heel anders geheim. De hele tijd deed hij alsof hij tot de Safi-school behoorde. Maar dat klopte niet. Ik heb begrepen, ziet u, dat hij* taqiyya *toepaste, zoals zijn traditie het hem had geleerd. U weet dat sjiieten het als hun goed recht beschouwen hun ware geloof indien nodig, als het van levensbelang is, te verbergen. Dat is de waarheid. Hij was een sjiiet. En hij was stellig ook een soefi. Van de rest ben ik niet zo zeker.*

SHARIF: Een soefi, daar heb je het. Het is toch bekend dat soefi's de geneugten van de wijn bezingen.

GOUVERNEUR: Dat is beeldspraak, alleen maar beeldspraak. Dat betekent toch niet dat ze de zonde ook echt begaan.

KADI: Waarom kiezen ze dan zo'n fout beeld? Laten we het er maar niet meer over hebben – wat doet het ertoe dat hij dronk, als hij al een sjiiet was. Verdoemenis kan niet verdubbeld worden.

SHARIF: Als hij een sjiiet was, en dat niet alleen voor zijn reis-gezelschap, maar ook voor zijn lezers verborgen heeft gehou-den, dan heeft hij de hadj in ieder geval als moslim onder-nomen en niet als godslasteraar, zoals wij vreesden.

GOUVERNEUR: Dat moet hij zelf maar met God uitzoeken. De belangrijkste vraag blijft of hij heeft gespioneerd. Als we de feiten in ogenschouw nemen, zou uw vermoeden weleens kun-nen kloppen en heeft hij wellicht ook zijn superieuren om de tuin geleid.

KADI: Begrijp ik het goed, vinden we het ineens niet erg meer dat sjiieten aartsleugenaars zijn?

GOUVERNEUR: Daarvan hebben wij misschien profijt gehad.

SHARIF: Ook zij houden ongetwijfeld van de heilige plaatsen.

KADI: Ze houden zo van de heilige plaatsen dat ze die onder hun heerschappij willen brengen.

GOUVERNEUR: We moeten dieper graven. Die Richard Burton is een meester in de geheimhouding, en dat vind ik verontrustend. Dergelijke mensen houden hun verlangens voor hun naaste naasten verborgen. Voor zichzelf zelfs. Hij was toch derwisj? Die volgen altijd een warrige weg. Je kunt je zelfs afvragen of hij zijn eigen weg trouw bleef. Op een gegeven moment schrijft hij in zijn verslag, ik heb het ongeveer onthouden: En nu moet ik mijn mond houden, want het pad van de derwisj mag niet door wereldse ogen worden aanschouwd. Spreekt hij daar de waarheid? Of heeft hij die zin alleen maar opgeschreven om interessant te doen? Mensen snakken naar de kennis die voor hen verborgen blijft. Hoe je het ook wendt of keert, hij weigert hier openlijk zijn landgenoten bepaalde inlichtingen te verschaffen, en zoals iedereen weet, zijn de Britten even belust op informatie als de Jemenieten op *khat*. Hij houdt zijn eigen landgenoten voor de gek. Dus bedrijft hij toch taqiyya!

KADI: Hij schijnt ons allemaal voor de gek te houden.

SHARIF: God mag het weten.

☙❀❀❀❀❀❧

De volgende dag kan hij zijn eigen herinneringen niet geloven. Hoe heeft hij zoiets kunnen doen? Welke duivel is er in hem gevaren? Hij is een complex geheel: mens en demon, in zijn binnenste voert hij een kolossale saboteur met zich mee, een hoge afgezant van de duivel, die hem telkens weer beentje licht als hij drie succesvolle stappen heeft gezet. Geen mens bereikt de leeftijd van halverwege de dertig zonder een aantal keren door zichzelf te zijn teleurgesteld. Waarom zou hij de argwaan van anderen afwachten als hij zichzelf kan ontmaskeren? Hoe deerniswekkend, en toch, toch is hij er bijna trots op. Hij is te zeker van zichzelf geweest, zonder angst; de angst had hem het advies gegeven met een grote boog om de duivel heen te lopen. Die in hem steekt. Dat is moeilijk. Nu, de ochtend erna, in een kamer die van alle kanten lijkt te worden belegerd door een bruisende, briesende stad, voelt hij angst opkomen als de pijn van een ongeneeslijke wond. Angst voor zijn eigen onbeheerste, onvoorspelbare gedrag. In Caïro kan hij nog wel een steekje laten vallen, maar in Mekka zou hij in één klap alles verliezen. Maak het je gemakkelijk, angst, je bent een welkome metgezel. Hadji Wali had gelijk: het verstandigste is de stad zo snel mogelijk te verlaten. De gevallen dokter zal de hele buurt rijkelijk vermaak bieden.

ᘓᔕᔕᔕᔕᔕᔕᘔ

Het duurde een lange dag in de woestijn voor hij zich had losgemaakt van de stad en de beschamende herinnering. De horizon die hij urenlang tegemoet reed, zinderde van beloften, en zijn zintuigen, geprikkeld door lucht en beweging, werden scherp als messen. De woestijn was verwond terrein, een ruige ruïne, de heuvels gegroefd als walnootschillen, maar ze gaf sjeik Abdoellah vleugels, en toen hij 's avonds ging slapen voelde hij zich veel vitaler dan die ochtend, toen hij nog op de binnenhof van de karavanserai stond, naast een paar andere pelgrims die hun dromedarissen de steeg in dreven van waaruit iedereen vertrok. Hadji Wali en sjeik Mohammed hadden hem vergezeld tot de stadspoort en met een vriendelijk gebaar afscheid genomen, zodat hij het een tijdje betreurde hen te moeten verlaten. Ze hadden hem slechts om een gebed bij het graf van de profeet

266

gevraagd, waarna ze de vriend, de leerling, met heilwensen hadden overladen. Hij raakte niet uitgekeken op het onvruchtbare landschap, het blauwzwarte gesteente dat van kleur veranderde naarmate je dichterbij kwam. In de ravijnen leek het alsof hij in het binnenste van de rotsen keek, alsof hij aders en gewrichten zag, een groei die geen mens kan waarnemen. De aarde was naakt in de woestijn, de hemel doorzichtig. Hij genoot ervan zijn eigen lichaam te voelen in de stijfheid van zijn spieren en de pijntjes hier en daar, die voorafgingen aan de gewenning. Ze staken het lichte zand van een paar wadi's over: rivierbeddingen zo breed als de vloed die ze soms overspoelde – leeg nu, op verdroogde herinneringen na. Het was maar drie dagen naar Suez, maar die drie dagen zouden, dat merkte sjeik Abdoellah 's avonds, zijn levenslust weer op peil brengen. Nu al voelde hij zich bevrijd. De inspanningen waren welkom, evenals de gevaren, nauwelijks te verwachten op dit stuk, maar straks wel in de woestijn van de Hidjaaz. Caïro had veel van hem gevergd. Eindelijk kon hij die schijnheilige doktershuid van zich afstropen en weer het type man zijn dat hij bewonderde: oprecht, ruimdenkend, vastberaden. Hij keek om zich heen en bezag de vanzelfsprekende gastvrijheid bij elk kampvuur. De beschaving was achtergebleven, ze durfde de stadspoorten niet uit; na een paar dagen zouden de stijve beleefdheid en het bekrompen gedrag verdwijnen. Als het niet zo'n vreemde indruk zou maken, zou hij de heuvel beklimmen aan de voet waarvan ze kampeerden en zijn euforie de wereld in roepen, in afwachting van een echo, een bevestiging. In plaats daarvan dronk hij sterke koffie. Meer prikkels had hij niet nodig. Alleen al de gedachte aan alcohol stond hem tegen. Zou het de Albanese bashibazuk ook zo vergaan als hij terugkeerde op zijn post in de Hidjaaz? Zijn eetlust was toegenomen, hij verslond een maal waaraan hij gisteren nog niet had moeten denken. Toen ging hij op het zand liggen, het beste bed dat er bestond, omgeven door een lucht die hem gezond maakte. Hij hield zijn ogen open, tot het laatste kunstmatige licht in het kamp met een huivering verdween en de nacht de aarde opslokte.

De volgende ochtend was hij net klaar met het zadelen van zijn rijdier, toen er een jongeman op hem afkwam, de dromedaris bij de teugels greep en hem geestdriftig groette. Herkent u mij niet? Het was de lastpost die zich op de markt in Caïro al zo had opgedrongen. Hij zoekt sterke schouders die hem naar Mekka dragen, had hadji Wali, die een even feilloze blik voor sluwheid had als een valk voor zijn prooi, hem indertijd gewaarschuwd. Let op: direct vertelt hij hoe behulpzaam hij je in zijn geboortestad kan zijn. Ik ken Mekka als mijn eigen huis, had de jongeman het volgende moment verklaard. Net als toen slingerde zijn gezichtsuitdrukking tussen vrijpostig en vleiend, als een slecht afgestelde schommel. Ja, ik ben het, Mohammed al-Basyuni; beschouwt u onze nieuwe ontmoeting als een zegen. De voorzienigheid, mompelde sjeik Abdoellah, staat aan jouw kant. En harder pratend voegde hij eraan toen: Wat doe je hier? Hoe kunt u dat nou vragen, sjeik. Ik ben toch vanuit Istanbul op weg naar huis. Waar is dat dan? Ach, sjeik, bent u dan alles vergeten? Naar Mekka de welgevallige, God moge haar verheffen. Ik heb veel over u gehoord, u hebt een rijke reputatie. Sinds gisteravond observeer ik u, met genoegen, het is zo beschikt dat ik u op uw hadj vergezel, ik kan u van nut zijn, niet in de laatste plaats in Mekka, de moeder van alle steden, daar ken ik elke steen. En de mensen? Die ken ik nog beter dan de stenen. Ben je niet een beetje jong voor zo veel kennis? vroeg de sjeik. De baardloze jongeman voor hem, wiens knokige gezicht bij ongunstig licht op een doodshoofd leek, toonde geen twijfel. Ik heb veel gereisd. En ik let op als ik reis. Ik weet wat mensen waard zijn. Sjeik Abdoellah verwonderde zich over de vasthoudendheid van de man. Hij stamde blijkbaar uit een welgestelde familie. Zijn zelfvertrouwen duidde op geborgenheid in zijn jeugd. De mens wikt, zei de sjeik bedachtzaam, en God beschikt. Waarlijk, wonderen zijn er veel. Roem en eer komen de mens toe die ze allemaal kent. Als je nu mijn dromedaris wilt loslaten, ik ben niet graag de laatste van de karavaan. We zullen elkaar vanavond weerzien, sjeik. Zoals de anderen vóór hem reed hij even later langs een rij palmbomen die zich als een triomfantelijke laan naar de leegte uitstrekte. De volgende avond zouden ze Suez bereiken, de zee. Daar zou de hadj voor het gevoel van de sjeik pas echt beginnen.

∽∽∽∽∽∽∽

In de maand rabie al-awwal van het jaar 1273
Moge God ons zijn gunst en genade laten ondervinden

MOHAMMED: Ik heb hem van meet af aan niet vertrouwd. Wie zo veel van de wereld heeft gezien als ik, ruikt een oplichter tegen de wind in. Ik ken Istanbul, moet u weten, ik ben in Basra geweest, ik ben naar India gereisd, en die man beweerde dat hij uit India stamde. Hij had iets wat mij achterdochtig maakte.

GOUVERNEUR: Wat dan? Een beetje nauwkeuriger, graag!

MOHAMMED: Duidelijker kan ik het niet zeggen. Het was een gevoel, een vermoeden. Hij was op de een of andere manier anders, hij hield alles in het oog, onopvallend, maar mij is het opgevallen, hij praatte altijd langzaam, behoedzaam. Als een wijs man, zo kwam het op anderen meestal over, maar ik dacht bij mezelf: die let verdraaid goed op dat hij geen fouten maakt.

KADI: Je argwaan berust alleen op dat soort gissingen?

MOHAMMED: Maar die waren toch niet uit de lucht gegrepen. U zult zien dat ik gelijk had.

SHARIF: Even voor de duidelijkheid: aan de naam van je vader te horen komt je familie niet uit Mekka?

MOHAMMED: Wij komen oorspronkelijk uit Egypte, maar we wonen al lang hier, al een paar generaties. We zijn echte Mekkaners.

KADI: Wat meer bescheidenheid, jongeman. De familie van de

269

sharif is sinds de tijd van Qusayr in deze stad gevestigd. Een paar generaties, dat telt nauwelijks.

GOUVERNEUR: Laat hem doorgaan, alstublieft.

MOHAMMED: Bij het eerste gezamenlijke gebed ben ik recht achter hem gaan zitten. Om hem beter te kunnen observeren. Ik weet dat bekeerlingen jaren later nog fouten maken. Als hij ons bedroog, zou ik het merken aan zijn gebed.

GOUVERNEUR: En?

MOHAMMED: Nee, niets, helaas. Hij moet goed geleerd hebben. Dat kan, hè?

KADI: Wat kan?

MOHAMMED: Het gebed tot in de puntjes leren zodat je alle handelingen blindelings kunt verrichten.

KADI: Er zijn veel manieren om je in gevaar te begeven. Het gebed misbruiken is er een van.

MOHAMMED: Ik heb geen van mijn gebeden overgeslagen en ik weet zeker dat ik ook geen fouten heb gemaakt. Is het soms niet mijn plicht huichelaars en godslasteraars te ontmaskeren als ik ze tegen het lijf loop?

GOUVERNEUR: Dat was heel goed van je. Maar nu moet je ons iets meer vertellen. Tot nu toe heb je ons niet echt ervan weten te overtuigen dat je sjeik Abdoellah als huichelaar en godslasteraar hebt kunnen ontmaskeren.

MOHAMMED: Waarom ondervraagt u me dan? Zou u anders uw kostbare tijd aan mij verspillen? Nee! U weet even goed als ik dat hij niet te vertrouwen is. Maar hij was gehaaid, gehaaid zoals Indiërs nu eenmaal zijn. In Suez zaten we met veel mensen op een kamer, verschrikkelijk benauwd was het en iedereen was chagrijnig omdat we dagen op de boot moesten wachten, maar hij, hij heeft die tijd goed gebruikt. Hij was heel royaal en leende iedereen geld. Het waren namelijk allemaal vrekken, krenterig van hier tot heb ik jou daar. Amper hadden ze een paar munten van hem gekregen of ze werden heel aardig en hartelijk. Ze prezen hem de hemel in. Ze schonken hem lekkernijen. Ze paaiden hem met fluwelen woorden en zelfs als hij niet in de kamer was, liepen ze hem te vleien. Die sjeik Abdoellah, wat een groot mens was dat, wat een geweldige man. Ze maakten zelfs ruzie over de vraag wie hem in Medina mocht huisvesten.

KADI: En jij, heb jij geen geld van hem gekregen?

MOHAMMED: Een beetje, niet meer dan een paar piaster, wat voor figuur had ik geslagen wanneer ik als enige nee had gezegd tegen zijn vrijgevigheid? Dat had toch zijn achterdocht gewekt? Maar ik heb me er niet door in slaap laten sussen. Lening of geen lening, ik heb mijn ogen opengehouden. En wat vind ik op een avond in zijn koffer, die hij vergeten had af te sluiten? Een instrument. Een apparaat dat geen derwisj uit India met zich meesleept, dat wist ik zeker. Het was een wonderlijk ding dat ik nog nooit had gezien. Iets duivels. Ik heb het iemand gevraagd die het kon weten.

GOUVERNEUR: Wat was het?

MOHAMMED: Een sextant.

KADI: Wat is dat nou weer?

MOHAMMED: Een heel ingewikkeld instrument waarmee de sterren worden gemeten. Op een schip moet het nuttig zijn, maar de sjeik was geen stuurman, hij was een heilig man – zogenaamd. Ik heb gewacht tot hij de kamer uit was, toen heb ik tegen de anderen gezegd dat sjeik Abdoellah een ongelovige was.

GOUVERNEUR: Daar weten wij niets van.

MOHAMMED: De anderen geloofden me niet. Ik had het verkeerd ingeschat, ik had er in de verste verte niet aan gedacht dat ze zich misschien zouden afsluiten voor de evidente waarheid dat hij een ongelovige was. Ik had verwacht dat we met elkaar zouden overleggen hoe we hem zouden aanpakken. In plaats daarvan keerden ze zich tegen mij. Stelletje fluttige opportunisten.

८/४८/४८/४८/४८/४८/३

In Suez verblijft een mens alleen uit noodzaak. Sjeik Abdoellah heeft het gevoel dat de beschaving terugslaat in dit uit al zijn stegen en stulpen barstende dorp, dat duizenden pelgrims moet herbergen. Niets is erger dan bewoning door mensen die weer wegtrekken. En waar kan het ongerieflijker zijn dan in deze herberg, die geen enkel comfort biedt behalve een dak boven je hoofd. Daar het niet regent, heb je daar weinig aan. Je kunt nog beter in de goot overnachten dan tussen deze van vuil verzadigde muren. Op een vloer vol scheuren waarin zich kakkerlakken, spinnen, mieren en ander ongedierte hebben genesteld. Eenvoudige herbergen is hij gewend uit zijn jeugd. Als ze weer eens moesten verhuizen omdat zijn vader het niet uithield in een Italiaans stadje of een Frans kuuroord. Maar nergens was het zo weerzinwekkend als hier. Het onverdraaglijkst zijn nog wel de geluiden: de tortelende duiven in de open kast, schor en kribbig van de moeite die de liefde hun kost, de kolossale katten die door de dakstoel jagen, jankend van onuitputtelijke geilheid. Zelfs rondstruinende geiten en muilezels komen binnen. Pas wanneer de beesten zich te dicht bij een van de gestaltes op de vloer wagen en een klap krijgen, trekken ze zich onwillig terug. Tot overmaat van ramp zoemen de muggen iedere nacht een stabat mater boven de uitgestrekte lichamen. Boven zijn woelige halfslaap.

e/x/x/x/x/x/x/ɔ

De kamers moesten met andere reizigers worden gedeeld. De eerste dag stelden ze zich aan elkaar voor en bekeken ze elkaar wantrouwend. Hamid al-Samman: imposante snor, zachte stem, gewend om gehoord te worden; Omar efendi: een vol, rond gezicht en een uitgemergeld lichaam; Saad, alleen Saad: de donkerste man die sjeik Abdoellah ooit had gezien; en Salih Shakkar: met een ongewoon lichte huid, geaffecteerd. De tweede dag verrookten ze de tijd en maakten ze echt kennis. De mannen stamden uit Medina, op Salih Shakkar na, die in Mekka en Istanbul, de twee metropolen, woonde, zoals het een gegoed burger betaamde. Sjeik Abdoellah was als enige van het gezelschap op hadj. Omar efendi was van huis weggevlucht toen zijn vader hem wilde laten trouwen, terwijl hij er nooit een geheim van had gemaakt hoezeer hij vrouwen verachtte. Het was hem gelukt Caïro te bereiken, waar hij zich als armlastig student had ingeschreven aan de Al-Azharuniversiteit. De anderen waren allemaal kooplieden, ze kenden de wereld en beoordeelden hun gesprekspartner aan de hand van wat hij over die wereld wist te vertellen. Saad had verre reizen gemaakt, tot in Rusland, Gibraltar en Bagdad. Salih kende Stambul als zijn eigen binnenplaats. Hamid was vertrouwd met de Levant; hij kon in elke haven een karavanserai aanbevelen.

De derde dag openden ze hun kisten en lieten ze hun kostbaarheden keuren. Soms was de jonge Mohammed helemaal weg van een kleinood, dan liet hij het door zijn vingers glijden en moest met luide stem worden gemaand het terug te geven, wat niemand meer ergerde dan Hamid, die bij voorkeur bleef zitten op zijn kist, volgepakt met geschenken voor de dochter van zijn oom van vaderskant, met andere woorden zijn echtgenote. Afgezien van zijn kist was Hamid maar een arme stumper: zijn voeten moesten het zonder schoeisel stellen, zijn enige kledingstuk was een smerige kazak, waarvan de oorspronkelijk okergele kleur alleen nog te zien was als je de kraag omsloeg. Om geen schone kleren te hoeven uitpakken liet hij zijn gebeden vervallen. Zijn wenkbrauwen schoten verontwaardigd omhoog als het gesprek op alcohol kwam, maar zijn mondhoeken verrieden dat hij er stiekem niet vies van was. Hij rookte bij voorkeur de tabak van anderen; in zijn zakken rinkelden drie piaster en het leek hem wel degelijk denkbaar dat hij die ooit zou uitgeven. Omar efendi was daarentegen volledig onbemiddeld, ofschoon hij de kleinzoon van de moefti van Medina was en de zoon van een officier die verantwoordelijk was voor de beveiliging van de naar Mekka trekkende karavanen. Hij compenseerde zijn tijdelijke armoede met een indrukwekkend positief saldo aan vooroordelen en aversies, die hij bedaard, met zachte stem uiteenzette, alsof ze rationeel en rechtvaardig waren. Saad, die niet van zijn zijde week, bleek een voormalig slaaf, bediende en ondergeschikte te zijn, die zich had opgewerkt tot zakelijk partner van Omars vader. Die had hem met de taak belast de voortvluchtige zoon naar huis te halen, en hij beschikte over voldoende middelen om goed voor zijn protégé te zorgen. Ten aanzien van zijn eigen behoeften hield hij zich strikt aan het beginsel: wees royaal bij het lenen, doch krenterig bij het terugbetalen. Het was zijn uitgesproken bedoeling gratis te reizen en hij wist zijn ideaal opmerkelijk dicht te benaderen. Vanwege zijn donkere huidskleur werd hij Al-Djinn, de duivel, genoemd. Gekleed in een eenvoudig katoenen hemd lag hij meestal languit op zijn twee kisten, die hoofdzakelijk kostbare stoffen bevatten, voor hemzelf en zijn drie vrouwen in Medina. Naast hem had de elegante Salih zijn slaapplaats ingericht. Hij maakte er volop gebruik van, want hij wantrouwde elke lichamelijke inspanning. Liggend lukte het hem het beste zijn waardigheid te bewaren. Als halve Turk richtte hij zich naar de mode in Istanbul, of hij zich nu in Suez, Yanbu of een ander stoffig gat in het kalifaat bevond. Nam hij het woord, dan praatte hij alleen over zichzelf, alsof hij een voorbeeld was voor alle anderen, die het qua afkomst, smaak, algemene ontwikkeling en niet te vergeten huidskleur – aan zijn ongewoon lichte huid kende hij haast magische krachten toe – tegen hem aflegden. Evenals trouwens qua hebzucht en gierigheid. Voor hij zijn hand uitstak, zei hij: De milde gever is Gods vriend, al mag hij voor het overige nog zo'n zondaar zijn. En als zijn verzoek om een gift tevergeefs was, merkte hij op: De vrek is Gods vijand, al mag hij voor het overige de zuiverste heilige zijn.

⁕⁄⁊⁄⁊⁄⁊⁄⁊⁄⁊⁄⁊⁄⁊⁄⁊

In de maand rabie al-akhir van het jaar 1273
Moge God ons zijn gunst en genade laten ondervinden

OMAR: Dat verwende mormel. De arrogantie van Mekka woekerde in zijn hart. Zat hij daar dik te doen, met zijn praatjes dat hij, Mohammed al-Basyuni, overweldigende bewijzen bezat dat sjeik Abdoellah een bedrieger was. Sterker nog: een ongelovige. Wij waren verbijsterd. Wat voor bewijzen? vroegen we hem. Hij liet ons een apparaat zien, van metaal, dat hij uit de kist van de sjeik had ontvreemd. Met dit apparaat worden afstanden gemeten. Waarvoor heeft een derwisj zo'n apparaat nodig? Wij zwegen, we dachten na. Ik hoop dat de anderen even diep hebben nagedacht als ik. Mij werd duidelijk hoe onhoudbaar, hoe onbeschaamd de beschuldigingen van die snotneus waren. Sjeik Abdoellah was een man die respect afdwong en respect kreeg. Hoewel wij hem nog maar een paar dagen kenden, hadden we al kennis mogen maken met zijn goedheid.

GOUVERNEUR: Zou je zeggen dat hij een vrijgevig mens was?

OMAR: O ja, zeker!

SHARIF: Hebt u van zijn vrijgevigheid geprofiteerd?

OMAR: Ach, de hele wereld heeft er baat bij als een mens zich gul betoont.

GOUVERNEUR: Wij interesseren ons in dit geval niet voor de wereld, maar voor Omar efendi en zijn relatie met die sjeik Abdoellah. Dus vertel ons, wat heeft hij je gegeven?

OMAR: Gegeven? Niets, alleen een lening die mijn vader hem in Medina heeft terugbetaald. U denkt toch niet dat ons respect daarvandaan kwam? Hij was een geleerde, dat maakte hem voor ons zo waardevol. Ik weet niet of hij een alim was, maar hij wist heel veel, op allerlei gebied. Kort daarvoor had hij me een van zijn brieven aan zijn leermeester in Caïro laten nalezen op fouten, een geleerde tekst waarin hij om raad ten aanzien van een paar moeilijke geloofsvragen vroeg, vragen waar alleen mensen op komen die een hoger geloofsniveau hebben bereikt.

Ik heb aan de Al-Azhar gestudeerd, maar er zaten dingen bij waarvan ik nog nooit had gehoord.

KADI: Een semester aan de Al-Azhar maakt van een mens nog geen alim.

OMAR: Wat ik weet, wat ik toentertijd wist, is voldoende om zonder enige twijfel te kunnen beweren dat sjeik Abdoellah niet alleen een ware gelovige, maar ook een zeer geleerde en eerbiedwaardige moslim was. Dat kun je van die Mohammed niet zeggen. Vraagt u het aan sjeik Hamid al-Samman, met hem moet u beslist praten, hij is een vooraanstaand burger van Medina. Vraagt u het hem, zijn verontwaardiging kende geen grenzen.

HAMID: Mohammed? De jonge Mohammed, ja, hoe zou ik hem kunnen vergeten. Een misselijk mannetje, van nature. Zo jong als hij was. Altijd zocht hij het slechte in de mens. Hij was als de kameel die zit te vitten op de bult van de dromedaris. Wij wisten allemaal hoe ontwikkeld sjeik Abdoellah was – een man met diepgaande kennis. Waarom zou zo'n man geen apparaat bezitten dat wij niet kenden? Het verwijt was bespottelijk, ik heb er geen moment in geloofd. Het licht van de islam schijnt in deze mens, zei ik. Dat merkt iedereen die het licht kan zien. Helaas was dat niet genoeg om de jonge Mohammed de mond te snoeren – hij was zo vinnig als een prairiewolf. En hij had de brutaliteit om tegenover mij te verklaren dat iemand die zich niet aan de gebeden hield amper in staat was het licht van het geloof waar te nemen. Dat was het toppunt, ik had hem een klap verkocht als de anderen me niet hadden tegengehouden.

სამსამსამ

Wachten, een kwelling waaraan geen eind lijkt te komen. Het vertrek was aangekondigd voor de vroege ochtend – tussen de middag stak de zon alle open ogen uit. De opgetilde, versleepte, voortgetrokken, met vloeken overladen kisten bezetten het strand, vormden een wering waarachter zich de reizigers verschansten die tot het schorre einde elke sommatie om te betalen van de hand zouden wijzen. Wat de winkeliers van Suez maar al te goed wisten, zodat ze in groten getale waren komen opdagen en zich vastberaden een weg door de menigte baanden, begeleid door intimiderend bewapende slaven en bedienden. De winkeliers bleven staan bij de reizigers die hun nog iets schuldig waren voor de spullen die ze al hadden ingepakt en vastgebonden, terwijl in de schaduw van hun strijd dieven op de gelegenheid loerden om zich onbeheerd goed toe te eigenen.

Sjeik Abdoellah stond achter een stapel kisten, zakken en waterslangen. De bediende van Salih Shakkar, wiens hulp juist nu zo node kon worden gemist, was naar de bazaar gegaan om zich aan zijn eigen zaken te wijden, en Salih mompelde wrokkig hoe onverstandig het was vriendelijk en vrijgevig te zijn. Ze verdreven de tijd met het bekijken van het schip dat hen naar Yanbu zou brengen. Ongeveer vijftig ton zwaar, schatte sjeik Abdoellah, de hoofdmast aanmerkelijk groter dan de bezaansmast. Zonder dat er een teken tot vertrek was gegeven, kwam alles ineens in beweging. Iedereen haastte zich naar het water. Saad had een van de boten stevig vastgepakt bij de boeg en de bootsman durfde niet te protesteren, alsof die kolossale zwarte man hem in de kraag had gevat. Toch waren ze niet de eersten die het schip bereikten. Het bezat slechts een klein, verhoogd achterdek, naast de enige kajuit, die al in beslag was genomen door een tiental vrouwen en kinderen. Ze drongen door het gewoel in de romp en klommen op het achterdek. De knechten hesen de kisten omhoog en bleven achter in de romp. Boven was precies genoeg plaats voor de bazen. In de loop van de volgende uren kwamen er meer passagiers aan boord dan de kapitein had aangekondigd, meer ook dan zijn boot kon bevatten.

Nauwelijks had sjeik Abdoellah de gedachte uitgesproken dat

er nu toch echt geen reiziger meer bij kon, of er kwam een groep maghrebijnen aan boord, grote kerels met zware ledematen, verwijtende blikken en brullende stemmen, allemaal tot de tanden bewapend. Ze droegen hoofdbescherming noch schoeisel. Ze eisten plaats in de scheepsromp op, van de Turken en Syriërs die zich daar al hadden genesteld. Alras deelde iedereen links en rechts klappen uit, krabde en beet, trapte en schopte. De romp was een kookpot waarin de woede indikte.

De eigenaar van de boot liet weten dat hij begrip had voor de hachelijke positie van de reizigers, daarom bood hij iedereen aan het schip tegen volledige teruggave van de aanbetaling te verlaten. Dat aanbod was aan dovemansoren gericht. De volgende boot zat even vol, de boot erna ook. Toen kort daarna de zeilen werden gehesen, sprong iedereen overeind, alsof ze een stilzwijgend overeengekomen choreografie volgden. Ze reciteerden de eerste soera, de Fatihah, hun handen ten hemel geheven, alsof ze een zegen wilden opvangen die uit de hemel op het schip neerdaalde. Na het amen bestreken ze met de zegen hun gezicht. En een oude man verhief zijn stem voor een volgend gebed. Maak aan ons onderdanig iedere zee die U op aarde en in de hemel toebehoort, in de wereld der zintuigen en in de onzichtbare wereld, de zee van dit leven en de zee van het komende leven. Maak dat allemaal aan ons onderdanig, Gij, in wiens hand de macht over alles ligt.

De kapitein navigeerde enkel en alleen door de kust niet uit het oog te verliezen, zoals sjeik Abdoellah al snel na hun vertrek doorhad. Het was een langzaam aftasten. Eeuwen geleden zouden ze wat sneller opgeschoten zijn, dacht sjeik Abdoellah, de kapitein had toen over het nodige instrumentarium beschikt; hij had diepten kunnen meten en zijn stuurman dag en nacht aanwijzingen kunnen geven. De kust van Sinaï was een massieve wand, opmerkelijk eenvormig eerst, maar de dagen daarop gekroond met de kanteelachtige pieken van de Jebel Serbal en de afgeronde silhouetten van de Jebel Musa, de berg Sinaï. Ze wierpen het anker uit voor de zon achter Afrika onderging. Bij wijze van avondeten deelden ze een rol 'kamelenhuid': gedroogde abrikozenpasta, altijd nog makkelijker te kauwen dan de droge biscuits, die zo hard waren dat het schijfjes steen leken, afgeslagen van de rotsen langs de kust.

Ze waren net aan het bespreken wie er 's nachts over de groep zou waken toen er beneden in de romp, vlak bij het achterdek, onrust ontstond. Help hem omhoog, riep iemand. Wie? Die oude man! Welke oude man? Hier, hier is hij. Wat moet hij hierboven? Het is een sprookjesverteller, hij moet ons een verhaal vertellen. Saad leunde naar voren, pakte een broze bejaarde onder de oksels en tilde hem omhoog alsof hij van perkament was. De oude man ging op een van de kisten zitten en wees omlaag. Mijn assistent. Jullie moeten hem ook naar boven halen. Saad strekte zijn armen al uit om ook de begeleider van de verteller omhoog te trekken, toen Sali achterdochtig vroeg: Waarom hebt u hulp nodig? Moet ik het geld soms zelf ophalen? wees de oude hem verontwaardigd terecht. Hij haalt geld op? Dat moet hij beneden maar doen, riep Salih. Daar zijn zo veel pelgrims dat hij er rijkelijk zal worden beloond. En Saad liet de assistent weer vallen. Toen de oude man begon te vertellen, verbaasden alle luisteraars die hem konden zien zich over de kracht van zijn stem. Hij sprak een kort gebed uit, terwijl stilte zich als zwarte inkt vanuit het achterdek over het hele schip verspreidde.

O bewaarder der zielen in deze romp, o beschermer van deze romp in deze onpeilbaar diepe zee, behoed deze boot, die Silk al-Zahab heet. Zeg, wat weten jullie over de tijd? Zeg, wat weten jullie over ouderdom? Aan het begin van onze tijd waren alle bergen en baaien er al die we gisteren hebben gezien, die we vandaag zien, die we morgen zullen zien. Je had de steile oever, het rif, de zandbanken, de klippen, je had het goud, het blauw en het purper waarin de eerste der koningen zich hulden en waarmee het paradijs bekleed zal zijn. Je had mensen die recht probeerden te doen en mensen die op onrecht uit waren. Je had rechtschapen leiders en zondige tirannen. Je had Musa en je had de farao. Jullie kennen allemaal het verhaal over de vlucht van Musa en zijn volk, over de vervolging door het leger van de farao, over de zee die uiteenweek voor de goeden en zich weer sloot boven de slechten. Maar weten jullie ook dat die geschiedenis zich hier heeft afgespeeld? Tussen de berg aan deze kant en de woestijn aan die kant? In dit water, naast en onder ons schip, hier, waar wij een lange nacht zullen doorbrengen. Hier is het leger van de farao verdronken in de helse golven. Een enorm leger, honderdduizend man sterk, machtiger dan het leger van de kalief. Niemand van de soldaten heeft de andere oever bereikt, niemand van hen is ooit naar huis teruggekeerd. Ze zijn allemaal gevangengenomen door de zee en ze hebben zich niet meer kunnen bevrijden. Als we diep genoeg in het water konden kijken, zouden we beneden de honderdduizenden krijgslieden zien. Ze marcheren altijd maar door, tot het eind van onze tijd, soldaten in zware harnassen die bij elke stap wegzakken in het zand. Ze moeten van de ene naar de andere oever marcheren. De palingen, dansend in de stroom, drijven de spot met hen. Ze zijn vervloekt, ze kunnen niet aankomen en niet naar huis gaan. Daarom zijn de stromingen in deze baaien zo gevaarlijk. Daarom is het in de diepten van deze wateren zo onrustig. Daarom blijft de wind tussen deze twee oevers met zijn zwarte vleugels slaan en houdt hij daar nooit mee op. Wees niet bang. Want God, die kan doen en laten wat hem belieft, is waarlijk de beste hoeder van allemaal, de beste helper van allemaal, en hij heeft ons iemand gestuurd die waakt over alle reizigers en alle zeelieden in deze gevaarlijke wateren. Het is de heilige Aboe Zoelaima, jullie allen bekend. Maar weten jullie ook dat hij in een van de grotten in de berg achter mij zit? Daar wordt voor hem gezorgd en wordt hem als beloning voor zijn goede daden koffie geserveerd, geen gewone koffie, maar koffie uit de heilige plaatsen: glanzend groene vogels brengen hem in hun snavel bonen uit Mekka en suiker uit Medina, en tijdens hun vlucht tussen de twee heilige steden en zijn grot in de rotswand achter mij schrijven die vogels de hele glorierijke Koran aan de hemel, en de koffie wordt voor hem gezet door de bereidwillige handen van engelen, die zich nergens meer over verheugen dan over de vraag van Aboe Zoelaima om nog een kopje. Vergeet daarom niet vanavond ook te bidden tot Aboe Zoelaima, opdat wij over de aarde kunnen blijven lopen en ons niet hoeven voort te bewegen over de zanderige bodem van die donkere zee. Er is macht noch kracht behalve bij God, de Verhevene, de Almachtige.

೮ೞೞೞೞೞೞ೨

De dag ontwaakt boven een menselijke kluwen. Hij richt zich op; ze hebben zich om beurten uitgestrekt, de late uren waren hem toebedeeld. Voor het eerst vraagt hij zich af of hij geen fout heeft begaan. Een ongemakkelijke, slapeloze nacht brengt twijfel met zich mee. Mohammed, naast hem, omklemt zijn knieën, zijn hoofd rust op zijn borst, zijn ogen hebben zich van alle verwaandheid bevrijd. Sinds gisteren voelt hij wat meer sympathie voor hem. Hamid ligt tegen de houten reling. Sjeik Abdoellah begrijpt niet hoe hij het voor elkaar heeft gekregen daar in de loop van de nacht naartoe te kruipen, ondanks al die in de weg liggende lichamen. Hij heeft kennelijk last van een bedorven maag; hij leunt telkens weer over de reling. Er zijn er maar een paar die het ochtendgebed in acht nemen. Alle anderen kost het al moeite genoeg het hoofd op te heffen en de dag in het gezicht te zien, een gezicht dat weinig goeds belooft.

Rond het middaguur brandt de zon, de matrozen verlaten hun post en trekken zich terug in de smalle schaduw van de mast. Er steekt een wind op die de gloeiende hitte van de kustrotsen naar hen toe blaast. Alle kleur smelt weg en laat de hemel als erfenis een lijkwade na, zodat de zee niets dan gladde matheid weerspiegelt. De horizon lijkt de streep waaronder de balans wordt opgemaakt.

De kinderen hebben geen kracht meer om te huilen. Naast sjeik Abdoellah op het achterdek ligt een Turkse zuigeling stil in de armen van zijn moeder, al uren, zonder zich te bewegen. Hij overlegt met de anderen. Ze kunnen het kleintje toch niet onder hun ogen laten sterven. Een Syrische pelgrim haalt een snee brood tevoorschijn, die hij in zijn theebeker doopt. De moeder stopt haar kind het geweekte stukje in de mond. Hamid geeft haar een paar gedroogde vruchten en Omar biedt haar een granaatappel aan, die hij schilt en openbreekt. De moeder opent de mond van haar kindje, Omar leunt naar voren en perst de vrucht uit. Een paar druppels vallen op het stuiptrekkende tongetje, dan een rode straal, het is te veel, het sap stroomt uit de mondhoek langs de kin van de baby. Even later lacht het kindje voor het eerst, met een bloedrode mond, en sjeik Abdoellah vindt troost in de vertedering die op het gezicht van Omar te lezen staat.

Hoeveel van dit soort dagen en nachten kunnen ze aan? De pelgrims die nog overeind kunnen komen, halen de kapitein over het anker 's avonds in de buurt van de kust uit te werpen, zodat ze op het strand kunnen overnachten. Als sjeik Abdoellah naar het strand waadt, trapt hij op iets scherps en voelt hij een stekende pijn in zijn teen. Hij gaat zitten, het licht is één grote liefdesverklaring, hij onderzoekt de wond en trekt er een splinter uit. Misschien is hij op een zee-egel getrapt. Hij graaft een kuil in het zachte zand. Het schip, dat voor zijn ogen voor anker ligt, is buiten gevecht gesteld, tenminste voor één nacht.

❧❧❧❧❧❧

In de maand djoemada al-oela van het jaar 1273
Moge God ons zijn gunst en genade laten ondervinden

GOUVERNEUR: We hebben vorderingen gemaakt.
KADI: Aanzienlijke. Als ik het even mag samenvatten: we weten

zeker dat sjeik Abdoellah de Britse officier Richard Burton is, een geleerd man, misschien een moslim, misschien een sjiiet, misschien een soefi, misschien ook niet meer dan een leugenaar die zich nu eens voor de een, dan weer voor de ander uitgaf om op hadj te kunnen, met wat voor bedoelingen ook. Zeker, we weten meer dan in het begin, maar wat is die wetenschap waard?

GOUVERNEUR: Mag ik u iets vragen, iets wat me al vanaf het begin bezighoudt: Kan een mens volgens u maandenlang doen alsof hij een gelovige is, houdt hij dat vol?

KADI: De robijn en de koraal hebben dezelfde kleur. Een ketting van beide stenen door elkaar bestaat ogenschijnlijk volledig uit edelstenen.

GOUVERNEUR: Er moet een manier zijn om ze van elkaar te onderscheiden.

KADI: Ik zou ze kunnen herkennen aan de tint. Maar dan zou ik ze wel nauwkeurig moeten bekijken, van heel dichtbij.

GOUVERNEUR: Met een loep?

KADI: Het liefst met een loep.

SHARIF: De christen is de koraal?

KADI: Nee, de ongelovige.

SHARIF: Dat bedoel ik.

KADI: Een groot verschil. Ik denk dat deze man buiten het geloof staat. Niet alleen buiten ons geloof. Dat stelt hem in staat te gaan waarheen zijn wil hem drijft. Zonder wroeging. Hij kan zich van het geloof van anderen bedienen, hij kan aannemen en verwerpen, oppakken en wegleggen zoals hij wenst, alsof hij over een markt loopt. Alsof de muren die ons omgeven, weggevallen zijn, en je op een eindeloze vlakte staat die uitzicht biedt naar alle kanten. En omdat hij overal en nergens in gelooft, kan hij in ieder geval op het oog, maar niet qua hardheid, in die edelsteen veranderen.

GOUVERNEUR: Dat klinkt bijna alsof u hem benijdt?

Sjachertijd. Mannen rond elke dromedaris. Vlakke, uitgestrekte handen. De schaduwen samengedrukt, alsof ze in de koffers moeten passen. Gespannen touwen. Ze zijn in het Heilig Land aangekomen. Gestalten in het wit en gestalten in het zwart. Rechtop, gehurkt. Ze slurpen thee tussen de afdrukken in het zand, van hoeven, van geduld. De ongemarkeerde toegang tot de woestijn. Zijn gezwollen teen een hinderlijke pijn die hij moet negeren. Een jongen die hem zoete lekkernijen aanbiedt. Mohammed, die zijn nut bewijst. Sinds zonsopgang volharden ze in een waakzaam nietsdoen. Wisselen nieuwtjes uit. Praten en praten. De transactie die wordt voorbereid komt terloops ter sprake. Toevallig als het ware. Balletjes worden opgegooid, eerste voorstellen op het zand gelegd. De jongen biedt nogmaals zijn bruine, korstige lekkernijen aan. Ze worden het eens over drie dromedarissen tegen een forse prijs. Die veedrijvers zijn allemaal dieven en rovers, fluistert Mohammed tegen hem. De dromedarissen luisteren alleen naar hen, ze aanvaarden geen andere meester. Weer die jongen met de lekkernijen. Hij koopt er drie en betaalt royaal. De jongen grijnst, alsof hij wil zeggen: ik wist wel dat je uiteindelijk overstag zou gaan. Het tijdstip van vertrek wordt afgesproken, het afscheid uit beleefdheid gerekt. De dag daarop zijn ze weer onderweg.

۞ ۞ ۞ ۞ ۞ ۞

Het trok de aandacht wanneer hij iets op papier zette. Als hij argwaan wilde voorkomen mocht hij zich niet met een pen in zijn hand laten betrappen. Hij moest zich terugtrekken om te schrijven. Geen probleem in Caïro, maar onderweg kreeg hij er zelden de kans voor. Schrijven in het bijzijn van anderen, vooral van bedoeïenen, kon eigenlijk alleen als hij deed alsof hij een horoscoop of toverformule opstelde, vaardigheden die van een derwisj werden verwacht.

284

Aanvankelijk had hij zijn aantekeningen, de onschuldige en de geheime, weliswaar in het Engels verwoord, maar genoteerd in Arabisch schrift. Voor hij zijn indrukken opschreef, verzekerde hij zich ervan dat hij door niemand werd gadegeslagen. Mettertijd begon hij, overtuigd van het aanzien dat hij genoot en vanuit het gevoel dat hij boven elke verdenking was verheven, die voorzorgsmaatregel te veronachtzamen. Zijn schrift werd Latijns en soms noteerde hij iets bij daglicht, onopvallend op de rug van de dromedaris, op een strook papier die hij in zijn hand verborgen hield. Wat schrijft u daar, sjeik, midden in de woestijn? Hamid had hem met zijn dromedaris stiekem van achteren benaderd. Ach, vriend, ik leg nog een schuld vast. Opdat we op de dag van de terugbetaling niet in verlegenheid geraken. Een man als u, zei Hamid, voor hij zich weer verwijderde, weet overal vruchten van te plukken.

Op reizen zoals deze was iedereen vaak alleen met zichzelf en zijn dromedaris, dat norse, eigengereide dier dat maar één vriendelijke geste kende: af en toe een scheet. Sjeik Abdoellah lag van meet af aan overhoop met zijn dromedaris, die zijn reputatie van geduldig schepsel geen eer aandeed. Het beest was boosaardig, onhandelbaar en soms zelfs gevaarlijk. Hij wantrouwde alles wat hij niet kende, en de geluiden die hij uitstiet, of het nu een snuivend gesteun of een deels verongelijkt, deels droevig blaten was, waren onverdraaglijk. Hij klaagde over iedere kilo die hij op zijn rug kreeg. De eerste avond liet sjeik Abdoellah zich een paar denigrerende opmerkingen over het rijdier ontvallen tegenover de dierendrijver. U kunt toch goed met mensen omgaan, sjeik, antwoordde de man, dromedarissen zijn niet anders dan mensen. Als ze jong zijn, weten ze niet hoe ze zich moeten gedragen. Als volwassenen zijn ze gewelddadig en oncontroleerbaar. In de bronsttijd ruikt het mannetje een gewillig wijfje van tien kilometer afstand, dan wordt hij bokkig en trilt zijn tong. En op hun oude dag worden ze knorrig, kijfziek en wraaklustig.

Er klonken schoten – het dal dat ze doorkruisten, was geschapen voor een overval vanuit een hinderlaag. Bedoeïenen, de rotzakken! Mohammed dook weg, sjeik Abdoellah beantwoordde het vuur. Nee! De dierendrijver schreeuwde tegen hem. Als we een van die bandieten doden, keert de hele stam zich tegen ons en vallen ze de karavaan aan voor we in Medina zijn. Dat zou voor ons allemaal het einde betekenen. De anderen schieten toch ook, zei de sjeik. Alleen in de lucht, alleen in de lucht, zodat de rook ons een beetje dekking geeft. Ellendig land, de gerechtigheid staat er op haar kop. En de sjeik laadde bij en bleef schieten, zonder te mikken. Kort daarna stierven de schoten weg. Ze bereikten Shuhada, de plaats van de martelaren. Er ontbraken een paar dromedarissen en enkele lastdieren. Wat een magere buit! En daarvoor waren twaalf mensenlevens verspild, twaalf mannen, die snel moesten worden begraven eer ze hun weg konden vervolgen.

∽∾∽∾∽∾∽∾∽

Zolang de karavaan in beweging was, hoefde hij niet op zijn bagage te letten, want de drijvers van de dieren namen dan alle verantwoordelijkheid op zich. Maar 's nachts in het kamp moest iedereen zelf op zijn spullen passen, en de eerste, achterbakse aanvallen op andermans bezit lieten niet lang op zich wachten. De schuldigen waren de drijvers zelf, bewakers overdag, dieven 's nachts. De driedubbel overgehaalde ezelskoppen! – Mohammed stond erop als eerste de wacht te nemen – labbekakken, ach, dat hun handen mochten afsterven, hun vingers verlamd raken. Mohammed hield zich wakker met gevloek en getier. Stelletje helden, jullie, met je rottende snorren, het laagste van het laagste zijn jullie, de laagste Arabieren die ooit een tentharing in de grond hebben geslagen. Jullie boren in de mijnen van de ploertigheid, dat doen jullie! 's Ochtends vroeg wierpen de drijvers hem nijdige blikken toe en ze mompelden: Bij God! Bij God! En nog

286

eens bij God! Jongen, als wij jou alleen in de woestijn te pakken krijgen, ranselen we je af als een hond. Zolang de zon scheen, lette Mohammed goed op dat zijn dromedaris niet wegglipte uit de schaduw van de dieren van sjeik Abdoellah en van Saad, de duivel.

De tweede avond was het de beurt van sjeik Abdoellah om de wacht te houden. Hij maakte zijn verband los. De pijn aan zijn voet was zo erg dat hij de ontsteking in het vuur wilde houden. Misschien zou een nat verband, in theebladeren gedrenkt, verlichting brengen. Hij moest wat afleiding zoeken, desnoods door de sterren te benoemen, eerst de Latijnse namen, dan de Engelse. Weldra zouden ze het fabelachtige Medina bereiken. Toevluchtsoord, verdedigd door bakerpraatjes, monsters, amazones met geitenhoeven en cyclopen, die in hun bezetenheid zo veel geologische verschuivingen hadden teweeggebracht. Was hij eenmaal in Medina, de thuishaven – zoals iedereen wist – van alle zachtaardige en vriendelijke mensen, dan zou hij met eigen ogen zien of de doodkist van de profeet boven de aarde zweefde. In de karmozijnrode *hamail* die hadji Ali hem had geschonken, bewaarde hij in plaats van een kleine koran een horloge en een kompas, een zakmes en een paar potloden. Wie zo was uitgerust, hoefde niet bang te zijn voor monsters, hooguit voor mensen. Hij liep wat rond om zijn benen te strekken. Toen hij weer ging zitten, schoot de pijn door zijn hele been.

Saad was opgestaan. Ook hij sliep slecht. Als ik al mijn taken heb vervuld, placht hij te zeggen, zal ik uitslapen. Hij zette thee en hurkte naast sjeik Abdoellah. Twee zinnen volstonden als commentaar bij deze gebeurtenisloze nacht. Verheugde hij zich niet heel erg op zijn thuiskomst, op het weerzien met zijn dierbaren? vroeg sjeik Abdoellah. Ik verheug me, ik verheug me zeer, maar die blijdschap is van voorbijgaande aard. Waarom zo somber, Saad? Ik ben gelukkig, een paar weken, dan word ik onrustig, ik verbeeld me dat het werk roept, en voel de drang om te vertrekken. Dat ken ik, zei sjeik Abdoellah, dat geluksgevoel als je onderweg bent. Ja, onderweg zijn, daar kan niets tegenop. Ondanks alle beslommeringen is dat het wat mijn hart sneller doet kloppen. Wij zijn ruiters tussen pleisterplaatsen, het is ons lot om aan te komen en weer te vertrekken. En onze lange verwachtingen, voegde de sjeik eraan toe, spannen zich over ons korte leven. Morgen zal ik, als God de Grote en Glorierijke het zo bepaalt, thuis zijn, maar jij, sjeik, jij hebt nog een lange weg voor je. Ik benijd je. Het is nog vroeg, wil je niet even gaan liggen, ik neem de wacht wel over.

Sjeik Abdoellah sluimerde in, denkend aan de groene koepel. Bij het wakker worden merkte hij dat er al een vertreksfeer heerste. Hij opende zijn ogen en betrapte Mohammed met zijn karmozijnrode hamail in de handen. Hij had hem nog niet opengemaakt. Mohammed voelde de blik die op hem rustte en draaide langzaam zijn hoofd om. Ze staarden elkaar aan. Mohammed begon met een betrapt gezicht een verklaring te stamelen. Ik kon vanochtend bij het gebed mijn exemplaar van het heilige boek niet vinden en ik was niet zeker van een bepaalde strofe. Welke soera dan, jonge vriend, misschien kan ik je helpen? De soera over het bedrog. De vierenzestigste soera, bedoel je? Tel jij de soera's dan? Dat is bij ons in India gebruikelijk – wij houden van cijfers, we hebben ze tenslotte ook uitgevonden. Echt waar? Welke strofe kun je je niet meer herinneren? *Ten dage dat Hij u zal vergaderen voor de dag der vergadering, dat is de dag van het bedrog,* staat er in het begin. Je wilt weten hoe het verdergaat? Nee, dat weet ik wel, maar de strofe die daarna komt, die weet ik niet meer precies, die wilde ik opzoeken, neem me niet kwalijk dat ik u niet om toestemming heb gevraagd, u sliep nog. Niet nodig, Mohammed, het siert je dat je je geheugenstoornis meteen wilde verhelpen. Ik zal je zeggen hoe de strofe luidt die je niet meer te binnen schiet. Beter uit de mond van een vriend dan van papier, nietwaar? *Maar zij die ongelovig zijn en Onze tekenen voor leugen verklaren diegenen zijn de lieden van het Vuur, eeuwig-levend daarin. En een kwade gang is dat.* Juist ja,

God zal u lonen, hoe kon ik die woorden vergeten? Treur niet. Je bent heel gewetensvol. Als je me nu alsjeblieft mijn hamail wilt geven. We moeten ons boeltje bijeenpakken. De karavaan vertrekt zo.

❦❦❦❦❦❦

In de maand djoemada al-akhira van het jaar 1273
Moge God ons zijn gunst en genade laten ondervinden

GOUVERNEUR: Misschien spioneerde hij voor een andere mogendheid?

SHARIF: U hecht te veel waarde aan vermoedens.

GOUVERNEUR: Hoe komt het dan dat hem in zijn eigen land zo weinig eer is bewezen? Waarom had hij na de hadj geen haast om naar huis terug te keren, maar bleef hij, zoals u weet, nog maanden in Caïro?

SHARIF: Voor wie zou hij dan gewerkt moeten hebben?

GOUVERNEUR: Voor de Fransen.

SHARIF: U bedoelt dat de Britten uit wraak het gerucht in de wereld hebben gebracht dat hij een christen was.

KADI: Wat heel goed waar kan zijn.

SHARIF: Of een leugen, om een dubbelspion te compromitteren.

GOUVERNEUR: Hij heeft zich lang genoeg in deze streek opgehouden om plannen te kunnen smeden voor het verzwakken van onze positie in de Hidjaaz.

KADI: Welk belang zouden de Fransen daarbij hebben?

GOUVERNEUR: Moet ik dat echt uitleggen? De sharifs van Mekka zijn meesters in de wisselende allianties. Ze spelen Caïro en Istanbul tegen elkaar uit, ze zoeken overal bondgenoten, zelfs in Jemen. Waarom zouden de Fransen niet met de sharif samenspannen om Saoed tegen de sultan en de sultan tegen de Britten uit te spelen? Dan zou de sharif tot slot weer alleen regeren over Mekka, God moge haar verheffen, getolereerd en gesteund door zijn nieuwe vrienden, de Fransen.

SHARIF: U insinueert dat ik verraad pleeg? Dat neem ik niet. Ik verzeker u dat mijn trouw boven elke twijfel is verheven.

KADI: U zou een voorbeeld moeten nemen aan uw vader. Ze zeggen dat hij een trotse man was. Niet iemand die zomaar met iedereen aanpapte. Zoals het hoort voor iemand die het heilige der heiligen onder zijn hoede heeft.

SHARIF: Hij was een held, een verdediger van het geloof. Ik ben me heel goed bewust van mijn plicht.

GOUVERNEUR: Over welke van de vele plichten die uw geslacht zichzelf oplegt, heeft u het? Over de plicht van de politieke doelmatigheid? Denkt u dat wij niet hebben gemerkt hoe nauw u bevriend bent met de Franse consul in Djidda? Heeft hij u gevleid, heeft hij u wijsgemaakt dat u in de toekomst een belangrijkere politieke rol kunt spelen?

SHARIF: Onze beleefdheid, de beleefdheid van de Qitada's, is van oudsher beroemd, en ze heeft voor niemand ooit een uitzondering gemaakt, ook niet voor een vreemdeling of een ongelovige. Wij behandelen iedereen met hetzelfde respect waarmee wij een broeder behandelen. Dat leidt kennelijk tot betreurenswaardige misverstanden

GOUVERNEUR: Uiterst betreurenswaardig.

SHARIF: Die Burton, waarom maken we zo'n mysterie van hem? Misschien was hij alleen maar nieuwsgierig, begrijpt u wel, als iemand jarenlang in onze landen leeft en telkens weer hadji's tegenkomt en over de hadj hoort praten, dan kan het toch best zijn dat hij zelf naar die wonderbaarlijke gebeurtenis gaat verlangen en de heilige plaatsen graag met eigen ogen wil zien.

KADI: God de Almachtige heeft alle mensen geschapen en dus kan ieder mens zich aangetrokken voelen tot Mekka, moge God haar verheffen.

GOUVERNEUR: Ik geef het op. Jullie, zonen van Mekka, jullie

zijn grote aanhangers van het goede nieuws dat jullie zelf in de wereld brengen.

SHARIF: En jullie, Turken, jullie zoeken onder elke steen een schorpioen.

◈◈◈◈◈◈◈

Onrust maakt zich meester van zijn metgezellen. Zaten ze eerst nog roerloos op hun beesten, met hen versmolten in volharding, nu rekken ze hun hals naar het oosten en drijven ze hun dromedarissen in de richting van de zon, die in de verte opkomt boven een vertrouwde heuvelrug. Saad spreekt hem aan, uit zichzelf, voor het eerst. Zijn kleine tuin, de kostelijkste dadels – zijn vingers sluiten zich om een denkbeeldige vrucht –, hij zal ze hem zelf serveren, het lekkerste wat hij ooit in zijn leven heeft geproefd. Het idee van een palmboom komt in dit lavameer over als een grove leugen. Niets duidt nog op de bloeiende tuin van de islam, die zich weldra aan zijn oog zal vertonen. Behalve de onrust van zijn metgezellen. Er is een schok door de karavaan gegaan, het tempo neemt toe, de stemmen klinken luider. Enkele ruiters stormen zorgeloos naar voren, zo dicht bij het doel hoeven ze geen overvallen te vrezen. Een lichte stijging door een droge wadi, dan zwarte, uit basalt gehouwen traptreden die naar de plaats van een doorbraak leiden. Dat is Shuab el Hadj – Omar passeert hem op een steil stuk – direct zult u datgene zien, sjeik, waarnaar u al die tijd hebt verlangd. Direct zult u de woestijn liefhebben, en met de woestijn de hele wereld.

De reizigers blijven op de pas staan, ze springen van hun dromedarissen. Hij ziet knielende gestaltes, hij hoort geschreeuw, boven de kam wappert een vlag van euforie, in purper en goud. Hij sluit zich bij de voorste rijen aan. Voor hem een langgerekte, stenen tafel, rijkelijk gedekt met tuinen en huizen, met fris groen en dadelpalmen. Aan zijn linkerhand een grijze rotsmassa, opgehoopt, lijkt het wel, door een reusachtige lawine. Om hem heen jubelkreten, de profeet wordt geprezen zoals nooit eerder een mens is geprezen. Eeuwig moge hij leven, zolang de westenwind zachtjes over de heuvels van Nidj waait en de bliksem het firmament van de Hidjaaz helder verlicht. Zelfs de zonnestralen, verzacht door de dauw, huldigen hem. En hoewel hij na nog eens kijken, wat preciezer nu, weinig bijzonders aan het uitzicht kan ontdekken – de huizen zijn gewone huizen, de palmbomen gewone palmbomen – wil hij deelhebben aan de extase. Niet wat openlijk zichtbaar is, ontroert de mensen, maar de tekenen die ieder van hen met zijn innerlijk oog waarneemt; ze zien geen onooglijk stadje, geen kleine oase midden in de woestijn, ze zien niet al-Madinah – de stad –, ze zien de grootsheid van het geloof, de bron, de oorsprong. En ook hij kijkt omlaag naar de Roemrijke, en ook zijn kreten klinken tussen de rotsen, en hoewel hij anders dan menig pelgrim niet huilt, omhelst hij Saad innig, zinkt hij in de armen van die reusachtige man, en mompelt hij oprechte woorden van dankbaarheid. Het grootste geluk op aarde, zegt Saad, het grootste geluk op aarde. Minutenlang blijft hij op de kam staan, één met de anderen, opgenomen in de plechtige broederschap die de aanblik van Medina teweegbrengt, en als iemand hem nu zou vragen waar hij bij hoorde, zou hij een hartstochtelijke geloofsbelijdenis afleggen. Zonder enig voorbehoud. Pas vele minuten later schiet de gedachte door zijn hoofd: wacht even, je hoort er niet bij. Waarom jubel je? Natuurlijk hoor ik erbij. Je moet observeren. Ik wil meedoen. De reizigers trekken verder, de kronkelige weg af, en zijn ogen beginnen door de betovering heen te dringen, ze glijden over het stadje, ontleden het, en hij prent alles in zijn geheugen, de topografie, de muur, het hoofdgebouw, de rechthoekige poort, de Bab Ambari waardoor ze Medina zullen binnengaan, en als hij zijn scherpe beschouwing even onderbreekt, stelt hij vast dat zijn jubelstemming is verdwenen.

e/x/x/x/x/x/x/s

Veel inwoners van Medina waren naar buiten gekomen om de karavaan te verwelkomen. De meeste reizigers gingen te voet, zo konden ze familie en vrienden begroeten, omhelzen, kussen. Niemand maakte een geheim van zijn blijdschap. Het was niet het moment voor zelfbeheersing. De thuisblijvers bekogelden de thuiskomers met vragen. Antwoorden werden nog niet verwacht. Ze reden samen, als groep, en werden telkens weer uit elkaar gerukt. Hamid al-Samman was niet bij hen. Hij was vooruitgereden, om te genieten van het weerzien met zijn vrouw en kinderen zonder dat er anderen bij waren, en om het huis voor het bezoek in gereedheid te brengen. Hij had zijn zin gekregen, na lange avonden van overleg waarop telkens weer ruzies waren opgeflakkerd. Sjeik Abdoellah zou zijn gast zijn. Omar had gewezen op de dankbaarheid die zijn vader de genereuze helper van zijn zoon ongetwijfeld zou willen betonen. Saad was hem bijgevallen en had eraan toegevoegd dat zijn bescheiden domicilie de sjeik ook ter beschikking stond, als tweede huis, wanneer hij zich eens helemaal wilde terugtrekken. Hamid wilde er allemaal niets van weten, eiste het recht om de sjeik te huisvesten voor zichzelf op en liet zich daar niet van afbrengen. Ze passeerden de Bab Ambari en reden door een brede, stoffige straat. Omar en Saad namen sjeik Abdoellah tussen zich in. Ze gingen ervan uit dat hij de naam van elk hoekje in Medina wilde horen. De Al-Ambariyah-wijk in het stadsdeel Manakhah. De brug over de Al-Sayh-beek. Het open Barr al-Manakhahplein. Rechtdoor de Bab al-Misri, de Egyptische poort, maar rechtsaf, een paar passen nog maar, het huis van Hamid al-Samman. De dromedarissen knielden en de reizigers sloegen het stof uit hun kleren, toen er een man uit het huis kwam, een elegante heer die ze nauwelijks herkenden. Hamid had zich geschoren, zijn haar gekamd, de twee uiteinden van zijn snor opgedraaid tot komma's en zijn sik aangescherpt tot een uitroepteken. Hij had een mousselinen tulband opgezet en was gekleed in verschillende lagen zijde en katoen. De lichte, leren slippers om zijn voeten staken in stevige pantoffels, die qua kleur en snit de nieuwste mode uit Istanbul volgden. Hij leek een ander mens. En de tabakszak die aan zijn riem hing, was niet alleen met goud versierd, maar zat ook propvol. Het leed geen twijfel dat Hamid al-Samman, op reis een haveloze bedelaar, in zijn eigen huis een trotse gebieder was. Ook zijn manieren hadden een gedaanteverwisseling ondergaan. Het vulgaire, luidruchtige had plaatsgemaakt voor ingetogen hoffelijkheid. Hij nam zijn gast bij de hand en leidde hem naar de ontvangkamer. De pijpen waren gevuld, de divans geïnstalleerd, de koffie pruttelde op een kolenpan. Nauwelijks had sjeik Abdoellah plaatsgenomen en waren hem koffie en een pijp aangeboden, of de eerste vriend van de familie maakte reeds zijn opwachting. Hamid scheen een geliefd man te zijn. Een stroom van bezoekers trok door zijn huis, en allemaal wilden ze graag een praatje maken met de sjeik uit Hindoestan. De gesprekken waren vast de hele dag doorgegaan als sjeik Abdoellah niet zijn toevlucht tot tactloosheid had genomen en op een gegeven moment nadrukkelijk had verklaard dat hij honger had en moe was, zodat zijn gastheer zich gedwongen zag de bezoekers weg te sturen, een bed klaar te maken en de ruimte te verduisteren. Eindelijk, dacht sjeik Abdoellah, een zacht bed, eindelijk alleen. Even later hoorde hij in de verte vrouwelijke uitroepen van enthousiasme. Zijn lompe gedrag was zijn gastheer misschien helemaal niet zo slecht uitgekomen; nu had hij eindelijk tijd om zijn kisten open te maken en de meegebrachte geschenken uit te delen.

❧✦✦✦✦✦☙

Hij is uitgerust, hij heeft zich opgefrist en hij heeft gegeten. Er is geen reden meer om het bezoek aan de Moskee van de Profeet nog langer uit te stellen. Het is nacht en 's nachts is ze – volgens Hamid – het mooist. Hij is nog maar net het huis uit of hij wordt al opgenomen in een groepje, dat de Moskee van de Profeet uiteindelijk bereikt te midden van een dichte massa. Er wordt opgeroepen tot het avondgebed. Het haasten houdt op; het gewoel vindt de weg naar de enige opening waardoor het een ander rijk kan betreden. Iedere pelgrim vindt een plekje en zoekt de juiste houding ten opzichte van zijn broeders om zich heen. Eigenlijk is het niets voor hem om vrijwillig deel uit te maken van zo'n groep. Bij het gebed is dat anders. Alleen al daarom voelt hij zich geen bedrieger. Nauwelijks hebben de pelgrims rijen gevormd, hun voeten in een rechte lijn, of de gedempte veelstemmigheid maakt plaats voor een stilte waarin de aarde even lijkt te stagneren, tot ze door de eenzame stem van de imam in een andere baan wordt geduwd. Zijn langgerekte gezang stijgt op uit de stilte en opent boven hun hoofden het gebed. Voordat sjeik Abdoellah zijn voorhoofd naar de grond buigt, valt zijn blik op de zolen van een onbekende, geen handbreed voor hem. Iedereen buigt voor God, maar doet dat recht achter de ruwe, opengebarsten zolen van zijn medemensen.

୧ஃ୬ஃ୬ஃ୬ஃ୬ஃ୬ஃ୬ஃୀ

In de maand radjab van het jaar 1273
Moge God ons zijn gunst en genade laten ondervinden

HAMID: Ieder van hen had die man als gast willen ontvangen. Ieder van hen had hem in huis willen nemen. Hij werd door iedereen gewaardeerd. Zelfs mijn moeder, wier oordeel zelden gunstig uitvalt, prees zijn fijngevoeligheid.

KADI: Wat is gemakkelijker dan een vrouw te bedriegen.

HAMID: Niet bij mij thuis. Mijn moeder ruikt het als iemand liegt. Ze zegt dat leugens stinken als oude melk. Als u twijfelt aan wat ik u vertel, zal ik u nog een voorbeeld geven, dat zal u overtuigen. In Medina hoorden we dat sjeik Abdoellah het ware geloof met zijn zwaard heeft verdedigd. In zijn eigen land.

Tijdens het gevecht heeft hij zelfs een paar *Ajami's* gedood. Daarom meed hij de omgang met hen. Hij wilde niet het gevaar lopen dat ze wraak zouden nemen.

GOUVERNEUR: Hoe hebt u dat dan gehoord?

HAMID: Iedereen die hem kende, wist het.

GOUVERNEUR: Zo'n verhaal kon alleen van hem zelf komen, of niet soms?

HAMID: U hebt gelijk. Niemand kende hem uit Hindoestan. Maar zelf heb ik het niet van hem gehoord. Bovendien was hij de bescheidenheid zelve, geen man die over zoiets zou gaan lopen opscheppen.

SHARIF: Wat maakte dat u dit verhaal geloofde?

HAMID: Hij was een krijgsman als de situatie erom vroeg. Bovendien hebben wij, toen we hoorden van zijn heldendaden, allemaal aangeboden hem terzijde te staan, mocht hij worden aangevallen, en hij nam ons aanbod dankbaar aan. Zou hij zo veel vreugde en opluchting hebben getoond als hij niets te vrezen had? Nee! U hebt hem niet gekend. Hij was een rots van een man en hij wist wat vechten was. God zij gedankt dat hij onze vriend was.

KADI: U dankt God voor uw eigen lichtgelovigheid.

SHARIF: We moeten niet te snel oordelen, heus, we hebben die man nooit ontmoet, we kunnen niet weten welke indruk hij op zijn begeleiders heeft gemaakt. Misschien was het zijn uitstraling?

HAMID: Het licht van het geloof, ik zei het u al, niets anders.

GOUVERNEUR: U kunt dat niet weten, want u hebt zijn boek niet gelezen, maar deze Britse officier oordeelt veel en graag, soms oordeelt hij weloverwogen en soms met onbeheerste afkeer. Ik weet niet of u in die oordelen uw vriend zou herkennen. Hij schrijft ergens dat de dag zal komen waarop politieke noodzaak de Britten zal dwingen de bron van de islam met geweld te bezetten. Ons interesseert vooral een van zijn opvattingen die hij in het hoofdstuk over Medina naar voren brengt. Een verbazingwekkende opvatting, ik lees u voor wat hij schrijft: 'Er is geen profetische gave nodig om de dag te voorzien waarop de Wahhabieten in een massaopstand het land van zijn zwakke veroveraars zullen bevrijden.' Dat schrijft die sjeik Abdoellah van u. Deelt u mijn ontzetting hierover? Kunt u verklaren hoe hij tot die conclusie is gekomen in de periode waarin hij uw gastvrijheid genoot?

HAMID: Ik weet het niet. Ik heb mij nooit in die zin uitgelaten, ik niet en zeker ook niemand van mijn familie.

SHARIF: Wat deed hij eigenlijk in Medina?

HAMID: Hetzelfde als iedere pelgrim. Hij verrichtte zijn gebeden in de Moskee van de Profeet, moge God hem vrede en zegen schenken. En hij bezocht de heilige plaatsen: de moskee van Kuba, Jannat al-Baqi, de begraafplaats, het graf van de martelaar Hamzah.

GOUVERNEUR: Met wie hebt u hem in contact gebracht?

HAMID: Niet met een bepaald iemand. Ik ben een vooraanstaand man, velen kennen me in Medina, velen zoeken me op als ik terugkom van een lange reis.

GOUVERNEUR: Had hij de gelegenheid om met iedereen te praten?

HAMID: Hij was mijn gast, hij zat in de ontvangkamer, hij was een innemende, een knappe man.

GOUVERNEUR: Waar gingen de gesprekken over?

HAMID: Als mijn geheugen me niet bedriegt, het is langgeleden, was de oorlog net uitgebroken. We waren het er allemaal over eens dat ons leger de Moskovieten snel zou verslaan. Er gingen zelfs stemmen op die voorstelden daarna meteen op te treden tegen alle afgodsaanbidders, tegen de Engelsen, de Fransen en de Grieken.

GOUVERNEUR: En Burton?

HAMID: U bedoelt sjeik Abdoellah?

GOUVERNEUR: Een en dezelfde.

HAMID: Ik ken geen Burton.

GOUVERNEUR: Sjeik Abdoellah dan, als u dat zo graag wilt!

HAMID: Hij sprak het verstandigst van allemaal. Hij zei dat geen religie zich kon meten met ons geloof, maar dat de Farandjah helaas krachtige wapens hadden ontwikkeld ter compensatie van hun zwakke geloof, en dat wij alleen als overwinnaars uit de strijd konden komen als we zo veel mogelijk over die wapens leerden, ervoor zorgden dat we ze in bezit kregen en ze op een dag zelf vervaardigden. Dan zouden we – sterk in het geloof en uitstekend toegerust – onoverwinnelijk zijn.

KADI: Gelooft u dat God aan de kant staat van de partij met de beste wapens?

HAMID: U weet beter dan ik aan wiens kant God staat.

SHARIF: Aan de kant van alle rechtschapenen natuurlijk, en wij doen ons best, nietwaar, wij doen ons best. Maar zegt u mij, tijdens de dagen die hij in uw huis doorbracht, was hij vaak alleen. Ging hij ook weleens weg zonder dat u wist waarheen?

HAMID: Nooit. Dat weet ik heel zeker. Mohammed, die jongen uit Mekka, week geen moment van zijn zijde, hem heb ik ook in huis genomen, hoewel ik het gevoel had dat sjeik Abdoellah hem liever kwijt was dan rijk.

GOUVERNEUR: Hoezo?

HAMID: Hij nam aanstoot aan de slechte manieren van die kerel.

KADI: Slechte manieren?

HAMID: U zou verbaasd zijn als u wist wat hij zich allemaal permitteerde. Hij was vrijpostig en trok zich van niemand iets aan. Hij verwaarloosde de ceremoniën, hij schrok er niet voor terug zonder zijn *jubbah* de Moskee van de Profeet te betreden en bij het gebed heeft hij me een keer van opzij aangestoten. Ik heb hem natuurlijk genegeerd.

SHARIF: Een beetje overmoedig, zoals hij nog steeds is, het past bij zijn leeftijd.

HAMID: Hij verbeeldde zich heel wat omdat hij uit Mekka afkomstig was.

SHARIF: Dat moeten we hem maar niet kwalijk nemen. Maar

vertelt u eens wat er is gebeurd met de leningen die deze sjeik jullie allemaal zo bereidwillig had verschaft?

HAMID: Hij was heel gul, ik zei het al, zijn vrijgevigheid was uitzonderlijk. Bij het afscheid, dat pijn deed alsof we met messen werden gestoken, verklaarde hij dat hij ons al onze schulden kwijtschold, om onze vriendschap nogmaals te eren en opdat we goede herinneringen aan hem zouden bewaren.

GOUVERNEUR: Eén vraag hebt u nog altijd niet beantwoord. Hoe kwam sjeik Abdoellah op het idee dat de Wahhabieten spoedig een eind zullen maken aan onze heerschappij over de Hidjaaz? Daar moeten toch waarnemingen of gesprekken aan ten grondslag liggen.

HAMID: U kunt uw vraag herhalen zo vaak u wilt, ik zal u geen antwoord kunnen geven. Ik weet het niet!

GOUVERNEUR: Wordt er op de bazaar van Medina zo gepraat?

HAMID: Niet dat ik weet.

GOUVERNEUR: Hebt u vrienden of kennissen …?

HAMID: Het kan best zijn dat een van de bezoekers in mijn huis zo'n mening heeft geuit. In mijn afwezigheid. Er bestaan zo veel verschillende meningen in Medina, niemand kan die allemaal onthouden.

SHARIF: Maar zeg ons, wij zijn elkaar, dacht ik, vriendschappelijk gezind, zijn er veel die de situatie zo inschatten?

KADI: U kunt eerlijk zijn, u hebt zichzelf niets te verwijten.

GOUVERNEUR: U staat niet onder verdenking.

HAMID: Nou, als ik eerlijk moet zijn – de Turken zijn in onze stad nooit erg geliefd geweest. Maar vroeger werden ze tenminste nog gerespecteerd.

〰〰〰〰〰〰

Doodmoe is sjeik Abdoellah naar bed gegaan. Niet uitgeput, eerder oververzadigd. Hij heeft zijn gastheer verzocht hem de volgende ochtend niet te wekken.

Het lawaai waarvan hij wakker wordt, kan niet uit het stadje komen dat hij de dag ervoor heeft leren kennen. Onwillig opent hij zijn ogen; loom kijkt hij door de houten jaloezieën. Heeft Bagdad hier vannacht zijn intrek genomen, of Istanbul of Caïro? Het aangrenzende plein, gisteren nog een stoffige, gapende leegte, is dicht bezet met tenten, vrachten, mensen en dieren – alsof het met een bonte kelim is bedekt. De tenten staan in rijen, even ordelijk als pelgrims bij het gebed, lange rijen zodat het verkeer ertussendoor kan, en dicht op elkaar op de hoeken, waar geen doorgang nodig is. Uit ronde tenten komen ontspannen mannen, kinderen stuiven tussen rechthoekige tenten door, lasten worden verplaatst op onzichtbare ruggen. Rondlopende verkopers bieden sorbets en tabak aan, waterdragers en fruitverkopers vechten om klanten. Schapen en geiten worden tussen rijen briesende, stof loswoelende paarden door gedreven, langs dromedarissen die pas op de plaats maken. Een groep oude sjeiks neemt met een krijgsdans de laatste nog open plek in beslag. Sommigen van hen schieten hun geweren leeg in de lucht of ze schieten in de grond, gevaarlijk dicht bij de voeten van anderen die met hun zwaarden zwaaien of hun met struisveren versierde speren in de lucht werpen, zonder erop te letten waar ze neerkomen. Het rankwerk verschuift voortdurend terwijl hij voor het raam staat en een schets van het schouwspel probeert te maken. Bedienden zoeken hun meester, meesters zoeken hun tent. Voor welgestelden wordt een weg door de dichte menigte gebaand, door troepen die hun waarschuwingskreten laten volgen door klappen. Vrouwen gaan tekeer omdat er tegen hun draagstoelen wordt gestoten. Zwaarden flikkeren in het zonlicht, in de tenten klinken de klokken van messing. Vanuit de citadel davert een kanonschot. Afgelopen nacht is de grote karavaan uit Damascus aangekomen.

℀᠁᠁᠁᠁᠁᠁᠁᠁᠁᠁᠁

De een na de ander sloten ze zich aan bij de rit naar de martelaren. Eerst zou Hamid met een paar familieleden sjeik Abdoellah vergezellen, maar Mohammed liet zich niet afschepen, Salih verveelde zich op het platteland, Omar wilde graag nog een keer het gezelschap van sjeik Abdoellah genieten, en dus had ook Saad een goede reden om mee te gaan. Het zou hun laatste gemeenschappelijke rit zijn. De volgende dag, dat wisten ze, zou de karavaan naar Mekka vertrekken, en de vreemde sjeik zou meegaan. Langs sluipwegen verlieten ze de stad om de tentakels van de karavaan te ontwijken. Naar de Jabal Uhud. Naar de voet van de berg. Waar de grote veldslag werd verloren. Hamid reed met zijn familieleden voor hen uit, ze hadden nog iets in te halen. Wanneer is je bruiloft, Omar? vroeg sjeik Abdoellah. Ik heb mijn vader de gedachte uit het hoofd gepraat. Hij heeft ingezien, voegde Saad eraan toe, dat Al-Azhar een gunstige uitwerking heeft op zijn ongedurige zoon en hij heeft besloten hem terug naar Caïro te sturen. Maar dan niet als bedelstudent. Waarom kom je niet naar Mekka als je wilt leren, zei Mohammed. Dat is niet ver genoeg van de boze buien van zijn vader. Lachend naderden ze het slagveld. Achter hen de stad in een nevel van stof, van deze afstand leek het een vesting. Je moest wel heel hoogmoedig zijn om haar te verlaten en de strijd te zoeken in het open veld, zeker als je in de minderheid was. Een van de dromedarissen loeide en krabde met zijn hoeven. Hamid en de zijnen waren blijven staan.

Hier, exact hier, en hij wees opgewonden naar een paar onopvallende stenen, vond het verraad plaats. Hoe weet je dat? Mijn grootvader heeft me deze plek laten zien. En hoe wist hij het? Dat heb ik hem ook gevraagd. Zijn antwoord was verbazingwekkend. Een van onze voorouders, zei hij, behoorde tot de driehonderd die de profeet in de steek lieten. Kunt u zich dat dan herinneren, vroeg ik hem. Nee, dat kon niet eens de grootvader van zijn grootvader zich herinneren. Hij had het gedroomd. En hoe liep die droom af, vroeg ik hem. Wij vluchtten weg van het slagveld, in de richting van de stad, ik voelde me ziek, ik moest me omdraaien, ik struikelde een paar keer, maar ik kon mijn blik niet losmaken van de profeet, hij stond daar heel rustig en met een stem die insloeg als de bliksem riep hij me na: Angst redt niemand van de dood. Ik werd wakker en ben uitgereden in het donker, zolang mijn afgebroken droom nog bloedde. En ik herkende deze plaats. Dat was hier? Exact hier.

Ze reden zwijgend verder naar de steile flanken van de berg, die zich verhieven als verzengde platen van gekarteld staal. Ze bereikten Mustarah, de plaats waar de profeet een paar minuten in zichzelf gekeerd had gerust voor hij het strijdperk betrad. Een rechthoekige omheining van witte muren waarbinnen de pelgrims konden bidden. Laten we twee *raka's* opzeggen, stelde sjeik Abdoellah voor. Ze waren nog slechts een lichte klim verwijderd van het slagveld, een verbleekte herinnering aan een verloren strijd, aan het vergoten bloed van dwazen en wraakzuchtigen. In deze woestenij had een leger van ongelovigen de aanval geopend. De krijgers uit Mekka waren tevoorschijn gestormd uit een rivierbedding die kronkelde in de verte.

'Ze hadden kennelijk geen verstand van strategie.'

Iedereen keek verbaasd naar sjeik Abdoellah: 'Hoezo, wat bedoelt u?'

'Ze hadden de strijd anders kunnen voeren. In een omgeving die zo veel natuurlijke bescherming biedt, is dit een uiterst ongunstige plek.'

'Zijn jullie, Indiërs, dan zulke geraffineerde vechters?'

'De boogschutters hadden zich achter de rotsblokken kunnen posteren, over een breed front.'

'Horen jullie dat? Onze broeder wint achteraf de verloren slag bij Uhud. Wat jammer dat Medina niet over een Indiase adviseur beschikte.'

'Of de strategie nu goed of slecht was, in het begin zag het er voor ons goed uit. Ook al spoorden de vrouwen uit Mekka hun mannen aan. Hun stemmen drongen tot onze krijgers door. Als jullie vechten, schreeuwden ze, ze klonken net als pauwen, omhelzen wij jullie en spreiden we zachte dekens onder jullie uit, maar als jullie zwichten, geven we ons nooit meer aan jullie. Wij zijn met zevenhonderd, de ongelovigen met drieduizend, en toch drijven wij hen voor ons uit. Misschien wijkt de tegenstander opzettelijk terug? Nee, ze verdedigen zich uit alle macht. Hadden onze boogschutters maar geluisterd naar de bevelen van de profeet. Maar zodra ze het kamp van de vijand bereiken, denken ze dat de strijd gewonnen is, geven hun formatie op en beginnen te plunderen. De vijand kan ons in de rug aanvallen.'

'Strategie, dat zei ik toch.'

'De grootste veldheer kan niets uitrichten tegen de ongehoorzaamheid van zijn troepen.'

'Wij worden teruggedreven, we vechten als moslims, eensgezind en ongenaakbaar. We proberen bij elkaar te blijven, we verzamelen ons voor de tent van de profeet, moge God hem met vrede zegenen, en vechten wanhopig verder. De profeet is gewond. Vijf ongelovigen hebben gezworen hem te zullen doden. Een van hen, Ibn Kumayyah, mogen alle verwensingen van God over hem komen, gooide de ene steen na de andere, twee ringen in de helm van de profeet, moge God hem met vrede zegenen, breken af, ze snijden in zijn gezicht, bloed stroomt langs zijn wangen, over zijn snor, hij veegt het af met een punt van zijn gewaad, zodat er geen druppel op de grond valt. Een andere ongelovige, Utbah bin Abi Wakkas, mogen alle verwensingen van God over hem komen, gooit een grote, scherpe steen, die de profeet tegen zijn mond krijgt. Zijn onderlip barst open, hij verliest een voortand. Een paar voortanden. Dat is niet volgens de overlevering. Trek je het woord van een moefti in twijfel? Nee, niet als die moefti ook nog de grootvader van de bewering is. Nou goed, twee tanden dan. Onze vlaggendrager wordt de rechterhand afgehakt, hij pakt de vlag met zijn linkerhand, zijn linkerhand wordt afgehakt, hij drukt de vlag met de stompen tegen zijn lichaam, hij wordt met een lans doorboord, hij geeft de vlag door voor hij neerstort. De slag is verloren.'

'En deze koepel? We moeten twee raka's bidden, dit is de plaats waar Hamzah door de speer van de slaaf Wahshi werd gedood.'

Na het gebed stonden ze naast elkaar te kijken naar de verschrikkingen die zich tussen deze rotsen en de heilige stad in de nevel hadden voltrokken. De afloop zagen ze in gedachten voor zich. Niemand zou dat deel van de geschiedenis hardop verwoorden. Het was al erg genoeg dat de gruwelen door hun hoofd spookten. De opengereten maag, de uitgerukte lever, een beet ter ere van de belofte, daarna de neus, de oren, de genitaliën. Wat een monster, Hind, de echtgenote van Aboe Soefijoen, een mengeling van amazone en sfinx. Ze belichaamde alle angsten van de mannen.

Bedroefd begaven ze zich op de terugweg. De slag bij Uhud was wederom verloren en om hen heen schonden de vrouwen van de vijand de lijken van hun gesneuvelde voorouders.

ぐ/℀/℀/℀/℀/℀/り

De hemel was een blauwe leegte. De vlakke oneindigheid van de woestijn was te klein om deze karavaan te kunnen bevatten. Een karavaan van onvoorstelbare omvang – toen de laatste dromedaris vertrok, was de eerste al op de plaats van het nachtelijk kamp aangekomen. Een hele samenleving trok door de gegroefde woestijn. Van de rijkste pelgrims, wiegend in draagstoelen aan houten stokken die tussen twee dromedarissen waren bevestigd, omgeven door drommen bedienden en kuddes dieren. Tot de *takruri*, de armste reizigers, die niets bezaten behalve een houten nap om milde gaven te kunnen ontvangen. Ze werden door geen dier gedragen en als ze moe werden, strompelden ze verder, leunend op dikke knuppels. Verder had je rondtrekkende koffie- en tabaksverkopers. Beschermd werd de karavaan door tweeduizend Albanese, Koerdische en Turkse bashibazuks, die sjeik

Abdoellah nog minder vertrouwen inboezemden dan de officier uit de karavanserai in Caïro. Iedere soldaat was op zijn eigen manier bewapend, alsof ze ondanks de vervuiling en de morsigheid die ze deelden, nog enige individualiteit wilden behouden. De Syrische dromedarissen waren reusachtige dieren, waarnaast die uit de Hidjaaz dwergbeesten leken. Sjeik Abdoellah reed van tijd tot tijd een heuveltje op om de karavaan aan zich voorbij te zien trekken, als een potpourri van beelden. Verbluffende beelden soms – een bediende liep voor een dromedaris uit met een waterpijp in zijn handen, waaraan zijn meester via een lange slang in zijn rieten stoel gemoedelijk zat te lurken; deerniswekkende beelden – een eerste dier was omgekomen in de hitte en de takruri vochten met de gieren om het kadaver.

Zo rijk de karavaan was, zo talrijk waren de overvallen. Zo'n karavaan, zei Saad, is als een stuk braadvlees dat over de grond wordt gesleept. Van de mieren tot de prairiewolven, allemaal proberen ze er een stukje van te bemachtigen. We zullen door de bedoeïenen worden overvallen, stiekem natuurlijk, zonder kans op een eerlijke strijd. 's Nachts zullen voor zichzelf werkende rovers het kamp in sluipen, ze zullen van achteren op de dromedarissen van de slapende hadji's springen, ze zullen de bek van het beest dichtstoppen met hun *abba* en hun kameraden op de grond toewerpen wat ze op de dromedaris aan waardevolle spullen vinden. Worden ze gesnapt, dan trekken ze hun dolk en vechten ze voor een vrije aftocht. De tweede nacht werd een jonge bedoeïen gepakt. Hij klaagde niet, hij zat roerloos gehurkt op zijn straf te wachten, die hem bekend was. Voor de karavaan verder trok, werd de rover gespietst, waarna ze hem achterlieten om te sterven aan zijn wonden of door wilde dieren te worden verscheurd. Sjeik Abdoellah verraste iedereen toen hij zijn ontzetting hierover uitte. Toch, zei Saad, schrikt het de bedoeïenen niet af. Ze zijn trots op hun moed, op hun behendigheid als rovers. Ze proberen het telkens weer.

Stof, lawaai, stank – de stad sleept zich de woestijn in en de woestijn vergezelt haar. Hoewel de reisleiders hen hebben gewaarschuwd voor bedoeïenen die op roof uit zijn, klimt sjeik Abdoellah met pijnlijke stappen – die verdomde teen is nog steeds ontstoken – op een nabije heuvel om naar de zonsondergang te kijken. Onderweg glijdt hij uit en grijpt hij naar een steen, die los blijkt te liggen; hij valt tot hij zich kan vasthouden aan een doornstruik. Het duurt een paar minuten voor hij de doornen uit zijn handen heeft getrokken. Hij geniet van het beetje tijd dat hem op de heuvel nog rest. Anders is hij nooit alleen. Zijn begeleiders hebben hem onverbiddelijk geadopteerd. Mohammed is als een overgedienstige jonge neef die voortdurend om hem heen draait. Ook Saad zoekt onderweg zijn gezelschap, hij heeft zijn zwijgzaamheid verruild voor een onvermoeibare babbelzucht. Hoe dichter ze in de buurt van Mekka komen, des te dringender worden de adviezen die Salih uitdeelt. Als sjeik Abdoellah opstaat om ergens heen te gaan, vragen ze wat hij van plan is, alsof het zijn plicht is over elke stap rekenschap af te leggen.

Inmiddels zijn de laatste sporen van de zon bedekt met het teer van de nacht. Hier en daar flakkeren kampvuren op, over de dalbodem verstrooid als sterren. Straks zal hij door het kamp wandelen en bij een vuurtje gaan zitten. Veel van wat hij hoort, is onbeduidend geklets, maar af en toe spitst hij zijn oren en probeert hij ieder woord te onthouden. Bijvoorbeeld de verhalen van een gezichtloze man uit Egypte, vroeger in dienst bij Mohammed Ali pasja, voor wie hij de routes van de slavenkaravanen naar het zuiden zou hebben verkend, zodat hij veel gereisd had en steeds dieper in de landen van de zwarte mensen was doorgedrongen, ver voorbij het eind van de woestijn naar plaatsen waar droogte onbekend was, tot de grote meren waarvan hij het eind niet had gezien, maar de zwarte mensen wisten van de andere oevers van die meren, die ze Nyassa, Chama en Ujiji noemden. Het machtigst zou echter het meer in het noorden zijn, Ukerewe geheten, een ronde zee midden in het land. Sjeik Abdoellah trekt zijn cape dichter om zich heen. Vanavond zal hij, ook al slaapt Mohammed nog zo licht, alles moeten opschrijven, op vodjes papier die hij meteen in zijn medicijnkistje zal stoppen, verborgen onder korrels. Wie weet, kan deze informatie hem nog eens van pas komen.

ᗜ/ᗢ/ᗢ/ᗢ/ᗢ/ᗢ/ᗝ

De pelgrims kregen veel kleine overvallen te verduren, maar pas nadat ze hun gewone kleren hadden afgelegd en zich in de voorgeschreven twee witte lappen van de bedevaartganger hadden gehuld – de ene om de heupen gewonden, de andere om de schouders geslagen –, vond de aanval plaats die ze sinds hun vertrek uit Medina hadden gevreesd. In Al-Zaribah hadden ze zich ook laten scheren en hun haar laten knippen, ze hadden er hun nagels geknipt en zich zo goed en zo kwaad als het ging gewassen. Ze waren er weggegaan met het gevoel dat de heenreis erop zat. Voor het eerst klonken de kreten die hen vanaf nu tot de dag van de schuldbekentenis op de berg Arafah zouden vergezellen – *Labbayk, allaahoemma, labbayk* hoorde je van alle kanten. De groep van sjeik Abdoellah was in de loop van de dag met verschillende pelgrims opgereden. Nu kruisten ze het pad van een gezelschap Wahhabieten, aangevoerd door een keteltrom en een groene vlag, waarop in witte letters de geloofsbelijdenis prijkte. Ze reden in twee rijen; ze zagen eruit zoals mensen aan de kust zich woeste bergbewoners voorstellen: donkere huid, grimmige blik, het haar in dikke vlechten gevlochten, ieder bewapend met een lange speer, een lontmusket of een dolk. Ze zaten op ruwe, houten zadels, zonder kussens of stijgbeugels. De vrouwen deden niet onder voor de mannen, ze bereden hun eigen dromedaris of zaten op zadelkussentjes achter hun man. Ze droegen geen sluier en gedroegen zich op geen enkele manier als het zwakke geslacht.

Met dit intimiderende gezelschap achter zich bereikten ze een onoverzichtelijke doorgang, rechts van hen een hoge rots, aan de voet ervan een beekje, en aan hun linkerhand een steile wand. De weg voor hen leek versperd door een heuvelsilhouet, vervagend in de blauwe verte. De wereld boven hen werd nog beschenen door de zon, maar beneden, waar zij reden, tussen de rots en de steile wand door, grepen donkere schaduwen om zich heen. De stemmen van de vrouwen en kinderen werden zachter, de labbayk-kreten verstomden. Op de top van de rots aan de rechterkant kringelde rook omhoog en het volgende moment knalden er geweerschoten. Een dromedaris die niet ver van sjeik Abdoellah sjokte, knakte naar opzij en sloeg tegen de grond. Na een paar stuiptrekkingen in zijn poten verstarde het dier, en de karavaan ontplofte nog voor er nieuwe salvo's insloegen, nauwelijks hoorbaar in het geschreeuw en gebrul. Iedereen maande zijn dier tot spoed om weg te komen uit die dodelijke engte. Teugels raakten met elkaar verward. De koppen van de dieren stootten tegen elkaar. Niemand kwam meer vooruit, de schoten ontrukten hier en daar een mens of een dier aan het woeste gedrang; ze vielen dood neer of werden vertrapt. De soldaten haastten zich heen en weer en gaven elkaar tegenstrijdige bevelen. Alleen de Wahhabieten reageerden weloverwogen en moedig. Ze galoppeerden dichterbij, hun vlechten vlogen omhoog in de wind. Sommige stopten en mikten op de verhoogde positie van de aanvallers; een paar honderd van hen begonnen de rots op te klimmen. Al snel werden de schoten schaarser en uiteindelijk stopte het schieten helemaal. Sjeik Abdoellah had alleen maar kunnen toekijken. Salih stond naast hem. Hoe dichter je bij je levensdoel komt, zei hij, des te gevaarlijker wordt het. Stel je voor dat je moet sterven terwijl je nog maar een dagreis van de Kaäba verwijderd bent! Ze spraken een kort gebed en stelden zich op om verder te trekken. Een blind om zich heen grijpende duisternis dreigde de karavaan te verslinden. Zonder dat iemand een bevel had gegeven, werden de droge struiken langs de weg aangestoken. De gegroefde rotsen staken aan weerszijden als ontstemde reuzen boven hen uit. Voor hen lag een afdaling dieper de kloof in. De rook van de fakkels en de brandende struiken hing boven hen als een baldakijn, de vuurgloed deelde de wereld in twee donkere helften, uit elkaar gehouden door een sinister rood. De dromedarissen struikelden, blind in het donker en verblind door het schrille licht. Sommige gleden van de helling af in de bedding van de beek. Als ze gewond raakten, was er geen aardse kracht die ze eruit kon trekken – de bagage werd overgeladen, als er tenminste vrienden in de buurt waren, en de reis werd voortgezet op de rug van een ander dier of te voet. Toen ze de volgende ochtend vroeg uit de kloof kwamen, konden ze geen pap meer zeggen; ze waren nog te moe om zich opgelucht te voelen.

De volgende dag reden ze Mekka binnen.

ᐷᕁᕁᕁᕁᕁᐸ

In de maand sja'baan van het jaar 1273
Moge God ons zijn gunst en genade laten ondervinden

KADI: We komen niet verder. We kunnen ons beter met belangrijker zaken bezighouden en dit geval laten rusten.

GOUVERNEUR: Integendeel. Wat we tot nu toe te weten zijn gekomen, dwingt ons juist verdere vragen te stellen. Een verdachter zaakje dan dit ben ik nog nooit tegengekomen.

KADI: Wie kunnen we dan nog meer ondervragen?

GOUVERNEUR: Niet wie, maar hoe.

SHARIF: Het is zeer wel mogelijk dat de ene of de andere ons niet de waarheid heeft verteld. Wie beleefd vraagt, krijgt meestal een beleefd antwoord.

GOUVERNEUR: We zouden bij een ondervraging wat meer kunnen aandringen.

SHARIF: We moeten uitkijken wie we voor zo'n ondervraging oproepen.

KADI: Omar efendi komt niet in aanmerking, hij is de kleinzoon van de moefti ...

GOUVERNEUR: Dat weten wij ook wel.

SHARIF: Salih Shakkar misschien?

GOUVERNEUR: Als iemand de waarheid spreekt, dan hij.

SHARIF: Hoezo?

GOUVERNEUR: Hij is Turk, eerbiedigt de sultan en houdt van Stambul.

KADI: Als dat geen waarborg tegen huichelarij is ...

GOUVERNEUR: Hamid al-Samman is een geschikte kandidaat. Hij heeft zijn huis met de vreemdeling gedeeld.

SHARIF: Op mij maakte hij een heel oprechte indruk.

GOUVERNEUR: Hij was niet erg mededeelzaam en zijn informatie was even mager als gerookt vlees.

SHARIF: Nee, niet Hamid.

GOUVERNEUR: Waarom niet?

SHARIF: Nou, als u het dan per se wilt weten: ik heb gehoord dat hij familie is van een van mijn vrouwen, en de relatie met haar familie is voor mij buitengewoon belangrijk.

KADI: En Saad?

SHARIF: Een voormalige slaaf.

GOUVERNEUR: De zwarte.

KADI: De duivel. Een kwalijke bijnaam.

GOUVERNEUR: Hij reist veel, ook naar de landen van de ongelovigen. Naar Rusland zelfs! Dat moet achterdocht wekken. Wie weet bij wie zijn loyaliteit ligt.

SHARIF: Hij zal geen krachtige pleitbezorgers hebben.

GOUVERNEUR: Zijn zaken brengen hem vaak naar Mekka.

KADI: We zullen zien hoe godvruchtig hij is.

e/x/x/x/x/x/x/o

Hij was overal op voorbereid, zelfs dat hij ontmaskerd en ter dood gebracht zou worden, maar het was nooit bij hem opgekomen dat hij overweldigd zou kunnen worden door zijn gevoelens. Doorlopen is onmogelijk; hij moet telkens weer blijven staan. Niets in hem heeft verweer tegen de diepe vreugde die in hem opkomt. Om hem heen woedt verering op alle gezichten. Voor hem staat een idee, de Kaäba, een helder, aanschouwelijk idee, in het zwart gehuld, de stof is een bruidssluier, de gouden versiering een liefdeslied. O hoogst gelukkige nacht. Hij zegt de betoverende woorden na, hij begrijpt ze. Bruid aller levensnachten, maagd der maagden aller tijden. De maalstroom van pelgrims draait tegen de richting van de klok in. Sjeik Abdoellah is opgewonden. Alsof de levensdromen die rondom hem in vervulling gaan op hem afstralen. Hij geeft zich over aan de ronddraaiende menigte om zijn plicht te doen en zeven keer rond de onverzettelijke kubus te lopen. Eerst in looppas, zoals de leider adviseert, wat meer langs de rand van de menigte, niet aan de binnenkant in het stollende gedrang. Eigenlijk mag hij ondertussen niet naar de Kaäba, het wonderlijke middelpunt, kijken. Maar hij kan er zijn ogen niet van afhouden. Later, als hij er zo dicht bij is dat hij evenals de andere pelgrims de sluier met uitgestrekte arm kan aanraken, is hij geen individu meer, maar een deel van de massa, een akelig gevoel, tot hij ophoudt zich ertegen te verzetten. De stroom bepaalt alles: richting, snelheid, pauzes waarin iedereen blijft staan om de zegening te ontvangen die van de Steen uitgaat, en om luidkeels *In naam van God, God is groot* te roepen. Na zijn laatste omgang baant hij zich met de hulp van Mohammed door het gedrang een weg naar de glanzende Steen, buigt er zich zo dicht naartoe als hij kan en raakt hem aan, verrast dat hij zo klein is, die steen die volgens de overlevering ooit krijtwit was, maar steeds zwarter is geworden door de vele zondige lippen en handen die hem in de loop der eeuwen hebben gekust en gestreeld. De legende geeft een verklaring die bij zijn gemoedstoestand past; 's avonds zal hij hem opschrijven en zijn vermoeden noteren dat de steen een meteoriet is.

Als een van de velen wier gedachten en gebeden rond de Kaäba cirkelen, maakt hij deel uit van een kring die zich uitbreidt en nieuwe, grotere kringen vormt, over Mekka heen, over de woestijn en haar pleisterplaatsen heen, kringen die tot Medina reiken, tot Caïro, verder nog tot Karachi en Bombay, en nog verder. Een steen is in de oceaan van de mensheid gevallen en de golven veroorzaken deining tot in de verste uithoeken van de aarde. Hij heeft zijn zeven omgangen voltooid. Het gebed bij de voetafdruk van Abraham. Hij drinkt water uit de *zamzam*-bron. Pelgrims, afkomstig uit India, feliciteren elkaar. Ze betrekken hem in hun omhelzingen. Hij zegt niet veel. Mohammed slaat hem gade. Natuurlijk is het mooi je alle mensen als broeders en zusters voor te stellen. Maar argwaan begint rond de Kaäba te cirkelen en wordt bij elke omgang sterker. Als ieder mens je naaste is, voor wie zorg je dan, met wie lijd je mee? Het hart van de mens is een vat met een beperkte capaciteit, het goddelijke daarentegen een beginsel zonder maat. Dat gaat niet goed samen. De orde die de Kaäba belooft, lijkt hem ineens verdacht. Hij keert zijn naasten de rug toe en drinkt nog een glas zamzam-water. Waarom zou er een middelpunt moeten zijn? Vanwege de zon? Vanwege de koning? Vanwege het hart? Toon mij de richting waar God niet vertoeft, zei de goeroe, toen hem werd verweten dat zijn voeten respectloos naar Mekka wezen. Geheel in de zin van de bedenker, of nauwkeuriger gezegd: geheel in de zin van het niet-bedachte, het ongeschapene. Een uiterlijke vorm is nodig voor degenen die niet genoeg fantasie hebben. Die zich het alomtegenwoordige alleen kunnen voorstellen als het vervat is in een steen, op een stuk stof is genaaid, of is geschilderd op een doek. Het water smaakt brak. Zwavelachtig. Maar de bron droogt niet op. Het water heeft Mekka het leven geschonken en het is logisch dat het deel uitmaakt van de mythologie rond deze plaats. Maar als het niet hoeft, zal hij er niet meer van drinken, niet zoals die man op het plaveisel voor de moskee op wie Mohammed hem attent

312

maakt, een zieke die gezworen heeft zo veel zamzam-water te drinken als nodig is om weer op krachten te komen. En als hij niet beter wordt? vraagt hij Mohammed. Dan komt dat doordat hij niet in staat was genoeg water te drinken, luidt het antwoord, en zoals zo vaak twijfelt hij of die jonge vent nou de domheid van zijn voorouders nabauwt of er de spot mee drijft. Er zijn veel hadji's, voegt Mohammed eraan toe, die het zamzam-water in emmers naar hun verblijfplaats laten brengen en het daar over hun lichaam uitgieten, zodat het tegelijkertijd het lichaam en het hart reinigt. Van buiten naar binnen. Wij in Mekka doen het omgekeerd.

De scepsis van sjeik Abdoellah groeit bij elke stap waarmee hij zich van de Kaäba verwijdert.

e/se/se/se/se/se/s

In de maand ramadan van het jaar 1273
Moge God ons zijn gunst en genade laten ondervinden

GOUVERNEUR: Dat is onaanvaardbaar. Wie denkt u wel dat u bent? Wij zullen u dwingen deze fatwa in te trekken.

SHARIF: We kunnen, daar heb ik het volste vertrouwen in, tot een compromis komen, dat beide partijen …

GOUVERNEUR: Mogen alle verwensingen van God over uw laffe compromissen komen.

KADI: We laten ons rechtmatig oordeel niet afhangen van de wil van een farao.

GOUVERNEUR: Het is waanzin wat u zegt. U trekt het recht van de kalief in twijfel.

KADI: Hij valt ook onder de wetten van God.

SHARIF: U moet proberen te begrijpen, Abdoellah pasja, dat alle vooraanstaande kooplieden uit de stad zich bij mij, en ook bij de kadi, hebben beklaagd. Niemand van hen staat achter uw maatregelen.

GOUVERNEUR: Uit eigenbelang.

SHARIF: Ze zijn bang dat de slavernij volledig zal worden afgeschaft.

GOUVERNEUR: U weet heel goed dat alleen de slavenhandel verboden is.

SHARIF: Zonder slavenhandel is het op de lange duur niet meer mogelijk slaven te houden.

GOUVERNEUR: Ook al verschillen wij van mening, de kadi kan toch niet van de daken roepen dat de Turken door dit besluit ongelovigen zijn geworden?

KADI: Wat wilt u nog meer invoeren? Dacht u dat wij niet merkten wat er elders gebeurt? Wat zult u niet allemaal nog verbieden als wij ons niet verzetten? Op wat voor onmogelijke vernieuwingen zit u nog te broeden? Wordt de *azaan* straks vervangen door een geweersalvo? Mogen de vrouwen zich onbedekt in het openbaar vertonen, krijgen zij het recht om te scheiden?

GOUVERNEUR: U overdrijft mateloos. Alleen de slavenhandel is verboden.

KADI: Waarom?

SHARIF: Ik heb zo mijn vermoedens dat de kalief onder druk staat, omdat de Farandjah hun deel van de overeenkomst opeisen nadat ze hem de oorlog tegen Moskou hebben helpen winnen.

KADI: Wat in Istanbul wordt bekonkeld, kan niet maatgevend zijn voor het welzijn van de heilige plaatsen.

GOUVERNEUR: U kunt zich niet afsluiten voor de loop van de geschiedenis.

KADI: De loop van de geschiedenis? Als er al zoiets bestaat, moeten we ons er juist tegen verzetten. Als het zo doorgaat, komen er straks nog ongelovigen naar de Hidjaaz om er zich te vestigen, die trouwen dan met moslims en zullen uiteindelijk de hele islam ondergraven.

GOUVERNEUR: Dat doen de Arabieren zelf wel. Ze leven zonder

eer. Ze hebben geen respect voor de kalief. Wij proberen de zaken vriendelijk te regelen en wat gebeurt er? We betalen de stamleiders belasting in de vorm van graan en stoffen, en zij bewapenen hun mensen en overvallen de karavanen.

SHARIF: Een beetje onbezonnen van uw kant, de eigen vijand te voeden.

KADI: Sinds zij ons land hebben veroverd, bestaat er geen gerechtigheid meer. Ze oogsten alleen wat ze zelf hebben gezaaid. Als er een rover wordt gepakt, durven ze hem niet te laten onthoofden. Daardoor is er geen signaal meer dat anderen afschrikt. Ze hebben de willekeur tot opperste rechter benoemd.

GOUVERNEUR: De hadj is veiliger geworden, en als wij de handen ineen zouden slaan, zouden we ook de bedoeïenen in het binnenland de heerschappij van de vrede kunnen opleggen.

SHARIF: Wij steunen u toch zo goed we kunnen, maar onze handen zijn gebonden, u mag niet vergeten dat wij niet meer zo veel invloed hebben als vroeger.

GOUVERNEUR: Wat zou er dan veranderd zijn?

SHARIF: Het schip is een vijand waarmee wij geen rekening hebben gehouden. Hoe roemrijk was niet de tijd van mijn voorvaderen, die op pad gingen met zes karavanen en drommen mensen die hun heersers volgden op hun pelgrimstocht. Weet u dat de laatste der Abbasiden met honderddertigduizend dieren op de berg Arafah kampeerde? En nu, hoe staat het er nu voor? Bedroevend! Er komen nog maar drie karavanen naar onze stad, moge God haar heiligen, met niet meer dan enkele tienduizenden pelgrims, en de karavanen uit Istanbul en Damascus, die hebben straks alleen nog een ceremoniële betekenis. Als het zo doorgaat, beschikken we binnenkort niet meer over het geld om aan onze verplichtingen te voldoen.

KADI: Uw armoede zou misschien een zegen zijn. Dan zouden de Wahhabieten niet meer op alle schatten afkomen.

SHARIF: De Wahhabieten zouden hoe dan ook proberen ons te onderwerpen, ook al liepen we allemaal in lompen.

GOUVERNEUR: Overdrijft u uw nood niet? U krijgt toch een kwart van de belastingen? En als ik me niet vergis, brengen degenen die per schip komen geschenken mee voor de Grote Moskee, moge God haar eervoller en verhevener maken. En hoe zit het met de vergunningen die u de gidsen geeft, is dat ineens geen lucratieve zaak meer? De sultan is helemaal niet zo blij met de vergaande rechten waarover u nog altijd beschikt.

SHARIF: Als die soldaten van u er nou eens voor zorgden dat de wegen veilig zijn. De karavanen worden zo vaak beroofd dat het lijkt of we ijsblokjes door de woestijn vervoeren. Aan het eind zijn er voor ons niet meer dan een paar druppels over.

KADI: We moeten het geloof vernieuwen. Als afvalligen de wereld regeren, moeten we de weg naar zuivere gehoorzaamheid terug zien te vinden.

GOUVERNEUR: Genoeg gepalaverd. Ik wil jullie een verhaal vertellen waarop onze sultan dol is. Een leeuw, een wolf en een vos gaan samen op jacht. Ze schieten een wilde ezel, een gazelle en een haas dood. De leeuw vraagt de wolf de buit te verdelen. De wolf aarzelt geen moment: de wilde ezel gaat naar jou, de gazelle naar mij en de haas naar onze vriend, de vos. De leeuw haalt uit en slaat met één klap van zijn klauw de kop van de wolf af. Dan wendt hij zich tot de vos en zegt: nu moet jij de buit verdelen. De vos buigt diep voor de leeuw en zegt met zachte stem: uwe majesteit, de verdeling is uiterst eenvoudig. De wilde ezel zal uw middageten zijn, de gazelle uw avondeten. En wat de haas betreft, die zal u vast wel smaken als lekker tussendoortje. De leeuw knikt tevreden: wat tactvol en verstandig van je. Zeg eens, wie heeft je dat geleerd? En de vos antwoordt: de kop van de wolf.

෴෴෴෴෴෴෴

In de woestijn, en ondanks de hoge gebouwen en de nauwe stegen merk je in Mekka dat je in de woestijn bent, lijken de kleuren overdag te zijn uitgewist. De overgang naar de nacht is kort, maar gaat gepaard met een rijkdom aan nuances die de vaalheid van de dag haast doet vergeten. Sjeik Abdoellah, die voor zichzelf een mooi plaatsje in de zuilengalerij heeft uitgezocht, krijgt even het gevoel alsof er een waaier van kleuren uit de handen van een volledig in het wit geklede gestalte is gevallen. En hij verbaast zich erover hoeveel tinten wit hij opeens in de ihraams ontdekt. Even later worden de fakkels aangestoken, de Grote Moskee schittert en de hemel wordt zwart. De gebeden om hem heen werken aanstekelijk. Hij zou ook graag in iets verzinken, hij weet alleen niet waarin. Bij het reciteren van de Koran wordt hij altijd weer gestoord door zijn eigen overpeinzingen over de betekenis van een soera. Hij probeert te bidden maar houdt al snel op, beseffend dat bidden voor hem alleen is weggelegd wanneer het om een gemeenschappelijke handeling gaat. Het lukt hem niet zichzelf tot het eenzame gebed te dwingen. Hij richt zich op en zoekt een hoger gelegen plek, vanwaar hij over de hoofden van de cirkelende menigte heen naar de Kaäba kan kijken. Als zijn mond dan weigert te bidden moet hij het maar met zijn ogen doen. De mensheid roteert rond de vermeende kern, in een gelijkmatig tempo, alsof ze op Gods eigen pottenbakkersschijf staat. Hij zou uren naar dit gedraai kunnen kijken. Nu eens lijkt het hem een perpetuum mobile van de overgave, dan weer een blinde dans.

Deze plaats is voor hem als een warm bad. Hij komt hier tot rust. Alsof hij uit alle hinderlagen en valstrikken van het leven is gelicht. Hij is erin gegroeid, in al-Islam, sneller dan verwacht, hij heeft boetedoening en ontberingen overgeslagen en heeft meteen de toegang tot deze hemel gevonden. Geen andere traditie heeft zo'n mooie taal voor het onzegbare geschapen. Van het zingen van de Koran tot de dichtwerken uit Konya, Bagdad, Shiraz en Lahore, waarmee hij begraven zou willen worden. God is in de islam van alle eigenschappen ontdaan en dat lijkt hem juist. De mens is vrij; hij is niet aan een erfzonde onderworpen en kan gebruikmaken van zijn verstand. Natuurlijk is deze traditie evenals alle andere nauwelijks in staat de mens te verbeteren, de gebrokene overeind te helpen. Maar zij maakt het je mogelijk trotser te leven dan het vreugdeloze christendom, waarin zelfs de alledaagsheden van het leven met schuld zijn beladen. Als hij in de uitwerking kon geloven, de details – in het algemene te geloven is niet nodig, dat is het hoogste inzicht – en als hij vrij kon beslissen en zich vrij mocht bedienen, dan zou hij de voorkeur geven aan de islam. Maar het is niet mogelijk, er staat te veel in de weg – de wetten in zijn land, de wetten van al-Islam, en zijn eigen bezwaren – en op dit soort momenten betreurt hij dat. Hij geniet van het paradijs dat hem omgeeft, maar een leven na de dood is met de beste wil van de wereld niet aannemelijk, net zomin als de balans die God zogenaamd opmaakt om zijn rijk te bevolken. God is alles en niets, maar een boekhouder is hij niet.

❧❧❧❧❧❧❧

Die avond kwam de nieuwe maan op boven Mekka. Ze zaten dicht bij de voetafdruk van stamvader Abraham. Wat voel je nu, vroeg Mohammed. En hij antwoordde zoals van hem werd verwacht: Dit is de gelukkigste nieuwe maan van mijn leven. Hij sprak de woorden, woog ze, en stelde vast dat ze zo verkeerd nog niet waren. En hij voegde eraan toe, speciaal voor deze jongeling die fanatiek op fouten van hem bleef loeren: Moge God ons met al Zijn kracht en macht aansporen dank te zeggen voor Zijn goedgunstigheid, en ons ervan bewust maken aan hoe veel voorrechten Hij ons laat deelhebben, tot aan de opname in het paradijs en de beloning door de bekende grootsheid van Zijn weldaden en de hulp en steun die Hij ons genadiglijk verleent.

Amen, mompelde Mohammed beteuterd. En sjeik Abdoellah sloeg het boek der vragen dicht met een innig amen, dat zich in de lucht verhief alsof het een van de duiven van Mekka was.

Later, toen Mohammed zich verwijderde om wat zamzamwater te drinken, schetste hij de moskee en scheurde het papier in vele kleine strookjes, die hij nummerde en in zijn hamail stopte.

 broken ornament

In de maand sjawwaal van het jaar 1273
Moge God ons zijn gunst en genade laten ondervinden

GOUVERNEUR: Bent u bereid ons behulpzaam te zijn bij het zoeken naar de waarheid?

SAAD: Ik ben met vreedzame bedoelingen naar uw stad gekomen. Om handel te drijven. U hebt mij opgesloten. U hebt mij onteerd.

SHARIF: U bent slechts een paar eerlijke antwoorden van uw vrijlating verwijderd.

SAAD: Waaraan heb ik deze kwelling verdiend?

GOUVERNEUR: U hebt geweigerd ons te helpen.

SAAD: Dat heb ik niet.

GOUVERNEUR: We willen u graag geloven, maar u moet ons tegemoetkomen.

SAAD: Er is iets waarvan ik de vorige keer geen melding heb gemaakt.

GOUVERNEUR: U hebt het voor ons verborgen gehouden.

SAAD: Ik wist niet dat het belangrijk was. Hij krabbelde op zijn ihraam.

KADI: Op de stof zelf?

SAAD: Ja.

GOUVERNEUR: Wat schreef hij op?

319

SAAD: Het was niet te lezen.

GOUVERNEUR: Je kon het niet goed zien of je kon het niet ontcijferen?

SAAD: Ik heb het niet geprobeerd.

GOUVERNEUR: En die informatie vond je niet belangrijk genoeg om aan ons door te geven?

SAAD: Hij was soms wat eigenaardig. Zoals elke derwisj. Ik dacht dat het misschien een gebed was, een zegenbede die hem bij de Kaäba was ingegeven.

GOUVERNEUR: Heb je hem alleen in de Grote Moskee iets zien noteren?

SAAD: Ook een andere keer.

GOUVERNEUR: Waar?

SAAD: Op straat.

GOUVERNEUR: Waar? Een beetje nauwkeuriger graag.

SAAD: In de buurt van de kazerne.

GOUVERNEUR: Wat deden jullie daar?

SAAD: We waren aan het wandelen.

GOUVERNEUR: Waarom speciaal daar?

SAAD: Niet alleen daar.

GOUVERNEUR: En verder? Wat heb je nog meer voor ons ver-zwegen? Vertel op.

SAAD: Hij heeft iemand om het leven gebracht.

KADI: Wat?

SAAD: In de karavaan van Medina naar Mekka. Ik zag hem zijn dolk schoonmaken. De volgende ochtend werd er een dode pelgrim ontdekt, neergestoken.

KADI: Een moordenaar!

GOUVERNEUR: Heb je hem daarbij geholpen?

SAAD: Nee!

GOUVERNEUR: Maar je hebt het tegen niemand gezegd?

SAAD: Ik heb alleen maar een bebloede dolk gezien. Misschien was hij aangevallen, misschien stond hij in zijn recht.

GOUVERNEUR: Heb je het hem gevraagd?

SAAD: Dat was ongepast geweest.

GOUVERNEUR: Hoeveel heeft hij je betaald?

SAAD: Niets. Waarom zou hij me iets betalen?

GOUVERNEUR: Voor bewezen diensten.

SAAD: Ik heb hem uit eigen beweging vergezeld, een paar keer.

GOUVERNEUR: Des te erger, een verrader uit overtuiging.

SAAD: Wie heb ik verraden?

GOUVERNEUR: De kalief en je geloof.

SAAD: Ik heb niemand verraden.

GOUVERNEUR: Je liegt.

SAAD: Ik heb niemand verraden.

GOUVERNEUR: We zullen je het liegen afleren. Breng hem weg.

cx/x/x/x/x/x/x/x

GOUVERNEUR: Ze zeggen dat je berouw hebt en ons alles wilt bekennen.

KADI: Voor de draad ermee, des te eerder zijn we klaar.

SAAD: Ik heb hem geholpen.

GOUVERNEUR: Waarmee?

SAAD: Hij stelde vragen, ik heb ze beantwoord. Als ik het antwoord niet wist, probeerde ik erachter te komen.

GOUVERNEUR: Wat voor vragen?

SAAD: Over van alles en nog wat. Hij was heel nieuwsgierig.

GOUVERNEUR: Voorbeelden, geef ons voorbeelden, zodat wij je geen pijn meer hoeven geven.

SAAD: Onze zeden, onze gewoonten, de geheimen van de karavanen en de handel.

GOUVERNEUR: Wapens?

SAAD: Ja, hij was zeer geïnteresseerd in wapens.

GOUVERNEUR: Wat voor wapens?

SAAD: Met goud versierde dolken.

GOUVERNEUR: Je houdt ons voor de gek.

SAAD: Nee, u moet mij geloven. Oude dolken, met meesterhand vervaardigd, daar ging zijn aandacht naar uit.

GOUVERNEUR: Wanneer heeft hij je aangesproken?

SAAD: Kort voor we Medina bereikten. Hij had de wacht, ik was vroeg op. Hij begon een gesprek.

GOUVERNEUR: Waarom heb je het gedaan?

SAAD: Zomaar, zonder speciale reden.

GOUVERNEUR: Wilde je je wreken?

SAAD: Op wie dan?

GOUVERNEUR: Op ons allemaal.

SAAD: En waarvoor dan wel?

GOUVERNEUR: Je moet een reden hebben gehad, vervloekte neger.

SAAD: Geld misschien?

GOUVERNEUR: Geld, ja, dat moet het geweest zijn.

SAAD: Mijn zaken, ze liepen slecht.

KADI: Ik had meteen al zo'n gevoel dat jij je trouw en je eer aan de meestbiedende verpatst.

GOUVERNEUR: Zie je wel, wat je ons met een beetje goede wil allemaal kunt vertellen.

SAAD: Ik ben van goede wil.

GOUVERNEUR: Heeft hij gezegd door wie hij was gestuurd?

SAAD: Hij heeft nooit iets gezegd. Hij heeft Moskou niet één keer genoemd.

GOUVERNEUR: Moskou? Hoezo Moskou?

SAAD: Ik bedoel, over zijn opdrachtgevers, daarover heeft hij nooit iets gezegd.

GOUVERNEUR: Wat? Heeft hij je te kennen gegeven dat hij een Rus was?

SAAD: Nee, hij was toch een Indiër. Maar als hij gespioneerd heeft, dan moet hij toch …

GOUVERNEUR: Voor Moskou?

SAAD: Niet voor Moskou?

GOUVERNEUR: Zeg ons de waarheid …

322

SAAD: Dat doe ik toch, ik bevestig alles, hij was een spion. Ik weet niet precies wat voor spion. Als het niet voor Moskou was, dan misschien voor de onderkoning?

SHARIF: Hij weet niets!

GOUVERNEUR: Pardon?

SHARIF: Het is duidelijk dat hij niets weet. Alles wat hij heeft verteld, is verzonnen.

GOUVERNEUR: Klopt dat? Ik laat je villen, vuile hond.

SAAD: Het komt door de pijn. U hebt me gedwongen.

GOUVERNEUR: Je hebt ons twee keer belogen!

SAAD: Wat u wilt. Wat u wilt.

GOUVERNEUR: Ik wil eindelijk de waarheid weten.

KADI: Ze is niet hardhorig, sjeik, de waarheid.

GOUVERNEUR: U vindt dit wel mooi, hè? U geniet van onze problemen.

KADI: De waarheid vinden is een probleem waarmee we allemaal worstelen, sjeik. Niemand uitgezonderd, en niemand van ons heeft plezier in deze onplezierige situatie.

SHARIF: Zijn bekentenis is niets waard.

KADI: Goed gebracht, ook al was ze slecht bedacht. Een waarachtig Mekkaanse openbaring.

GOUVERNEUR: Wat betekent dat nu weer?

KADI: Ach, ik was vergeten dat kennis van de klassieken geen vereiste meer is voor een hoog ambt. Het betekent dat zijn bekentenis zo eenzijdig is dat alleen hijzelf en God die kunnen begrijpen.

SHARIF: Het is tijd voor *zohar*.

KADI: En deze man?

GOUVERNEUR: Hoe bedoelt u?

KADI: Ik sta erop dat hij gewassen wordt en fatsoenlijke kleren aankrijgt. Moet hij zo zijn gebeden opzeggen? Laten we geen schuld op ons laden!

GOUVERNEUR: Ik betwijfel of hij fysiek in staat is het gebed te verrichten.

KADI : Dat zal hij zelf moeten beslissen. Wij hoeven er alleen voor te zorgen dat hij kan bidden als hij dat wil.

⌇⌇⌇⌇⌇⌇⌇

Labbayk, allaahoemma, labbayk. De kreet werd dag en nacht herhaald, hij lag op ieders tong en klonk bij elke gelegenheid, op elke plaats. De pelgrims riepen hem als ze de Grote Moskee naderden, ze scandeerden hem als ze bij de kapper naar binnen gingen en begroetten er op straat kennissen mee – het labbayk was het geluid van een fanfare tijdens de kleine en de grote bedevaart, die zelfs de pauze ertussen opvrolijkte. Maar op de achtste dag van de maand Zuul Hija klonk de roep als het marslied van een leger. Velen vertrokken uit Mekka naar de berg Arafah, de climax van de pelgrimstocht, waar ze voor het aangezicht van God zouden staan en ondanks de hitte of gevoelens van zwakte Zijn aanwezigheid zouden ervaren.

Sjeik Abdoella had verwacht dat er, na het verblijf in de Grote Moskee en de aanblik van de Kaäba, op de hellingen van de berg Arafah en in het stoffige werelddorp Mina nieuwe hoogtepunten zouden volgen, aangrijpender nog dan hun ervaringen tot nu, maar de belevenissen in de woestijn buiten de heilige stad stelden hem teleur en hij betreurde het Mekka te hebben verlaten. Op advies van de jonge Mohammed waren ze in een comfortabele draagstoel in alle vroegte vertrokken. Wie de berg Arafah te laat bereikte, vond volgens hem in de omgeving geen plaats meer om zijn tent op te slaan. De vele dode dieren aan de rand van de weg vielen moeilijk te negeren. Talloze kadavers waren gewoon in de sloot gegooid. De bedoeïenen, een hechte groep, stopten stukjes katoen in hun neusgaten, anderen hielden een handdoek tegen mond en neus gedrukt. Ze bereikten Arafah, metafysisch een machtige berg, in werkelijkheid een heuvel. De dorre grond eromheen was door de vele pelgrims opengekrabd. Ze zetten hun tenten op aan de voet van de heuvel en gaven zich over aan de innerlijke dialogen die hen moesten helpen deze dag tot een goed einde te brengen. Sommige pelgrims mompelden, anderen bewogen geluidloos hun lippen. Waarschijnlijk stelden ze in gedachten een lijst op van al hun fouten en gebreken, waarschijnlijk corrigeerden ze die catalogus van persoonlijke tekortkomingen en breidden ze hun schuldbekentenis uit met een paar nakomertjes. Schrokken ze van wat zich opstapelde? Probeerden ze oprecht te zijn? Zo zelfs dat ze hun reeks goede voornemens weer inkortten om op deze dag van de niet-opgeschoonde balans eerlijk te blijven tegenover God en niets te beloven wat ze toch niet konden waarmaken?

Een kanon verscheurde de stilte van deze massale zelfbezinning. De aankondiging van het namiddaggebed. Direct daarop hoorden ze trommels en schelle klanken. Kom mee, riep Mohammed, daar heb je de processie van de sharif. Ze drongen naar voren tot ze de processie konden zien, die langs een pad de berg op klom. Voorop een kapel van de janitsaren, gevolgd door de dragers van de ambtelijke staf, die geïrriteerd de weg vrijmaakten. Zij werden weer gevolgd door een aantal ruiters, ieder met een heel lange, van kwasten voorziene speer in zijn hand, waarmee ze de raspaarden van de sharif voortdreven, volbloedarabieren met oude, versleten zadelkleden. Achter de paarden, in de luwte van rode en groene vlaggen, liepen zwarte slaven met lontmusketten ter bescherming van de hoge heren, dat wil zeggen de sharif van Mekka benevens hovelingen en familie. Mohammed kon iedereen in deze doorluchtige groep identificeren. De sharif bleek een oude man te zijn, een asceet met een tamelijk donkere huidskleur, die hij te danken had aan zijn moeder, een slavin uit de Soedan – Mohammed leek uitstekend op de hoogte van de familierelaties. Zo te zien stelt hij weinig voor, maar qua slimheid kan niemand zich met hem meten, zei hij vol bewondering. Naast de sharif, wiens doordringende ogen ineens over de menigte gleden als een schorpioen over het zand, stapte statig een man voort die een kop groter was dan hij en wiens grove gestalte door zijn ihraam ternauwernood werd bedekt. Zijn moderne, kleine baardje stond in contrast met de volle baard van de sharif. Dat is de Turkse gouverneur, zei Mohammed. Iedereen heeft een hekel aan hem. En ik geloof dat het precies is wat hij wil. In tegenstelling tot de sharif leek de gouverneur de mensenmenigte te negeren. Een paar passen achter dit tweetal liep een jongere man met een rond gezicht en zachte, vrouwelijke trekken, die door zijn ongelijkmatige baardgroei nog werden geaccentueerd. Als enige in de groep leek hij in zichzelf gekeerd, deel van de processie en toch los ervan. Over hem wist Mohammed niets te zeggen, behalve dat het de kadi was, beschermeling van de waarschijnlijk machtigste alim in het recente verleden van de stad en daarom al op jonge leeftijd tot zo veel eer en aanzien gekomen dat zijn levenslot het nakijken had. De processie werd opgeslokt door de dichte mensenmassa, waarachter het granietgesteente van Arafah oprees als schrale herinnering aan de gebeurtenis die hen hier bijeenbracht. De pelgrims klommen langs de heuvelflanken omhoog. Plotseling werd het doodstil, het teken dat de preek was begonnen, maar wat er werd gezegd drong niet door tot waar zij stonden. Sjeik Abdoellah zag een oude man op een dromedaris, die van tijd tot tijd zijn handen gebruikte om zijn woorden kracht bij te zetten. De preek had, hoorde hij later, zoals ieder jaar Adam en Hauwa in herinnering gebracht, de tranen die Adam op deze plaats in een maanden durend gebed had vergoten, tot zich een zoetwatermeer vormde waaruit de vogels dronken. Delen van het betoog werden benadrukt door de kreten van de voor hen staande pelgrims, door hun amins en labbayks, die eerst sporadisch, zacht en bedachtzaam klonken, maar waarvan het volume en de intensiteit geleidelijk aan toenamen, tot ze zelfs de mensen meesleepten die een heel eind van de preek vandaan stonden. Uiteindelijk was iedereen rondom sjeik Abdoellah tot tranen toe bewogen, Mohammed liet zijn gezicht in een witte doek zakken en tal van pelgrims stonden te snikken, hoewel niemand van hen een woord had verstaan. Met het emotionele gehalte van de preek was iedereen vertrouwd. Wat begonnen was als een strovuurtje, groeide uit tot een vuurzee. Hoe roder de late middag kleurde, des te hartstochtelijker klonken de smeekbeden van de pelgrims. Ze baden om vergiffenis, om godsvrucht, om een lichte dood, om een positieve balans op de dag des oordeels, om de vervulling van hun gebeden tijdens hun leven. Vrijwel niemand van de vele aanwezigen deed op dit ogenblik iets anders dan bidden.

Bij zonsondergang klonken de felicitaties: *Iedkoem moebarak ... Iedkoem moebarak.* De hadj was aan het eind van deze dag voltooid. De zonden waren vergeven, de pelgrims waren onschuldig als pasgeboren kinderen en mochten zich voortaan hadji noemen. Sjeik Abdoellah omhelsde Saad, Mohammed en diens oom. De trots die hij voelde, was echt, en hij gaf er zich zonder bijgedachten aan over. De mensen om hem heen maakten een uitgelaten indruk en leken te zweven. Maar de eerste pelgrims vertrokken al. Iedereen pakte haastig zijn spullen bij elkaar, gooide de provisorisch bijeengebonden tenten op de lastdieren en sloeg ze om ze in beweging te brengen. Wij noemen dit de race van Arafah! Mohammed had plezier in zijn rol van bezonnen commentator. De pelgrims renden met vurige kreten de heuvel af. Ik sta voor u, God, ik sta voor u. Hoewel iedereen in hun groep meehielp, stonden hun dromedarissen pas na het invallen van de duisternis klaar om te vertrekken. Alles stroomde naar de weg die naar Mina leidde. De aarde lag bezaaid met achtergelaten tentstokken. Sjeik Abdoellah zag hoe er in het gedrang een draagstoel kapot werd gedrukt, hoe een paar voetgangers onder de hoeven van een lastdier kwamen, hoe een dromedaris in elkaar zakte, hoe pelgrims zich met stokslagen tegen andere pelgrims verweerden, hij hoorde stemmen die om een dier riepen, of om vrouw en kind. De pelgrims baanden zich duwend en dringend een weg door het dal, dat door de invallende duisternis nauwer en dieper leek, ze bereikten de holle weg, al-Mazumain genoemd en gemarkeerd met talloze fakkels die zo fel brandden, dat het leek of ze door de opwinding van de massa werden gevoed. De vonken vlogen over de vlakte als verschietende sterren. De artillerie vuurde het ene na het andere salvo af, soldaten lieten hun geweren feestvieren en ergens ver achter hen speelde de kapel van de pasja. Vuurpijlen stegen op, afgeschoten door de stoet van de sharif, zoals Mohammed vlijtig mededeelde, maar ook door welgestelde pelgrims die de hemel wilden laten weten dat ze hadji's waren, en misschien was de boodschap van de pijlen zichtbaar in de dorpen en steden waar ze vandaan kwamen. De dieren liepen in snelle draf, er waren evenveel redenen voor de haast als voor het oorverdovende geschreeuw waarmee de menigte door de pas van Mazumain naar Muzdalifa en Mina trok. Ze hoefden nog geen twee uur te rijden tot ze een volstrekt ongeorganiseerd kamp bereikten. Iedereen liet zich op de eerste de beste plek neervallen. Er werden geen tenten opgezet, behalve voor de pasja's, van wie ook de hoog oplichtende lampen waren die de hele nacht brandden, een nacht waarin de artillerie bleef schieten, aan één stuk door, alsof ze een vreugdelied zongen dat geen einde kende. In de verwarring rond het vertrek van de berg Arafah waren veel pelgrims hun dromedaris kwijtgeraakt, en terwijl sjeik Abdoellah, gewikkeld in zijn ihraam en een ruwe deken, tevergeefs de slaap probeerde te vatten, hoorde hij hun schorre stemmen ronddwalen.

〰〰〰〰〰〰〰

In de maand dzoe al-ka'da van het jaar 1273
Moge God ons zijn gunst en genade laten ondervinden

MOHAMMED: Ik heb hem nooit uit het oog verloren. Ik was ervan overtuigd dat hij zich op een dag zou verraden. Ik wilde hem ontmaskeren. Ik heb mijn oom gevraagd ons naar Arafah en Mina te vergezellen, zodat hij me kon helpen. Dat was ook

328

goed. Op de berg Arafah was ik de anderen kwijt. Ik had geprobeerd dichter bij de preek te komen, omdat die vanuit onze tentplaats niet te horen was, maar sjeik Abdoellah maakte zich kennelijk zorgen dat we te laat zouden vertrekken, hij liet de bepakte dromedarissen wegrijden. Toen ik terugkwam bij onze plek, waren ze onvindbaar. Ik moest te voet naar Mina. Daar heb ik de anderen gezocht, maar na een paar uur heb ik het opgegeven en ben op het zand gaan liggen slapen. Koud was het, met niets aan je lijf dan de ihraam. Maar mijn oom zat bij sjeik Abdoellah in de draagstoel en heeft hem geobserveerd. Er gebeurde iets vreemds, iets onverwachts. Sjeik Abdoellah liet zich alle kanten op vallen, alsof hij leed onder de zonden die hij zojuist had bekend. Hij brabbelde voor zich uit, zijn stuiptrekkingen werden steeds heftiger, de draagstoel dreigde om te slaan en mijn oom praatte op hem in en probeerde hem gerust te stellen. Maar sjeik Abdoellah was niet te stoppen. Hij schreeuwde tegen mijn oom, hij spuugde de woorden gewoon uit. Het is jouw schuld, bij God, het is jouw schuld. Steek je baard naar buiten, laat me met rust en God zal het ons allebei gemakkelijker maken. Mijn oom deed wat hij vroeg, hij keek voor zich uit, naar buiten, en probeerde te horen wat zich achter zijn rug afspeelde. Sjeik Abdoellah bleef nog een tijdje onrustig, toen hielden de stuiptrekkingen op. Ik had me vaak afgevraagd of sjeik Abdoellah wel een derwisj was. Maar die ervaring bracht me aan het twijfelen.

GOUVERNEUR: Je oom heeft kennelijk niet zo'n scherp verstand als jij. Die aanval van de sjeik was gespeeld!

MOHAMMED: Hoe weet u dat?

GOUVERNEUR: Het staat in zijn boek. Hij heeft die stuiptrek-kingen gesimuleerd om in alle rust achterom te kunnen kijken en de berg Arafah te kunnen tekenen.

MOHAMMED: Dan klopte mijn verdenking, vanaf het begin. Hoe komt het dat ik hem niet heb betrapt, ik had hem moeten betrappen.

KADI: Hij was in elk geval gedwongen voorzichtiger te zijn.

GOUVERNEUR: Voorzichtiger? Hij schijnt over volledige bewegingsvrijheid te hebben beschikt. In zijn boek geeft hij zelfs maten en afstanden aan. Hij schijnt de Grote Moskee, moge God haar heiligen, te hebben opgemeten. Heb je er een verklaring voor hoe dat kon?

MOHAMMED: Ik heb geen idee.

SHARIF: Misschien heeft hij zijn stappen geteld?

GOUVERNEUR: Te onnauwkeurig, en in het gedrang ook moeilijk uitvoerbaar.

SHARIF: Denk na, je bent een slimme jongen, denk na.

MOHAMMED: O, God, hij heeft alles opgemeten met de stok waarop hij leunde. Hij hinkte een beetje, hij beweerde dat hij op de reis van Medina naar Mekka van zijn dromedaris was gevallen. Ik heb dat niet gezien, maar hij was een erbarmelijk slechte ruiter. Die stok liet hij vaak vallen, dan ging hij zitten en verschoof hem steeds. Hij wilde een hele nacht bij de Kaäba doorbrengen. We hebben er lang gebeden en met een paar kooplieden gepraat. Mijn ogen vielen op een gegeven moment dicht. Ik werd wakker omdat er iemand over me struikelde, en sjeik Abdoellah was nergens te bekennen. Ik kwam overeind, keek rond en ontdekte hem ten slotte bij de Kaäba, hij sloop eromheen. Hij raakte telkens weer de *kiswah* aan, van onderen, waar de stof al rafelde, en ik had de indruk dat hij er een stuk wilde afscheuren. Hij keek voortdurend om naar de bewakers, maar die letten goed op, zoals u weet, die willen dat handeltje voor zichzelf houden, dus een van hen kwam naderbij en hief dreigend zijn lans. Ik trok sjeik Abdoellah aan zijn arm weg bij de Kaäba. Ik weet dat veel mensen een reepje van de stof scheuren, het geldt als pekelzonde, maar toch, hoe kan een gerespecteerd man zoiets doen?

KADI: Wat ons dan verbaast, is dat deze vreemde in zijn boek schrijft dat jij hem een stuk van de kiswah hebt gegeven.

MOHAMMED: Schrijft hij dat?

KADI: Ja. Hij schrijft wel meer over jou.

MOHAMMED: Dat is wel waar, maar dat was later, toen we afscheid namen.

KADI: Hoe kwam je eraan?

MOHAMMED: Gekocht van een officier.

KADI: Had je zo veel geld dan?

MOHAMMED: Dat had ik van mijn moeder gekregen, zij wilde dat we hem iets blijvends cadeau deden.

KADI: En toen heeft ze al het geld dat die bezoeker voor de overnachting in jullie huis had betaald aan een afscheidsgeschenk uitgegeven? Buitengewoon royaal.

MOHAMMED: Ze had veel met hem op. Er schiet me nog iets te binnen wat ik u moet vertellen, het is vast belangrijk. Op een dag zagen we op de hoofdweg in Mina een officier van de irreguliere troepen die stomdronken was, hij gaf iedereen die hem in de weg stond een elleboogstoot, en hij schold iedereen uit die protesteerde. Toen wij langs hem liepen, hield hij even op, slaakte een kreet en viel sjeik Abdoellah om de hals, die hem wegduwde. Wat is er, mijn vriend, riep de zatlap, en sjeik Abdoellah draaide zich meteen om en snelde weg. Hij beweerde dat hij die man helemaal niet kende, maar ik vond het vreemd.

GOUVERNEUR: Hij kende hem wel degelijk.

MOHAMMED: Dat weet u?

GOUVERNEUR: Uit Caïro.

KADI: Daar hadden ze samen zitten drinken.

MOHAMMED: Ik wist het.

GOUVERNEUR: Helaas is het niet zo eenvoudig als het lijkt. Die man heeft blijkbaar zo veel sterke kanten dat zijn fouten hem nooit helemaal ontmaskeren. Je kunt gaan, jongeman. Je hebt God en je heerser goed gediend. We zullen je een gepaste beloning geven.

GOUVERNEUR: Klopt het trouwens dat Saad, de neger, weer is gearresteerd?

SHARIF: We weten niet wat we met hem aan moeten; ik ben bang dat zijn verstand te veel in de war is geraakt. De bewakers hebben hem opgepakt in de Grote Moskee omdat hij aan één stuk door rond de Kaäba liep, overdag en 's nachts, wat overdreven is, maar op zich nog niet zo erg, als hij het niet bij elke stap had uitgeschreeuwd als een wild beest: ik heb de waarheid geweld aangedaan, schreeuwde hij, ik ben geen man meer, dat schreeuwde hij telkens weer. Niemand kon hem ervan afbrengen, van dit gedrag, dat werkelijk ongepast is, ook andere pelgrims stoorden zich eraan. Hij schreeuwde met een pijn, zo heeft Zijne Hoogheid Sjeik al-Haram mij medegedeeld, en ik kan u zeggen dat het hoofd van de eunuchen diep getroffen was, de zwarte schreeuwde met een pijn alsof hij de hel had gezien.

❧❦❧❦❧❦❧

Vandaag, zei Mohammed na het ochtendgebed vergenoegd, vandaag gaan wij de duivel stenigen. De stenen die ze de nacht ervoor hadden verzameld, lagen in hoopjes van zeven voor hen, en sjeik Abdoellah moest een fijn lachje onderdrukken toen hem opviel dat de door Mohammed bijeengebrachte projectielen overijverig groot waren. Het had hem vanaf het begin de grootste moeite gekost de steniging van Beëlzebub serieus te nemen. Bij dit gebruik was de helderheid van de rituelen verdwenen en bevonden ze zich ineens in de janboel van een kermis, met een schiettent als hoofdattractie, waar je zeven keer mocht proberen een stenen paardenvoet te raken. Verlies ze onderweg niet, en gebeurt dat toch, raap dan in geen geval stenen op waarmee anderen al hebben gegooid, instrueerde Mohammed. Dat zal wel komen omdat gebruikte stenen de duivel geen pijn meer doen, dacht sjeik Abdoellah gnuivend, maar hij keek Mohammed aan met de open blik van een streber die eens even goed zijn best zal doen. In de twaalf maanden tussen twee bedevaartperiodes laadden ze zich kennelijk weer op, de steentjes, want je kon je moeilijk voorstellen dat er elk jaar weer maagdelijke stenen voor het oprapen lagen. Zelfs in de woestijn is de voorraad stenen beperkt. Zorg ervoor, vervolgde de jonge opruier, dat je de pilaar bij elke worp raakt. Houd de stenen zo tussen je vingers … sjeik Abdoellah kreeg – nog voor hij hem in het akelig nauwe dal van Mina had ontmoet – haast een beetje medelijden met die duivel, wiens romp elk jaar op honderdduizenden stenen werd getrakteerd. Maar daar de duivel uit rotsgesteente bestond, waren projectiel en mikpunt van hetzelfde materiaal, zodat er geen wezenlijke verandering dreigde. Het evenwicht der krachten bleef behouden, de duivel kon net zomin door de stenen worden beschadigd als de woestijn met een handvol water kon worden bevrucht. Laten we eindelijk gaan, zei hij vlijtig, en Mohammed beloonde hem met een tevreden blik.

Daar Mohammed zich als pelgrim overdreven nauwkeurig aan de opgegeven tijden hield, belandden ze vlak na hun vertrek in een menselijke lawine – later zou sjeik Abdoellah vernemen dat degenen die het op een akkoordje gooiden met God, de duivel en zichzelf, vroeger dan was voorgeschreven op pad gingen voor de steniging, of zelfs midden in de nacht opstonden om zich bij een vredig maantje van hun taak te kwijten. Zo'n overtreding zou bij Mohammed ondenkbaar zijn, al kroop hij af en toe, zo vermoedde sjeik Abdoellah al een tijdje, stiekem wel degelijk door het struikgewas der compromissen. Een man versperde hen de weg, een man met een smal gezicht, één en al extase. Hij trok sjeik Abdoellah aan zijn mouw. Je kunt je de moeite besparen, broeder, ik heb de duivel de ogen al uitgegooid. Ook een blinde Shaitan, antwoordde sjeik Abdoellah, broedt gevaarlijke verlokkingen uit, zoals ook een blind mens niet gevrijwaard blijft van fouten. Je hebt een grote derwisj uit India voor je, voegde Mohammed eraan toe, hij houdt zich Shaitan met zijn wijsheid van het lijf. Alle twee zijn ogen, hè, schreeuwde de man, alle twee! En hij verdween in de massa.

De hadji's leken een in het dal stortende lawine toen ze de pilaar in het oog kregen. Sjeik Abdoellah voelde zich van alle kanten in het nauw gedreven. De menigte deinde als een slingerend schip heen en weer, onzeker rolde ze verder, terwijl de ene schreeuw over de andere heen walste en het laatste restje fatsoen en geduld werd platgedrukt, vooral door de dromedarissen en muilezels van de hoge heren. De pilaar was een afknapper, er ging evenveel dreiging van uit als van een wegmarkering langs een Romeinse straat, of van een hunebed, of van een naamloos graf. Maar het ding werkte op de verbeelding van de hadji's om hem heen, die hun gezicht tot een boze grimas vertrokken terwijl ze van een veel te grote afstand hun stenen gooiden. Veel hadji's raakten niet de duivel, ze raakten hun eigen broeders en zusters. Sjeik Abdoellah verschoot zijn munitie zo snel als hij kon. In plaats van voor elke worp een gebed op te zeggen, mompelde hij: wij zoeken bescherming bij God tegen het geweld en de uitvallen van de menigte en het laten betijen van onbeheerste verlangens. Maar er was geen bescherming. Niet in een menigte waarin iedereen op voet van oorlog met elkaar stond en nog maar één ding wilde: levend uit het ritueel komen. Hij was steeds verder naar voren geduwd en had het gevaar niet opgemerkt, hij was het schuim op een stormgolf die in de richting van de pilaar rolde. Stenen vielen op zijn lichaam, en een ervan miste zijn oog op een wenkbrauw na.

Het was moeilijker aan de steniging te ontkomen dan erheen te snellen. Na het werpen van hun zeven stenen baanden de hadji's zich met geweld een uitweg uit de massa; ze sloegen om zich heen en trokken zich niets aan van de weerstand die ze ondervonden. Ze leunden met hun volle gewicht tegen de man of vrouw voor hen en lieten niemand passeren die ook maar even een andere kant op wilde. Met een klap op zijn achterhoofd openbaarde zich aan sjeik Abdoellah de diepere betekenis van dit ritueel: de steniging was een oefening in het al te menselijke na de hoge vlucht van de loutering. Iedereen voedde de duivel in zichzelf, het hart van de pelgrims versteende weer, en daarom was het helemaal niet verkeerd dat de stenen op de pelgrims neerkwamen. Integendeel, het was juist de bedoeling de duivel in de medemens te treffen, niet die op de pilaar, die daar alleen maar ter afleiding stond. Op de hadj had hij een perpetuum mobile van de overgave beleefd, nu werd hij heen en weer geslingerd door een perpetuum mobile van geweld, en terwijl hij daar stond, in het hart van de islam, kwamen de woorden van Upanishe bij hem op toen hij hem de leer van Advaita had uitgelegd: Als wij in onze medemens altijd alleen de ander zien, zullen we hem altijd blijven kwetsen. Zo bezien zat de duivel in de verschillen die mensen tussen elkaar opbouwden. Zijn inzicht werd bevestigd door een klodder spuug die op zijn gezicht belandde.

∞∞∞∞∞∞

Al na drie dagen hadj hoopt zich op het grote veld, in de nissen en hoeken tussen tenten en huizen en op het opslagterrein voor de pelgrims allerlei weerzinwekkends op. De grond ligt bezaaid met uitwerpselen, met resten van bedorven groenten en rottend fruit. Walgend loopt hij erdoorheen. Zeker vandaag, nu de lucht vergeven is van een stank die afkomstig is van de grote slachtpartij. Vele duizenden dieren – geiten en kamelen – is de keel afgesneden. Het vlees wordt weggegeven, gebraden, opgegeten; de resten, darmen en ingewanden, stukken vel en vet, opgedroogde stroompjes bloed brandmerken de aarde. De vallei van Mina is de afschuwelijkste plaats op aarde die sjeik Abdoellah zich kan voorstellen. Als iemand doodgaat, laten ze hem eerst liggen, en als het lijk de staat van ontbinding bereikt, wordt het in een van de sloten gegooid die zijn uitgegraven om het slachtafval kwijt te kunnen. Een ziekmakende vleescompost. Het aantal doden stijgt, wat gelet op de ontberingen van de hadj, de lichte kleding, de slechte huisvesting, de ongezonde kost en het gebrek aan voedsel onvermijdelijk is. Een paar pelgrims zijn het slachtoffer van de tweede steniging geworden, toen ze de duivel opnieuw te lijf gingen en drie keer zeven stenen moesten gooien omdat hij er in de loop van de nacht drie zuilvoeten bij had gekregen. Het was drie keer zo afschuwelijk en drie keer zo gevaarlijk als de dag ervoor.

Het verblijf in Mina ervaart hij als hardheidsproef. De andere pelgrims vergaat het niet beter. Het verse voedsel is op, evenals het inwendige vuur. De dag hult zich in somberheid. Wie nog in beweging komt, sleept zich door de uren die zich traag uitstrekken boven de afgeworpen mantel van verplichtingen. Het sterven neemt toe – inmiddels eindigt geen gemeenschappelijk gebed meer zonder een Salat Jennazi, uitgesproken voor de recentste doden. Sjeik Abdoellah besluit op de rug van een ezel de laatste etappe naar Mekka af te leggen, waar de nood van het ogenblik – ziekte en dood – zelfs de Grote Moskee heeft gevuld met lijken, en met zieken die naar de zuilengalerijen worden gedragen om door de aanblik van de Kaäba te worden genezen of in de heilige ruimte bezield te sterven. Sjeik Abdoellah ziet uitgeteerde hadji's, die hun krachteloze lichaam naar de schaduw onder de zuilengalerij slepen. Als ze hun hand niet meer kunnen uitsteken om een aalmoes te vragen, is er altijd wel iemand die uit medelijden een bakje bij de mat zet waarop ze liggen, zodat de schaarse giften daarin kunnen worden gedeponeerd. Als deze stumpers voelen dat hun laatste uur heeft geslagen, bedekken ze zich met hun versleten kleren, en soms duurt het een hele tijd, zo vertelt Mohammed hem, voor iemand ontdekt dat ze dood zijn. De volgende dag, na nog een *tawaaf*, struikelen ze dicht bij de Kaäba over een gestalte in foetushouding, kennelijk een stervende die in de armen van de profeet en de engelen is gekropen. Sjeik Abdoellah blijft staan en buigt zich over hem heen. Schor en met een slap maar begrijpelijk gebaar vraagt de man of ze hem met wat zamzam-water kunnen besprenkelen. Terwijl ze zijn wens vervullen, sterft hij; ze sluiten zijn ogen en Mohammed loopt weg, blijkbaar om iemand te waarschuwen, want even later maken een paar slaven de plek waar de dode heeft gelegen grondig schoon, en amper een half uur later zullen ze de onbekende begraven – zo moeizaam de komst van de mens op aarde in zijn werk gaat, zo snel ontdoet de wereld zich van hem wanneer hij alleen nog materie is. Sjeik Abdoellah vindt dat geen prettige gedachte, maar als hij ergens vrede zou kunnen hebben met deze gang van zaken, dan hier. Hij zit rechtop, met uitzicht op de Kaäba, en stelt zich voor dat hij de man is die daar ligt te sterven. Voelt hij de waterdruppels nog die op zijn gezicht vallen? Van wie of wat zou hij afscheid moeten nemen?

﷽﷽﷽﷽﷽﷽

In de maand dzoe al-hidjdja van het jaar 1273
Moge God ons zijn gunst en genade laten ondervinden

GOUVERNEUR: Neemt u mij niet kwalijk dat ik u voor een laatste ontmoeting heb uitgenodigd, maar ik vertrek meteen na *id al-Adha* naar Istanbul en het is de bedoeling dat ik het eindverslag meeneem.

SHARIF: Er is bijna een jaar verstreken sinds we ons voor het eerst bezighielden met deze zaak, die zeker belangrijk is, maar we hebben gedaan wat we konden en toch hebben ook wij, als u mij die vergelijking toestaat, tevergeefs naar de nieuwe maan van de waarheid gelonkt.

GOUVERNEUR: We moeten nog een laatste getuige horen, misschien helpt hij ons de knoop doorhakken. Het is Salih Shakkar, we hebben hem eindelijk gevonden, hij is met de grote karavaan naar Mekka teruggekeerd. Een tiental van mijn mannen had de opdracht naar hem uit te kijken. Ik heb hem al een paar vragen gesteld, daar kwam niets nieuws uit, maar misschien gebeurt dat wel bij een gesprek met ons allemaal.

KADI: Ook al was de hemel volledig zwart gekleurd, wij zouden blijven zoeken naar de nieuwe maan.

SHARIF: Voor het laatst, zoals de gouverneur al zei, voor het laatst. Ik zal onze bijeenkomsten missen, weet u, ze waren een welkome afwisseling, zo leerzaam en onderhoudend.

KADI: Onderhoudend?

SHARIF: Bij wijze van spreken.

GOUVERNEUR: Ik zal de man laten roepen.

GOUVERNEUR: Denk na. Hij moet toch een of andere mening te kennen hebben gegeven? Ieder mens spreekt weleens een oordeel uit.

SALIH: Hij had een scherpe blik voor het onrecht in de wereld, hij legde verwonderlijk veel sympathie voor bezitloze pelgrims aan de dag. Alsof ze familie waren.

GOUVERNEUR: Juist, ja …

SALIH: Hij kon zich ook behoorlijk opwinden, razend kon hij worden. Hij schold zelfs een keer op de kalief.

GOUVERNEUR: O ja?

SALIH: Hij schold op de rijkdom van de bazen, op de vrijgevigheid tegenover de leiders van de grote karavanen. Op de corruptie die hij overal om zich heen zag. Terwijl arme pelgrims, daar kwam hij steeds weer op terug, volledig aan hun lot werden overgelaten, ze kregen geen steun en er werd niets voor hun veiligheid gedaan.

KADI: Wat moest er volgens hem dan gebeuren?

SALIH: Het was volgens hem niet genoeg voor betere bronnen te zorgen. Arme pelgrims moesten gratis toegang tot die bronnen krijgen. Hij vond het misdadig dat water bij de bronnen werd verkocht en dat degenen die geen geld hadden door de bewakers werden weggejaagd. Geen mens mocht volgens hem honger of dorst lijden.

KADI: De woorden van een ware moslim.

SALIH: De vele zieken en stervenden langs de kant van de weg hielden hem erg bezig, dat weet ik nog zo goed omdat ik hem vroeg of ziekte en gebrek in zijn India soms niet voorkwamen; hij antwoordde toen dat je in zijn land de grootste armoede zag en dat er meer arme sloebers rondliepen dan bij ons, maar dat noch de Britse overheid noch de Indische koningen ooit hadden geloofd dat alle mensen gelijk waren. In het land van het ware geloof en zeker in de nabijheid van Gods huis lag het volgens hem anders; daar vond hij dergelijke toestanden haast godslastering.

KADI: Krasse taal. Hij durfde. Onder de jonge oelama heb je er ook een paar die zoiets verkondigen.

GOUVERNEUR: Denkt u dat er een verband bestaat?

KADI: Nee, het is niet moeilijk te begrijpen hoe iemand op deze gedachte komt en er dan de logische conclusie uit trekt.

SHARIF: Gaat u door.

SALIH: Hij vond dat er ziekenhuizen moesten komen, een half dozijn alleen al tussen Mekka en Medina. Ook voor iedereen toegankelijke herbergen, zo veel als nodig. Zo veel zou dat niet kosten, beweerde hij.

GOUVERNEUR: Goedkoop is het voor wie het niet hoeft te betalen.

KADI: En verder?

SALIH: Verspilling was hem een doorn in het oog. Een geliefde uitspraak van hem was: God veracht mensen die geen maat kennen.

GOUVERNEUR: En verder, wat had hij nog meer aan te merken?

SALIH: De ziektes ...

GOUVERNEUR: Ziektes?

SALIH: Ja, hij was arts, dat weet u toch wel?

GOUVERNEUR: Dat is interessant, wat heeft hij over ziektes gezegd?

SALIH: Hij vond dat pelgrims al bij hun aankomst in Djidda of in

Yambu een officieel medisch onderzoek moesten ondergaan, en er moest overal genoeg schoon water beschikbaar zijn met het oog op de hygiëne. Zieken moesten volgens hem meteen van de andere pelgrims worden gescheiden en lijken en kadavers zo snel mogelijk worden opgeruimd. En meer van dat soort zaken, ik herinner me niet alle details. Zoals gezegd is het al een paar jaar geleden.

GOUVERNEUR: Heel interessant. Ik dank u, sjeik Salih Shakkar. We zullen u belonen voor uw moeite. U kunt nu gaan.

SHARIF: Wat was daar zo interessant aan?

GOUVERNEUR: De minister heeft me in zijn laatste brief deelgenoot gemaakt van zijn bezorgdheid dat de Britten en Fransen het gevaar van ziektes als voorwendsel zullen gebruiken om hun belangen in dit gebied veilig te stellen. Ze hebben al beweerd dat de hadj gevaarlijke epidemieën teweegbrengt die zich tot in hun landen verspreiden, dat Mekka, God moge haar verheffen, de bron is van allerlei besmettelijke ziektes en dat de hadji de ziektekiemen meenemen naar alle uithoeken van de aarde.

KADI: Waarin ze niet helemaal ongelijk hebben. Cholera is op de hadj een trouwe metgezel geworden.

SHARIF: En wie heeft die cholera meegebracht, waar komt ze vandaan? Uit Brits-India, wij kenden deze ziekte vroeger niet. Tegenwoordig komen veel pelgrims ziek aan, andere zijn sterk verzwakt en worden door de zieke pelgrims besmet, en dat zou dan de schuld zijn van Mekka, God moge haar verheffen.

GOUVERNEUR: De Britten hebben al vaker beweerd dat ze op grond van die gevaren voor de gezondheid het recht hebben in te grijpen in Djidda.

SHARIF: En als we hun kennis nou eens niet meteen afwijzen, enkel omdat ze van ongelovigen komt? Zouden we er dan niet een hoop aan kunnen hebben? Het gaat tenslotte om het welzijn van onze zieke broeders en zusters.

GOUVERNEUR: Ik weet hoe graag u met de Farandjah in zee gaat.

U beeldt zich in op die manier uw onafhankelijkheid te kunnen bewaren. U vergist zich deerlijk! De Britten zouden korte metten maken met u en al uw privileges. Als hun gezant u welgezind is, krijgt u misschien een kleine schadeloosstelling, een bescheiden hofhouding en een volstrekt onbelangrijke taak. Van uw prachtige paleis in Maabidah zou u spoedig afscheid moeten nemen.

SHARIF: Waar hebt u het over, ik begrijp niet wat u bedoelt, ik respecteer het kalifaat en koester geen van de bedoelingen die u mij toedicht, in ieder geval niet moedwillig.

GOUVERNEUR: En de Hoge Poort respecteert de sharif van Mekka. We moeten ervoor zorgen dat dit wederzijdse respect blijft bestaan. Als teken van onze goede wil hebben wij besloten het garnizoen in Djidda te vergroten.

SHARIF: Misschien moeten we dit gesprek voortzetten als u terug bent. Brengt u alstublieft onze diepste achting en onze niet minder oprechte dank over aan de kalief, als u hem opzoekt. En natuurlijk ook aan onze oude vriend, de minister.

GOUVERNEUR: En welke conclusie kan ik hem overbrengen ten aanzien van dit speciale geval?

KADI: We moeten juist in deze tijd, de tijd van de loutering, niet vergeten: als God de mens in de heilige plaatsen zegent, dan zegent Hij ook de ongelovige. Hij opent diens hart, opdat hij geroerd wordt, en Hij opent diens ogen, opdat hij zal zien. Gods genade is oneindig en laat zich niet weerhouden door iemands afkomst of zijn bedoelingen. Wie zijn wij dat we Zijn mededogen met een meetlint willen meten? We weten niet wanneer en hoe deze sjeik Abdoellah, deze Richard Burton, moslim is geworden, of hij moslim is gebleven, of hij als moslim op hadj is gegaan, hoe zuiver zijn hart was, hoe eerlijk zijn bedoelingen waren. Ongetwijfeld heeft hij op zijn reis het een en ander meegemaakt dat hem heeft geraakt, waardoor hij is veranderd. De oneindige genade van God moet hem hoe dan ook deelachtig zijn geworden.

GOUVERNEUR: Het ging ons niet zozeer om zijn zielenheil, meer om zijn geheime opdracht. Ik denk dat we met zekerheid hebben kunnen vaststellen dat hij onder de mannen uit de Hidjaaz geen handlangers of medeplichtigen heeft gevonden. Daar kunnen we blij om zijn. Maar we hebben ondanks al onze inspanningen niet kunnen achterhalen of hij informatie heeft verzameld die ons schade zou kunnen berokkenen.

SHARIF: En omdat we dat nooit tot de bodem kunnen uitzoeken, is het misschien niet zo gek ons verstand een verhelderend woordje te laten meespreken. Die vreemdeling was een eenling. Wat hij ook te weten mag zijn gekomen, wat kan een mens in zijn eentje al uitrichten? Ook al zou hij een spion zijn geweest, een uiterst bekwame, geslepen spion, dan nog blijft de vraag wat een eenvoudige pelgrim kan hebben waargenomen waarmee hij de toekomst van het kalifaat en de heilige plaatsen, God moge ze nog eervoller en verhevener maken, in gevaar zou kunnen brengen.

KADI: Glorie zij God, die hun eer in stand houdt tot de dag van de wederopstanding.

GOUVERNEUR: Laten we hopen dat u gelijk hebt, sharif. Want als het kalifaat zijn invloed in de Hidjaaz verliest, zullen er mogendheden voor in de plaats komen die veel minder begrip hebben voor onze tradities.

KADI: Daartegen zullen we ons verzetten.

GOUVERNEUR: Met wapens of met gebeden?

KADI: Met wapens en gebeden, zoals onze profeet, moge God hem vrede schenken, het heeft gedaan. Zo'n strijd zou ons geloof vernieuwen.

SHARIF: Zover kan het beter niet komen. We moeten ons hoeden voor overhaaste vernieuwingen.

GOUVERNEUR: We moeten nooit vergeten hoeveel wij allemaal te verliezen hebben.

De volle maan bevrijdt hem van de waakzaamheid die de onverlichte straten van Mekka anders van hem eisen. Hij kan zich
overgeven aan zijn gedachten. Hij verlaat Mekka met opluchting
en met spijt. De opdringerige begeleiding van Mohammed zal hij
niet missen. Pas de avond tevoren had de jongen hem de bekentenis afgedwongen dat hij niet degene was voor wie hij zich
uitgaf. Heb ik me ooit voor een goed mens uitgegeven, had hij
hem geantwoord. Mohammed had zijn handen opgeheven en
geroepen: Op jullie, derwisjen, is met woorden geen vat te
krijgen. Missen zal hij de rust van de Grote Moskee, waar hij
langer had willen vertoeven. Niet voor altijd, zoals sommige
pelgrims, maar nog een paar dagen of weken. Hem staat de
terugreis te wachten, en dat is altijd een reis zonder hoogtepunten. Een snelle rit naar Djidda. Geen gevaren op de weg, Mohammed was weer eens goed op de hoogte geweest, kijk uit voor
de douanebeambten, die hebben de muggen bloed leren zuigen.
Dan de overtocht naar Suez, die hopelijk comfortabeler zal
verlopen dan de heenreis met zijn beproevingen op de *Silk al-
Zahab*. Hij overweegt een poosje in Caïro te blijven. Om de hadj
op zijn gemak te verwerken. In Caïro zal hij zijn aantekeningen
proberen te ontcijferen, de snippers van de verscheurde briefjes
aan elkaar plakken, zijn waarnemingen in de gewenste lengte op
schrift stellen. Als er iets is waarop hij zich verheugt, dan is het
zich alles weer voor de geest te halen terwijl hij het opschrijft. Hij
zal niet alles aan het papier toevertrouwen. Met uiterlijke details
zal hij niet zuinig omspringen, en hij zal ook veel plaats inruimen
voor de natuurwetenschap, om de fouten te corrigeren die zijn
voorgangers in het leven hebben geroepen. Onnauwkeurigheden
zijn hem een doorn in het oog. Maar zijn gevoelens zal hij niet
verraden. Niet allemaal. Al is het alleen al omdat hij niet altijd
zeker was van zijn gevoelens. Hij wil niet nog meer onduidelijk-

343

heid in het leven roepen. Het zou misplaatst zijn en bovendien kan hij het zich niet veroorloven. Wie in Engeland zou hem kunnen volgen, het schemerrijk in, wie zou begrijpen dat de antwoorden waziger zijn dan de vragen?

OOST-AFRIKA

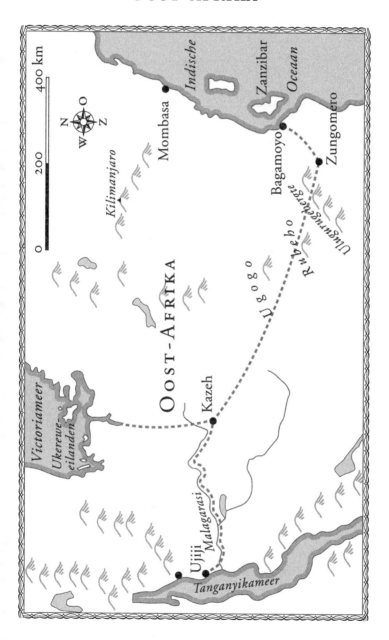

In de herinnering vervloeit het schrift

SIDI MOEBARAK BOMBAY

Zanzibar, het eiland, was het slachtoffer van zijn eigen haven geworden. Het rif opende zich als een poort in een muur van koralen. Vreemden hoefden alleen maar de zeilen binnen te halen en hun vlag te hijsen. De zeilen werden gerepareerd en vastgebonden tot het schip weer uitvoer. De vlaggen wapperden voorlopig, tot ze door andere vlaggen werden verdreven. Het vaandel van de sultan werd gestreken en Sidi Moebarak Bombay, die op zijn oude vertrouwde stekkie op de kade zat, grinnikte bij zichzelf, alsof hij niet kon geloven hoe veel stommiteiten hij in zijn leven al was tegengekomen. Alles vergaat, zei een stem links van hem. Er verandert helemaal niets, ging een oudere stem rechts van hem ertegenin. Er werd een nieuwe banier gehesen; vlot, als een intentieverklaring: rood trad af en ervoor in de plaats kwamen zonnestralen, scherp als pijlen die langs een blauwe hemel naar alle kanten schoten, en naast het banier, waarschijnlijk ter ere van de grote, zware schepen die voor de haven voor anker lagen, verscheen een zwart kruis, het vaandel van de heerser die de withuiden keizer noemden. Waarlijk, mompelde de oude man, geen dag gaat op een plaats zitten waar er al eerder een heeft gezeten. Hij nam afscheid van de mannen met wie hij zijn verbazing had gedeeld en trok zich terug in de oude stad, waar nauwe steegjes de uitnodiging van het rif herriepen.

Wie in Zanzibar aan land ging, was nog lang niet aangekomen. Daarvoor was tijd nodig, en aan tijd ontbrak het de withuiden. Hun nieuwsgierigheid vervloog voor de eetlust hun verging. Ze waren beter opgewassen tegen de wind en de golven dan tegen het labyrint van gevels. De oude man sukkelde langs verkorte bouwwerken van koraalsteen, belaagd door gestalten die door de late namiddag snelden. Hij liep met een boog om de

347

bedrijvige zoutmarkt heen en nam de korte route via de vlees-
markt, door alles en iedereen verlaten behalve door de stank. De
steegjes waren hier niet zo vol meer, de gedaanten die hij nu
tegenkwam, groetten in het voorbijgaan. Hij bereikte de moskee
van zijn wijk. Uit de nabije *medresa* drong de veelstemmige
voordracht van een soera. De oude man bleef staan en steunde
met zijn handen tegen de muur van het gebouw. De stenen waren
gegroefd, koel; kalmerend als een vertrouwd gezicht. Hij sloot
zijn ogen. De voordracht van de Ikhlas-soera, mooi kabbelend,
een loze belofte: het eeuwige bestond niet en was ook met
kinderstemmen niet te bezweren. De waarheid verdampte
's nachts en moest elke ochtend opnieuw worden gezocht. Er
kwam iemand naast hem staan. Het wordt tijd dat je de moskee
van binnen bekijkt. De stem van de imam klonk hees. De oude
man hield zijn ogen gesloten. Dat zou de imam, die op het effect
van zijn helder glanzende ogen vertrouwde, in onzekerheid brengen. Ben je nooit bang, *baba* Sidi? De dood komt je spoedig
halen. De oude man wreef met zijn handpalmen langs de ruwe
muur. Ik verkeer in verwarring, zei hij na een poosje, langzaam,
alsof ieder woord dat hij sprak, aarzelde om naar buiten te
komen. Ik weet niet of ik in een lijk of in een geest zal veranderen.
Je gedachten zijn blind, baba Sidi, ze leiden je naar de afgrond.
De oude man opende zijn ogen. Ik ken de moskee van binnen.
Hoe dan? Ik heb er gebeden, jij was toen nog in Oman. Maar ik
moest op reis, drie jaar was ik onderweg, te voet heb ik de halve
wereld doorkruist … Ik weet het, iedereen kent je verhalen, baba
Sidi. Nee, jij kent het verhaal niet, niet echt, en ik zal het je ook
niet vertellen. Waar ben je bang voor, baba Sidi? Voor de taal van
de simpele zielen, waarin jij en je soortgenoten elke ervaring
vertalen. Wat ik allemaal heb gezien past niet in de kale, kleine
ruimtes waarin jij alles wilt onderbrengen.

De oude man draaide zich om en liep de steeg door die naar
zijn huis leidde. De ongelovigen hebben je het hoofd op hol
gebracht, riep de imam hem na, dat weet iedereen! Je bent te lang

met hen omgegaan, te hecht, je was aan hen overgeleverd en dat is je slecht bekomen. Je linkerschouder weegt zwaarder dan de rechter. De oude man liep door tot hij buiten gehoorsafstand was. Bij alle onduidelijkheden kwam nu ook nog deze: waarom wachtte de imam hem altijd op, alsof hij de enige openstaande rekening in zijn gemeente was? Hij liep te prakkiseren, karig ondertussen met groeten, tot hij stilhield voor een gewelfde deur waarvan de linkervleugel openstond. Op het hout zwommen vissen tussen golven, gesneden met beheerste hand, rustig als een windstilte. Dadelpalmen sierden de ramen en op ooghoogte van zijn jongste kleinkind bloeide een lotusbloem. Bij elke vraag van het kind bestudeerde hij de deur opnieuw. Aan de boog hingen papiertjes met gebeden, 's ochtends neergekrabbeld door zijn vrouw, alsof ze er weinig fiducie in had dat de permanente kalligrafie in het hout de djins buiten zou weten te houden. De oude man riep over de binnenplaats, waar alles terechtkwam wat niet rein genoeg was voor de eerste verdieping, wat hij wilde drinken, waarna hij op de stenen bank tegen de buitenmuur ging zitten. Het was nog vroeg, de vrienden zouden later verschijnen, maar hij bespeurde anders dan gewoonlijk niet de behoefte om een dutje te doen als voorbereiding op de vermoeienissen van de avond. Direct zou Salim hem wat kokosmelk brengen. Hij zou zijn jongste kleinzoon naar zich toe trekken en een poosje genieten van zijn vlegelstreken. Daarna zou hij zich uitstrekken op de bank en zijn hoofd op de stenen leuning leggen.

De dag verlangde nog een gebed. De oude man op de *baraza* voor zijn huis richtte een oog op de langs hem kabbelende beek van gebeurtenissen. Gedachten dreven door zijn slaperigheid, de aflossing van de wacht door de vlaggen, het strijken van het bloedrode vaandel van de sultan, waar hij ooit achteraan had gelopen, de onzekerheid tegemoet, aangestoken door de ijdele arrogantie van die twee vreemdelingen – blond met een rode huid de ene, donker als een Arabier en vol littekens als een krijgsman de ander – die er blind op vertrouwden dat hun status en de vlag van de sultan bij de heersers in het binnenland het verwachte effect zouden sorteren. En in dat vertrouwen waren ze, achteraf gezien tot zijn verwondering, niet beschaamd. Hij had het overleefd, die reis en de drie reizen daarna. Hij had het overleefd.

En toen, veel later, kort nadat hij voor de eerste keer grootvader was geworden, was er weer een *mzungu* opgedoken, met een nog lichtere huid – de faam van de oude man moest hem de weg hebben gewezen. Een gejaagde man, even onhandig als *bwana* Speke, even eerzuchtig als bwana Stanley. Hij verzocht Sidi Moebarak Bombay hem naar het binnenland te brengen. Ze hadden op de binnenplaats gezeten – de *wazungu* vonden het onbeleefd als je hen op straat ontving, maar als je hen op de binnenhof uitnodigde, las je op hun gezicht het afgrijzen van de rondzwervende honden en kippen en van de in een hoek soezende slaaf bij wie speeksel uit de mond droop – en hij had juist met de gedachte aan nog een reis gespeeld, de vijfde, toen hij een stem hoorde die als een knuppel van de eerste verdieping op hem neerdaalde. Als je me nog een keer verlaat – de mzungu verstond de taal niet, maar waarschijnlijk wel de toon – krab ik het laatste restje vreugde uit je leven! Angst, plakkerig als een overrijpe mango, had zich opeens van hem meester gemaakt. Niet vanwege het dreigement van zijn vrouw. Voor het eerst was hij bang geweest dat hij niet meer zou terugkomen. De mzungu wilde informatie die naar bloed rook, naar onheil smaakte – alles aan hem was mateloos. Hij scheen te geloven dat de wereld was zoals hij haar zich in zijn hoofd voorstelde. En als de wereld hem teleurstelde, zou hij haar dan veranderen? Maak je geen zorgen, had hij naar zijn vrouw geroepen. Je komt niet van me af! Even had hij overwogen die maniak met verkeerde gegevens op een dwaalspoor te brengen, maar hij gaf die gedachte direct weer op, het had immers geen zin. Hij had weleens zo'n spelletje met de wazungu gespeeld, meer dan eens zelfs, maar ze hadden desondanks altijd hun doel bereikt. Half blind soms, of half gek, verlamd en krimpend van de pijn, maar altijd in het volle bewustzijn van hun succes. En vandaag hadden ze zowaar hun vlag gehesen boven Zanzibar. De oude man was niet verbaasd geweest toen hij vlak bij de centrale mast, midden tussen alle hooggeplaatste wazungu, de mateloze bwana Peters had ontdekt, de man die hem indertijd thuis had bezocht, en die nu stram in zijn prachtige uniform had staan gloeien van trots. De wereld zag er nu inderdaad uit zoals hij haar zich had voorgesteld.

'Waarom zit je met je hoofd te schudden?'

'Ik schud mijn hoofd over een heerschap dat mij altijd lastigvalt met domme vragen.'

'Andere vragen zou je niet begrijpen.'

'Hoe weet je dat? Je hebt het nooit geprobeerd.'

'Assalaam aleikoem.'

'Wa-aleikoem is-salaam.'

'Alles in orde?'

'Ja en toch ook weer nee.'

'Met de familie gaat het goed?'

'Een huis vol gezondheid.'

'Ook vol goud?'

'Ook vol goud, vol koralen, vol parels.'

'En vol geluk?'

'Hum!'

Marhaba.

'Marhaba.'

'Ik heb zin in sterke koffie.'

'Ga zitten.'

'Mocht hij me smaken, dan zal ik je toevertrouwen wat ik over de schatmeester van de sultan heb gehoord.'

'De vlag van de sultan wordt binnenkort als stofdoek gebruikt.'

'Daarom heeft de schatmeester zijn diensten aan de wazungu aangeboden.'

'Als je op hen indruk wilt maken moet je meer in huis hebben dan alleen je afkomst. Bij hen telt alleen wat je weet te presteren.'

'Ze hebben ook hun bloedzuigers nodig, en wie kun je daarvoor beter hebben dan een schatmeester die heeft laten zien wat hij waard is. Wie de heren van gisteren goed heeft gediend, zal de heren van morgen nog beter dienen.'

'Je hebt gelijk, ik geef het meteen toe. Maar ga nou eindelijk eens zitten, anders denken de mensen nog dat we ruzie hebben, en voor je het weet nemen ze dat geklets van jou nog serieus ook.'

'Je bent een toonbeeld van goedheid.'

'Een oude gewoonte die ik moeilijk kan loslaten. Ik heb net zitten denken, zeg nou niets, onderbreek me niet meteen, ik heb zitten denken over het zelfvertrouwen van de wazungu, wat heb ik hen in het begin slecht gekend, wat begreep ik weinig van hen, en nu, vandaag, wappert daar zomaar hun vlag, aan de hoogste mast op het eiland. Eigenlijk was alles op de eerste reis een openbaring … hé, Salim, kom bij me, jongetje, kom bij je opa zitten … een openbaring die ook weer niet helemaal onverwacht kwam, want daarom was ik juist meegegaan, vanwege dat vertrouwen dat die ene man, die donkere mzungu, me van begin af aan inboezemde, dat vertrouwen dat ik aan zijn zijde overal zou kunnen komen. Pas later kwam ik erachter dat zij juist ons nodig hadden om overal te komen. Maar zij hadden dat vaste vertrouwen. Begrijp je dat?'

'Kende je oma toen al?'

'Nee, Salim, ik kende je oma nog niet, maar één ding mag je van me aannemen: ik ben er niet op uitgetrokken om haar te leren kennen. Het was eerder alsof mijn voorouders me hadden geroepen, terug naar het land waar ik vandaan kom en waar ik nooit meer was geweest. Zo oud als jij nu bent, mijn ochtendrood, zo oud was ik ongeveer toen ze jacht op me maakten, toen ze me vingen, toen ze me wegsleepten, Arabieren met zware gewaden en luid knallende geweren, van wie we al gehoord hadden, o ja, voor wie we al gewaarschuwd waren, maar wie gelooft er aan een djin die je nog nooit bent tegengekomen? Heb jij weleens een djin gezien? Wat doe jij als hij je aanvalt, mijn zonlicht? Je weet het niet! Ze overvielen ons, sneller dan de dood, ze waren overal, ze schoten met hun donderende geweren en brulden bevelen die zich voor altijd in mijn oren griften, verschrikkelijke bevelen, vermengd met de kreten van onze moeders en grootmoeders en zussen, die zich voor altijd in mijn oren griften, en nu nog, als ik iemand hoor schreeuwen en het klinkt net als toen, een ketellapper die zijn knecht uitscheldt, een parelzoeker die moe en chagrijnig thuiskomt, dan hoor ik alles weer, elke kreet, elke schreeuw, en dan zie ik ook alles weer voor me; ik zie onze voetzolen naar het meer vliegen, o ja, ik zie de zolen van mijn angst. Geen idee waarom we redding zochten bij het water in plaats van ons in het bos te verstoppen zoals anderen deden, dat vermoed ik tenminste, want toen ze ons later op een rij hadden gezet, onze handen aan een balk geketend, ontbraken een paar broers van me, ze stonden er niet bij en dat was in elk geval iets waar ik blij om kon zijn. Ik was van jouw leeftijd, oud genoeg om weldra *door het mes te worden gegeten*, maar ook nog zo jong, een vogel nog die kon neerstrijken waar hij wilde, een vogel die niet naar een medresa hoefde, die niet op een binnenplaats hoefde te blijven, die door het bos en over grasland kon huppelen, die in het meer sprong als er iemand bij was om op de krokodillen te letten en op het water te kletsen als ze eraan kwamen. Toen kwam de dag die het masker van een onbekende droeg, de dag waarop mijn vleugels en poten werden gebroken, en ik niet meer wist of ik nog iets anders was dan een stuk vlees dat over de hete aarde werd gesleept. De onbekende maskers spraken de taal van de zweep. Jij, lieveling, kent de taal van de zweep niet, je kent niet eens de stok, want jouw vader vergeet alle boosheid als hij je ziet, jij weet niet hoe die taal je vernedert voor ze je pijn doet, hoe ze je straft voor ze je bedreigt, hoe ze door je geest snijdt, je op de knieën dwingt, je laat wankelen, het is een taal als een tong die je zou willen uitrukken, maar onze handen waren geboeid, en als we al eens een nacht rust hielden, want vaak moesten we 's nachts gewoon doorlopen, werden ook onze voeten geboeid en als je nu, drie mensenlevens later, naar de polsen van je grootvader kijkt, hier, kijk, dan zie je de littekens uit die tijd, toen mijn eerste leven stierf, mijn kinderleven, het leven met mijn voorouders en mijn naasten. Ik heb nooit meer iemand ontmoet die mijn dorp kende, die tot dezelfde voorouders bad als ik, en het duurde vele regentijden voor ik iemand tegenkwam die mijn taal sprak.

Vanaf die dag was ik alleen. De nachten waren het ergst, 's nachts slopen er hyena's rond, wij hoorden ze, de Arabieren hoorden ze ook, ze gooiden stenen het donker in, die je hoorde suizen of opspringen, maar na een tijdje gingen ze slapen, de Arabieren, rond het veilige vuur, en wij schreeuwden, schreeuwen was ons enige wapen tegen de rondsnuffelende hyena's, een bot wapen dat onze angst alleen maar vergrootte terwijl de hyena's naderbij slopen, je hebt geen idee, vriend, hoe de mens kan schreeuwen voor zijn stem wordt afgebeten en je iets hoort wat je nog nooit hebt gehoord en wat geen mens ooit zou moeten horen. We konden de volgende ochtend niet in het uiteengereten gezicht kijken, onze broeders waren geen mensen meer, flarden vlees waren van hun lichaam gescheurd, aas, en hun geesten liepen op hun kop of schoten als bliksemschichten in bomen, die ze verminkten, zoals ze ook iedereen verminkten die erlangs liep. Toen we de kust bereikten, waren we allemaal dood, geestelijk dood, levend dood. Doden op levende benen, doden met ogen als geprakte vruchten. Ik rook de zee niet, ik rook de rottende algen niet, ik hoorde de branding niet bruisen, ik proefde de zoute lucht niet … Hier in deze stad, op het plein waar de wazungu nu hun gebedshuis bouwen, werd ik tentoongesteld, en het duurde drie genadeloze zonnen voor iemand me kocht, een Banyan, voor een paar munten. Hij nam me bij zich in huis, waar anderen, met wie ik geen woord kon wisselen, me iets te eten gaven en lieten zien waar ik me kon wassen.

De man die zich mijn tweede leven toe-eigende, was een

vooraanstaand man, mijn jongen, die niet in dieren mocht handelen, zijn eigen oude wetten stonden dat niet toe, zoals ze zoveel niet toestonden. Hij leefde te midden van allerlei onzichtbare wetten die hem moesten beschermen, zoals de draadkabel die wij boven de poort hebben gespannen om ons huis tegen dieven te beschermen, maar zijn wetten beschermden hem door hem op te sluiten, en zijn wetten zwegen als betrapte bedriegers wanneer hij een mens kocht alsof het vlees was, wetten die hem verboden in kaurischelpen te handelen omdat hij dan de dood van een weekdier zou kunnen veroorzaken, en aan dat verbod hield hij zich, maar hij handelde wel in de hoornen van neushoorns en de huid van nijlpaarden, en hij handelde in ivoor, en daarmee overtrad hij zijn wetten, maar als hij een mens kocht, deed hij niets fout, want daarover zwegen zijn wetten. Die Banyan verkocht me niet door, hij liet me niet ploeteren op een of andere plantage, hij hield me in zijn huishouding. Hij gaf me werk waardoor ik weer aansterkte, en op een dag nam hij me mee naar de stad waar hij vandaan kwam, aan de overkant van de zee, vele dagen van vochtig eten en bedompte dromen ver, en als je de naam van die stad wilt weten, mijn geluksbrengertje, dan hoef je alleen maar de naam van je grootvader te zeggen. Nee, de andere … de laatste! Bom-bay, precies. De voorvaderen zij dank voor deze zegen, voor deze milde man met zijn bizarre wetten, want zonder hem zat ik nu niet hier, op deze baraza. We voeren op een grote *dau*, niet een van die zielige *mtepes* zoals jij kent, niet een van die boten die naar *Changanyika* zeilen, nee, een groot, machtig, trots schip dat over de golven reed …'

'Alsof het alle paarden van de wereld bezat.'

'Assalaam aleikoem, baba Ilias. We zaten al op je te wachten.'

'Zo zo, baba Ilias, wil je ons nu ook al wijsmaken dat er waterpaarden bestaan?'

'Schepen rijden niet op paarden en paarden galopperen niet over zee, maar je kunt het zo zeggen, ik zeg het zo en anderen weten het te waarderen, alleen baba Ishmail niet, wiens oren met ijzer zijn beslagen. In plaats van je mond heb je je nagels nodig om tot hem door te dringen.'

'Je kunt het mooi zeggen, baba Ilias, het grenst aan verspilling dat jij de *khutbah* niet houdt.'

'Moge God mij niet in bekoring brengen.'

'Hij kan ons soms met zijn woorden verleiden, onze baba Ilias, maar zijn woorden voegen zich niet altijd naar zijn wil.'

'Misschien voegt mama Moebarak zich naar onze wil en brengt ze mij de beloofde koffie?'

'Misschien, misschien.'

'Was je niet verdrietig, opa, toen je je eigen naam kwijtraakte?'

'Verdrietig? Waarom zou onze baba Sidi verdrietig zijn geweest? Hij heeft zichzelf gewoon een nieuwe naam gegeven.'

⁓⁓⁓⁓⁓⁓

Burton staat tot zijn enkels in het water te wachten op het vertrek waarop hij eigenlijk al wacht sinds zijn aankomst in Zanzibar, een half jaar geleden, maar dat nu toch echt nadert. Eindelijk zullen ze naar het binnenland gaan voor de meest ambitieuze onderneming van zijn leven. De hoogste waardering lokt. Ze zullen hem belonen met een adellijke titel, een lijfrente. Hij zal het raadsel van de bronnen van de Nijl oplossen, dat de geleerden al meer dan tweeduizend jaar bezighoudt. En hij zal op die manier een heel continent ontsluiten. Hij is niet bang voor zijn ambities. Inhoud geven aan die witte vlek op de kaart, dat moet zijn enige doel zijn. Dit vervloekte wachten zou niet lang meer duren, er zou nu gauw een eind komen aan al die nutteloze onderhandelingen. En dan zouden ze zich in één klap bevrijden van de voetkluisters van de gewoonte, de druk van de routine, de slavernij van de vaste verblijfplaats.

Beter kan een expeditie haast niet worden voorbereid. Ze hebben alles gedaan – nee, híj heeft alles gedaan wat in zijn macht lag. Zijn compagnon, John Hanning Speke, heeft zich tot dusverre voornaam van elke bijdrage aan het werk onthouden. Uit gebrek aan kennis, zogenaamd. Een aristocratische kop. Gemakkelijk zal het met hem niet worden. De gebeurtenissen in Somalië, toen ze 's nachts waren overvallen en het er ternauwernood levend hadden afgebracht, waren een eerste waarschuwing geweest. Speke had iedereen verwijten gemaakt behalve zichzelf. Maar het is een vent die tegen een stootje kan, een uitstekend schutter, en uiteindelijk schijnt hij Burton – als reiziger met de grootste ervaring – te respecteren als leider van de expeditie. Hij zal zijn gezag niet ter discussie stellen. Bovendien is hij in goeden doen; hij staat persoonlijk garant voor een groot deel van de financiën. Ze zitten krap bij kas – wat een belachelijke toestand: het invullen van de witte vlek dreigt te stranden op een handvol kleingeld. Dat krijg je als je de verovering van de wereld overlaat aan kruideniers. Die bezuinigen altijd op de verkeerde dingen.

Hij wandelt langs het strand. De zon zakt in het water. Het strand ziet eruit als fijngemalen, in goud gedrenkt zeezout. Hij doopt zijn handen in een lange golf en maakt zijn gezicht nat. Dan strijkt hij met zijn vingers zijn haar naar achteren. Hij staat tot zijn enkels in de Indische Oceaan en zijn blik dwaalt naar de verte, voorbij de schuimkoppen op de golven, voorbij de onvaste, blauwige bergrug die vervloeit in de onbevattelijkheid van een belofte, voorbij de kromming van de aarde, tot de havens van Bombay en Karachi, tot de baaien van Khambhat en Suez, tot de Arabische Zee. Burton heeft zo veel meegemaakt, zo veel geschreven, zo veel overgedragen aan bevoegden, aan de openbaarheid. En is hij ooit beloond? Degenen die de waarde van een onderdaan beoordelen, zwijgen als het graf over hem en zijn prestaties.

Het strand is door de zon verlaten en in een uitgestrekt grijs veranderd. Hij is niet meer alleen, hij nadert een troep honden die met hun poten in het zeewater staan. Hun koppen zijn met bloed besmeurd en voor hij zich kan afvragen hoe dat komt, ziet hij het in ontbinding verkerende lijk waarop ze zich hebben gestort, dankbaar voor het geschenk, hun ogen vol argwaan of hun buit, licht als tonijn, wel veilig is voor deze indringer. Bedorven waar gooien de slavenhandelaars overboord, bedenkt hij. Het sterven en erven laten ze aan de zee over. Wie op een boot aan land wordt gebracht is gezond genoeg om geld op te leveren. Het ingecalculeerde verlies spoelt later aan. Burton keert zich van het tafereel af – het is de hoogste tijd om afscheid te nemen van Zanzibar.

Op het terras van hotel Afrika zit zoals verwacht John Hanning Speke, voor zijn vrienden Jack. Met een *sundowner* in de hand zit hij genoeglijk naar het stadje te kijken. Waarschijnlijk vermaakt hij zijn drinkende landgenoten, kooplieden veelal, en vertegenwoordigers van rederijen, met jachtverhalen uit de Himalaya. Verbazingwekkend wat hij in Tibet allemaal heeft beleefd als je bedenkt hoe graag hij zit te luieren op dit terras, van waaruit de honden op het strand ronddartelende kinderen lijken. Als hij hem op deze discrepantie zou wijzen, zou Speke in alle ernst antwoorden: Zanzibar is te klein, te arm aan wilde dieren, waarom zou ik me dan uitsloven in die hitte. Burton heeft de ovale tafel bij de balustrade bijna bereikt – de kelners staan stram op de achtergrond, gekostumeerd alsof ze zich hebben laten inspireren door een vluchtige lezing van Duizend-en-een-nacht – als Speke zijn hoofd omdraait en hem opmerkt. Meteen onderbreekt hij zijn woordenstroom en roept een veel te harde groet, alsof hij iedereen in zijn buurt attent wil maken op de onverwachte bezoeker.

'Je brengt ons goed nieuws?'

'We hebben gehoord dat de expeditie rond is.'

'Daar heb je de poppen aan het dansen. Het is zover, we gaan.'

'Nou, veel geluk dan maar.'

'Als u terugkeert naar Zanzibar, heren, dan zal ik een feest organiseren, een feest zoals u nog nooit hebt beleefd.'

'Bij een vrek als hij betekent zo'n toezegging dat hij niet erop rekent dat jullie terugkomen.'

'Ik kan het wantrouwen van de Arabieren gewoon ruiken.'

'We staan onder persoonlijke bescherming van de sultan.'

'Dat geldt tot op zekere hoogte, Jack. In de Oriënt is een plechtig gegeven woord van eer niet meer dan een intentieverklaring, een waarborg voor eventueel gedrag.'

'Hoe waar, hoe buitengewoon waar! Als ik u was, gentlemen, zou ik de Baluchi's die de sultan u meegeeft geen seconde vertrouwen. Ook al zouden het fatsoenlijke kerels zijn, wat ik sterk betwijfel, dan nog weet ik niet in wat voor roes de sultan op het idee kwam ze een musket in de hand te drukken; die kerels werken allemaal voor eigen rekening.'

Een van mijn zegslieden beweert trouwens dat aan het hof naarstig tegen jullie wordt gekonkeld. Een paar van zijn naaste adviseurs zouden de sultan hebben wijsgemaakt dat jullie expeditie een voorwendsel voor het British Empire is om vaste voet te krijgen in Oost-Afrika. Voor lange tijd. Uiteindelijk zou hij, de sultan, van zijn macht worden beroofd.'

'Ze zijn bang voor hun handelsmonopolie.'

'Ze zijn vooral bang voor hun lucratieve slavenhandel. Ze volgen de berichtgeving uit Europa, ze zijn beter op de hoogte dan wij denken.'

'Laat ze maar bang zijn. Ik ben een groot voorstander van angst.'

'Meneer Burton, wij hebben veel gehoord over uw verbazingwekkende prestaties. Wij zijn een en al bewondering, dat kunt u van me aannemen. Toch moet u op uw hoede zijn. Tot nu toe bent u, al met al, door beschaafde gebieden gereisd. Daar had je mensen die konden schrijven en gebouwen die ouder waren dan de laatste regentijd. Nu staat u een reis door de wildernis te wachten, de volstrekte wildernis, misschien komt u wel bij kannibalen terecht.'

'Bestaat er wel zoiets als de volstrekte wildernis?'

'U bent nog nooit in dat deel van de wereld geweest. Verkijkt u zich niet op Zanzibar. Na de verlatenheid van het vasteland ligt er geen geheimzinnige stad op u te wachten, geen Mekka, geen Harar of hoe ze ook mogen heten. Alleen woest land dat nog niet door mensenhanden is getemd.'

≈≈≈≈≈≈≈

SIDI MOEBARAK BOMBAY

'Heten alle mensen die van ginds komen Bombay, opa?'

'Nee, sommigen van ons noemden zich naar de plaats waar ze vandaan kwamen en die ze zich herinnerden, ze noemden zich Kunduchi, ze noemden zich Malindi, ze noemden zich Bagamoyo. Maar ik besloot me de naam van de stad toe te eigenen waar mijn derde leven begon: Bombay. Daarvoor werd ik weleens Moebarak Miqava genoemd, omdat ik afstam van het Yao-volk, wat ik zelf niet wist; ik was een Yao-mens zonder het te weten. Als kind heb ik nooit iets over Yao gehoord. Grootvader zei nooit: wij zijn Yao-mensen. Vader zei nooit: wij zijn Yao-mensen. Pas toen ik slaaf werd, hoorde ik dat ik een Yao was, maar daar had ik toen niets meer aan. Yao, het klonk mooi, maar ik wilde niet mijn hele leven herinnerd worden aan het land dat voor mij verloren was gegaan, ik wilde niet, telkens als ik werd geroepen, eraan worden herinnerd dat ik al eens was doodgegaan. De weg die voor me lag, was belangrijker dan de weg die achter me lag, als jullie begrijpen wat ik bedoel.'

'Natuurlijk begrijpen wij je, het is als met de richting van het gebed.'

'Als de zon opkomt, denkt niemand aan zonsondergang.'

'Baba Ilias, die gezegden van jou zitten even slecht als de kleren van baba Ishmail.'

'De andere slaven bleven in Bombay, ze namen daar een vrouw, ze waren tevreden met hun leven als Sidi's.'

'Als Sidi's? Ik wist niet dat je uit je naam een heel volk tevoorschijn had getoverd.'

'Sidi's noemen ze daar alle mensen met een donkere huid die

van de overkant van de zee komen. De meesten van hen stonden even ver van mij af als de inwoners van Bombay, maar die mensen daar gooiden ons op één hoop, voor hen hadden we allemaal dezelfde huidskleur en hetzelfde gezicht, waar we ook vandaan kwamen.'

'Waren het allemaal ware gelovigen?'

'Wist ik maar hoe het ware geloof eruitzag, baba Quddus, dan zou ik je vraag kunnen beantwoorden. Ze reciteerden de gebeden, onregelmatig, ze lazen in de glorierijke Koran, af en toe, als ze er behoefte aan hadden, en voor feesten kwamen we bij elkaar in een huis, en midden in de grootste kamer van dat huis lag het graf van een man, bedekt met groene stof; aan de muur hingen knotsen en kalebassen die wel wat leken op de knotsen en kalebassen die ik uit mijn dorp kende, gereedschap van een heilig man die de Sidi's al een hele tijd beschermt. Het feest begon als er op de trommels werd geslagen, alleen zijn nakomelingen mochten erop slaan, wij dansten rond het graf en zongen, en we stroomden de smalle straat in en bleven dansen en zingen, en het klonk voor mij als mijn kindertijd, het deed me denken aan mijn eerste leven, ik voelde me ineens thuis in die vreemde stad.'

'En de gebeden?'

'We zeiden gebeden op, maar die gebeden waren niet aan God gericht, nee, ze waren aan iemand gericht tot wie jullie nooit hebben gebeden, dat weet ik zeker, en van wie jullie de naam nooit zullen raden, ook al geef ik jullie de hele avond de tijd. Ook al ligt hij voor de hand, als je er goed over nadenkt.'

'Denk je echt dat we zo'n slecht geheugen hebben?'

'Niet zeggen. Ik kom er zo op.'

'Hoe kun je hem nu vergeten. Laatst kon baba Sidi er zelf niet op komen en toen heb jij hem nog voorgezegd.'

'Dat was laatst.'

'Toe nou!'

'Wij baden tot Bilal, want Bilal beschouwden we als onze eerste, machtigste voorvader.'

'Dat is *shirk*!'

'Ach, baba Quddus, hoe kun je nou zeggen of iets shirk is of niet, wat was er waar vanaf het begin en wat blijft altijd waar?'

'De glorierijke Koran, dat weet je heel goed.'

'Bilal komt toch niet in de plaats van de glorierijke Koran, hij vult hem aan, hij is een metgezel voor mensen die slaaf zijn of slaaf zijn geweest, mensen die een paar eigen strofes nodig hebben om moed en troost aan te ontlenen. Je moet niet vergeten dat ik bij de Sidi's, bij die mensen die zich volgens jou niet aan de regels houden, heb leren bidden, bij hen heb ik de soera's geleerd, bij hen heb ik mensen ontmoet die me hele stukken van de Koran hebben uitgelegd.'

'Opa, hoe ben je dan weer hier gekomen?'

'De Banyan werd ziek, de ene dag was er weinig aan de hand, hij voelde zich alleen niet lekker, de andere dag klopte de dood al bij hem aan, en de dag daarna werd hij op het strand van Bombay verbrand, ik wilde daar toen per se bij zijn, ook al stemde de aanblik me verdrietig. Ik bedankte hem terwijl hij door de vlammen werd verzwolgen, ondanks alles bedankte ik hem terwijl hij verschrompelde en openbarstte en ten slotte tot as verbrandde, langzaam, het duurde van het middaguur tot bijna zonsondergang, een lange tijd waarin ik hem voor het laatst diende, en zelfs toen was hij nog niet helemaal verbrand, het bekkenbot was nog over.'

'Wat afschuwelijk!'

'Stel je voor hoe hij ronddwaalt door de hel, alleen als bekkenbot, waar bij elke beweging as af dwarrelt.'

'Hoe kan hij zich bewegen als hij alleen uit een bekken bestaat?'

'Krankzinnig.'

'Moge God deze stumpers meer verstand geven.'

'Ik weet niet of jullie gelijk hebben. Meehuilen met de hyena's schijnt alleen dwaasheid te zijn als je zelf geen hyena bent.'

'Baba Ilias, misschien kun je ons ooit nog eens uitleggen wat hyena's met het verbranden van lijken te maken hebben.'

'En ik weet nog altijd niet hoe je weer in Zanzibar bent gekomen.'

'Mijn meester had in zijn laatste wil bepaald dat ik na zijn dood in vrijheid …'

'Koffie, hoeveel koffie?'

'Er is er maar één die me op zo'n manier in de rede valt.'

'Jij praat al genoeg. Laten we onze gasten ook iets geven waarvan ze onbezorgd kunnen genieten. Madafu, wie wil er madafu? Onze zoon heeft vandaag verse kokosnoten gebracht.'

'Vertel haar wat jullie willen hebben. Ik kom toch niet meer aan bod zolang ze niet van iedereen antwoord heeft gekregen.'

<hr/>

De boten zijn binnengelopen en liggen dicht naast elkaar, als geiten in een kraal. Wolkflarden slieren langs de hemel, stemmen vechten om de beste transactie. Vrouwenhanden maken de kleine makrelen schoon, gooien de ingewanden naast de drogende netten en de rest van de vis in een mand. Een paar mannen bevoelen hun boten met trage bewegingen, alsof alles bij daglicht opnieuw moet worden vastgezet. Midden tussen deze taferelen staat de vreemdeling. Hij staat daar maar, roerloos. Hij moet er al een hele tijd staan, want de vissers en de marktvrouwen letten niet meer op hem, alsof hij deel uitmaakt van de omgeving. Er hangen alleen nog een paar kinderen aan hem, die proberen de onderkant van zijn jasje om te slaan om een kortere weg naar zijn vele zakken te vinden. Hij is een spons die alles opzuigt, geconcentreerd, een en al begerige aandacht. Hij heeft een onrustige nacht achter zich. Het is zijn laatste dag op dit eiland. Hij is vroeg het huis uit gelopen, uit die grijsbruine wijnkist waarin het Britse consulaat is ondergebracht en die van binnen ruikt naar de consul, die zich niet ertoe kan zetten weg te zeilen van zijn eigen dood. Toen Burton het gebouw verliet, had zijn stem hem tegengehouden. De consul lag op de veranda, in dekens gewikkeld.

'Goedemorgen, Dick.'

'Goed is hij hooguit omdat hij een eind aan de nacht heeft gemaakt.'

'Boze dromen?'

'Helemaal geen dromen.'

'Misschien een goed teken.'

'Teken? Ik geef er de voorkeur aan zelf tekens aan te brengen. Overigens verheugt het me dat u besloten hebt naar huis te gaan.'

'Naar huis? Natuurlijk, ooit komt er een dag waarop ik naar huis ga.'

'Ooit? Gisteravond stond u op het punt de opdracht tot pakken te geven.'

'We hebben ons door onze eigen woorden een beetje laten meeslepen, beste jongen. Ik moet er toch eerst voor zorgen dat jij goed weg komt.'

'Het enige waarvoor u hoeft te zorgen is dat u gezond wordt. Naar huis gaan is het beste medicijn.'

'De gezondheid, ja, daarmee is het in de tropen niet zo best gesteld. Weet je trouwens waaraan de welgestelde Zanzibaren sterven, als ze niet bezwijken aan cholera, pokken of malaria?'

'Vergiftiging?'

'Nee, mijn beste. Je neigt tot dramatiek. Aan verstopping. Jaren geleden had ik een Franse vriend, een dokter. Hij verklaarde me dat het door hun luiheid kwam. Ze gaan dood aan luiheid, en die luiheid kunnen ze zich alleen veroorloven omdat ze rijk zijn. Ze worden het slachtoffer van hun stand. Als dat geen goddelijke gerechtigheid is …'

'Misschien is er een andere verklaring. Prozaïscher. Met een andere moraal. De vele afrodisiaca die ze slikken, zijn misschien ook niet zo onschuldig.'

'Jouw specialiteit, Dick, jouw specialiteit.'

'De rijken op dit eiland? Verslaafd aan pepmiddelen. Alsof heel Zanzibar onder een impotentiestolp ligt. Hun lievelings-

preparaat? Een pil die uit drie bestanddelen ambra en een be-
standdeel opium bestaat, en hoeveel de opiumeters er nemen,
hangt van hun mate van verslaafdheid af. Maar iedereen slikt ze,
of hij ze nodig heeft of niet.'

'Luiheid en seksuele drift, zo zie je. Tussen die twee polen
verkwijnt de mens.'

'Gaat u naar huis, consul. Gaat u eindelijk naar huis.'

SIDI MOEBARAK BOMBAY

'Vertel eens, baba Sidi, ik heb nooit goed begrepen wat je nu
eigenlijk deed als je op reis was.'

'Een goede vraag.'

'Je was geen drager ...'

'Klopt.'

'Je hebt niet gevochten ...'

'Klopt.'

'Je hebt niet gekookt ...'

'Klopt.'

'Je hebt niet gewassen ...'

'Voor dat soort zaken hadden ze anderen.'

'Maar wat deed jij dan?'

'Ik was de gids!'

'Zeg dat alsjeblieft nog eens, broeder.'

'Ik heb de expeditie geleid.'

'Jij? Maar je was toch nooit bij dat grote meer geweest dat ze
zochten?'

'Nee.'

'En toch heb jij hen daarheen geleid?'

'Als niemand de weg weet, kan iedereen de weg wijzen.'

'Ik wist de weg niet, maar hij was niet moeilijk te vinden. Er
liep maar één weg door dat land, die van de karavanen die in
mensen handelen. Als je zelf iets niet weet, moet je niet meteen

denken dat een ander het ook niet weet. Er waren Arabieren die deze weg even vaak hadden afgelegd als sommige kooplieden van ons de weg naar Pemba. Je had dragers die zichzelf en hun naasten onderhielden door balen te verslepen, van de kust naar het binnenland en weer terug, vijftig of honderd dagen achtereen. Vergeet niet dat de weg van alledag geen wegwijzers nodig heeft. Ik had vele taken, meer dan genoeg taken, ik moest bemiddelend optreden en ik moest de weg verkennen, ik was de rechterhand van bwana Speke, ik was de binocle van bwana Burton ...'

'Wat is dat?'

'Een apparaat waarmee je alles wat ver weg is dichterbij haalt.'

'Zoals de tijd bedoel je?'

'Kun je de tijd naar je ogen brengen?'

'Kunnen jullie je voorstellen dat bwana Speke met zijn rechterhand naar de binocle van bwana Burton grijpt, en o jee, het is Sidi die zichzelf pakt?'

'Als je nou eens de spot met jezelf dreef?'

'Nee, je weet toch dat een scheermes zichzelf niet kan scheren.'

'O ja, ik had nog een taak die heel belangrijk was: ik moest tolken, want bwana Burton en bwana Speke konden niet met de dragers praten, we hadden maar één gemeenschappelijke taal, de taal van de Banyans, en onder de mensen uit Zanzibar was ik de enige die deze taal sprak ...'

'Hoe kwam het dat de wazungu de taal van de Banyans kenden, opa?'

'Ze hadden allebei in de stad gewoond waar ik ook ...'

'Die stad die net zo heet als jij.'

'Ja, lieverd, je hebt goed opgelet, de stad waarvan ik de naam draag. Bwana Burton sprak als een Banyan, snel en correct, hij kon zijn tong krommen zoals die dwaze naakten in het land van de Banyans hun lichaam kunnen krommen. Bwana Speke sprak daarentegen als een beverige oude man, hij zocht zijn woorden zoals je in een kist naar een geldstuk zoekt dat je verkeerd hebt gelegd; hij kon de woorden niet met elkaar verbinden. Jullie kunnen je voorstellen hoe traag en moeizaam de gesprekken tussen bwana Speke en mij verliepen, in het begin tenminste, voor hij iets erbij leerde en ik iets erbij leerde, en het eenpansgerecht van onze gemeenschappelijke taal wat gevarieerder werd, want hij was moeilijk te verstaan, zijn Hindoestani was nog slechter dan het mijne. Ik vertaalde wat ik meende te hebben verstaan in het Kiswahili, en in het binnenland moesten we iemand zoeken die het Kiswahili beheerste en de vragen van bwana Speke in de taal van de inlanders kon vertalen, iemand die veel goede wil moest opbrengen en desondanks niet alles kon verstaan. Dus liet hij weg wat hij niet verstond, of hij vulde de tekst aan met zijn eigen veronderstellingen, zodat de antwoorden die we uiteindelijk kregen soms totaal niet meer in verband stonden met de vragen. Het duurde en duurde maar, en iemand zonder geduld had het trage tempo van deze gesprekken niet volgehouden. Het was een eenzame reis voor bwana Speke, er was maar één mens met wie hij zich in zijn eigen taal kon onderhouden, bwana Burton, en als die twee ruzie met elkaar hadden, zeiden ze geen woord tegen elkaar, maandenlang. Dus hield hij zijn mond maar, bwana Speke, en liet hij alleen zijn geweer spreken.'

'Heeft hij mensen doodgeschoten?'

'Hoeveel?'

'Hij schoot op dieren, alleen op dieren, mijn hartendief. Veel, heel veel dieren. Als er een dodenrijk voor dieren bestaat, zit het sindsdien zo vol als de moskee met de ramadan.'

'Hij kon met niemand praten, misschien moest hij daarom zoveel doden.'

'Als dat klopte, baba Adam, zouden stommen de ergste moordenaars zijn.'

'Hij was vaak eenzaam, dat is waar, en hoe langer onze reis duurde, des te eenzamer hij werd. Bwana Burton vond altijd wel een gemeenschappelijke taal als hij met iemand wilde praten, met de slavenhandelaren sprak hij Arabisch, met de soldaten, de Baluchi's, sprak hij Sindhi, alleen bij zijn vriend, bwana Speke, raakte hij zijn taal kwijt. Hij leerde ook Kiswahili, langzaam, stap voor stap, want hij hield niet van onze taal.'

'Wat had hij erop aan te merken? Het is de beste taal die er bestaat.'

'Dat beweert iedereen die geen tweede taal kent.'

'Arabisch is de beste taal van allemaal.'

'Kiswahili is als een wereld die louter uit mooie landschappen bestaat.'

'Wat wil je daarmee zeggen, baba Ilias? Stammen de rivieren soms uit Perzië, de bergen uit Arabië en de bossen uit Uluguru ...'

'Zo ongeveer. Je begint het te begrijpen.'

'En het zand uit Zanzibar.'

'En de hemel?'

'De hemel maakt geen deel uit van het landschap.'

'Zou het er zonder hemel niet naakt uitzien?'

'Als een *kanga*, om de lenden van de aarde geslagen.'

'Bij zonsondergang.'

'Wat zei ik? Hebben jullie oren gehoord hoe mooi Kiswahili kan klinken, zelfs uit de mond van zulke kletskousen?'

'We hebben het niet over jullie smaak maar over de zijne. Hij hield er niet van de woorden een beetje voorin zijn mond uit te spreken, dat voelde net als een mondkorf, zei hij, waarachter de woorden niet meer zijn zoals ze oorspronkelijk waren. Toch heeft hij best iets geleerd en toen we teruggingen, sprak hij zo veel Kiswahili als hij nodig had.'

'En de ander?'

'Geen woord. Niet eens "snel" of "halt".'

'Twee verschillende mannen.'

'Totaal verschillend. Het is dan ook onbegrijpelijk dat twee zulke uiteenlopende types samen een reis ondernamen waarop ze hun leven in handen van de ander moesten leggen. Alleen al qua uiterlijk waren ze heel anders: de één was stevig gebouwd en donker, de ander slank, lenig en zo licht als de buik van een vis.'

'Alleen van bepaalde vissen.'

'Ze verschilden ook van aard: de één was luidruchtig, openhartig, onstuimig, de ander rustig, gereserveerd, gesloten. En ze gedroegen zich anders: de één beledigend, grof maar ook toegeeflijk, de ander beheerst en haatdragend. De één had overal zin in, hongerde naar alles en gaf altijd toe aan zijn verlangens, de ander kende ook lust en begeerte, maar die bond hij vast, en als ze probeerden zich los te rukken, verstikte hij ze.'

'Als zij in staat waren jarenlang samen door het land te trekken, dan moeten ze toch ook iets gemeen hebben gehad?'

'Eerzucht en eigenzinnigheid. Ze waren koppiger dan de dertig ezels waarmee we Bagamoyo verlieten. En ze waren rijk, onmetelijk rijk. Meer dan honderd man waren nodig om hun rijkdommen te verslepen, mannen op blote voeten, mannen die zelf niets bezaten.'

～～～～～～

Ze zijn allemaal bij elkaar gekomen in *Bagamoyo*, waar talloze slaven hun hart hebben achtergelaten, zoals de naam van deze plaats, uitgangspunt van alle karavanen naar het binnenland, al zegt. Ze wachten op het teken voor de afmars. De dragers, op blote voeten, zijn zelfs nu, op de dag van vertrek, armoedig gekleed en dragen als enige versiering een reep dierenhuid of een paar bosjes veren. Sommigen hebben een bel om hun onderbeen gebonden. Tot vermaak van de vele kinderen, die zijn opgehouden met verstoppertje spelen achter dikke boomstammen, rinkelen ze bij elke stap. Ze hebben de stoffen die onderweg zullen worden verhandeld, opgerold tot nekrollen, vijf voet lang en met takken verstevigd, een last die zeventig pond weegt. Meer kan hun niet op de hals worden geladen, temeer omdat ze ook nog wat spullen van zichzelf moeten meeslepen. Kisten worden tussen twee stokken gehangen (de lichte aan de uiteinden, de zware in het midden), die door twee mannen worden gedragen.

Burton overlegt met de *kirangozi*, Said bin Salim, die voorop zal marcheren, als ceremoniemeester van de expeditie. Een spraakzame man, deze vertegenwoordiger van de sultan, die niet op het idee zou komen zijn eigen betekenis te onderschatten. Bevelen lopen via hem, maar hij deelt ze uit alsof ze ván hem komen. Zijn trouw zit simpel in elkaar: hij eerbiedigt de hand die hem te eten geeft. Hij geeft een bevel, de keteltrommel wordt voor het eerst geslagen. De stoet dragers wringt zich los uit de schaduw van het plein en kruipt als een logge python in de richting van de laan die naar het binnenland leidt. De mango-bomen zijn dicht opeen geplant, hun takken grijpen in elkaar. Onder dit baldakijn is het nooit helemaal dag. Burton loopt naar Speke, die onder een nabije luifel de bedlegerige consul gezel-schap houdt. In plaats van naar huis te varen heeft hij hen naar Bagamoyo vergezeld. Om de boel in de gaten te houden, be-weerde hij. Om voor altijd afscheid te nemen, vermoedt Burton. Alsof hij tot uitdrukking wil brengen: jullie reizen het onbekende tegemoet, ik de dood.

Moet je die hanswort zien, zegt Speke. Moet hij echt zo'n paarse jurk aan? En al die tierelantijnen op zijn kop? Net het nest van een griffioen, merkt Burton op, en ze lachen samen, een kort, ongemakkelijk lachje. Geen gevoel voor camouflage, zo vallen we mijlen in de wind op. Dat is ook precies de bedoeling, zegt de consul. Daarom houdt hij ook het rode vaandel van de sultan omhoog, zodat iedereen van verre gewaarschuwd is dat deze karavaan uit Zanzibar komt en onder directe bescherming van de sultan staat. Om hem maak ik me geen zorgen, zegt Burton, eerder om onze troepen. De dertien Baluchi's lopen langs hen, bewapend met musketten, sabels, dolken en een zakje kruit, dat ieder van hen op zijn eigen manier op het lichaam heeft beves-tigd. Ze volgen hun aanvoerder, de eenogige, met pokken-littekens bezaaide, langarmige *jemadar malik*. Ik heb hun een beloning in het vooruitzicht gesteld, zegt de consul, als ze jullie allebei heelhuids bij ons terugbrengen. De Baluchi's drukken hun musketten tegen de schouder en proberen tevergeefs in de maat te marcheren, alsof ze een parade parodiëren. Ze herinneren Burton aan de compagnie sepoys die hij in Baroda moeizaam in het gelid trachtte te krijgen, en aan de bashibazuks over wie hij in de Krim-oorlog met hangen en wurgen het bevel voerde. Maar de sepoys waren in vergelijking met dit langs hem sukkelende zootje haast gedisciplineerd te noemen, en de bashibazuks waren een stuk energieker en strijdlustiger dan deze nakomelingen van fakirs, matrozen, koelies, dadelplukkers, bedelaars en dieven, afkomstig uit een onvruchtbaar land dat veel van zijn zonen heeft verdreven, maar dat toch in weemoedige liederen door hen wordt bezongen, omdat het dorre dal dat hun voorvaderen de rug toekeerden in de collectieve herinnering welig bloeit.

De consul geeft de aanbevelingsbrief van de sultan aan Burton. Hij is belangrijk, zegt hij, in ieder geval tijdens de eerste etappe. Daarna dringen jullie door in gebieden waar niemand weet dat er een sultan bestaat, hooguit heeft de een of ander weleens van hem gehoord, vaag, als van een figuur uit een vreemde legende. Burton vouwt het schrijven zorgvuldig op en stopt het in zijn leren buidel, bij zijn twee passen, de brief met de zegen van kardinaal Wiseman en het diploma van de sjeik van Mekka, dat zijn hadj bevestigt. Hij is in elk opzicht goed voorbereid. Hij neemt afscheid van de consul, met een snelle handdruk waarvoor hij zich meteen schaamt, want hij moet zichzelf bekennen dat de vlekkerige huid hem met weerzin vervulde.

De eerste mijlen kan hij nergens anders aan denken dan aan wat ze wellicht allemaal zijn vergeten. Hebben ze genoeg ruilmiddelen meegenomen? Stel dat de kralen en stoffen opraken, hoe moeten ze dan aan eten komen? Zijn blik blijft even op de rollen rusten die op het hoofd van de dragers balanceren, rollen *merikani*, ongebleekte katoen uit Amerika, en rollen *kaniki*,

indigokleurige stof uit India. Als het er niet genoeg zijn, verhongeren ze. Waar de korte laan afbuigt naar de vormeloosheid
van de rimboe is de zee al verleden tijd. Ze worden opgeslokt
door lang gras dat tot hun schouders komt. Ze volgen een rivier
die ze zelden kunnen zien. De grond is stevig, de rimboe strekt
zich eindeloos voor hen uit. De inlanders mijden de karavanen
kennelijk. Ze komen langs een vervallen hut, door een eerste
dorp waar vóór de hutten kleine visjes worden gedroogd en vers
geoogst fruit ligt opgestapeld. Buiten het dorp verzwelgt de
oorspronkelijke ruimte hen weer, intimiderend in haar eentonigheid en daardoor al snel angstaanjagend. Hierin zullen ze zich
dagelijks staande moeten houden, denkt Burton, een uitdaging
waarvoor niemand heeft gewaarschuwd.

Ook Tulsi niet, alarmschreeuwer par excellence, een van die
onderdanige Indiërs die hen zogenaamd hielpen maar in werkelijkheid alleen de kas van de expeditie bovenmatig belastten. In
ruil daarvoor verspreidden ze jobstijdingen, alsof die een effectief
profylacticum vormden tegen de verschrikkingen van het binnenland. De avond daarvoor had Tulsi bij de zoete *gulab jamun*
kleffe oudewijvenpraatjes geserveerd, over wilden in bomen die
giftige pijlen de lucht in schieten en dat zo behendig doen dat de
pijlen bij het neerkomen de hersenpan van de reiziger tot de hals
doorboren. De nietsvermoedende slachtoffers sterven zonder een
kik te kunnen geven. En hoe moesten ze zich daartegen beschermen, had Burton gevraagd. Mijd bomen! In het bos? Moeten we soms ook de lucht boven ons mijden? Tulsi had welbe-
spraakte steun gekregen van Ladha Damha, een andere Indiër,
tolheffer in dienst van de sultan. Een paar stamhoofden zouden
gezworen hebben geen blanken in hun rijk te dulden. Dood de
eerste sprinkhaan, zou een ziener hun hebben geadviseerd, als je
de plaag wilt voorkomen. En dat was nog maar het begin van een
opsomming van vele gevaren: een neushoorn die woedend
wordt, kan honderd man doden. Een olifantenleger kan het
nachtelijke kamp overvallen. Na de beet van sommige schorpi-

oenen heb je amper nog de tijd om God aan te roepen. Ze zouden het wekenlang zonder voedsel moeten stellen.

De Indiërs waren ervan overtuigd dat de Britten niet eens de helft van het traject zouden halen. Ze hadden daarover in zijn aanwezigheid openlijk met elkaar gepraat, in de veronderstelling dat hun dialect van het Gujarati niet werd verstaan. Ladha Damha vroeg: Zouden ze het meer van Ujiji ooit bereiken? En zijn boekhouder antwoordde, nadat hij zijn neus had opgehaald: Natuurlijk niet! Wie zijn ze wel dat ze denken levend door het land van de Ugogo te kunnen komen! Jullie, Guju's, zei Burton bij het afscheid in het verzorgde Gujarati dat Upanishe hem had geleerd, jullie denken slim te zijn. Maar ik verzeker jullie: ik zal door het land van de Ugogo trekken, ik zal het grote meer bereiken, en ik zal terugkomen, en dan kom ik nog een keer bij jullie langs.

Hij laat zich terugzakken. Hij kan het zich veroorloven, nu iedereen schijnt te weten welke positie hij in de stoet dient in te nemen. Hij vertraagt zijn pas tot hij de laatste drager nog kan horen maar niet meer kan zien. Honderdtwintig man onder zijn bevel. Deze expeditie moet gewoon slagen. Om zo ver te komen dat hij alleen nog maar zijn hand hoeft uit te steken naar de roem die hem toekomt, heeft hij orders in de wind geslagen, orders van zijn superieuren bij de Oost-Indische Compagnie; hij heeft zich zwaar in de schulden gestoken en het risico genomen op pad te gaan met een wankelmoedige reisgenoot. De consul had niet helemaal ongelijk: de expeditie had onder een gunstiger gesternte kunnen beginnen. Een vriend, een uitstekend arts die zou meegaan, was ziek geworden; sultan Sayyid Said, een betrouwbaar bondgenoot, was kort voor hun aankomst in Zanzibar gestorven; en de consul, hulpvaardiger dan wie ook, stond op de drempel van de dood. Als de onderneming mislukt – hij moet er niet aan denken, als je voor het overige geen angst kent, moet je ook de angst voor mislukking onderdrukken – wacht hem het regiment in India. Terug daarheen? Nee, dat nooit.

Vlot doorkruisen ze een dichtbegroeid gebied, maar ze zullen dit tempo niet kunnen volhouden. Hun benen zullen vermoeid raken, het landschap zal steeds meer obstakels opleveren. Ze zullen struikelen, uitglijden, wegzinken, door modder waden. Hun voeten zullen in wortels verstrikt raken. Nog een uur misschien, dan zal het stopsignaal klinken. Hij versnelt zijn pas.

Said bin Salim heeft de slaapplaats voor de eerste nacht goed uitgezocht. Ingekerfde boomstammen, verkoolde takken, een groter gemaakte open plek – er hebben hier al eerder mensen overnacht. Als ze alles hebben uitgepakt en de inventaris van de expeditie nog eens controleren, stellen ze vast dat ze een van de kompassen in Bagamoyo hebben laten liggen. Alleen Burton weet waar hij het kompas kan vinden. Hij moet het hele stuk terug. Tot zijn verbazing biedt Sidi Moebarak Bombay uit zichzelf aan hem te vergezellen. Terwijl het toch om een tocht van een mijl of zes gaat. Bombay – zo noemt hij hem bij zichzelf en zo spreekt hij hem ook aan – is geen onbekende, ze hebben al een paar keer met elkaar gepraat, maar nu, op deze onvoorziene mars die hun quantum voor vandaag verdrievoudigt, zijn ze voor het eerst wat langer samen. Een gesprek onder vier ogen, denkt Burton, wat een zeldzaamheid in de Oriënt. Het eerste half uur lopen ze zwijgend naast elkaar, Burton met lange passen, Bombay in een hogere frequentie. Het spijt hem, opent Burton het gesprek, dat hij het Kiswahili niet voldoende beheerst om zich in de taal van Sidi Moebarak Bombay met hem te kunnen onderhouden. Het is mijn taal niet, mijn taal ben ik kwijt, antwoordt Bombay vriendelijk gnuivend. Als zijn gelaatstrekken zich in beweging zetten, in welke richting doet er niet toe, verlaten ze de haven van de lelijkheid. Het is alsof Bombay met elke glimlach zijn gezicht repareert. Behalve dan zijn gebit – zijn tanden zijn tot rotten gedoemd. Het is een korte, gezette man, een ongewone figuur onder de mensen hier. Iemand die zijn luie aard ergens, op een van zijn reizen door den vreemde, is kwijtgeraakt. Slavernij is natuurlijk weinig fraai, ondraaglijk

eigenlijk, maar was hij niet weggevoerd als slaaf, dan was Sidi
Moebarak Bombay nu een van die suffe gestaltes geweest die
ineengedoken langs de kant van de weg zitten en amper fut
hebben voor een vermoeide groet.

⧟⧟⧟⧟

Sidi Moebarak Bombay

Je hebt vragen die voordringen, vragen die hun nieuwsgierigheid
als brandhout met zich meeslepen. Waar komen jullie vandaan?
Die vraag was gemakkelijk te beantwoorden. Uit Zanzibar, van de
kust, uit Bagamoyo. Maar vragen worden altijd gevolgd door nog
meer vragen, het is een weg waaraan geen eind aan komt, en al op
de tweede vraag wisten bwana Burton en bwana Speke geen goed
antwoord: waar gaan jullie naartoe? In de schaduw van elke
mbuyu, elke *mtumbwi* en elke *miombo* lag die vraag op ons te
wachten; ze fladderde op als een zwerm opgeschrikte vogels, ze
volgde even vanzelfsprekend op de groet als de ene golf op de
andere, als de *kazi* op de *kaskazi.* Je hebt vragen als keffende
honden en vragen als doornen, die zich in de huid boren en er zich
niet meer laten uittrekken, vragen die je niet met rust laten.
    'Vragen van vrouwen aan hun man.'
    'Als jij het verhaal verder wilt vertellen, baba Burhan, ga je
gang.'
    'Nee, nee, ik vul het alleen maar aan, zoals oren de tong
aanvullen.'
    'Als jullie klaar zijn met elkaar aanvullen, mogen wij dan horen
hoe het verdergaat?'
    'Weet je dat dan niet, baba Ali? Woon je nog maar zo kort in
deze wijk?'
    'Het verhaal gaat iedere keer een beetje anders.'
    'Waar komen jullie vandaan? Waar gaan jullie naartoe? Dat
waren de vragen die in de schaduw van elke mtumbwi en elke
miombo op ons wachtten. Wat een eenvoudige vragen, zullen

375

jullie zeggen, zelfs kinderen weten waar ze naartoe gaan. Ze weten op zijn minst waar ze naartoe willen.'

'Kinderen kunnen zo'n vraag beantwoorden, zeker, maar volwassenen?'

'Naar het grote meer! Dat antwoordden de wazungu, als ze al antwoord gaven, maar de vraagstellers kenden geen groot meer, en degenen die weleens van dat grote meer hadden gehoord, konden niet geloven dat een mens met honderd dragers en twintig soldaten door het land trekt en zich aan alle gevaren van het oerwoud blootstelt, enkel om bij dat grote meer te komen. Wat willen jullie met dat meer, luidde de volgende vraag. We willen niets met dat grote meer, antwoordde bwana Burton, we willen het alleen maar met eigen ogen zien, omdat we willen weten waar het ligt en hoe groot het is. De mensen in de schaduw van de mbuyu, de mtumbwi en de miombo schudden het hoofd, ze wisten hoe een leugen eruitzag en hun wantrouwen groeide. Die vreemdelingen, mompelden ze, hebben kwaad in de zin, die vreemdelingen, sisten ze, zijn gekomen om ons land te stelen. Ze waren bang, o ja, ze waren bang van ons, maar nog meer vreesden ze de gevolgen van onze komst. Die vreemdelingen brengen ongeluk! In een van de dorpen stierf een man kort nadat wij ons kamp hadden opgeslagen, een jonge man, die de dag ervoor nog op zijn akker had gewerkt. Zie je wel, klaagden de mensen, geef toe, dit is het eerste ongeluk dat jullie komst over ons land heeft gebracht. Zo klaagden ze, en uit hun klagen verdween geleidelijk aan de angst, zodat bwana Burton er goed aan deed ons de volgende ochtend bij het vertrek tot spoed te manen. Buiten de dorpen vergezelden ons alleen nog de kinderen, ze liepen met ons mee en riepen mzungu! mzungu!, of ze riepen wazungu! wazungu!, lachend en zwaaiend met hun armen. Wat betekent mzungu? vroeg bwana Burton mij. De dwalende mens, antwoordde ik hem, de mens die in een kringetje ronddraait. Zo denken ze over ons? Hij was verbaasd. We gaan toch juist recht op ons doel af, zei hij. Voor deze mensen lijkt het, zei ik, alsof we de weg kwijt zijn.'

'En jij? Verbaasde het jou dat hij verbaasd was?'

'De karavaan der verbaasden!'

'Waarom honderd dragers? Hadden jullie niet genoeg last-dieren bij je?'

'Baba Ishmail had je met plezier zijn langbenige muildieren verkocht, die meer khat kauwen dan hijzelf.'

'We hadden dieren, natuurlijk hadden we lastdieren, we hadden vijf muilezels en dertig ezels, dertig half lamme, koppige en volstrekt onbetrouwbare ezels. Na drie maanden hadden we nog maar één beest over, alle andere hadden het loodje gelegd. Maar ik zeg jullie, de mensen die we bij ons hadden, waren nog veel minder geschikt voor deze reis. Te beginnen met de kirangozi, die voorop marcheerde en alleen zichzelf en de sultan diende. Daar-achter de Baluchi's, die ons eigenlijk moesten beschermen, maar hoe zij ons met hun lafheid moesten verdedigen, was al meteen onduidelijk en bleef dat ook, tot het eind toe. We beseften al snel dat de Baluchi's niet te vertrouwen waren, ze zouden hun eigen moeder nog aan de meestbiedende verkopen. Achter hen liepen de dragers, de eerlijke dragers, op wie bwana Burton en bwana Speke ook niet konden rekenen, want zij droegen wel veel en ze verdroegen alles, maar alleen tot de nacht waarin hun bloed verdere dienst weigerde en ze wegliepen of probeerden weg te lopen. Ze kwamen uit het volk van de Nyamwezi, zoals jullie weten, vroeger jaagden ze op olifanten, voor ze besloten de kost te verdienen door met een vracht op hun hoofd door het land te lopen. Ze wisten dat niet meer dan de helft van hen weer zou thuiskomen, met zo weinig soldij op zak dat ze zich gedwongen zouden zien spoedig weer te vertrekken, met een baal of een pak op hun hoofd en met de kans dat ze het niet overleefden. Ze hielden het niet altijd uit, dat vooruitzicht, dan vluchtten ze, soms met de baal die ze al die tijd al op hun hoofd droegen, ze liepen weg, ze deserteerden, zo noemden bwana Burton en bwana Speke het, best gek, want "desert" betekent in hun taal ook "woestijn", en hoe ik ook mijn best heb gedaan, ik kon nooit een verband ontdekken tussen de woestijn en het weglopen. Als ze werden gepakt, kregen ze uit naam van de gerechtigheid zweepslagen, tenminste op de eerste en de tweede reis. Op de derde reis stonden ze onder bevel van een man die alles ter dood veroordeelde wat hem in de weg stond; toen werden ze soms opgehangen.'

'Alleen omdat ze wegliepen?'

'Wie in de wildernis wegloopt, brengt de hele karavaan in gevaar, drukte de man ons op het hart die alles ter dood veroordeelde wat hem in de weg stond. Weglopen is een poging tot moord op de anderen, zei bwana Stanley. In de karavaan blijven is zelfmoord, fluisterden wij achter zijn rug. Ik bleef, ik moest blijven, nadat ik de eerste en de tweede reis had overleefd, wist ik dat ik iedere reis kon overleven. Maar de dragers uit het volk van de Nyamwezi, die trots waren op hun werk en trots op hun reputatie, hadden niet zo veel vertrouwen, zij liepen 's nachts weg, en soms gingen wij achter hen aan, soms lieten we het maar zo, en soms werden ze opgepakt door een andere karavaan en bij ons teruggebracht, en dan kregen ze een pak ransel met een karwats, gevlochten van ruw nijlpaardenleer, een verschrikkelijk wapen, vooral als het nieuw is, bijgeknipt en messcherp, ze werden afgeranseld tot hun hele rug bloedde, of ze werden opgehangen. Ik zeg jullie, wie het straffen heeft uitgevonden, kende het verschil tussen wijsheid en domheid niet. Geen zweepslag ter wereld kan een mens verhinderen de richting te volgen waarin zijn hart hem duwt. Als angst, wanhoop, boosheid of heimwee sterker worden dan het denken, dat kan meten en wegen, dan doe je wat je hart je ingeeft, zelfs al wachten je alle helse kwellingen van deze wereld en de volgende. Wie het straffen heeft uitgevonden, beschikte over weinig mensenkennis.'

'Baba Sidi, jij beschikt natuurlijk wel over mensenkennis, daaraan heeft niemand van ons ooit getwijfeld, maar ook jij ziet niet alles wat je zou kunnen zien. Zonder het dreigement van helse straffen zou de mens geen eer kennen en geen maat houden.'

'Ik heb met eigen ogen gezien, baba Yusuf, dat de gestraften bij de eerstvolgende gelegenheid precies hetzelfde deden als waarvoor ze eerder waren afgeranseld. De zweep laat geen blijvende sporen achter op een huid die wordt afgeworpen. Geloof me, mijn vrienden, de mens vervelt als een slang. Er is maar één mogelijkheid om er zeker van te zijn dat hij iets nooit meer zal doen: je moet hem doden.'

'Dat had bwana Stanley kennelijk begrepen.'

Maar wat schoot hij ermee op? Daarna had hij een drager minder.'

Van Kingani naar Bomani, van Bomani naar Mkwaju la Mvuani, iedere avond noteert hij zorgvuldig de namen; de plaatsnamen zetten zijn verslag in de grondverf. Van Kiranga-Ranga naar Tumba Ihere, van Tumba Ihere naar Segesera, ze bevinden zich nog steeds in het gebied van de officieel vastgelegde namen, die worden bevestigd door de documenten die hij bij zich heeft en door zegslieden langs de weg – in de buurt van de kust heerst eensgezindheid over de nomenclatuur; van Dege la Mhora naar Madege Madogo, van Madege Madogo naar Kiruri in Khutu, iedere plaats geometrisch en hypsometrisch geregistreerd – de keurige lijst laat geen onduidelijkheden ontstaan, ze bezweert het onheil. Ze staan nog aan het begin, hij pakt ieder probleem bij de kop, vol vertrouwen het met een paar handgrepen, een kleine aanpassing, te kunnen oplossen. De orde laat zich nog gemakkelijk herstellen. De natuur biedt gelegenheid tot het doen van ontdekkingen, de bomen bijvoorbeeld die zich zo uitstekend aan lange periodes van droogte hebben aangepast, miombo's heten ze, waarvan hij drie soorten kan onderscheiden: de julbenardia, de brachystegia en de isoberlinia, de laatste dient als voedsel voor de olifanten. De hoge bomen met rechte stammen en een gele bast (taxus elongatus, of ermee verwant), de dwergwaaierpalmen (chamaerops humilis, met zekerheid), de Chinese dadelboom (zizyphus jujuba, in de omgangstaal de jujubeboom), de inheemse soorten van de hyphaene en de nux vomica, en de diverse loofbomen: de sterculia met lichtgele bast en dichte, ronde kroon, de kapokbomen met hun grote peulen, van buiten donkerbruin, van binnen wit en pluizig. Bij zijn waarnemingen staat hij zichzelf geen laksheid toe: de gele vruchten worden niet geplukt, maar wel opgeraapt van de grond, het vlees is qua kleur en smaak verwant met de mango; de grote zaden, giftig of alleen maar bitter – waarschuwde de natuur met een bittere smaak niet voor gif? – worden door iedereen uitgespuugd. Groen is tijdens de eerste weken van hun tocht de kleur van de landontginning, de percelen aan weerszijden van de rivier zijn dicht beplant met rijst, maïs, maniok, zoete aardappelen en tabak. Het land is hier vruchtbaar – Burton ziet in één oogopslag hoe geweldig het zich zou kunnen ontwikkelen; het enige wat daarvoor nodig is, is een ordenende hand.

Hoe vertrouwder hij met het vreemde land raakt, hoe meer hij het ontraadselt, des te gemakkelijker valt het hem de dreiging die ervan uitgaat te relativeren. Hij raakt gewend aan het niets ontziende, hardnekkige getrommel in de verte, dat de jemadar in verband brengt met alle mogelijke gruwelen, zodat hij een reden heeft om zijn dertien soldaten onbegrijpelijke schijnmanoeuvres te laten uitvoeren. Hij raakt gewend aan de bedachtzaamheid van oude mannen, dorpshoofden met namen die als versprekingen klinken. In Kiranga Ranga regent het voor het eerst, in Tuma Ihere zien ze voor het eerst een mangoboom. In Segesera maken de Baluchi's voor de eerste keer ruzie; ze moeten uit elkaar worden getrokken voor de dolken hun tol eisen. In de bossen in de buurt van Dege la Mhora zien ze meerkatten, die zo behendig door de boomtoppen slingeren dat de schoten van Speke tegen de takken knallen; bij elke echo neemt het respect voor hem af omdat hij zijn geweer op meerkatten richt en omdat hij telkens weer mist. In Madege Madogo sterft de eerste ezel, andere dieren creperen in de dagen daarna, een eerste drager verdwijnt, de stemming onder de expeditieleden daalt even hard als de barometer. Onverwacht vroeg moeten ze de rijdieren be-pakken en het duurt niet lang of zelfs de leiders van de expeditie moeten lopen.

Hoewel Burton te voet nauwelijks langzamer is dan de ezels, verandert zijn waarneming zodra hij afstapt. Zijn aandacht wordt in beslag genomen door zijn eigen stappen, de aaneenrijging van honderden, duizenden stappen. Na de frisheid van de vroege ochtend, als zijn blik zich overal op richt en zijn geest alles lijkt te registreren, concentreert hij zich geleidelijk aan, verhit en on-willig, op zijn voetstappen, tot hij alles negeert behalve de kie-zelstenen, doornen en bladeren die onder zijn laarzen knerpen en ritselen, en nietige wegmarkeringen die de woestenij een gezicht geven, marginale veranderingen in dat gezicht waarop hij let om toch maar ergens op te letten, op van de takken gevallen vruchten bijvoorbeeld, die niet helemaal rond en niet helemaal geel zijn, gebutste, rottende vruchten met bruine vlekken, fermenterend, zodat er een penetrante geur van uitgaat.

De eerste weken mest hij onder het lopen, tussen inspecties en waarnemingen door, zijn hoofd uit, bezemt hij alle herinnerin-gen naar buiten die zich met scherpe haken in hem hebben vastgezet. Hij weet niet of het Speke – die de voorhoede over-neemt wanneer hij de achterblijvers begeleidt – ook zo vergaat; dat soort onderwerpen zijn van een intimiteit die hij niet met hem deelt. Kwetsuren van vroeger voelen aan alsof hij ze zojuist heeft opgelopen: hij is weer even kwaad als indertijd, toen hij hoorde van het verraad van zijn superieuren in Sindh – de op-nieuw ontvlamde woede jaagt hem over de volgende heuvelrug. Hij treurt om de dood van Kundalini, even verbeten als toen, hij treurt tot aan de volgende horizon, waarop een baobab groeit, een dikhuidig gedenkteken. Opnieuw vreest hij, net als toen in de woestijn tussen Medina en Mekka, als godslasteraar te worden ontmaskerd. Zijn stappen slepen zich voort door kwaadheid, droefenis, angst, en zo gaan er uren, dagen, weken voorbij. Alles wat ooit in zijn leven is weggezakt, komt weer aan de oppervlakte, elke vernedering, elke teleurstelling, elke krenking. Hij heeft het gevoel midden op zee te zitten in een stuurloze boot, hij moet overboord leunen om de in zee gegooide spullen te verzamelen, elke voorwerp apart, ook als het onder de algen zit of is aange-vreten door het zout, hij houdt het een duldigheid lang in zijn handen en onderzoekt het van alle kanten, stelt vast dat de ene of de andere kant onherkenbaar is geworden en doet er pas afstand van als hij het niet meer kan voelen, als het er niet meer is, omdat het is opgegaan in lankmoedigheid, niet in vergetelheid.

<hr />

SIDI MOEBARAK BOMBAY

In het begin wist niemand van ons wat hem te wachten stond, niemand kon vermoeden wat we zouden meemaken, en hadden we het wel geweten, dan was niemand dat pad vol ontberingen ingeslagen, dat zo veel littekens zou achterlaten. We waren ver-vuld van onbezoedelde verwachtingen, in het begin, toen onze littekens nog wonden waren, toen de vijand nog een broeder was en toen onze hoop nog groter was dan onze ervaring. Niemand van ons was voorbereid op wat we over ons heen kregen, zelfs de dragers niet, die van de Nyamwezimensen afstamden en die al eerder, op zijn minst één keer, door dit land waren gemarcheerd. Ze hadden de lasten gedragen van karavanen die naar winst streefden, maar die karavanen werden niet voortgedreven door de ambitie te bereiken wat nooit eerder door een mens was bereikt. De dragers hadden bevelen geduld van mannen die meedogenloos, hebzuchtig en geslepen waren, maar niet gek. Niemand van ons had ooit de lasten van een karavaan gesjouwd die werd aangevoerd door wazungu, en de wazungu, mijn broeders, zijn eigenaardige wezens, ik herken ze, ik kan ze uit elkaar houden, maar begrijpen zal ik ze nooit. Zij denken dat het de hoogste bestemming van de mens is daar te komen waar zijn voorvaderen nooit zijn geweest. Wij zijn juist bang land te betreden waar nog geen mens is geweest, dus hoe kunnen wij zoiets begrijpen? Hoe kunnen we hun blijdschap begrijpen als ze erin slagen de taak die ze zichzelf hebben gesteld uit te voeren? Jullie hadden de uitdrukking op hun gezicht moeten zien, ze waren zo gelukkig als een vader die zijn pasgeboren kind in zijn armen houdt, zo gelukkig als een vers verliefde jongen die zijn liefje ziet naderen ...'

'Als baba Ishmails gezicht wanneer hij zijn boot vol vis aan land trekt.'

'Of als de gezichtjes van de kinderen wanneer de eerste regen valt.'

'Wat vinden jullie hiervan: als de uitdrukking op het gezicht van baba Sidi wanneer hij zijn vrienden over zijn heldendaden kan vertellen.'

'Jullie weten dus wat ik bedoel, mooi, dan hoef ik verder niet uit te leggen hoeveel geluk ze uitstraalden als ze een doel bereikten dat geen andere wazungu voor hen had bereikt. Maar ieder ding werpt zijn schaduw en jullie hebben geen idee hoe hun gezichten betrokken als ze hoorden dat ze niet de eersten waren, dat iemand hen vóór was geweest, de donkerste wolken pakten zich op hun gezicht samen als ook maar even het gevaar dreigde dat een ander hen te snel af was. Nooit zal ik de verbluftheid van bwana Speke en bwana Grant vergeten toen ze aan de rand van het grootste meer dat er bestaat een andere mzungu aantroffen, die daar al jaren handel dreef, een koopman met de naam Amabile de Bobo, die overigens niet uit hun land kwam, maar van een eiland dat door hun koningin was veroverd. Jullie kunnen je de zorgen op het gezicht van bwana Stanley niet voorstellen tijdens de lange maanden waarin hij vermoedde dat bwana Cameron met een andere karavaan voor hem uit snelde, en dat bwana Cameron misschien de eerste zou zijn die het land had doorkruist van de plaats waar de zon opkwam tot waar hij onderging. Hij was zo gespannen dat hij elke avond zat te vloeken en de gemeenste dingen zei over iemand die hij nog nooit had ontmoet. Ik probeerde bwana Stanley gerust te stellen. Plukt bwana Cameron alles, zei ik tegen hem, wat er langs de weg groeit? Denkt u dat hij niets voor u overlaat? Hij antwoordde grof: Je snapt er niks van. Indertijd ergerde ik me aan zijn antwoord, maar vandaag de dag geef ik het graag toe: ik begrijp die wazungu niet.'

'Ik weet precies wat je bedoelt, baba Sidi, er is altijd iemand die nog vroeger is opgestaan dan jij. Toen ik een jongeman was, werkte mijn vader voor een Arabier die met twee andere Arabieren en veertig dragers naar het grote meer gemarcheerd is waarover jij het hebt, alsmaar naar het westen, en toen ze bij het meer kwamen, bouwden ze een boot, en met die boot zijn ze over het meer gevaren, en daarna bezochten ze een land dat Muata Cazembe heette, ik heb die naam onthouden, Muata Cazembe, want hij klonk voor mij als een aanvuringskreet, en toen bereikten die Arabieren, na nog eens zes maanden, het andere eind van het land, de andere kust, waar de zon voor hen onderging, en daar troffen ze wazungu aan die er een handelspost hadden opgericht, andere wazungu dan die ze uit Zanzibar kenden, van het volk van de Portugezen, en het dorp dat deze mensen hadden gebouwd, heette Benguela.'

'O, dat zou betekenen dat ze het hele land hebben doorkruist. Maar goed dat bwana Stanley en bwana Cameron het niet wisten; van hun potten vol trots waren er door dit nieuws heel wat vergiftigd. Ze zouden zich niet meer op de borst kunnen kloppen omdat ze het land als eersten van oost naar west hadden doorkruist, ze zouden er genoegen mee moeten nemen dat ze in de voetstappen van anderen waren getreden, ze zouden moeten accepteren dat ze nakomers waren. Voor hen was ieder dorp, iedere rivier, ieder meer, ieder bos als een maagd, en ze hadden de begeerte van reuzen, alleen tevreden als ze alle maagden konden bemachtigen. Om hun lusten te bevredigen namen ze alles voor lief, de kou, de koorts, de beten van teken, muggen en vliegen, de door die beten veroorzaakte zwellingen die 's nachts opkwamen en zo jeukten dat we er gek van dachten te worden. En alles wat de wazungu te verduren kregen, kregen ook wij te verduren. Dat was het verschrikkelijke inzicht dat zich aan mij opdrong, vrienden, kort nadat we waren vertrokken. We waren de gevangenen van een karavaan die was overgeleverd aan de waan van twee wazungu, twee gekken die bereid waren door de hel te marcheren om een doel te bereiken waarvan niemand precies wist wat het was, waar het was, en of het er wel was. En voor ons was er geen uitzicht op verlossing, alleen op soldij, een beetje soldij, voor de helft al uitbetaald en door degenen die in Zanzibar familie hadden, achtergelaten bij vrouw en kinderen. Bij elke prik van de stekelige bollen van de acacia werd mij duidelijker waaraan ik was begonnen. En voor mij was er geen weg terug. De dragers konden nog proberen weg te lopen omdat ze de weg naar huis kenden, omdat we hun thuis tegemoet liepen, omdat niemand in hun dorp hen later ter verantwoording zou roepen, maar ik, zelfs als ik het in mijn eentje zou halen, door de bossen en over de steppen terug naar de kust, zelfs als ik op die eenzame reis niet doodging, door een wilde dier werd verscheurd of in de val van een slavenhandelaar liep, dan nog had ik mij hier in Zanzibar niet meer kunnen vertonen, want ik was door de sultan persoonlijk uitverkoren om deze wazungu te begeleiden en met raad en daad bij te staan, tot hun terugkeer of tot het einde. Ik moest verder, ik moest alle beten blijven verdragen, voor mij was er maar één uitweg, de weg door de hel.'

'Zit je weer sterke verhalen te vertellen, ouwe branieschopper? Zit je weer op te scheppen?'

'Heb je staan luisteren, vrouw?'

'Als jij in je leven eens op iets anders zou letten dan op je eigen verhalen, dan zou je misschien merken dat jij en je vrienden de steeg blokkeren.'

'De luiken kraken bij die tirades van jou. Waar heb je het over?'

'Er blijven zo veel luisteraars aan je leugenverhalen plakken dat er geen mens meer door de steeg kan. Die kar daar, misschien kun je even overeind komen, dan kun je hem zien, die arme man staat al ik weet niet hoelang te wachten tot je klaar bent met je gebazel.'

Afwisseling, steeds als ze een dorp naderen. Er wordt in de lucht geschoten met de musketten, zelfs de meest uitgeputte drager vermant zich en schaart zich in de trots van de karavaan, die bekeken wordt door de kinderen en de vrouwen – en ongetwijfeld zijn op de achtergrond ook de ogen van de mannen erop gericht. Bij deze intochten heeft Burton het gevoel dat alle deelnemers een toneelstuk opvoeren, een dramatische enscenering die inzakt zodra ze het dorp de rug toekeren: de schouders gaan omlaag, de voeten sloffen en de stemming sleept over de grond.

Compensatie is er 's avonds bij het kampvuur. Soms kan hij zijn eigen woorden in het gesprek met Speke niet verstaan door het lawaai van de liederen en het gelach. Er wordt op trommels geslagen, bellen tingelen en oud ijzer klappert. Een van de Baluchi's, Ubaid, haalt een sarangi tevoorschijn en verzamelt alle brutale vlerken van het kamp rond zijn krachtige gekras, dat klinkt alsof hij de schubben van een reusachtige vis afkrabt. Hulluk, de nar van de karavaan, neemt de rol van een nauch-meisje op zich en danst met voortreffelijk gespeelde wulpsheid. Nadat hij zich in allerlei bochten heeft gedraaid en royaal heeft getrakteerd op gekke bekken, lijkt hij vastbesloten meer uit zijn rol te halen, zijn personage meer diepte te verlenen. Hij gaat op zijn hoofd staan en begint met zijn heupen te wiegen, te schok-ken, de hielen welven zich vanuit de magere enkels als platte broden die met te veel gist zijn gebakken. Dan kruist hij, nog altijd op zijn hoofd staand, zijn benen in kleermakerszit, en in die houding imiteert hij de roep van een hond die honger heeft, van een kat die treurt, van een vrijpostige aap, van een bokkende kameel, en de verleidelijke roep van een slavenmeisje dat vannacht alle mannen van het kamp met de belofte van genot naar zich toe zal lokken. Tot slot rolt Hulluk in een onverwachtse en verbazingwekkend vloeiende beweging over de grond, tot hij, gebogen als de deemoed zelve, voor Burton tot zit komt en ook hem nadoet, met blaffend gezag, koppig volgehouden tot hij een dollar krijgt voor zijn onbeschaamde optreden, die Burton hem graag geeft omdat het kamp al lachend de ellende van de dagmars is vergeten. Wanneer de nar echter nog een muntstuk verlangt, krijgt hij een schop – schielijk scheert hij zich weg, met een stem die zo overdreven over zijn teleurstellingen in de liefde piept dat ze alle gelach als een zwerfhond achter zich aan krijgt.

≂≂≂≂≂

SIDI MOEBARAK BOMBAY
Het waren vermoeiende dagen, broeders, achterbakse dagen, toen wij de wonden van onze huidige littekens opliepen, en de nachten waren nog kwellender. De lucht stond stil, de muggen zoemden, en de kou bepotelde ons met ruwe handen, als een rover die zijn slachtoffer maar blijft aftasten. Het was alsof de nacht ons van alles wilde beroven wat in ons zat. Een keer werden we door massa's zwarte mieren uit onze tenten verdreven, ze staken tussen onze vingers en tussen onze tenen, ze staken in elke zachte plek van ons lichaam. De muilezels, die nog gevoeliger zijn dan baba Ali, schreeuwden en schreeuwden tot ze krankzinnig werden, en ieder van ons geloofde dat de eerstvolgende steek ook hem tot waanzin zou drijven. De jemadar, die anders parmantig rondstapte, alsof hij het broertje van de wazungu was, sloop door het kamp als een in vergetelheid geraakte voorvader. Niet alleen hij, iedereen was radeloos, ook de Baluchi's en de dragers. Bij het vuur werd

gefluisterd, er werd overlegd, en de oplossing die uit dit gekonkel tevoorschijn kroop, heette: vlucht. Ik zweeg en keerde mijn oren af, want ik wilde er geen deel aan hebben en ik wilde bwana Burton niet beliegen. Toen we eindelijk de slaap vatten, een slaap die smaakte als koude chai zonder suiker, wisten we wat de ochtend zou brengen: nieuwe wanhoop, nieuwe eenzaamheid.'

'De eenzaamheid van een weduwe.'

'Van een weduwe die zojuist haar tweede man heeft verloren en heeft besloten nooit meer te trouwen.'

'Baba Ilias, wat is er in jou gevaren? Een beeld van jou waarbij ik me werkelijk iets kan voorstellen.'

'Het is niet van mezelf, ik heb het van een Somali-vriend.'

'Nou, dan moet je voortaan de wijsheden van je vrienden maar aanhalen in plaats van te vertrouwen op die van jezelf.'

'Hoe is het mogelijk, baba Sidi? Hebben jullie de hele tijd alleen maar narigheid beleefd? Ken ik je zo slecht? Ik kan me niet voorstellen dat jij niet ook je pleziertjes hebt gehad.'

'Natuurlijk, je hebt gelijk. We hadden de ellende overdag en 's nachts niet overleefd zonder de genoegens van de avond. Ik heb het niet over het eten, o nee, het eten was in het begin in orde, niet meer dan dat, maar wie zo veel loopt en zo sjouwt als wij deden, heeft honger en haalt zijn neus niet op voor wat er op zijn blikken bord ligt, nee, ik denk aan de tijd na het eten, waarin wij al het geluk inhaalden dat ons onder de zon was onthouden. We dansten en zongen, en als we merkten dat bwana Burton en bwana Speke weinig waardering konden opbrengen voor onze dansen en gezangen, maakten we ons vrolijk over hen. Een van de dragers was een man met kromme benen, die hij bij het dansen alle kanten op gooide, wij lachten om zijn stuntelige bewegingen en zijn vals gezongen lied, dat ongeveer zo ging:

Ik ben de drager die alles draagt
Mijn broeder Speke, mijn broeder Speke
Die heeft het veel beter bekeken

We schenken hem een vette koe
Dan kan hij rusten en is hij niet meer moe.

En aan het eind van het lied riepen wij allemaal hartstochtelijk:
Amiiiiiin! Alsof we een gebed hadden beluisterd dat alle djins
overwint. Bwana Speke moet gedacht hebben, toen hij ons
hoorde zingen zonder uiteraard de woorden te verstaan, dat
het om een loflied te zijner ere ging, want hij richtte zich op
voor zijn tent, kwam bij het vuur zitten en zong voor ons een van
zijn liederen, een lied dat afkomstig leek van een mens in de
rouw, een lied dat goed bij een begrafenis had gepast. Maar hij
zong het met overgave, uit volle borst, en aan het eind van zijn
lied betuigden we luidruchtig onze bijval, waarna hij een paar
danspassen opvoerde, maar daar hield hij helaas snel mee op,
waarschijnlijk omdat hij ons hoorde lachen. Ja, broeders, dat gaf
ons kracht, zelf te zien en te horen hoe belachelijk de wazungu
kunnen zijn.'

Ze dringen het regenwoud binnen. Daarna is niets meer zoals het
was. De horizon, opgeslokt. Het pad is getralied met lianen, stuk
voor stuk als touwen zo dik. De breed uitgegroeide boomkruinen
zijn met elkaar vervlochten tot een donkergroen dak, gestut door
grijze pilaren, als in een heilig bos waarin alleen de echo van de
geluiden doordringt. De zwarte, glibberige grond onder het dichte struikgewas absorbeert elke stap die ze zetten. Op drassige
stukken kunnen ze alleen op de boomwortels vertrouwen. De
bosjes gras zijn zo scherp als pas geslepen scheermessen, de bomen
zijn bedekt met epifyten, reptielachtige parasieten die zich bij de
toppen vertakken tot namaakvogelnesten. Het pad wordt ge-
wurgd door klim- en kruipplanten. Wie de weg doodt, mompe-
len de dragers, doodt ook de wandelaar. En het stinkt, alsof achter
elke boom het lijk van een ongelukkige ligt. Bundels en pakken

vallen van de ezels, de Baluchi's vervloeken de vele tegenslagen en laten het opladen aan de anderen over. Als ze iets meer van de hemel zien dan flarden van een vervuilde lijkwade, is hij grijs en betrokken en hangt hij laag, als rook die niet weg kan. De lucht bedekt hun huid met een miasma, een laag vuil die zich niet laat wegwassen, ook al zouden ze water vinden om zich vlijtig af te schrobben.

Ze wisten vanaf het begin dat het slechts een kwestie van tijd was voor de eerste ziektes zich zouden aandienen. Maar ze hadden niet voorzien dat ze allebei tegelijk door malaria zouden worden overvallen. Ze stoppen vlak na de boomgrens, waar zich de eerste open plekken naar de steppe uitstrekken. Burton ligt op de grond, niet in staat zich te bewegen, en voelt in zijn binnenste een ander, hem vijandig gezind wezen, dat zijn plannen wil dwarsbomen. Op een gegeven moment schreeuwt hij: voor ik doorga, wil ik weten wat de bedoeling is. Jullie kunnen me niet tot dit eindeloze gevecht dwingen zonder iets in het vooruitzicht te stellen. De figuren die antwoorden zonder echt antwoord te geven, uit borsten groeiende koppen die met behaarde tong aan hem likken, rimpelige vrouwen die hem zweepslagen toedienen, en tegen wie hij schreeuwt dat ze een ander moeten hebben, grijnzen boosaardig en krassen een lied dat hij eerst niet verstaat, maar waarvan hij later brokstukken opvangt; de woorden storten neer als vleugelloze vlinders, die hij probeert te vangen met een netje dat uit zijn handen groeit, en als hij alle voortvluchtige woorden heeft gevangen, moet hij heel lang in het netje kijken tot hij ze zó kan ordenen dat ze iets betekenen: er bestaat geen mooiere vervoering, geen groter geluk dan het knakken van de knoken die wij breken, van 's ochtends vroeg tot 's avonds laat. Hij kijkt op, de heksen knikken in extase, je hebt ons wel begrepen, en geef ons nu je ledematen maar. We zullen er gaten in boren, we spugen erin, je bent zo heerlijk behaard, elk haartje zullen wij uittrekken. Geef ons je ledematen, we beloven je volmaakte pijn.

Hij wordt wakker. Hij heeft het gevoel alles te hebben uitgezweet wat hij ooit heeft gedronken. Zijn tong is net een rups, ingesponnen in bitterheid. Zijn benen gehoorzamen hem slechts met tegenzin. Hij strekt ze weer uit. Hij roept Bombay, die hem water brengt. Hij informeert naar Speke. Die zou al zijn opgestaan.

Burton sleept zich naar de ingang van de tent en kijkt naar buiten. Laaghangende bewolking. Hij heeft het gevoel alsof hem een enorme schuld is kwijtgescholden. Speke is in de buurt. Het is een troost hem te zien. Hij groet hem. De woorden glijden taai uit zijn mond. Spekes gezicht staat zo strak dat het lijkt of zijn huid op een trommel is gespannen om te drogen. Hij komt naar de tent toe en buigt zich omlaag naar Burton. We hebben de eerste aanval afgeslagen, zegt hij. Dan strekt hij zijn hand uit en beroert zachtjes Burtons wang. Het doet een beetje schutterig aan, maar het is een teken van verbondenheid. Burton schept hoop. Ik ga nog even wat rusten, zegt hij. Dan kunnen we verder. We zien elkaar straks. En hij kruipt terug in zijn tent.

Speke, verwarrend raadsel dat je bent, denkt hij in de broze stilte die volgt op de koorts. Hij mag hem niet onrechtvaardig beoordelen omdat hij zo moeilijk hoogte van hem krijgt. Tot nog toe heeft hij aan de verwachtingen beantwoord. Hij kwijt zich trouw van zijn taken; hij klaagt nooit over de ontberingen van de reis – als er een Spartaans en een Atheens mensentype bestaan, hoort Speke duidelijk bij de Spartaanse kant. In zichzelf gekeerd, rustig en evenwichtig. Hij is weliswaar zelden goedgehumeurd, maar ook nooit ontevreden, nooit chagrijnig. Natuurlijk heeft hij ook trekken die Burton ergeren. Vanaf het begin heeft hij zich gestoord aan de grenzeloze onverschilligheid die Speke tegenover zijn omgeving aan de dag legt. Alle landschappen waar ze tot nu toe doorheen zijn gekomen, vond hij saai, de mensen oninteressant – het enige wat hartstocht in hem losmaakt, zijn wilde dieren die hij kan neerschieten. Alsof hij het leven alleen kan benaderen door zich ervan meester te maken.

Burton was gewaarschuwd. Kort nadat ze elkaar hadden leren kennen, toen Speke terugkwam van een uitstapje naar de binnenlanden langs de kust van Somalië, waren zijn dragers zo zwaar beladen alsof ze een nieuwe ark van Noach moesten vullen. Een reprise in omgekeerde volgorde, want het prachtige exemplaar dat van ieder dier was meegebracht, was niet alleen dood, maar ook al van de ingewanden ontdaan en ontweid. Ik ben een jager, had Speke verklaard toen hij zich bij hem aansloot, en een verzamelaar. Daarom bevalt het mij in deze contreien zo goed.

Helaas sleet dit genoegen snel. Het is geen goed teken dat hij zich al na een paar weken verveelt. Hoe zal dat over een paar maanden zijn? Speke heeft naar hem gelachen, hij heeft echt naar hem gelachen, dat is goed, hij doet toch wat hij moet doen, alles is in orde, hoe komt het dan dat er in zijn binnenste iets knaagt, waarom voorziet hij alleen teleurstellingen die zijn mensenkennis voor schut zullen zetten, voor de zoveelste keer.

De koorts komt weer opzetten. Hij drinkt een paar slokken en bereidt zich voor op de aanval.

〜〜〜〜〜〜

Sidi Moebarak Bombay

Er waren dagen waarop we 's ochtends vroeg wakker werden, lang voor zonsopgang, en het eerste wat we voelden was de pijn die de dag ons zou brengen. Op zo'n ochtend op te staan vereist moed, je eigen hoop drijft de spot met je in de kou, je voelt het gewicht van de balen die op de schouders van je lotgenoten worden gehesen, je vecht in het gewoel om de lichtste, je kijkt naar je kromgegroeide voeten, je zou het liefst in elkaar kruipen als een weerloze die de slagen van de dagen niet meer verdraagt, en je verlangt naar een afgrond waarin alles verdwijnt. Op zulke ochtenden beseften wij dat het begin ver achter ons lag en dat we nog verder verwijderd waren van het eind, en we zagen hoe slecht we eraan toe waren,

392

hoe hard we hulp nodig hadden. De aarde lachte ons niet meer toe, het werd tijd om op zoek te gaan naar een *mganga*.

'God beware!'

'Nee, Sidi, niet weer dat verhaal, niet weer die schande!'

'Ach, ik weet niet waarom je je zo opwindt, baba Quddus, ik heb het gevoel dat onze broeders hier wel van een beetje schande houden, zeker als die ten koste van anderen gaat. Bovendien kwam het voorstel niet van mij, ik wist in die tijd niets van mganga's. Het was de wens van Salim bin Said, het was de wens van alle Nyamwezi. Jullie willen een tovenaar raadplegen? Kan dat niet wachten tot we deze etappe gehad hebben? De wazungu reageerden zoals sommigen van jullie hadden gereageerd, ze reageerden zoals ik van ze had verwacht. Vooral bwana Speke, die weinig wist en weinig begreep, maar dacht dat hij overal verstand van had. Ook bwana Burton liet zich eerst geringschattend over het voornemen uit, pure tijdverspilling, zei hij, maar daarna dacht hij na, hij was zo iemand die zijn meningen van tijd tot tijd inspecteerde, zoals dorpsbewoners na de regentijd hun huis inspecteren, en soms herzag hij dan zijn mening, soms bouwde hij zelfs een volledig nieuw huis. Zachtjes zei hij: Wat kan het ook eigenlijk voor kwaad? Ik zie er het kwaad niet van in, antwoordde ik. Integendeel – zijn stem klonk krachtiger – het kan juist nuttig zijn. Dus verwelkomde hij het plan in vurige bewoordingen ten overstaan van alle expeditieleden, en toen we een mganga hadden gevonden, nam hij mij apart en vroeg me de man een geschenk in het vooruitzicht te stellen, voor een gunstige voorspelling, voegde hij eraan toe, en in zijn handen had hij ineens een van die dopmutsen uit India, een mooie, witte muts, en hij wreef erover met zijn duimen, alsof het een genot was de stof aan te raken. De mganga tot wie we ons wendden, was een man van hoge afkomst, zijn waardigheid stak een kop boven hem uit, hij had een reep bonte stof om zijn voorhoofd gebonden en om zijn hals hingen kettingen, veel kettingen, van allemaal verschillende parels, allemaal verschillende schelpen. Het was een man van wie ik wilde dat

393

hij aan onze kant stond, want ik voelde in hem een omheinde kracht die elk moment kon losbreken. Nadat aandachtig zwijgen zich over ons had uitgespreid nam hij een flinke snuif tabak, haalde zijn veldkalebas tevoorschijn, waarin medicijnen zaten, en begon ermee te schudden, waarop het ding rammelde alsof het vol kiezelstenen zat. Zijn stem donderde vanuit de diepte, alsof ze in de aarde wortelde. Ik had nog nooit zo'n stem gehoord. Het was zijn stem, maar ze behoorde niet alleen hem toe. Ze werd helderder, langzaam naderde ze de lucht. Ik zeg jullie, broeders, zoiets had ik nog nooit meegemaakt. Ik was verbaasd en toch maakte hij een vertrouwde indruk, alsof je iemand voor het eerst ontmoet en toch zijn gezicht kent. Ik was gefascineerd. Toen zijn stem hoog en licht was, zo hoog dat de vogels er niet bij konden, legde de mganga de kalebas op de grond, hij rolde een stukje opzij, hij wiebelde en ik voelde de behoefte, ik weet niet waarom, ik was op dat moment een vreemde voor mezelf, om die kalebas gerust te stellen; ik wilde hem aanraken, ik stak mijn hand ernaar uit, maar hij lag te ver weg en ik was niet in staat meer te bewegen dan mijn hand. De mganga haalde twee geitenhoorns uit een zak, een jutezak die ik op die plaats niet had verwacht en waarover ik jullie straks nog iets moet vertellen, ze waren met slangenhuid aan elkaar gebonden, die geitenhoorns, en versierd met kleine, ijzeren belletjes. Hij pakte de hoorns bij de punt en zwaaide ermee rond, hij richtte ze op bwana Burton, hij richtte ze op mij, hij richtte ze op de dragers en op de Baluchi's en ik zag niets meer behalve die hoorns die voor mijn ogen dansten, ik hoorde niets meer behalve het gemompel, het gefluister en het gespuug van de mganga, die zijn bovenlichaam heen en weer wiegde en sneller en sneller met de hoorns schudde, zodat de belletjes steeds harder klonken. Ik beefde. Later hoorde ik dat de anderen ook hadden zitten beven, dat ook zij als verlamd waren. Als de mganga zijn hand had uitgestoken, was ik zonder meer met hem meegegaan. Ik voelde dat hij in harmonie was met de geesten, dat hij in contact stond met de geesten van onze voorvaderen, en er schoot een pijn door mij heen alsof vergeten voorvaderen mijn hart uitsneden, de mganga was verbonden, bedacht ik, met de geest van zijn vader en met de geest van zijn grootvader, en ik wist niet eens hoe mijn vader en mijn grootvader eruitzagen, hoe hun stemmen klonken. Open mij, smeekte ik hem stilzwijgend, wijs me de weg terug. Maar de mganga was klaar, hij sperde zijn ogen open, zulke felle ogen hebben jullie nog nooit gezien, alleen een dwaas was niet bang geweest voor de geheimen die achter die ogen gloeiden. Hij draaide zich naar opzij en verkondigde zijn oordeel, en het klonk als de boodschap van een heilig man: Wij hadden vijanden, maar onze vijanden waren niet machtiger dan wij, ze waren niet vastberadener dan wij. Onze tocht zou succesvol verlopen. We herademden, langzaam, alsof we nog twijfelden of we het ons wel konden veroorloven. Er zouden veel gevechten zijn, maar weinig moorden. We zouden een grote hoeveelheid ivoor binnenhalen. We zouden terugkeren naar vrouw en gezin. Onder degenen die geen vrouw hadden, zou er één zijn vrouw op deze reis vinden, een ander zou de trouw belonen van degene die op hem had gewacht, en een derde zou de vrouw die hem zou worden geschonken, verlaten. Voor we ons op een groot, diep meer begaven, moesten we een bonte kip offeren. Dat was een gemakkelijke opdracht, de vooruitzichten waren geruststellend, we waren opgelucht en blij.'

'En die zak, hoe zat het met die zak?'

'Het was een jutezak zoals wordt gebruikt voor rijst of kruiden, een jutezak uit Zanzibar met een naam erop, de naam van een van de grootste handelaren van de stad, jullie kennen hem allemaal, het was de naam van de Banyan die mij als jongen op de slavenmarkt voor een paar munten had gekocht.'

'Je bent die dag door djins overweldigd, baba Sidi. Je gebeden in de tijd erna hebben je verstand weer bevrijd.'

'Ik heb daarna nooit meer gebeden, niet op de manier die jij bedoelt.'

'Zoals voorgeschreven is!'

'Niet aan mij, dat heb ik beseft toen die mganga zijn hoorns mijn kant op schudde. Ik onderwerp me aan God, ja, maar de vijf gebeden zijn mij niet voorgeschreven. Jou misschien, baba Quddus, alle Arabieren misschien, maar mij niet. Ik heb voorvaderen die geen Mohammed of Aboe Bakr heten, niet eens Bilal, ik heb andere voorvaderen, alleen weet ik niet hoe ze heten. Het ware geloof kan mij de namen van mijn voorouders niet noemen. Het is machteloos. Het ware geloof belooft mij een beter morgen, maar ik wil de weg naar gisteren vinden. Het ware geloof beweert dat er maar één richting bestaat, naar Mekka, omdat er maar één middelpunt zou bestaan, de Almachtige, maar in de ogen van de mganga heb ik een andere richting gezien, veel andere richtingen, en je hebt gelijk, mijn verstand was misschien beneveld, maar mijn hart voelde zich bevrijd.'

'Als het hart weent omdat het iets is kwijtgeraakt, lacht de geest omdat hij het heeft gevonden. Een oud Arabisch spreekwoord.'

'Dus daarom, broeder, daarom vermijd je zelfs op vrijdag de gebedsgemeenschap. Het is de eerste keer dat je ons dat zo duidelijk uitlegt.'

'Vanavond wilde ik jullie iets vertellen wat ik tot nu toe heb verzwegen, omdat het belangrijk is, ook al is het droevig en ernstig.'

'Neem me niet kwalijk, baba Sidi, maar ik blijf toch voor je bidden. God moet maar beslissen over wat wij niet kunnen oplossen.'

'Bidt in stilte zoveel jullie willen. Maar in de dalen tussen de gebeden heerst nieuwsgierigheid, en ik zou graag weten hoe het verhaal verdergaat. De wazungu, waren zij onder de indruk van de vermogens van de mganga?'

'Bwana Burton lachte fijntjes, hij was tevreden, hij was tevreden met zichzelf. Hij sloeg me op mijn schouder, een vreselijke gewoonte van de wazungu, en hij zei: Een cadeautje nu en dan maakt dat de reiziger verder kan. Ik probeerde hem uit te leggen wat geen uitleg behoefde. Dat zo'n heilig man zich niet laat beïnvloeden door een muts, al komt die duizend keer uit Surat en al is het weefsel nog zo prachtig. De mganga, zei ik geduldig, als tegen een kind, was door een geest bezeten, dat zag iedereen. Des te beter, zei bwana Burton met een vette grijns die ik graag had geslacht, dan heeft ons geschenk de geest omgekocht. Geesten laten zich niet omkopen, zei ik, en hij antwoordde: Als je tegen ze kunt praten, kun je ze ook omkopen. Hij zag het verkeerd, bwana Burton, ik wist zeker dat hij ongelijk had, maar ik kon het hem niet bewijzen. Uit schaamte, want ik had de mganga de muts helemaal niet aangeboden, ik wilde hem niet beledigen. Bovendien zat hij zo lekker op mijn eigen hoofd.'

'Die man was dus niet bang voor geesten.'

'Nee. Maar hij kon ze wel gebruiken. Na die avond begon hij iedereen die zich tegen hem verzette met *dawa* te bedreigen. In zijn taal hebben ze een merkwaardige naam voor "dawa", ze noemen het de "zwarte kunsten". Hij was, geloof ik, graag een meester in die zwarte kunsten geweest. Je hebt je vrolijk gemaakt over de mganga, vroeg ik hem, en toch geloof je serieus in de macht van de dawa? Hij antwoordde me in een taal die kennelijk in zijn land de taal van de zwarte kunsten is: ignoramus et ignorabimus, zei hij, en ik vond het zo mooi klinken dat ik mijn passen de hele volgende dag in die toverformule heb gewiegd: igno-ramus-et-igno-rabimus.'

'Wat betekent het?'

'Weet ik niet, de betekenis ben ik vergeten.'

<hr />

Hongo. Altijd. Overal. Amper zijn ze ergens aangekomen of er wordt al om gevraagd. Bijna een onderdeel van de begroeting. Wat een ontvangst! Betaal hongo of we laten jullie niet door. Bij iedere stopplaats. Primitieve hoofdmannen die zich de privileges van een vorst aanmatigen. Hongo! De bastaard onder alle tolbetalingen op aarde. Jullie moeten betalen. Zomaar, voor niets en nog eens niets. Betalen aan die dwergtirannen van de wildernis.

Een schier eindeloze reeks profiteurs. Ieder dorp heeft een leider, die *phazi* heet. Of zoiets. De titel verandert steeds nu ze dieper in het binnenland komen. Maar de hebzucht niet. Terwijl hij hun het gastgeschenk overhandigt, staan ze al te loeren of hij niet nog meer in zijn bagage heeft. De dorpsleiders hebben adviseurs. Mwene hoha, dat is de opperste kamerheer, wat een absurde aanduiding, huttenheer zou beter passen, of leemheer, het is de rechterhand van de hoofdman, zijn opperste veelvraat. Onder hem staan drie rangen oudsten, een senaat onder de schermacacia. Hen onder ogen komen betekent dat je dringend wordt verzocht nog meer geschenken uit te delen. Voor een veilige doorreis. Hongo verkleedt zich nu eens als verzoek, dan weer als dreigement. Vreemdeling, zo kan de groet luiden, wat voor moois hebben jullie van de kust voor ons meegebracht? En als het moois door alle handen is gegaan, krijg je te horen: We zijn nog altijd vreemden voor elkaar, maar het verdriet over de vreemdheid is een beetje verlicht. Dat is afpersing, scheldt Burton. Maar niemand vertaalt zijn woorden. Zijn geschenken zijn prachtig. De ene keer veertig banen stof, de andere keer honderd halskettingen van koraalparels, maar het is niet genoeg, want ze moeten met de eerste en de tweede en de derde rang worden gedeeld, en de leiders – een van hen gaat zo zwaar gebukt onder zijn imperiale titel Grote Hoofdman en Aanvoerder van Allen, dat hij zich nooit nuchter aan zijn volk vertoont – hebben een heel dorp vol vrouwen en kinderen te onderhouden. Zo beschouwd lijken de geschenken haast bescheiden, een klein gebaar van de afhankelijke gast. Hoe willen die schepselen ooit iets bereiken, briest Burton, als ze de eerste bezoekers die met vreedzame bedoelingen door hun land reizen helemaal leegplunderen? Het moet toch in hun belang zijn de handel te bevorderen, nou, daar zal weinig van terechtkomen als ze het hele land hongoïseren. Burton heeft redenen om zich zorgen te maken. Ze zijn nog een heel eind van Kazeh verwijderd, maar de voorraden beginnen al op te raken. Ze moeten tot Kazeh toekomen. Daar kunnen ze zich vanuit de kust opnieuw laten bevoorraden. Hij had duizend dragers moeten meenemen om te kunnen voldoen aan de eisen die er aan zijn gulheid worden gesteld. Het is weerzinwekkend te moeten toegeven aan de inhaligheid van die parasieten. Ze knechten hun eigen bevolking. Als het slecht gesteld is met hun financiën, organiseren ze overvallen op buurvolken, ontvoeren hun kinderen en hun vrouwen en verkopen ze aan de eerste slavenkaravaan die langskomt – de prijs die ze krijgen komt bovenop de hongobelasting. Hun eigen onderdanen mogen ze alleen bij overspel of zwarte magie als slaven verkopen, afhankelijk van de ernst van het vergrijp. De mganga besluit in zijn eentje over schuld of onschuld, meestal door een proef met kokend water. Als de in het water gedoopte hand wonden vertoont, is de misdaad bewezen. Ontmaskerde heksen worden onmiddellijk verbrand. Meermaals zijn ze langs een hoopje as gekomen, met geblakerde menselijke botten en een paar stukken nagloeiende houtskool. Ook dat is hongo, betaald door de pechvogels die in deze onzalige contreien moeten leven. Op naar de volgende stopplaats. Ze moeten alle hongo voor lief nemen, willen ze Kazeh ooit bereiken.

<hr />

SIDI MOEBARAK BOMBAY

Niets was voor bwana Speke belangrijker dan zijn geweren. Iedere avond maakte hij ze schoon en vette hij ze in; hij behandelde ze met meer liefde dan de lastdieren. Overdag gaf hij zijn geweer nooit uit handen en was er maar één ding waarvoor hij belangstelling had. Terwijl de meesten van ons op de weg of de lucht letten, of keken naar de vrouwen langs de kant van de weg of naar de wortels op de grond, speurde bwana Speke alleen naar dieren. Plotseling hoorden we een schot, en als we ons snel genoeg omdraaiden, zagen we een vogel uit de hemel vallen of een antilope door het struikgewas heen breken. Het gebeurde een paar keer per dag en we raakten eraan gewend, het werd vanzelfsprekend.

Bwana Speke bereidde zich niet voor, hij sloop niet naar het wild toe, hij verwijderde zich zo nodig hooguit een paar stappen van het pad en schoot. Raak, altijd raak. Een enkele buit in het begin, tot we in het land van de vele, vele dieren kwamen; we doorkruisten dit land, we trokken erdoorheen en we lieten een land van vele dode dieren achter.

'Hoezo?'

'Je wilt een raadsel met ons delen?'

'Geen raadsel, vrienden, of misschien toch, een raadsel over wat de mens is, en wat de mens doet.'

'Het raadsel wordt moeilijker.'

'Mijn broeders, de meesten van jullie weten niets van jagen. Jullie zijn nooit weg geweest uit Zanzibar, en in Zanzibar vliegen de wilde dieren door de lucht. Jullie zijn uitstekende vissers, maar vissen is iets anders dan jagen. De Zanzibaren denken bij jagen aan de apen die ze van hun akkers verjagen. Mijn voorvaderen waren meesters in de jacht, ze jaagden met geduld, want het woud geeft alleen aan de geduldige jager, en met wapens die niet scherper waren dan de tanden van de wilde dieren. Ze waren ernstig, in zichzelf gekeerd, voor ze op jacht gingen en nadat ze op jacht waren geweest. Als ze erin slaagden een grote antilope te doden was het groot feest in ons dorp. Zulke jagers waren mijn voorvaderen, en de broeders die ik in mijn eerste leven had, zijn nog altijd zulke jagers, daarvan ben ik overtuigd.'

'Vast wel, baba Sidi, vast wel. Wat ben je van plan? Wil je van ons, grijsbaarden, nog jagers maken?'

'Ik ben blij dat ik niets over de jacht hoef te weten. Kennen jullie het verhaal van die Hodja die op leeuwenjacht wordt gestuurd? Als hij terugkomt, straalt hij, dus vragen ze hem hoeveel leeuwen hij heeft gedood, en hij antwoordt: geen een. Hoeveel heb je er achternagezeten, vragen ze verder, en hij antwoordt: geen een. Hoeveel heb je er gezien, vervolgen ze, en hij antwoordt: geen een. Waarom ben je dan zo vrolijk, vragen ze, en hij antwoordt: als je op leeuwenjacht gaat, is geen leeuw meer dan genoeg.'

'O, baba Ibrahim, o, o, die is goed, ik was dat verhaal vergeten, het is prachtig.'

'Luister naar mij en vergeet die Hodja. Toen wij de savanne bereikten, waar de kuddes zich over de vlakte uitspreidden als een tapijt, had ik bijna mijn tong ingeslikt. Bwana Speke wilde per se dat ik hem vergezelde en we sjokten over de vlakte tot hij een geschikte plek ontdekte, een kopje bijvoorbeeld, zo'n kleine heuvel, of een brede baobab. Hij mikte en begon te schieten tot mijn oren pijn deden, en wie het kon aanzien zag de dieren omvallen, het ene na het andere, als balen die op de grond werden gesmeten. Na het eerste schot probeerden de dieren te ontsnappen, ze snoven geschrokken, ze waren ver weg maar ik voelde de angst door hun neusgaten gieren, ze wisten vaak niet waarheen ze moesten vluchten, en de kuddes waren zo groot, bwana Speke had genoeg tijd voor nog veel meer schoten. Zo veel dieren werden getroffen, zo veel dieren vielen om, ik telde er tientallen, tot ik de dieren niet meer kon zien, tot ze werden omwolkt door het stof dat hun hoeven opwierpen en er alleen nog een boel leven en een boel dood was en een wilde werveling daartussen.'

'Bij de snuivend voortrennenden
en bij de vurige vonken slaanden
en bij de in de morgen dravenden
die daarbij stof doen opvliegen
en midden door het gewoel gaan!'

'En het gaat verder, baba Quddus, hoe glorierijk gaat het verder, elk woord is raak, zoals de schoten van bwana Speke:

De mens is waarlijk
tegen zijn Heer verhard
en hij is waarlijk
zelf daarvan getuige.'

'In de naam van God.'

'Zolang bwana Speke een schot kon afvuren waarvan mocht worden verwacht dat het dodelijk was, schoot hij. Hij was net een opgewonden kind, en soms dreef die opwinding hem achter de kuddes aan, dan liep hij met lange, krachtige passen en schoot in die vluchtende massa dieren. Hij kon niet op een bepaald dier mikken, dat was onmogelijk, maar hij wist wel altijd zo te mikken dat zijn kogels bloed vonden. Zijn gezicht straalde wanneer hij dat deed, het zag eruit als het gezicht van baba Burhan met Bakri ied, een en al geluk, een en al roes.'

'En jij?'

'Ik moest hem de geweren aanreiken, ik moest ze dragen, ik moest erop passen, de dagen waarop hij jaagde waren akelige dagen voor mij.'

'Op wat voor dieren schoot hij, opa?'

'Op alles, alles wat bewoog. In dat opzicht was hij niet kieskeurig. Hij schoot zelfs op krokodillen en nijlpaarden, dat was helemaal weerzinwekkend, want dan moesten we op de oever wachten tot de kadavers kwamen bovendrijven.'

'Waarom blijven die niet onder water?'

'Omdat zich in hun maag verzamelt wat uit jou ontsnapt als je een scheet laat, lichtpunt in mijn leven. Stel je voor, duizenden scheten blazen het nijlpaard op, tot het zo vol en rond is als een van mijn beste vrienden.'

'Ik weet wie je bedoelt, opa, ik weet het precies.'

'Goed, lieveling, maar vertel het niet verder.'

'Waarom niet? Hij weet het toch ook?'

'Jullie hadden wel volop vlees te eten.'

'Nee! Luister, dan hebben jullie weer iets om je over te verbazen. Bwana Speke was niet geïnteresseerd in het vlees. Niet eens in de hoorns. We snelden verder. We lieten de dode dieren achter en ik weet niet of iemand ervan heeft gegeten, want er waren niet altijd dorpen in de buurt. Alleen één keer, toen hij een zwangere antilope had doodgeschoten, toen beval hij ons het dier open te snijden en de vrucht voor hem te koken.'

'Nee!'

'We weigerden. De dragers aan wie hij het eerst vroeg, weigerden, toen richtte hij zijn bevel tot mij, maar ik weigerde ook,
hoe kon ik zoiets doen, ik zou geesten in de wereld roepen die me
zouden pijnigen zolang ik leefde. Hij werd woedend, hij sloeg me
in mijn gezicht.'

'Hij heeft je geslagen!'

'Ik raakte een van mijn voortanden kwijt, kijk, dit gat, dat heb
ik aan bwana Speke te danken.'

'Je liet dat gebeuren?'

'Wat had ik moeten doen? Hij was de baas van de karavaan.
Hij schold ons ook uit en verklaarde ons voor gek omdat we
geloofden in die onzin, zoals hij het noemde.'

'En de andere mzungu?'

'Die bemoeide zich niet met deze ruzie. Zijn woorden waren
vaak gewelddadig, maar hijzelf? Ik heb hem nooit zien doden. Ik
weet niet wat hij van het jagen van bwana Speke vond, maar een
paar keer wees hij zijn verzoek af om te stoppen omdat we in zo'n
gunstig jachtgebied zaten. Bwana Speke was dan nijdig, maar
hield dat voor bwana Burton verborgen. Hij ging alleen tekeer als
wij met z'n tweeën waren, en hoewel ik bijna niets verstond,
hoorde ik de woede in zijn stem. Hoe langer we onderweg waren,
hoe vaker ze met elkaar overhoop lagen. Ik geloof dat bwana
Speke er moeite mee had een ondergeschikte te zijn. De karavaan
had twee commandanten, zo zag hij het, twee leiders die
tegelijkertijd rivalen waren. Ik had me vergist, ik dacht dat die
twee vrienden waren, maar later, veel later, op de tweede reis,
toen mijn Engels beter was en bwana Speke openhartiger met mij
praatte, begreep ik dat hij tijdens het eerste deel van die eerste reis
op de drempel van de haat stond, dat zijn eerzucht zijn gevoelens
van dankbaarheid en verbondenheid aanvrat, en toen het tot de
ruzie kwam die alles op losse schroeven zette, klotste zijn haat
over de drempel en overspoelde al het andere. Nog voor het eind

van de reis, nog voor we de reddende kust weer bereikten, zou hij
mij verwijten dat ik bwana Burton had geholpen hem te vergiftigen. Zo sterk was zijn haat.'

'En toch heeft hij je op die tweede reis meegenomen?'

'Ik begrijp niet dat jij weer met hem bent meegegaan. Hij had
je toch geslagen!'

'Hij is weer bij zinnen gekomen. Hij had me nodig en wist
mijn diensten te waarderen. We vormden een goed koppel samen. Ik gaf hem het gevoel de leider te zijn, ik heb mijn ongeduld
leren beteugelen, ik kon wachten tot hij zijn zinnen in de taal van
de Banyans bij elkaar had gesprokkeld en dan kon ik hem de
informatie geven die hij wilde, en hoefde hij er bwana Burton
niet om te vragen. Hij vertrouwde me steeds meer. Op de tweede
reis hoorde ik alles wat op de eerste reis voor me verborgen was
gebleven. Bwana Speke was een gevoelig mens en bwana Burton
had op zijn gevoelens getrapt. Hij had duidelijk laten merken hoe
dom hij hem vond. Hij wist hoe je een mens neerbuigend behandelt. En bwana Speke had stiekem wraak genomen, hij had in
zijn binnenste minachting gekweekt voor alles wat bwana Burton
vroeger had gedaan en voor alles wat hij op deze reis deed. Zo was
hun relatie: bwana Burton verachtte bwana Speke omdat hij aan
niets anders dan het doodschieten van dieren dacht, en bwana
Speke verachtte bwana Burton omdat die geen belangstelling had
voor de jacht.'

⋙⋘⋙⋘⋙⋘

Wat de dag ook van hem heeft geëist, hoe hard hij hem ook heeft
aangepakt, 's avonds gaat Burton zitten – nadat Bombay in zijn
tent met een stoel en een lessenaar een geïmproviseerde werkhoek
heeft gemaakt – en schrijft alles op wat hij heeft waargenomen,
opgemeten en meegemaakt. Buiten mag het stormen, er mag zich
water onder zijn laarzen verzamelen en de bevelen van Speke om
de spullen met dekzeil af te dekken mogen tot hem doordringen,

hij schrijft, zelfs wanneer zijn koortsige vingers de pen amper kunnen vasthouden en zijn ontstoken ogen de inktpot amper kunnen onderscheiden. Zelfs wanneer hij er alleen nog naar verlangt zich uit te strekken en de dag zo snel mogelijk te vergeten.

Het gaat niet alleen om een oefening in zelfdiscipline; hij beschouwt het als zijn plicht dit land schrijvend tot leven te wekken. Een man als hij deinst niet terug voor grote uitdagingen, maar als hij tot zich laat doordringen welke betekenis zijn aantekeningen zouden kunnen krijgen, voelt hij zich toch lichtelijk geïntimideerd. Hij bestrijdt die onzekerheid met details, met alle details die hij uit de gesprekken kan persen, tot er geen druppel nuttige informatie meer uit te halen valt.

Bombay staat als informant bovenaan. Als ze allebei hun best doen, kunnen ze haast elke gedachte uitwisselen door zich te bedienen van het Hindoestani, gedragen door een paar Arabische steunpilaren en enkele Kiswahili-pijlers. Vooral als het om plaatselijke gebruiken en het alomtegenwoordige bijgeloof gaat, is Bombay zijn man, want hij beziet wat hij tegenkomt met een zekere vertrouwdheid, maar toch ook met een nuttige mate van bevreemding. Na zo'n intensief gesprek met Bombay – Burton zit aandachtig te luisteren en noteert wat zijn geheugen zou kunnen ontglippen; Bombay staat achter hem zodat hij tegelijkertijd zijn schouders en nek kan masseren – slaat hij zijn aantekeningenschrift open en schrijft:

De Wanyika's beweren dus, evenals onze filosofen, dat een coma een subjectief en geen objectief bestaan inhoudt; toch is hekserij hun enige geloofsartikel. Al hun ziektes komen voort uit die bezetenheid, en geen mens sterft wat wij een natuurlijke dood zouden noemen. Hun rituelen zijn erop gericht ofwel het kwaad van zichzelf af te wenden of het op anderen te laden, en het primum mobile van hun offergaven is de aandacht van de mganga: de medicijnman. Als het beslissende moment is gekomen, wijst de geest, die eerder is gesommeerd het lichaam van de bezetene te verlaten, een of ander voor-

werp, technisch 'kehi' geheten, aan als stoel waarin hij, gedragen om de hals of aan de ledematen, zal verblijven zonder de drager lastig te vallen. Dit idee ligt ten grondslag aan veel bijgelovige praktijken. De voorstelling die de neger van een 'gunstig gezind heelmiddel' heeft, is een object, bijvoorbeeld de klauw van een luipaard, of kettingen van witte, zwarte en blauwe kralen, mdugu ga mulungu (geesteskralen) genoemd en over de schouder gedragen, of de lompen die een zieke zijn afgenomen en aan de boom zijn gehangen of bevestigd welke door de Europeanen de 'duivelsboom' wordt genoemd. De geest van de duivel geeft de voorkeur aan de 'kehi' van een zieke, zodat krachtens wederzijdse vereniging beide partijen gelukkig zijn. Sommigen, vooral vrouwen, bezitten wel een dozijn kwelgeesten, ieder voorzien van zijn hoogsteigen talisman, waarvan er een absurd genoeg 'barakat' heet, wat in het Arabisch 'zegen' betekent, en overeenstemt met de naam van de Ethiopische slaaf die Mohammed heeft geërfd.

Burton leunt achterover, leest de alinea nog eens door en slaat tevreden zijn aantekeningenschrift dicht. Het onderwerp lijkt hem voorlopig afgehandeld. Voor de menskunde ligt hier ongetwijfeld een uiterst interessant werkterrein: de vele stammen en hun culturele eigenaardigheden moeten worden geordend en vastgelegd. Hun religie daarentegen, als dat begrip in dit verband tenminste mag worden gebruikt – Bombay heeft hem verzekerd dat hun talen noch voor 'dharma' noch voor 'djin' een equivalent kennen – stelt weinig voor, en hij betwijfelt of de onderzoekers die hier zullen komen via de paden die hij op deze expeditie baant, er veel aandacht aan zullen besteden.

Bovendien zal er, als de missionarissen eenmaal zijn binnengerukt, van het inheemse bijgeloof weinig overblijven. Afrika is India niet, kehi weegt veel minder zwaar dan karma, en de dienaren van God zullen zich als aasgieren op iedere heidense ziel storten. Zo ver, zo duidelijk, maar één ding brengt hem in verwarring: Bombay, de niet op zijn achterhoofd gevallen Bombay wiens naam Moebarak een hogere, superieure belofte in zich draagt, en die vertrouwd is met de rijkdom van Al-Islam, deze Bombay lijkt diep geraakt door alle hocus pocus en is zichtbaar onder de indruk van de kwakzalvers. Zit het gif van de opvoeding die hij als kind kreeg zo diep dat hij zich er niet meer van kan bevrijden, ook al heeft hij zo veel andere, meer bevredigende waarheden leren kennen? Of is hij aan een waanvoorstelling ten prooi gevallen, zijn persoonlijke, labiele reactie op de ontberingen van de reis? Hij moet hem maar eens wat beter in de gaten houden, want als Bombay uitvalt, zouden ze een van hun beste krachten kwijtraken.

<hr />

SIDI MOEBARAK BOMBAY

Luister, broeders, luister aandachtig, want nu komt het deel dat jullie allemaal interesseert, nu komt het verhaal over de vrouwen op deze reis, de vrouwen van onze karavaan. Toen we vertrokken, vormden we een mannengemeenschap, want afgezien van een paar echtgenotes van dragers waren er alleen mannen, meer dan honderd, en geen van ons was oud, geen van ons was zwak. Het was niet juist dat wij een weg moesten afleggen die we niet kenden, dat we alles moesten verdragen wat tussen leven en dood stond, en daarbij het gezelschap van vrouwen moesten missen. Het was niet juist dat onze nachten eenzamer waren dan onze dagen. Het duurde niet lang of de karavaan groeide, ze kreeg steeds meer rondingen en er waren steeds meer mannen die 's avonds niet deelnamen aan onze gezangen en dansen; hoe langer de reis duurde, hoe meer vrouwen ons vergezelden. Bwana Burton en bwana Speke waren bezorgd over de invloed die de vrouwen op de karavaan konden hebben.

'Waar kwamen die vrouwen dan vandaan?'

'De meeste werden gekocht van de slavenhandelaren die we tegenkwamen en sommige sloten zich bij een van de mannen aan omdat hij haar of de ouders van de vrouw had weten over te halen, met geld of mooie woorden. Dat waren combinaties die langer standhielden, want wie zijn vrouw kocht, wist niet wat hij kocht, en niemand verging het zo slecht als de arme man die de vrouw met de naam Weetikniet ten deel viel. Ze had de bouw van een stier, een prachtige, glanzende stier waarop iedere man trots zou zijn, daarom had ze ook zes stukken stof en een grote rol messingdraad gekost, Said bin Salim had haar gekocht en meteen zijn vingers aan haar gebrand, want ze was kijfzuchtiger dan een oude, eenzame buffel. Daar ze afstamde van de mensen die botschijfjes door hun bovenlip steken, stond haar lip af als de snavel van een eend. Haar aanblik alleen al boezemde ons respect in, maar haar gedrag was pas echt vreesaanjagend. Said bin Salim gaf haar weliswaar door aan de sterkste drager, een man die Goha heette, maar ook hij stond machteloos tegenover haar, ze behandelde hem vanaf het begin vol minachting, en ik weet niet of ze hem 's nachts warm hield, maar ik weet wel wat iedereen van ons wist: ze bezorgde de arme Goha eerst één en niet veel later een tiental rivalen. Ieder voorwerp dat haar werd gegeven vernielde ze om het niet te hoeven dragen, ze bracht de hele karavaan in verwarring, we hadden het nauwelijks nog over iets anders, iedereen verdacht de ander ervan dat hij haar stiekem begeerde, want het klinkt misschien verbazingwekkend, maar hoe arroganter zij zich gedroeg, hoe geiler wij werden. Jullie hadden haar stevige armen en haar stevige dijen moeten zien, daartussen lag het paradijs, dachten wij, en die gedachte, die aanblik, had vele stoffige, eenzame stappen lang de tijd om in ons te groeien. Niets wat zij deed, kon blussen wat in ons brandde, haar beledigingen niet, haar barsheid niet. Ze liep haast iedere avond weg, en telkens werd ze weer gevangen door mannen die zich vrijwillig voor dit rotkarwei hadden opgegeven, en nadat ze teruggebracht was, toonde ze berouw noch schaamte. Ze was zo uniek, zo uniek lastig, iedere boot waarop zij voer, zou zinken. Dus besloot Said bin Salim uiteindelijk haar bij een Arabier in

Kazeh te ruilen tegen een paar grote zakken rijst, voor deze ervaren koopman de slechtste transactie van zijn leven, want de volgende dag verscheen hij bij ons en klaagde bitter dat ze hem een klap op zijn hoofd had gegeven. Wij lachten en lachten en waren blij dat we haar kwijt waren, maar heimelijk droomden onze lendenen ervan hoe het geweest zou zijn om door haar te worden omhelsd.'

'Zulke dromen ken ik, ze gaan even langzaam over als brandwonden.'

'Als een bult op je hoofd!'

'Er moeten nieuwe dromen voor in de plaats komen.'

'Er moet een nieuwe vrouw komen; dan wordt de oude uitgewist als de afdruk van een blad.'

'Laat me eens de afdruk van een blad zien, baba Ilias.'

'Dat is toch precies wat ik wil zeggen, uilskuiken, de herinnering aan die vorige vrouw wordt dan ineens zo vluchtig als de afdruk van een blad.'

'Iets klopt er bij jou niet, baba Ilias, je moet altijd uitleggen wat je eigenlijk bedoelt.'

'Dat hangt helemaal van de luisteraars af, baba Yusuf. Wie niet wil begrijpen, struikelt over zijn eigen vragen.'

'Komt nader, broeders, komt nader. Salim is naar bed en de dreigementen die van tijd tot tijd op ons neerkletterden, zijn verstomd, en wat ook de reden mag zijn van deze zegen, laten we ervan genieten zolang het kan. Er is niemand onder jullie die niet weet dat ik van mijn eerste reis ben teruggekeerd met een vrouw, een jonge vrouw die me betoverde vanaf het eerste moment dat ik haar zag, bij de rivier, waar ze met de andere meisjes uit het dorp onze spullen waste. De ochtend geurde naar ontwakende planten, naar bloesem in de dauw, en ik had niets te doen, ik had geen werk, mijn voeten droegen me langs omwegen naar de rivier, ik drong door struikgewas en ineens stond ik bij het water, en niet ver van me vandaan waren de jonge vrouwen uit het dorp bezig, gebukt sloegen ze kledingstukken tegen een steen die vlak als een tafel in het water lag. Ik zeg: de vrouwen uit het dorp, maar eigenlijk was er maar één vrouw die mijn blik gevangennam. Ik kon haar gezicht niet zien, maar wat ik wel zag, maakte me zo blij dat ik ernaar wilde kijken zolang ik kon. Ik bewoog niet, ik staarde naar die vrouw, wier lichaam glansde van de waterdruppels, omspeeld door de eerste dartele zonnestralen van de ochtend; haar huid was donker, zo donker als de mijne, en haar bewegingen waren even soepel en krachtig als de mijne indertijd. Een hele tijd heb ik op die oever gestaan, gevangen door de aanblik van dat meisje, tot ik dichter naar hen toe durfde te lopen. Ik had er niet bij stilgestaan dat de meisjes me misschien niet hadden opgemerkt en was verrast toen het eerste meisje dat me in het oog kreeg een schrille kreet slaakte, terwijl de andere door het water wervelden als vissen die naar voedsel hapten. Ik bleef staan, mijn handen probeerden me te verontschuldigen, alle vrouwen draaiden zich om zodat ze me konden bekijken, ze wendden zich af om hun schaamte te bedekken, ze waren opgewonden en geschrokken, en dat ene meisje dat me had betoverd, dat meisje gedroeg zich bescheiden maar keek me recht aan, met lachende ogen, en dat moment bepaalde wat de belangrijkste taak in mijn leven zou zijn. Ik wilde voor altijd naar die ogen mogen kijken, en niet alleen dat, ik wilde het meisje met de lachende ogen voor altijd bezitten. Wie ben je? vroeg een van de oudere meisjes. Ik ben Sidi Moebarak Bombay, zei ik, de leider van de karavaan. Ach, zei de jonge vrouw die me had betoverd, dan zijn het jouw kleren die we hier wassen? En ze hield de broek omhoog die ze toevallig in haar handen had en liet hem bungelen, en de meisjes lachten en ik lachte met hen mee, omdat er weinig anders op zat en omdat lachen een mens mooier maakt en ik mijn versleten gezicht zo veel schoonheid moest verlenen als ik kon. Zoiets draag ik niet, zei ik toen het lachen verflauwde. Zozo, riep een van de andere meisjes, zo belangrijk ben je dus ook weer niet dat je de kleren van de meesters nog niet mag dragen. Ze zitten niet lekker, stamelde ik. Wat draag jij dan, man van de kust? vroeg het meisje dat me had betoverd. Een lap stof zoals deze hier, en als het koud wordt, of op feestdagen, draag ik een *kanzu*. O, maar dan sta ik misschien wel voor jou te wassen, riep een ander meisje, en ze hield een kanzu omhoog. Ik ben je dankbaar, zei ik, ook al is die kanzu misschien niet de mijne. Laten we ruilen, zei het meisje dat me had betoverd, en ze maakten allebei een prop van hun wasgoed en gooiden die naar elkaar, en het roepen en lachen van de andere meisjes balde zich samen tot een onstuimig gejoel dat mij buitensloot. Probeer eerst maar eens of hij hem past, riep een van de andere meisjes. En mijn meisje liet haar prop uit elkaar vallen, hield de kanzu met gestrekte armen voor haar lichaam en keek mij over de kraag heen aan. Zo kan ik dat niet beoordelen, riep ze. En het geroep van de andere meisjes doordrenkte mij als dichte regen, ik kon ze niet uit elkaar houden, de vele aanmoedigende en uitdagende kreten. Ga toch naar haar toe, hoorde ik, ben je soms bang, hoorde ik, laat je de maat nemen, hoorde ik, hij durft niet in het water, hoorde ik, en ineens stond ik voor het meisje dat me had betoverd en dat een witte kanzu in haar handen hield. Ik probeerde te glimlachen, maar de jonge vrouw begon plotseling met trillende tong te huilen, zoals mensen in die streek bij begrafenissen doen, en het lachen om me heen barstte opnieuw los toen ze, zo hard ze kon, riep: Och, och, wat is ie klein! En inderdaad, het was me nog niet opgevallen, ze was groter dan ik, een flink stuk groter, en aangezien de kanzu bijna tot het puntje van haar neus kwam, kon het de mijne niet zijn, en mijn hart kromp, want het zou zo mooi zijn geweest als ze mijn kanzu voor me had opgehouden. Kijk uit, straks verdrinkt hij nog in die kanzu, het lachen was inmiddels een waterval geworden, een wilde stroom. Maar het meisje dat voor me stond, geen mooi meisje, de neus wat scheef en wat lang, de kin te spits, en toch een meisje zoals ik nog nooit had gezien, de ogen twee huppelende, springende, dartele dikdiks, het meisje lachte niet meer, ze keek me met lichtgebogen hoofd nadenkend aan, de kanzu gleed omlaag en de blik waarin we ons verstrikten, was als een dak van palmbladeren dat ons beschermde tegen het neerkletterende gelach. We stonden daar maar, tot een van de meisjes tegen de anderen riep dat ze weer aan het werk moesten en het meisje voor mij zich hoofdschuddend omdraaide, zoals ze me ineens allemaal de rug toekeerden en zich bukten om kledingstukken uit het water te trekken. Ik kon daar niet blijven staan alsof ik een wilg was, ik moest me terugtrekken, hoewel ik nog uren had kunnen kijken naar het meisje dat me had betoverd.

Ik liep terug naar ons kamp, langzaam, met mijn gedachten op een klein vuurtje dat ze niet aan de kook bracht en ze ook niet liet uitdoven, en ik mijmerde hoe vervelend het was dat ik die dag niet voor een boodschap of karwei naar het dorp hoefde. Waarheen ik ook keek, ik zag alleen die jonge vrouw voor me, het lachende meisje met een broek en daarna een kanzu in haar handen, de ernstige blik die plotseling voor haar gelach in de plaats was gekomen, en haar achterste, ik weet dat ik praat als een jongeman die zijn tong nog niet heeft getemd, maar haar achterste verdreef alle andere gedachten uit mijn hoofd. Of het een geluk was of een ongeluk hangt ervan af of jullie het mij vragen of haar, en ook op welk moment jullie het mij vragen of haar.'

Wat schrijf je?

Speke weer. Dat de flap van de tent dicht is, weerhoudt hem er niet van te storen. Hij weet niet hoe hij de tijd moet verdrijven; direct wil hij weer een probleem met hem bespreken dat hij gewoon heeft verzonnen omdat hij zich zo verveelt. Ik ben bezig, Jack, ik ben de vorige etappe van onze expeditie aan het documenteren.

Wat valt daar nou over te schrijven? vraagt Speke. Alles ziet er hetzelfde uit, één grote, grauwe brij, of je nou in het bos bent of op de steppe. En de mensen zijn nog saaier dan het landschap, ze zien er overal hetzelfde uit en hebben overal dezelfde, duffe uitdrukking op hun gezicht, pure tijdverspilling dat we dit gebied in kaart willen brengen – die witte vlek geeft nog het beste aan wat hier te beleven valt.

Burton merkt dat hij genoeg begint te krijgen van zijn eigen terughoudendheid. Hij heeft nooit zijn mond leren houden. Weet je, Jack, zegt hij, het had me argwanend moeten stemmen dat je in India in tien jaar tijd niet meer dan tien woorden Hindoestani hebt leren brabbelen. Praat de blindheid waartoe je jezelf hebt veroordeeld niet goed. Juist de ménsen in dit gebied zijn het interessantst, je zult zien, de kennis over de mensen die hier leven, wordt voor dit continent de wetenschap van de toekomst.

Jij wroet graag in elke modderpoel, dat is me al eerder opgevallen, je hebt een perverse fascinatie voor onkruid en ongedierte, dat weet iedereen, dus leg me alsjeblieft eens uit wat er vandaag interessant was, wat er interessant was aan dat dorp waar iedereen straalbezopen was. Dat heb je toch wel gemerkt, Dick? Het zal je scherpe blik toch niet zijn ontgaan dat het hele dorp stomdronken was? En dan ook nog eens vroeg in de middag.

Nou, ik ben ervan overtuigd dat er over die zuippartij een heel boek kan worden geschreven. Over het brouwen van gierstebier bijvoorbeeld. Iedere dorpsbewoner heeft zijn eigen brouwerij, wist je dat? Meestal nemen de vrouwen dit werk voor hun rekening. De helft van de gierst wordt in water geweekt, tot het spul begint te kiemen ...

Wat kan mij het schelen hoe dat bier wordt gebrouwen. Wat mij interesseert, is de uitwerking. De dorpshoofden hadden 's middags al een dikke tong en vuurrode ogen, en die opdringerige manier van doen die zatlappen eigen is.

En de reden voor die zuippartij? Heb je die begrepen? vroeg Burton.

Ja, ik ken de reden, maar dat maakt het hele gedoe niet minder erg. Ze hebben 's ochtends een begrafenis gehad, er is een oude man in de aarde gestopt, maar even later, toen wij opdoken, was er geen teken van rouw meer te bespeuren, integendeel, er werd alleen maar gelachen en lol gemaakt en gekletst.

Net als in Italië, zegt Burton, daar is je eigen begrafenis ook het grootste feest van je leven. In Mezzogiorno hebben ze een lied, dat gaat ongeveer zo: ach, hoe vrolijk ging het toe, bij mijn dode lichaam.

Wat een onzin, Dick, die wilden kunnen hun lusten niet in bedwang houden. Hoe kan een heel dorp zich op klaarlichte dag bezatten. Geen wonder dat ze zo arm zijn.

Arm? Ja, arm zijn ze, maar ook geestrijk. Weet je wat ze zeiden toen ik hun liet vragen waarom ze zo uitbundig aan het feesten waren? Vanwege de dode, zeiden ze, we verheugen ons voor hem, want hij is eindelijk op de plaats aangekomen waar hij al een hele tijd naartoe wilde.

<hr>

Sidi Moebarak Bombay

We kampeerden nog een paar dagen aan de rand van het dorp, want bwana Burton en bwana Speke hadden allebei weer last van zware koortsaanvallen, bovendien waren we allemaal aan een beetje rust toe; zo kon ik elke ochtend naar de rivier lopen en kijken naar het meisje dat me had betoverd, en hoe vaker ik haar zag, des te meer wilde ik haar hebben, tot ik besloot het dorp niet zonder haar te verlaten. Dus deed ik navraag bij de phazi van het dorp, die me naar het huis van haar ouders bracht, en daar heb ik op mijn hurken voor het huis met haar vader zitten praten; met zijn eerste antwoord gaf hij me hoop, want hij verklaarde zich bereid mij zijn dochter te geven, maar met zijn tweede antwoord beroofde hij me van alle hoop, want hij vroeg een bruidsschat die ik niet kon opbrengen, zelfs niet als ik me de rest van mijn soldij had laten uitbetalen. Ik kon mijn verlangen naar dit meisje niet van me afzetten; tegelijkertijd wist ik dat ik voor altijd afscheid van haar moest nemen. De nacht daarop had ik eindelijk weer eens een taak, ik moest het kamp bewaken, liep rond en luisterde aandachtig of ik ongewone geluiden hoorde; ik ging op een boomstam zitten en die boomstam, en dat was vast zo gewild door degene die over ons lot beschikt, die boomstam bevond zich in de buurt van onze voorraad messingdraad. Daar zat ik, en mijn blik viel steeds weer op die rollen, en na elke ronde door het kamp ging ik op dezelfde plaats zitten en staarde naar het messingdraad, en ik dacht: waarom ligt die messing nou net hier, waar ik zit, en ik dacht: dat is toch eigenlijk heel veel messing, wie heeft er nou last van als er wat draad wordt afgehaald, wie merkt het als er van al die messing een klein beetje ontbreekt, en ik spitste mijn oren, ik luisterde, nu eens naar de donkere nacht, dan weer naar mijn duistere gedachten, en ik hoorde een voorstel dat zo goed klonk, en ik zag een oplossing die zo eenvoudig was. Natuurlijk heeft bwana Burton me later van diefstal beschuldigd, maar hij kon niets bewijzen. Toen hij vroeg hoe ik aan het meisje was gekomen dat de volgende dag met ons meereisde, beweerde ik dat ik aan een kleine transactie met de phazi genoeg had verdiend om de bruids-schat te kunnen betalen, en ofschoon hij me niet geloofde, kon hij niets doen, want ik antwoordde rustig en zelfverzekerd, niet omdat ik trots was op wat ik had gedaan, maar omdat ik wist dat ik juist had gehandeld. Bovendien steunden de wazungu inmiddels helemaal op mij; als ze mij waren kwijtgeraakt, was de schakel weggevallen tussen henzelf en het land waardoor ze reisden. Zo kon ik het meisje meenemen dat jullie allemaal kennen, sommigen nog van vroeger, als jonge vrouw, anderen alleen als matrone, en dat meisje dat me bij de eerste aanblik had betoverd bleek een goede vangst, niet alleen op de lange reis die voor ons lag, maar ook in het huis in Zanzibar dat we na onze terugkeer betrokken en vulden met leven, en dus kan ik jullie nu wel vertellen dat het meisje dat ik toen heb meegenomen de grootste verovering van mijn leven was.

'Jullie geloven hem toch niet, hè? Geloven jullie dat mottige verhaal?'

'O, o, mijn gefluister had een te lange nek.'

'Jullie moesten je schamen voor je oren. Allesvreters zijn het. Afvaltrechters. Horen jullie het verschil niet tussen de verhalen die zijn trots afscheidt, zijn trots die groter is dan de karavaan die hij zogenaamd door het hele land heeft geleid, en de verhalen waartoe zijn deemoed hem af en toe verplicht? Hebben jullie je ook maar één keer afgevraagd hoe ik die verovering heb beleefd? Waarom komt het niet bij jullie op je ook eens te verbazen over die knappe jonge vrouw – want als hij mij begeerde, waren er natuurlijk ook anderen die dat deden – die bereid was met hem mee te gaan, met die vagebond die met twee krankzinnige wazunugu op weg was naar een groot meer? Of naar twee grote meren, of voor mijn part naar het einde van de wereld. Met een man die er toen – dat kunnen jullie zonder meer van me aannemen – geen greintje beter uitzag dan nu. Integendeel: dat witte haar rond zijn gezicht – dat aardappelveld, ja, dat we beleefdheidshalve 'gezicht' noemen – dat witte haar verleent hem nog een beetje charme. Indertijd was hij zo aantrekkelijk als een krokodil, en als ik zijn karakter beter had gekend had hij me ook aan een hyena doen denken. Jullie moesten maar eens naar mij luisteren. Dan zouden jullie merken hoe stom het is als je maar de helft van het verhaal kent. Mijn ouders hadden te veel kinderen, al mijn broertjes en zusjes waren heel sterk, heel gezond, wij aten veel, en voor mijn vader, die zwak was en gebrekkig, was het moeilijk ons allemaal te onderhouden. De broer van mijn vader hielp ons een beetje, maar eigenlijk was er nooit genoeg. We waren niet verhongerd, ons dorp was niet als deze stad waarin wij nu leven, niemand in ons dorp had het prettig gevonden als enige een volle maag te hebben. Maar we hadden dikwijls honger. Daarom, alleen daarom leek het aanbod van deze vagebond een geschenk van onze voorvaderen. Als hij voor mij betaalde wat mijn vader van hem verlangde, kon het hele gezin daarvan tot de volgende oogst rondkomen, en ik zou geborgen zijn zolang ik leefde. Zo zag mijn vader het, en mijn moeder sprak hem niet tegen. Maar ik was bang. Zoals jullie me nu zien, denk je misschien, hoe kan dat, die vrouw kent geen angst, omdat jullie alleen vertrouwd zijn met de kracht die ik me heb eigengemaakt. Jullie moeten je voorstellen hoe jong en tenger ik toen was; ik was bang voor het gewicht waarmee die man me zou belasten. Ik wilde hem niet tot vrouw worden gegeven en dat heb ik ook tegen mijn moeder gezegd. Het had geen zin. Ze vroeg me mijn mond te houden en vertrouwen te hebben in het besluit van mijn vader. De volgende ochtend betaalde die vreemde, lelijke snoeshaan mijn vader de gevraagde prijs – natuurlijk hadden wij geen idee waar hij de middelen om mij te kopen vandaan had – en ik moest afscheid nemen van mijn zusjes en broertjes, van de andere meisjes van mijn leeftijd, van mijn ouders. En dan moet ik jullie nog iets vertellen, nu deze man denkt dat hij met jan en alleman mijn achterste kan bespreken: hij heeft me niet veroverd met zijn schuwe gebaren en ook niet met het messingdraad dat hij mijn ouders heeft overhandigd, nee, ik heb me niet laten veroveren. Meteen de eerste nacht heb ik tegen hem gezegd: je mag me pas aanraken als ik het goed vind, tot dan slapen we apart, en wee je gebeente als je deze wens van mij niet respecteert, ik zweer je dat ik dan iets bij je afsnijd waarvan jij denkt dat het je tot man maakt.'

'Maar als ik zo brutaal mag zijn, mama Sidi, heeft je vader dan ongelijk gehad? Is het je niet goed vergaan?'

'Spreek nu de waarheid, vrouw.'

'Mijn vader heeft gezien wat geen mens kon zien. Ofschoon deze man is blijven zwerven, is hij ook altijd weer veilig thuisgebracht. Maar als jullie de waarheid willen horen zeg ik: ik heb nooit een andere man gehad, dus kan ik niet vergelijken, want ik weet niet hoe het met een ander was geweest.'

Ze hebben te weinig water. In de verlatenheid van Ugogo. Een land zonder verzachtende eigenschappen. Sluierwolken slingeren zich langs de allerhoogste hemel. Geen wens reikt zo hoog. Onder hen wordt alles door een onzichtbare kachel verzengd. Dit land is een bedelaar, Speke en Burton hebben zijn uitgemergelde lichaam vanaf de top van de Rubehoberg bekeken. Een bedelaar met een gelige huid en overwoekerde aardribben, doorsneden door waterlopen, littekens van de seizoensstromen die dit machteloze lichaam geselen. Ze waren een hele tijd bij de rand van de steile helling blijven staan en moesten zichzelf ertoe dwingen af te dalen. De dragers met de meeste ervaring hebben hen voor dit land gewaarschuwd. Een maand zal het duren eer ze een heuvel of dal zien. Onvermijdelijke ellende. Maar het water had niet moeten opraken, dat was niet nodig geweest. Een paar dragers hebben – opzettelijk, dat moet haast wel, Burton was ervan overtuigd dat ze niet verder hadden gekeken dan hun neus lang was – de laatste volle zakken achtergelaten. De toekomst zou wel voor zichzelf zorgen, daarop hadden ze vertrouwd, als ze er al een gedachte aan hadden besteed. Het tekort viel pas twee dagmarsen later op, toen de zakken die op dat moment werden gebruikt leeg begonnen te raken. Geen reden voor bezorgdheid, dacht hij eerst. Ze zouden het water op rantsoen stellen en met minder dan anders moeten toekomen. Hij kon toen nog niet weten dat ze midden in een droogte waren getuimeld. In ieder dorp dat ze aandoen is de laatste bron opgedroogd, de laatste poel verdampt. Eigenlijk zijn het geen bronnen, maar uitgediepte pannen met randen die gemakkelijk afbrokkelen. De hutten zijn verlaten, de weinige mensen die ze aantreffen zijn gegroefde wezens wier lippen net zo gebarsten zijn als de bodem. Ze staren naar de vertrouwde acacia's, wachtend op de dood. Hij geeft het bevel de rest van het water alleen te gebruiken om te drinken. Als ze zuinig omgaan met hun reserves, kunnen ze het nog drie, misschien vier dagen volhouden. Hij geeft het bevel gebruik te maken van de volle maan en 's nachts door te marcheren. Hij dreigt iedereen die protesteert zonder een druppel water achter te laten. Dag en nacht krabben ze zich een weg door de vlakte. Ze steken diepe rivierbeddingen over, ze zakken weg in het losse zand, ze trekken zich op de andere oever moeizaam aan kromme wortels omhoog – ze leren ze haten, die rivieren waar geen water in zit. Alleen baobabs steken boven de eentonigheid uit. Al om negen uur gromt de zon. De stekelige haartjes van het buffelgras boren zich in hun benen, de tseetseevliegen steken als je even niet oplet door de dikste stof heen. Doornen zijn talrijker dan bladeren. Al het vocht in hun mond is verdampt. Om tien uur blaft de zon. Ze tellen hun passen tot ze opnieuw het zweet van hun gezicht vegen. Boze voorgevoelens zijn in de plaats gekomen van de liederen die ze eerst neurieden. Ze kunnen hun lippen niet meer met hun tong bevochtigen. Om elf uur begint de zon te bijten. Voor Burton zijn zware hoofd optilt, worstelt hij met de taaie gedachte of deze inspanning wel nodig is. Specie breekt van zijn verhemelte en valt in brokken op zijn gezwollen tong. Hoog tijd voor een pauze, maar bomen die zonder water weten te overleven, bieden niet meer schaduw dan een skelet. Het volgende dorp lijkt alleen bewoond door een fluitende wind. De kruinen van de getopte baobabs – waarvoor zouden de weggelopenen de takken hebben gebruikt? – steken naar één kant uit. Een dodendorp, en de dragers weten in de grond van hun gesmiespel dat de vooravond van de dag heeft geslagen waarop de geesten terugkeren, die na weer een jaar zonder regen komen rouwen om de uitgedroogde rivieren. Plotseling een beweging achter een stijflemen huis, een glippen, een kruipen, de gejaagdheid van een schuwe haan, rood als de ergste hoon, wit als een wolk waaruit geen regen valt. De kam vliegt over de opengebarsten aarde. Niemand beweegt behalve Speke, die rustig zijn geweer aanlegt en vuurt. Er zit niet veel vlees aan de haan; geen van de dragers wil ervan eten. Iedereen neemt de slok water die hem toekomt, dan wankelen ze verder. Burton weet hoe zinloos iedere poging was geweest om hun de angst voor dit verlaten dorp uit het hoofd te praten. Alle hoofden zijn gebogen. Met de haan lijkt de laatste hoop op hun wedergeboorte te zijn gestorven.

Burton blijft staan. Hij wacht tot Speke hem inhaalt. Ze kijken elkaar lang aan. Er valt niets te bespreken. De onzekerheid over wat hen te wachten staat, kan niet worden weggenomen met woorden. Stilzwijgend worden ze het erover eens hun katterige gezicht tot een bemoedigende grijns te dwingen. Jij houdt er wel van, hè, om jezelf te kwellen, zegt Burton tegen Speke. Dat is dan in ieder geval iets wat we gemeen hebben, luidt het antwoord.

〰〰〰〰〰

Sidi Moebarak Bombay

Broeders, vrienden, midden in het land van de Wagogo hadden mijn voorvaderen mij bijna tot zich geroepen. Ze hebben lang overlegd en terwijl ze dat deden, verkortte mijn tong, mijn verhemelte, mijn tandvlees, ik voelde mijn tong niet meer, het vlees in mijn mond barstte open maar er kwam geen bloed door de scheuren, ik probeerde in mijn lippen te bijten om ten minste de zachte, volle smaak van mijn bloed te proeven, maar er kwam geen bloed uit, misschien beet ik niet hard genoeg, misschien was mijn bloed al verdampt. Zo vergaat ook mijn derde leven, dacht ik, uit mijn eerste leven ben ik weggerukt, aan het eind van mijn tweede leven kreeg ik weer iets terug, en nu zou alles me weer worden ontnomen, midden in het land van de Wagogo. De wanhoop is een man, zeggen wij, de hoop een vrouw, maar misschien is het ook een mganga, zoals de mganga die wij hadden geraadpleegd, die ons andere vooruitzichten had meegegeven. Waarom zou hij zich vergist hebben, dacht ik, mijn tong zal verschrompelen, maar toch zal ik levend uit deze woestijn komen. En we werden gered, we werden ingehaald door onze redders, door een andere karavaan die precies wist waar we, nog geen dagmars verderop, water konden vinden. Het was niet zomaar een karavaan, het was de karavaan van Omani Khalfan bin Khamis,

420

en als jullie nog nooit van die man hebben gehoord, weet dan dat hij wreed en verschrikkelijk was, ook al heeft hij ons gered uit de woestijn van de Wagogo, na twee dagen en twee nachten zonder ook maar een druppel water. Als jullie tegenwoordig de naam Omani Khalfan bin Khamis horen, denken jullie aan handel en rijkdom, maar wie in die tijd op reis was, sidderde bij het horen van deze naam. De man was een bondgenoot van de bliksem, hij was de farao van zijn karavaan; zijn hart, zo fluisterden zijn slaven tegen ons nadat wij de verschrikkingen van een mars met hen hadden gedeeld, zijn hart zat niet in zijn lichaam, hij bewaarde het, in dikke doeken verpakt, bij zijn andere persoonlijke spullen in een kist, en alleen 's nachts, na het laatste gebed, dat hij zoals ieder gebed bijwoonde zonder eraan deel te nemen, haalde hij het in de eenzaamheid van zijn tent tevoorschijn, vouwde de doeken open en keek ernaar, want, zo vertrouwden zijn slaven ons toe nadat ze meer dan eens over hun schouder hadden gekeken, ook een man die zonder hart leeft, moet zich af en toe ervan vergewissen dat het nog wel ergens is, dat hart van hem.

Een paar dagen reisden wij mee met de karavaan van Omani Khalfan bin Khamis, we moesten zorgen dat we hen bijhielden, want we waren van hen afhankelijk. Hij stond geen pauzes toe, hij gaf je niet de kans op adem te komen, het was een tempo voor voortrazende buffels, voor jagende leeuwen, niet voor mensen met smalle schouders en benen als de takken van een doornstruik. Hij schuwde geen middel om zijn dragers voort te drijven, hij vertrouwde niet alleen op het effect van de woorden waarmee hij je meedogenloos ranselde, maar bediende zich van elke list die ooit in een hoofd is opgekomen, hij deelde eten voor drie dagen uit en kondigde aan dat de dragers pas weer te eten zouden krijgen bij het bereiken van een plaats die een week lopen verder lag. De honger dreef de dragers voort; ze waren gekleed in vellen en vodden, ze waren aan het eind van hun krachten, maar de honger vuurde ze aan. De wil krijgt echter nooit meer voor elkaar dan het lichaam toelaat; sommigen van hen zakten in elkaar en niemand hielp ze overeind, hun bepakking werd weggehaald en over de anderen verdeeld en ze werden achtergelaten op de weg, of er nu wel of niet een dorp in de buurt was, of het gebied nu wel of niet werd bevolkt door wilde dieren. Er waren er ook die probeerden weg te lopen. Hij liet ze door zijn knechten terughalen en tot bloedens toe straffen. Omani Khalfan bin Khamis, onthoud die naam als je hem al niet kent, want als jullie op een dag wordt gevraagd wie de monsters zijn die van deze wereld een hel maken, die de mens ontnemen wat de Schepper hem heeft gegeven, dan moeten jullie deze naam kennen, dan moet je hem zelfs twee keer noemen, zo veel slechts heeft deze man gedaan. Maar wij dankten ons leven aan hem, ons heeft hij gered door ons in te halen, hij heeft ons naar het water geleid. Toen we waren aangesterkt, hebben we ons losgemaakt van zijn karavaan, want zelfs bwana Burton, die zich graag voor de jongste broer van de duivel uitgaf, zei tegen mij dat we op onze hoede moesten zijn voor mannen van wie we niet wisten of ze een moeder hadden. Bwana Burton praatte zelf soms alsof hij een mens zonder moeder was, maar bij hem bleef het bij woorden, zijn gedrag was in strijd met zijn taal, hij deed zich veel minder aardig en meelevend voor dan hij in werkelijkheid was.

'De laatste tijd zijn er een paar Wagogo naar Zanzibar gekomen, en ik heb gehoord dat er altijd narigheid met hen is.'

'Zo zijn ze, de Wagogo. Zo werden ze ons al beschreven toen we ze nog niet kenden. We hadden genoeg waarschuwingen gekregen om voor hen op onze hoede te zijn. Het bleken doortrapte leugenaars en gemene dieven, die Wagogo uit de bossen zonder bomen, die evenveel over ons hadden gehoord als wij over hen, die ons met gretige vragen ontvingen en ons pas wat geitenmelk aanboden toen hun vragen op waren. Klopt het, vroegen ze, dat withuiden maar één oog hebben en vier armen? Nee, zei ik, dat klopt niet. Klopt het, vroegen ze, dat withuiden heel veel weten? Nee, zei ik, ze kennen niet eens magie. Klopt het, vroegen ze, dat er, als zij door het land trekken, vóór hen regen valt en dat ze droogte achterlaten? Nee, zei ik, ook zij moeten door de droogte heen. Klopt het, vroegen ze, dat withuiden de vlekziekte veroorzaken omdat ze watermeloenen koken en de pitten weggooien? Nee, zei ik, dat zijn praatjes van zwangere vrouwen. Klopt het dat ze een besmettelijke veeziekte veroorzaken omdat ze de melk koken en dan hard laten worden? Nee, zei ik, ook dat klopt niet. Klopt het, vroegen ze, dat die withuiden met hun steile haar de heersers over het grote water zijn? Nee, zei ik, ze varen op zee in boten waarin heel jullie dorp zou passen, maar bij storm verdrinken ze, zoals jij en ik zouden verdrinken. Klopt het, vroegen ze, dat ze ons land komen stelen? Onzin! Complete onzin! Dat zei bwana Burton altijd als hij zich aan iemands woorden ergerde. Die barbaren, zei hij, hoe minder ze bezitten, hoe banger ze zijn dat iemand het beetje wat ze hebben van hen afpakt. Ze doen me denken aan die magere kerels in Somalië, die voor onze ogen langzaam verhongerden, maar genoeg kracht hadden om ons er luidkeels van te verdenken dat we spionnen waren, spiedend naar de rijkdommen van hun land. Welke rijkdommen, vraag ik je? Ik weet niet waarom, maar dit onderwerp leidde bij bwana Burton altijd tot woede. Begrijpen jullie dan niet, schreeuwde hij tegen mij, alsof ik de bron van alle wantrouwen was, wat een kolossaal offer het voor ons zou zijn als wij ons in jullie land vestigden, en wat een geweldige zegen voor jullie. Het is niet mijn land, zei ik tegen hem, en ik begrijp ook niet waar deze mensen zo bang voor zijn. Maar na vandaag, broeders, nu de wazungu hier in Zanzibar hun vlaggen hebben gehesen, twijfel ik aan de woorden van bwana Burton. Zoals ik de wazungu heb leren kennen zijn ze zeker niet van plan zich voor ons op te offeren.'

'En toch zijn ze nu hier en schijnen ze te willen blijven.'

'De vraag is alleen of ze de armen willen beroven van het weinige wat ze hebben, of dat de armen niet zo arm zijn als het lijkt.'

'Het laatste, baba Adam, zonder enige twijfel. Niet voor niets heeft bwana Burton een paar keer tegen me gezegd: Dit land zou zo rijk kunnen zijn, je kunt je niet voorstellen hoe rijk het zou kunnen zijn. Ik dacht aan de rijkdom van Bombay en aan de rijkdom van Zanzibar en keek naar de grond, naar een aardlaag vol scheuren en barsten, en ik geloofde hem niet. Ik moet me vergist hebben.'

⁓⁓⁓⁓⁓

Nadat ze zich door steppe, regenwoud, woestijn en braakliggend land hebben geworsteld, doemt Kazeh voor ze op, het kleine, stoffige, droge Kazeh, als een oase, als een stad van de wereld. Na duizend mijl, 134 dagen na het vertrek. Ze marcheren het plaatsje binnen alsof ze onderweg geen enkele vernedering of krenking hebben ondergaan. De Baluchi's hebben 's ochtends uit hun bepakking de elegante kleding tevoorschijn gehaald die voor dit soort feestelijke gelegenheden is bedoeld, om als totaal andere wezens een karavaan aan te voeren die zich trots aan de verzamelde bewoners presenteert, met opgestoken vlaggen, luid klinkende hoorns en musketten, de begroetingen herhalend alsof ze iedereen doof willen hebben. De bevolking, die tot en met de laatste grijsaard langs de kant van de weg staat, neemt de uitdaging aan en beantwoordt het kabaal kreet om kreet, geschal om geschal, gefluit om gefluit. Het hele dorp begroet hen, maar toch heeft Burton nog niemand kunnen ontdekken die hen formeel zou kunnen ontvangen. Dan valt zijn oog op drie Arabieren, gekleed in witte, golvende gewaden. Ze komen naar voren en heten Burton allerhartelijkst welkom, in hun eigen taal, want Omani Khalfan bin Khamis moet Kazeh al eerder hebben bereikt en hen uitvoerig hebben geïnformeerd over deze vreemdeling die vloeiend en foutloos Arabisch spreekt. Ze genieten ten volle van dit zeldzame genoegen door zich uit te putten in alle mogelijke begroetingsformules. Daarna verzoeken ze hem, als hij zo vriendelijk zou willen zijn, hen te volgen, en aan hun vastberadenheid, aan de manier waarop het drietal zich zonder iets te zeggen bij elkaar aansluit, maakt Burton op dat ze de vraag wie hem mag onthalen van te voren hebben geregeld. Burton blijft staan. Hij is iets vergeten. Hij draait zich om en ziet Speke een tiental passen achter zich, zijn gezicht kil en effen. Burton loopt snel naar hem terug, hij verontschuldigt zich. Ik moet zorgen dat ik goede maatjes met hen word, ze zijn voor ons heel belangrijk. Ga maar, zegt Speke met gespeeld begrip, als het zo belangrijk is. Ik zorg wel voor het kamp.

De Arabieren tonen hem de open ruimte waar karavanen hun kamp kunnen opslaan en vertellen dan dat ze hem zullen onderbrengen in het huis van een koopman die is teruggegaan naar Zanzibar. Op de korte weg erheen verontschuldigen ze zich uitgebreid dat het zo ver lopen is, en Burton verklaart keer op keer dat hij dat niet erg vindt. Ze gaan een huis met afdak binnen en hij ziet dat de muren opnieuw zijn bepleisterd en dat de vloer net is geveegd. Hij wordt voorgesteld aan de bedienden, dan laten de Arabieren hem alleen en kondigen aan dat ze hem komen ophalen als hij uitgerust is en zich wat heeft opgefrist. Burton doet hen uitgeleide met woorden van dankbaarheid. Als ze een poosje later terugkeren, nodigen ze hem uit voor het eten, om zijn trek in een echte maaltijd en hun nieuwsgierigheid naar zijn expeditie te bevredigen. Het is een open uitnodiging, toch zegt Burton tegen Speke, die ondertussen de tweede kamer in het huis heeft betrokken, dat hij beter alleen contact kan hebben met de Arabieren, omdat ze zich in hun eigen taal, bij iemand die hun gewoontes kent en respecteert, beter op hun gemak zullen voelen. Natuurlijk Dick, zegt Speke, ik zou je maar in de weg staan. Zijn toon is geen spat veranderd.

Het etentje zal hem altijd bijblijven: gevulde geit, sappige rijst met kalkoen in een pittig gekruide saus, kippoelet met in pinda- crème gestoofde maniok, en een omelet met rozijnen, overgoten met geklaarde boter. Wat de avond echter vooral onvergetelijk maakt, is dat hij voor het eerst uit betrouwbare bron hoort dat er niet één maar twee grote meren zijn, het ene in pal oostelijke, het andere in pal noordelijke richting. Maar zijn gastheren, de verzamelde Arabieren van Kazeh, weten niet of de Nijl uit een van die meren naar het noorden stroomt. Ze beloven nadere inlichtingen in te winnen, ze beloven hem te helpen zoveel ze kunnen, maar eerst moet hij op bezoek bij de koning – koning Saidi Fundikira, die regeert vanuit zijn residentie in het nabijgelegen Ititemya. Na het eten nodigen ze hem uit voor het gebed, ze gaan ervan uit dat iemand die zo uitstekend Arabisch spreekt vast ook moslim is en zijn teleurgesteld als hij de uitnodiging van de hand wijst. Hij moet wel, vanwege Said bin Salim en de Baluchi's, die onderweg iedere ochtend hebben gebeden en het niet zouden begrijpen als hij nu, in het voorname milieu van Kazeh, blijk zou geven van een eerbied waaraan het hem tot nog toe tijdens de reis heeft ontbroken. Jammer, want hij voelt ineens sterk de behoefte om vol overgave samen met anderen zikr te doen.

De volgende ochtend gaan ze op weg om de koning respect te betuigen, zoals van hen wordt verwacht. Als ze zijn hofstede bereiken, zien ze in de schaduw van de koninklijke boom een ongelooflijk dik lichaam liggen, een leider die elke beweging schuwt. Ter begroeting van de gast wordt op twee reusachtige trommels geslagen, de koninklijke trommels waarop alleen een ingewijde mag slaan – de Arabieren zijn goed op de hoogte, stelt Burton tevreden vast. Koning Saidi, die in Europa ongetwijfeld de titel Fundikira de Eerste zou dragen, kijkt hem niet aan, hij kijkt nooit een sterveling in de ogen. Een man fluistert hem iets in het oor, beschrijft misschien wat hij zou zien als hij zijn ogen opende en zijn hoofd omdraaide. Een van de Arabieren die de taal van de Nyamwezi uitstekend beheerst, neemt de conversatie voor zijn rekening; zijn woorden klinken verfijnd en passend plechtig. De koning, die een zwakke rug heeft door het al te goede leventje dat hij al zo veel jaren leidt, zwijgt; wel tilt hij bedachtzaam zijn hoofd op en buigt het weer, maar Burton kan uit dit knikken niet opmaken of het een belangrijk teken is of een lastige gewoonte.

Zijn benen, legt de Arabier naast Burton uit, kunnen zijn verschillende ziektes niet meer dragen. Daarom blijft hij liggen en laat hij de beslissingen aan zijn mganga over. Dat is die jongeman daar, die op hem inpraat. De koning toont geen belangstelling voor de geschenken die Burton hem heeft gegeven. We hebben de pech, fluistert de Arabier tegen Burton, dat de mganga vandaag weer op zoek is naar de waarheid, ze verstopt zich en ofschoon deze mganga een bijzonder machtige mganga is, zal hij de hele dag nodig hebben om haar op te sporen en zullen wij de hele dag hier worden vastgehouden, want gasten moeten de waarheidsvinding bijwonen, dat hoort zo. En omdat wij er zijn, zal de mganga een imposant spektakel opvoeren. Deze mganga heeft een onfeilbare strategie ontwikkeld om zijn positie te behouden: verwanten van de koning die hem met hun eerzucht of eigenzinnigheid mishagen, beschuldigt hij van hekserij.

De voorspelling van de Arabier blijkt te kloppen. Na een poosje nemen ook zij, de gasten, plaats op de grond. Ze zijn getuige van uitvoerige murmelarijen die de mganga met onverschillige haast afraffelt. Zonder zichtbare aanleiding wordt de mganga vervolgens een kip gebracht, een prachtig dier dat hij in één vloeiende beweging de nek breekt, alsof hij een bloem plukt, en dat hij vervolgens opensnijdt om de binnenkant te beoordelen. Zwarte plekken of vlekken rond de vleugels duiden op verraad van de kinderen, fluistert de Arabier die naast hem zit, iets dergelijks bij de ruggengraat stelt de moeder of grootmoeder in een kwaad daglicht, de staart geeft aan dat de echtgenote niet vrijuit gaat, de dijen klagen de concubines aan en de poten een paar van de andere slaven ... het murmelen gaat door, de kip wordt in stukken gesneden, er zijn geen vlekken zichtbaar op het vlees, alleen een schaduw op het gezicht van de mganga nadat hij een poos heeft gezwegen. Hij springt overeind, zijn stem barst uit hem los als etter uit een aangeprikte wond, spetterend van woede verkondigt hij dat donkere wolken hem het zicht versperren, dichte donkere wolken; hij zou pas weer helder kunnen zien als de withuiden verder waren getrokken. Wat een sluwe vos, denkt Burton, die gebruikt onze aanwezigheid voor zijn intriges. Zo houdt hij de verwanten van de koning in onzekerheid over de resultaten van zijn onderzoek, als je dat woord al kunt gebruiken, en zet hij de vreemdelingen onder druk om niet al te lang in Kazeh te blijven. De koning knikt nauwelijks merkbaar als ze afscheid van hem nemen. De onverwachte afloop heeft een voordeel: ze hoeven niet de hele dag in de schaduw van de allergrootste boom van het koninkrijk te vertoeven. Hij mag er wezen, deze mganga, hij weet zijn macht ten volle te benutten. Omkopen laat hij zich niet, zegt een van de Arabieren, dat is het enige goede wat ik over hem zeggen kan. Hij woont in de vrijstaande hut waarop iemand als hij recht heeft. Maar hij weet zich wel degelijk te verkopen, denkt Burton, en heel wat mensen zijn ongetwijfeld onder de indruk van zijn aura. In Leaden Hall zouden ze iemand als hij een carrièrejager noemen; zo glad als een aal en waarschijnlijk cynischer dan een bordeelbezitter. Niemand kan hem wijsmaken dat die kerel zelf gelooft in de kolder die hij met zo veel heisa bedrijft.

<hr />

Sidi Moebarak Bombay

In Kazeh, die plaats waar we konden bijkomen van de ontberingen van de reis, gebeurde iets geweldigs, iets wat mijn hart verwarmde en mijn ogen, mijn huid, mijn lippen deed glanzen van geluk. Ik ontmoette een man met wie ik kon delen wat ik al vele regentijden met geen mens meer had gedeeld, een man die mij aansprak, een man die oorspronkelijk niet uit Kazeh kwam en niet afstamde van het volk van de Nyamwezi, en zoals jullie weten, zoeken vreemdelingen het gezelschap van andere vreemdelingen, een man die langs even wonderlijke wegen in deze streek was terechtgekomen als ik, een man die mijn taal kende, die de taal van mijn eerste leven beheerste, maar haar, evenals ik, sinds zijn kindertijd niet meer had gebruikt. En dus hurkten wij, naar elkaar verlangend als twee jonge geliefden, onder een brede schermacacia en begonnen we te praten, aarzelend eerst, voorzichtig; met onze tong verkenden we elk woord voordat we het uitspraken, we betastten het als een geschenk dat we zojuist hadden gekregen, en we snuffelden in ons hoofd naar vergeten woorden, als in een schatkist die sinds onze kindertijd niet meer was geopend. We lieten de zon boven ons hoofd wegtrekken terwijl we praatten, terwijl we onder het praten kinderen werden, tot we zo opgewonden en zo snel taterden alsof we thuis op de oever van het meer hurkten en de spot dreven met de krokodillen die op de zandbanken lagen te luieren. Deze man werd voor mij een vriend, het was alsof wij allebei op dezelfde dag waren geboren, en ieder gesprek van ons was een juweel dat ik in een sieradenkistje stopte, steeds zwaarder werd dat kistje, tot het uitpuilde toen we Kazeh moesten verlaten. Maar het opbloeien van mijn eerste taal was niet de enige zegen van deze broederschap, o, nee, deze man stond op goede voet met de machtigste mganga van het land en wilde mij aan hem voorstellen, hij prees hem in alle toonaarden en gaf zo hoog van hem op, dat ik een oude man verwachtte wiens ervaringen zilver krullend in zijn wenkbrauwen stonden geschreven, een man die zijn kleinkinderen al had leren lopen en praten, dus jullie kunnen je voorstellen hoe verrast ik was toen in plaats daarvan een rijzige, verre van gebogen gestalte de voorhang wegtrok en er een jong gezicht met bronheldere ogen tevoorschijn kwam; de mganga was van mijn leeftijd, en even twijfelde ik of mijn nieuwe broeder niet te veel had beloofd. Een twijfel die ternauwernood onze eerste zinswisselingen overleefde, want daarna vergat ik de leeftijd van de mganga, nam ik zijn uiterlijk niet meer waar en luisterde ik alleen nog naar een leeftijdloze stem, naar woorden die zo belangrijk waren, dat het leek of hij ze al een paar levens lang bij zich droeg. Hij merkte hoe gretig ik was, hoe graag ik alles wilde leren wat me tot dan toe was verzwegen, en later, bij het afscheid, zei hij tegen me dat volwassen leerlingen de leerlingen zijn die de kennis bij de leraar wegrukken, terwijl jonge leerlingen verwachten dat de leraar zijn kennis bij hen binnensmokkelt; jullie weten toch dat de mens met geweld kan nemen, maar niet geven. Zo leidde hij me tijdens de lange dagen die we in Kazeh doorbrachten door wouden van kennis die ik nooit eerder had betreden, wouden waarin kruiden groeiden, ik bedoel echte kruiden, veel verschillende kruiden, die voor veel verschillende doeleinden konden worden gebruikt. De kennis over die kruiden was een zegen, want ze konden helpen bij de geboorte, ze konden hoofdpijn verjagen en ze konden bloedende wonden stelpen, maar ze waren ook gevaarlijk, want ze konden een mens vergiftigen, en niet slechts één mens.'

'De mganga was je vriend.'

'Hij heeft mij geraakt, mijn leven geraakt. Iedere dag bracht hij een beetje tijd door met mij en mijn nieuwe broeder, ondanks de vele zorgen die hij had, en soms praatten we alleen maar en merkten we niet hoe we zijn wijsheid in ons opnamen, ze was als suiker in de koffie, het was fijn, het was mooi, maar pas naderhand stelde ik vast hoezeer zijn woorden zich in mijn geheugen hadden gegrift en wat de waarde ervan was.'

'Wat voor wijsheid dan, baba Sidi? Ook wijsheid bestaat uit afzonderlijke dingen.'

'Hij heeft die ruwe bonk van een man de waarde van de wellevendheid geleerd.'

'O, mama, moeder van Hamid, wat fijn, je bent ons niet vergeten.'

'Hij heeft hem respect voor vrouwen bijgebracht. Want daarvoor was jullie vriend een mens die alleen iets van manzijn afwist.'

'Ze heeft gelijk. Ik had geen herinneringen aan mijn moeder, in het huishouden van de Banyan waren geen vrouwen, en in Zanzibar woonde ik met een paar broeders in een klein huis. Ik had al een heel en een half leven zonder vrouwen achter me.'

'Ik was die mganga zo dankbaar, jullie hebben geen idee hoe dankbaar ik hem was.'

'Hij kon zo mooi praten, ik onthield alles wat hij zei, ik kon zijn woorden niet vergeten, het was alsof mijn hoofd meeschreef. Nooit zei hij precies wat hij bedoelde. Hij praatte in ornamenten die je van enige afstand moest bekijken om de betekenis ervan te zien. Als je in een gebied komt, vertelde hij bijvoorbeeld, waar je een vreemdeling bent, zul je honger hebben. En als je een vrouw tegenkomt die jou niet kent, zul je haar om eten willen vragen. Je zult haar groeten en je zult tegen haar zeggen: de manier waarop vrouwen kinderen baren is overal hetzelfde, de pijn is hetzelfde, het geluk is hetzelfde. Dat is een maatstaf voor wellevendheid. Zo sprak hij, en hij laste altijd een pauze in, ergens in het stille centrum van zijn wijsheid.'

'Ik luisterde ook, ik zat een paar passen achter de mannen met mijn gezicht naar de grond, maar ik luisterde aandachtiger dan alle anderen en wat ik hoorde, paste ik meteen toe bij die vreemde kerel die zomaar mijn echtgenoot was geworden, en zo raakte ik mijn twijfel over hoe ik met hem moest omgaan, langzaam maar zeker kwijt.'

'Dat is veel beter, vervolgde de mganga, dan te zeggen: ik heb honger. De vrouw zal je iets te eten geven, want je hebt haar aan haar eigen kinderen herinnerd, aan de liefde die ze voor haar eigen kinderen voelt. Ze zal de plaats van je moeder innemen en je "mijn zoon" noemen, en ze zal direct een maaltijd voor je gaan bereiden van wat ze op dat moment in huis heeft.'

'En die kerel die hier bij jullie het uithoudingsvermogen van de taal zit te testen, hield zich tot mijn grote, jonge verbazing aan dit advies en ook aan de andere adviezen van de mganga, hij ontdekte mij in de dagen die wij in Kazeh doorbrachten, hij ontdekte me met de ogen van een nieuw respect en behandelde me met de gebaren van een nieuwe wellevendheid. Gedankt zij de voorouders.'

'Gedankt zij God.'

'En niet te vergeten de moeder van die mganga, want zij heeft me de hartstocht en misschien ook het leven geschonken, zij heeft me kruiden gegeven die het ontstaan van een nieuw leven in mijn buik verhinderden. Ik had die opschepper die daar beneden bij jullie zit nog altijd niet toegestaan wat hij het liefste had gedaan; niet alleen omdat hij een vreemde voor me was, ik was ook bang dat ik onderweg zwanger zou raken en ik was ervan overtuigd dat ik in die karavaan alleen een dood kind ter wereld kon brengen.'

'God beware!'

'Alles kwam goed. Ik heb de kruiden gekookt en het sap gedronken, en nadat hij me opnieuw blijk had gegeven van zijn nieuwe wellevendheid heb ik die man aan wie ik was verkocht toestemming gegeven het bed met me te delen. En Hamid, onze eerste zoon, werd pas geboren toen we een vast huis hadden, hier in Zanzibar.'

'Moeder van Hamid, mijn vrouw laat je groeten. Ze heeft weer pijn in haar gewrichten, ze vraagt of je even kunt langskomen.'

'Ik ga meteen naar haar toe, baba Ishmail, voor het avondeten ertussen komt.'

'Je weet je moment wel te kiezen, beste vriend.'

'Het is waar, hoor.'

'Natuurlijk, maar die waarheid kwam wel gelegen.'

'Zo'n mganga maakt zelfs indruk op je als je hem helemaal niet kent.'

'Hij heeft me mijn geloof teruggegeven, broeders, deze man heeft mij een geloof getoond dat me dieper raakte dan alles wat ik daarvoor had gehoord. Door hem besefte ik wat ik miste. Ik leefde maar half, ik voelde me bedroefd, alsof ik iets was kwijtgeraakt wat me dierbaar was, maar ik kon zelf niet achterhalen wat het was wat ik dagelijks meende te missen. Op een avond aten we samen en hij vroeg me op de mat bananenbladeren klaar te leggen voor iedereen die de maaltijd zou bijwonen. We zijn

toch maar met ons tweeën, zei ik. Ik heb ook mijn vader uitgenodigd, zei hij, en de vader van mijn vader. Ik zei niets, want ik
wist dat ze allebei dood waren. We bieden de voorvaderen een
offergave aan? vroeg ik onzeker. Ze eten met ons mee, zei de
mganga. We gingen zitten, naast ons twee bladeren waar niemand achter zat. De mganga stelde mij voor aan zijn vader en aan
de vader van zijn vader. En jij, vroeg de mganga, ken jij niemand
die je zou willen uitnodigen? Ik kon alleen maar zwijgen.'

'Wat ik niet begrijp, baba Sidi, is dat je over het geloof spreekt,
maar niet over het gebed. Hoe ziet het gebed bij dat andere geloof
eruit?'

'Er is geen voorgeschreven gebed zoals jij dat kent.'

'Hoe kan dat nou!'

'Een gebed dat de vorm heeft van een wet is alleen nodig als het
gebed een uitzondering is, als je uit je gewone leven stapt om te
bidden. Maar als elke ademtocht een gebed is, als elke daad een
gebed is, als je God eert omdat je in God bent, dan heb je geen
apart gebed nodig. Integendeel: het is het hoogste gebed van
allemaal. In de moskee is het gebed niet meer dan een verklaring
van onze voornemens, goed bedoeld en voor iedereen zichtbaar,
als een boot die je op het land zeewaardig maakt, maar die pas
werkelijk wordt beproefd als je voor het eerst bent uitgevaren, als
je in de eerste storm terechtkomt. Wie wil dan nog weten hoe
goed de boot eruitzag toen hij nog op het strand lag? Denken
jullie dat God op de momenten dat wij tekortschieten onze
gebeden begint na te tellen?'

'Baba Sidi heeft gelijk. Fatsoenlijk leven is het beste gebed.'

Burton begrijpt niet goed waarom Snay bin Amir hem zo behulpzaam is. Op bevel van de sultan? Of omdat hij sinds hun
aankomst in Kazeh Arabische gewaden draagt en zich zo te zien
gedraagt als een Arabier, zodat Bombay hem bij een vluchtige

ontmoeting midden tussen de huizen passeerde als een onbekende? Wat was hij onder de indruk, die kleine man, toen hij zijn naam hoorde en de stem van bwana Burton herkende, die schertsend naar hem riep: Ik heb een nieuwe naam, we zijn nu familie van elkaar, ik heet Abdoellah Rahman Bombay. Zou zijn natuurlijke manier van omgaan met de Arabieren verklaren waarom Snay bin Amir hem met raad en daad bijstond bij zijn woordenwisselingen met Said bin Salim en de Baluchi's? Met zijn hulp heeft hij de onbeschaamde eisen om meer loon en meer proviand in de kiem weten te smoren. Hoe komt het dat de tijd die Snay bin Amir met hem doorbrengt praktisch onbegrensd is, onderhoudende uren waarin hij hem de hoofdlijnen van de Nyamwezitaal uitlegt of de grondtrekken schetst van het grote meer in het noorden, dat de inlanders Nyanza noemen? Als Burton deze vraag niet langer voor zich kan houden, lacht Snay bin Amir, wijst op gastvrijheid en wederzijdse sympathie en zegt dan: Waarom denk je dat wij, kooplieden, iets te vrezen hebben van de komst van de Britten. Het tegendeel is waar. Het zakendoen zal gemakkelijker gaan. En de slavernij dan? vraagt Burton. Mensenhandel hoeft van ons niet per se. We kunnen evengoed in goud handelen, of in hout of in suiker. Wie zou ons moeten verdrijven? Kijk om je heen, denk je dat jouw landgenoten massaal naar stoffige buitenposten als deze hier zullen stromen om een leven te leiden waarmee wij blij zijn maar dat hen ongelukkig zou maken? Nee, ze zullen ermee volstaan met ons samen te werken, dat is aangenamer voor hen en profijtelijk genoeg. Of jullie trekken je terug, denkt Burton, en laten het land over aan degenen die niets anders kennen.

Hij heeft het naar zijn zin in Kazeh. Hij zit aan een bureautje dat de Arabieren in zijn kamer hebben gezet. Een weldadige onderbreking. Op deze onverwacht verrukkelijke tussenbestemming. Nee, niet echt verrukkelijk. Maar goed genoeg, voldoende, wat misschien meer waard is. Die boeddhistische studenten indertijd in India – hij herinnert zich een merkwaardige paradox

434

– zij mochten krappere cellen betrekken als ze vorderingen maakten met hun studie, ze ervoeren het als een voorrecht hun eenpersoonskamer op te geven en zich samen met andere studiegenoten in een half zo groot onderkomen te persen. Hij heeft een heel semester in de wildernis doorgebracht; hij is nu wijs genoeg om een plaats als Kazeh te kunnen waarderen. Deze voor hem zo ongewone bescheidenheid mengt zich met twijfel aan de zin van hun onderneming. Hij was bijna gecrepeerd, hij had bijna zijn verstand verloren, hij heeft roofbouw op zijn lichaam gepleegd, zo zelfs dat het de vraag is of hij ooit nog volledig herstelt, en wat staat ertegenover, hoe groot is het succes dat hem alle leed zou moeten doen vergeten? Hij heeft Kazeh bereikt, een dorp. De boeddhisten zouden zijn twijfel als een teken van aanhoudende ijdelheid zien. Is het zo erg dat hij erop uit is getrokken om de wereld te veroveren en zich nu tevredenstelt met een stoffig gat? Al is het dan voorlopig. Over oases verheug je je alleen als je eerst de woestijn door bent getrokken. Hij weet nu zeker dat er twee meren zijn, en misschien ontspringt de Nijl aan een van de twee. Maar wie weet, misschien zijn er wel vier meren? De onverschilligheid die hij bij zichzelf bespeurt, mag niet te lang aanhouden.

Later zit hij aan zijn schrijftafeltje urenlang de brieven te beantwoorden die in Kazeh op hem hadden liggen wachten, welkome brieven, zij staan immers borg voor het bestaan van een wereld waaraan de herinnering steeds meer verbleekt. Een deprimerende brief van zijn familie brengt hem afgrijselijk nieuws over zijn broer, een schrijven uit Zanzibar deelt hem de dood van de Britse consul mee. Hoewel Burton zijn dood had verwacht, grijpt het bericht hem aan. De goede man was niet teruggezeild naar Ierland. Hij moet zijn opvolger een uitvoerig verslag sturen. Hopelijk neemt hij de beloftes van zijn voorganger over. Nog een sterfgeval werd hem medegedeeld, dat van generaal Napier. Aan diens doodsbed had zijn schoonzoon McMurdo gestaan en toen de generaal zijn laatste adem uitblies, had hij met het vaandel van het 22ste regiment boven de stervende gezwaaid.

Wat ben je aan het doen? Zoals Speke dat zegt, klinkt het voor Burton alsof hij eigenlijk bedoelt: wat zit je nou weer te schrijven? Ik noteer een paar gedachten, Jack, alleen een paar gedachten, voor ze me ontschieten. Wil je me niet iets voorlezen? Nu niet. Je weet toch dat ik een zwak heb voor gedachten. Ik heb een brief van mijn zus gekregen. Mijn broer is gewond geraakt in Sri Lanka, aan zijn hoofd, zo zwaar dat hij niemand meer herkent. Hij zou nog een halve eeuw kunnen leven, zeggen de artsen, zonder zichzelf of een van ons te herkennen.

Dat spijt me, Dick. Je broer Edward toch? Het was ... een fijne vent, ja ... ik ben altijd bang dat er zoiets gebeurt. Het zou mij niets uitmaken in Afrika te worden gedood, als het dan toch zo moet zijn, maar te worden weggevoerd en gevangen gehouden door die koorts, te worden gemarteld maar niet gedood, dat idee maakt me gek.

Kom, we moeten er even uit, laten we een stuk gaan wandelen. Dan doen we alsof we in Devon zijn.

❦❦❦❦❦❦

SIDI MOEBARAK BOMBAY

'Je reis, baba Sidi, is me na alle avonden die we samen hebben doorgebracht even vertrouwd als mijn eigen reizen. Maar die mzungu, die bwana Burton, hij is vanaf het begin een raadsel voor me geweest en is dat eigenlijk nog.'

'Dat komt omdat ik het raadsel zelf niet kan oplossen, baba Ishmail, ik kan hem niet in zijn totaliteit beschrijven omdat hij zich nooit in zijn totaliteit aan mij heeft laten zien. Ik had altijd de indruk dat hij op de andere rivieroever stond en er geen veerboot was die ons bij elkaar kon brengen. Ik geloof niet dat hij een verschrikkelijk mens was; het was de mens waarvoor hij zich uitgaf die mij angst aanjoeg. Ik ben ervan overtuigd dat hij nooit een ander mens heeft gedood, toch liet hij ons graag geloven dat hij daartoe in staat was. Bwana Burton werd gedreven

436

door djins die geen van de anderen kende en die hij ook aan niemand kon verklaren, niet aan mij, niet aan de dragers, niet aan de Baluchi's of de Banyans, niet eens aan bwana Speke. Het leven is eenvoudiger als je djins bij andere mensen bekend zijn. Dat was ook de reden, vermoed ik, waarom hij de wanhoop van anderen zelden opmerkte; hij was net een oude olifant die zich heeft teruggetrokken uit de kudde en altijd in zijn eentje bij de poel staat te drinken. Bwana Speke was anders; hij hield zijn aard ook verborgen maar als hij iets van zichzelf liet zien, dan zag ik ook wie hij was en wat hij voelde. Hij kon afschuwelijk zijn maar hij stond me nader. Soms behandelde hij me als een hond en soms als een vriend.'

'Zei je niet dat vriendschap met de wazungu niet mogelijk was?'

'Dat klopt, dat heb ik gezegd. Bwana Speke was een uitzondering. We hebben zo veel maanden samen doorgebracht, hij vertrouwde me, aan het eind hield hij niets voor me verborgen, niet eens wat hij dacht. Heel merkwaardig; zo durfde hij bijvoorbeeld rustig tegen mij te zeggen dat mensen als ik minder waard waren dan de wazungu.'

'Mensen als jij? Wat voor mensen zijn dat dan?'

'Afrikanen, zei hij. Ik vroeg hem of hij de mensen uit Zanzibar of de Wagogo of de Nyamwezi bedoelde. Hij antwoordde: jullie allemaal. En toen ik hem vroeg hoe dat kon, zo veel verschillende mensen die allemaal minder waard waren dan hij en zijn soortgenoten, verwees hij naar de Bijbel, naar het heilige boek van de mensen met een kruis op hun borst, en hij vertelde me het verhaal van Noach, dat wij ook kennen, maar ons verhaal gaat anders, zoals jullie direct wel zullen merken; hij was niet zozeer geïnteresseerd in de profeet Noach en zijn vermaningen en waarschuwingen, maar meer in zijn drie zoons met de namen Sem, Ham en Jafet. Luister en verbaas jullie, want van die drie zoons zouden alle mensen op aarde afstammen. Op een dag zou Noach dronken in zijn tent hebben gelegen ...'

'De profeet dronken!'

'Van zijn eigen wijn, en hij zou zich in zijn slaap per ongeluk hebben blootgewoeld en Ham zou dat gemerkt hebben, hij zou de schaamdelen van zijn vader hebben gezien en dat triomfantelijk tegen zijn broers hebben verteld, die hun ogen afwendden en Noach met een kleed toedekten, en daarom zou de profeet de kinderen en kindskinderen van Ham hebben vervloekt en hen ertoe hebben veroordeeld voor altijd slaven van de andere broers te zijn. Een eigenaardig verhaal waarover we onze schouders konden ophalen als bwana Speke niet had beweerd dat Ham onze voorouder is, onze allereerste stamvader, en dat wij ons daarom moeten onderwerpen, want hij en de andere wazungu stammen van een van de andere broers af, ik ben vergeten welke. Is het niet raar dat de wazungu, die niet eens contact houden met hun eigen pas gestorven voorvaderen, precies weten hoe het met onze alleroudste voorouders zit?'

'Hopelijk heb je hem verteld dat niets van dit alles in de glorierijke Koran staat?'

'Ik heb mijn mond gehouden, ik had genoeg ervaring om te weten dat het geen zin heeft heilige boeken te bestrijden.'

'Leg me eens uit, baba Sidi, waarom de wazungu dan toch tegen de slavenhandel zijn, als ze ons als mens minder waard vinden?'

'Zijn de wazungu dan tegen de slavenhandel?'

'Jazeker, en bwana Burton helemaal, hij wees slavernij krachtig van de hand, o ja, hij vond het verachtelijk, maar toch zei hij er niets van als er slaven bij onze karavaan kwamen, en toen ik hem vroeg hoe hij tegen slavernij kon zijn terwijl hij zich tegelijkertijd van slaven bediende, gaf hij als verklaring dat er niet genoeg vrije mannen waren die bereid waren te werken, dat hij dus geen andere keus had, en dus betaalde hij de slaven loon en behandelde hij hen als vrije mannen.'

'Hij dacht zeker dat slaven vrij worden wanneer je hen als vrije mensen behandelt.'

'Het is net als met aalmoezen. Als je een keer rijkelijk wordt bedacht, ben je dan meteen ook rijk?'

'Hij beweerde dat hij Said bin Salim en de Baluchi's en de twee Banyans niet kon beletten slaven te kopen. Hij had bezwaar gemaakt, zei hij. Bezwaar gemaakt! Hebben jullie dat gehoord, vrienden. De koning van de karavaan klopt behoedzaam een stel kerels op hun schouder die onder hem staan, die van hem afhankelijk zijn, en vraagt hun beleefd het een beetje kalm aan te doen met de slavernij, en die van hem afhankelijke kerels antwoorden dat het mag van hun wet, onze wet staat het toe, antwoorden ze eigenmachtig, vol verontwaardiging, en de koning van de karavaan trekt zich terug, hij gaat niet eens na of hun bewering klopt; hij zegt: ik heb gedaan wat ik kon, hij sust zijn geweten, hij zegt: ik heb die wilden duidelijk gemaakt hoe vastberaden wij slavernij afwijzen.'

'De huichelarij viert hoogtij.'

'En ze gaat nog betere tijden tegemoet.'

'Ik zei tegen hem: je begrijpt het niet. Het is een praktijk waaraan een eind moet komen. Het gaat niet alleen om het leed van een paar mensen, hier en nu. Het gaat om het leed van de achterblijvers en hun nakomelingen. Als het verdriet en de angst eenmaal in de bodem zijn gesijpeld, hoe krijg je ze dan ooit weer weg, wie zal het land schoonmaken? Wie zal het behoeden voor de kiemen van geweld die in de nakomelingen zullen ontspruiten, in de kleinkinderen en achterkleinkinderen die naar een andere zon moeten kijken dan de zon die hun voorouders zagen?'

'En wat zei hij, bwana Burton?'

'Je spreekt wartaal, zei hij, die mganga heeft je het hoofd op hol gebracht! Kan zijn, misschien heeft hij me het hoofd op hol gebracht, antwoordde ik, maar ik weet dat het nu in ieder geval de goede kant op draait.'

Hij staat tot zijn heupen in het water, troebel water, en telkens als hij zijn arm erin steekt, raakt hij iets glibberigs. Eigenlijk voelt het niet onprettig aan, eerder vreemd. Modder, waar ze hun voeten ook zetten. Ze moeten door een duisternis waden die hun benen opslokt, een molmig gevoel. Hij staat in het water en vraagt zich af of ze zich hebben vergist. Toen ze aan de brede, rustig kabbelende rivier stonden en overlegden waar ze hem het beste konden oversteken. Misschien op een plaats waar het water weliswaar dieper was, maar waar ze de rivier konden overzien. In ieder geval niet hier, waar ze zouden kunnen verdwalen, zo dichtbegroeid is deze binnendelta. Het landschap is volledig ongerept. Alsof de rivier die ze volgen hen terugvoert naar de tijd van voor de eerste zonde, naar het allereerste begin van de wereld, toen de planten naar believen woekerden en boomreuzen over alles heersten. De rivier die Malagarasi heet, als ze het goed hebben verstaan, loopt naar het meer.

Snay bin Amir had hun een gids meegegeven, een jonge man, half Arabier half Nyamwezi, en in het begin leek de zelfbewuste man zijn werk goed te doen, tot ze erachter kwamen dat hij hun een omweg van ten minste drie dagmarsen in de maag had gesplitst om zijn vrouw te kunnen bezoeken. En toen wilde hij niet meer bij haar weg en kwam hij aanzetten met zijn neef als nieuwe gids, die hen eveneens vol zelfvertrouwen op een dwaalweg bracht, zij het ditmaal zonder opzet. Burton besloot de nietsnut terug te sturen en gewoon de rivier te volgen, die op dat moment meer vertrouwen wekte: breed, met palmen erlangs die ritselden in de wind, borassuspalmen, volgens Snay bin Amir door slavenhandelaren geplant, hoge, vruchtdragende palmen met bosjes waaiervormige bladeren boven een dunne, kaarsrechte stam. Het was een idyllisch beeld, verlevendigd door onbekommerde vogels op en boven het water, op takken en twijgen. De wonderlijke vlucht van de milanen, die in de lucht perfecte cirkels beschreven; de groepen pelikanen, gezellig bij elkaar alsof ze een tuinfeestje hadden, elke snavel omlaag gericht en elke kop naar links gedraaid; de koningsvissers, die loodrecht naar het water doken en even loodrecht weer omhoogschoten met een vis in hun snavel; de goliathreigers, die vanuit de rotsen midden in de rivier op hun prooi loerden, roerloos.

Geschreeuw van stompapen. Niet ver weg. Het klinkt niet vriendelijk. Speke kijkt omhoog, alsof het weinige doorsijpelende licht zijn pijn zou kunnen verzachten. Hij lijkt een trachoom te hebben opgelopen. Zijn bindvlies is ontstoken en zijn oogleden zijn sterk gezwollen, vooral het linker. Hij krijgt het oog niet meer helemaal dicht. Sinds hij bijna niets meer kan zien, zoekt hij Burtons nabijheid en aanvaardt hij stilzwijgend zijn leiding. In het moeras heeft hij een paar keer zijn hand naar hem uitgestoken en zich aan een loshangend stuk hemd vastgeklampt; hij is uitgegleden toen Burton uitgleed, gevallen toen Burton viel. Een paar dagen geleden, toen hij zich weer eens ergerde aan de arrogantie van zijn compagnon, had Burton bij zichzelf nog gewenst dat de wildernis Speke klein zou krijgen, dat zij ervoor zou zorgen dat hij zijn zelfbeheersing verloor en bijgevolg ook zijn deftigheid, zijn voorname manieren. Maar in het dorp waar de gids bij zijn vrouw was achtergebleven, waren ze een oude man tegengekomen die blind was, beide oogleden waren naar binnen gegroeid, het hoornvlies was verlittekend en de iris lag verstopt in een roodverkleurde dot watten. Burton had in de verwoeste ogen gekeken, hij kon zich niet ervan losmaken. Hij schaamde zich omdat hij er soms genoeg van had zo veel te moeten zien, en hij trok zijn verwensing in: laat Speke beter worden, laat zijn ogen genezen!

Moe is hij, ontzettend moe; als hij zich even zou ontspannen, zou hij ter plekke in slaap vallen. Hij trekt zijn hoofd in voor een wilg en klimt over een vermolmde boom die daar al een tijd moet liggen. Hij kijkt voor zich. Zo groot is deze rivier niet. Deze binnendelta moet toch ergens ophouden. Nog geen vijf meter van hem vandaan springt, als door een gewelfd venster in de dichte begroeiing, een reusachtige, donkere baviaan over het water, geluidloos en beheerst, alsof de stilte de sprong vertraagd weergeeft. Burton blijft staan en geeft de anderen een teken dat ze zich niet moeten bewegen. Een bavianenmoeder volgt, met een kleintje aan zich vastgeklampt, nog een paar kleintjes, en daarachter de ene baviaan na de andere, een grote groep die zonder ook maar enig gekraak te veroorzaken, zonder op of om te kijken alsof de mensen vlak bij hen niet bestaan, door de omrankte opening glipt, in grote haast. Burton is gefascineerd door dit interludium, één grote, zuivere beweging, misschien een teken, vast een teken. De apen volgen. Ze moeten de apen volgen. Hij geeft het bevel. Nog geen half uur later staan ze op een glooiende oever, onder hen een brede, rustig voortglijdende rivier.

∞∞∞∞∞

Sidi Moebarak Bombay

De lange rustpauze in Kazeh, vrienden, had de wazungu goedgedaan, maar echt genezen waren ze niet. Ze hadden genoeg krachten verzameld om de reis aan te kunnen, maar niet om gezond te worden. In het moeras keerde de koorts terug, en bwana Burton werd door de klauwen van deze koorts vreselijk toegetakeld, hij schommelde heen en weer tussen heftige transpiratie en koude rillingen, hij bleef maar overgeven en af en toe raakte hij in een waan waarin de djins hem meer kwaadzin influisterden dan een zatlap in zijn roes; hij kon zijn benen, zijn door zweren aangetaste benen niet meer voelen, hij was verlamd. Ik heb geen spieren meer, zei hij zachtjes, haast zonder zijn lippen te bewegen, zijn met puisten bezaaide lippen. Zijn ogen waren bloeddoorlopen, alsof de avondzon als een ei kapot was geslagen, ze brandden, en hij klaagde en klaagde dat hij gek werd van de schelle toon in zijn oren, die werd veroorzaakt door het geneesmiddel dat de wazungu kinine noemen, een geneesmiddel dat hem kwelde, maar zonder die kinine was hij naar eigen zeggen allang dood geweest. Hij had overal pijn en toch vond hij niets erger dan zijn zwakheid, zijn afhankelijkheid. Jullie hadden de weerzin op zijn gezicht moeten zien toen hij door acht van de sterkste dragers gedragen moest worden omdat hij te slap was om zelf op zijn ezel te blijven zitten. En bwana Speke kon bijna niets zien, hij probeerde zijn kwaal te verbergen, maar hoe kon hij ons misleiden als hij nergens meer op schoot en zijn geweer niet eens meer tevoorschijn haalde. 's Ochtends vroeg had hij me nodig, dan zaten zijn gezwollen ogen dichtgeplakt alsof ze met hars waren ingesmeerd, ik moest ze uitspoelen met water, ik moest hem zijn laarzen aantrekken en hij was geprikkeld als ik dat deed, hij reageerde nors. Beide wazungu waren in die periode volledig aan ons overgeleverd en meer dan eens bedacht ik wat een geluk ze hadden dat ze in onze en niet in andere handen waren gevallen.

'Baba Sidi, neem me niet kwalijk, het wordt laat en ik heb mijn kleinkinderen beloofd dat ik hun vanavond een verhaal vertel, misschien vertel ik wel een van jouw verhalen, ik moet direct weg, maar voor ik ga zou ik graag nog eens horen, dat vind ik altijd zo mooi, hoe het was om het meer te bereiken...'

'Ja, het eerste grote meer.'

'Goed, baba Yusuf, dan sla ik het moeras bij de Malagarasi over en ga meteen door naar de laatste helling, toen bwana Spekes muilezel stierf; het dier ging liggen alsof het zijn laatste krachten met een laatste gesnuif voorgoed had verbruikt. Bwana Speke was in verlegenheid gebracht, hij lag op zijn zij op de grond, zijn handen klauwden krampachtig in de aarde, hij zei niets, ik dacht omdat hij de aandacht niet op zich wilde vestigen want hij lag er nogal onwaardig bij; ik trok hem overeind, ik moest hem ondersteunen, samen beklommen we de steile heuvel, de laatste, zoals ik nu weet, maar toen leek het niet meer dan de zoveelste beproeving. Hij hield zich zo stevig aan mijn elleboog vast dat het pijn deed, en hij smeekte me alles te beschrijven wat ik zag, de verspreid staande doornstruiken, de opgeschuimde wolken, stenen als kalebassen, er viel niet veel te beschrijven, maar hij was gretig en ongeduldig, ik hoefde maar even mijn mond te houden of hij spoorde me alweer aan door te gaan met mijn beschrijvingen, en ik moest hem zweren dat ik geen verandering in het landschap ongenoemd zou laten. We bereikten de top, we schepten adem en ik zag iets ongewoons, iets wat me opwond: een metaalachtige vlakte lag te glinsteren in de zon. Bwana Speke vermoedde ook iets, hij zag weinig, maar licht en donker drongen op de een of andere manier door zijn gezwollen oogleden heen en hij vroeg opgewonden: Die lichtstreep, Sidi, zie jij ook die lichtstreep? Wat is dat? En ik gunde mezelf de tijd voor ik antwoordde, ik wilde bewust van dat moment genieten. Ik denk, bwana, zei ik bedachtzaam, ik denk dat het water is. En toen ik dat zei, merkte ik hoe er om me heen werd gejubeld, ik zag Said bin Salim als in extase op bwana Burton inpraten, die op de schouders van de sterkste drager zat en zijn hals strekte, en de jemadar malik grijnsde als een speler die zojuist zijn hele inzet heeft verdubbeld, en de Baluchi's feliciteerden elkaar en de anderen met diepe, plechtige buigingen. En bwana Speke voelde de euforie en liet zich erdoor aansteken, maar moest toch ook even klagen, klagen over de mist voor zijn ogen. Al spoedig konden we het meer veel duidelijker onderscheiden, het lag beneden ons als een reusachtige blauwe vis, luierend in de zon. We waren betoverd, we vergaten alle vermoeienissen, alle gevaren, de onzekerheid over onze terugkeer, o ja, we vergaten alles wat verschrikkelijk was geweest, en voor de eerste en de laatste keer, mijn broeders, voelden we ons verbonden door één en hetzelfde geluksgevoel.

〜〜〜〜〜〜

Het is 13 februari, een historische dag voor de ontdekking van de wereld: voor de eerste keer aanschouwen geciviliseerde ogen een meer dat niet mooier zou kunnen zijn, hoewel de schijn eerst spreekwoordelijk heeft bedrogen, want het meer deed zich aanvankelijk voor als een glinsterende streep, een aanfluiting, een

povere beloning voor alle inspanningen, een verpletterende teleurstelling, maar een paar stappen later, als de zon niet meer door
het wateroppervlak wordt weerspiegeld en het uitzicht wijder
wordt, krijgen ze een eerste indruk van de ware grootte van het
meer, waarvan de schittering zo ver reikt als ze kunnen kijken. Dit
gewijde water – euforie breekt in hem los als een lang uitgesteld
orgasme – zo door bergen omgeven alsof het in de schoot van de
goden ligt, het lichtgele zand, het smaragdgroene oppervlak. De
zon streelt zijn gezicht, het briesje dat hij ineens voelt, krult
vlokken op de lichte golven, over het water glijden een paar kano's
waarvan de bewegingen een veelbelovend gemurmel veroorzaken,
dat luider wordt naarmate ze het steile pad verder afdalen. De
draagbaar waarop hij ligt, is ongemakkelijk en een paar keer
glijden de dragers uit, zodat hij zich moet vastklampen aan de
stokken aan de zijkanten, maar bij deze aanblik kan niets hem nog
deren. Onder hen liggen de rivier de Malagarasi, die roodachtig in
het meer uitmondt, en een dorp, dat zich zo gelukzalig in de lichte
ronding van een baai vlijt dat het, als je er parken en boom-
gaarden, moskeeën en paleizen bij denkt, mooier zou zijn dan de
betoverendste kustplaats in Italië. Melancholie? Monotonie?
Weggeblazen, hier en nu worden ze schadeloos gesteld voor alle
verlatenheid, leegte en onherbergzaamheid, op dit moment ervaart hij zo'n intense bevrediging, dat hij nog geen spijt had gehad
van hun reis al had die dubbel zoveel leed, zorgen en ontberingen
met zich meegebracht.

Sidi Moebarak Bombay

Broeders, het is waar, ik heb vol trots over mijn reizen verteld en
mijn vrouw heeft gelijk, soms heb ik mijn trots naar de mond
gepraat, daarom moet ik jullie nu bekennen, nu we bij het hoogtepunt van de eerste reis zijn aanbeland, dat ik me voor iedere reis
die ik maakte ook heb geschaamd, dat ik van iedere reis ook spijt

heb gehad. Omdat ik met eigen ogen heb gezien wat geen mens zou moeten zien, omdat ik het ontstaan van slavernij heb gezien, omdat ik gedwongen was mijn eerste dood telkens opnieuw te beleven, en telkens dacht ik: erger kan het niet worden, erger dan hier in Ujiji, het doel van onze reis – zo dacht ik toen. Maar zoals jullie weten komt het leven, als de mens het de tijd maar gunt, altijd aanzetten met iets wat nog erger is, en zo kwam ik op de tweede reis terecht in een nog veel afgrijselijker oord dan Ujiji. Iedere keer als ik een slavenkaravaan zag, of het nu in Zungomero, in Kifukuru, in Kazeh, in Ujiji of in Gondokoro was, stierf ik opnieuw mijn eerste dood. En jullie mogen van me aannemen dat de dood die steeds terugkeert geen aangename dood is. De wazungu die ik heb begeleid noemden zich ontdekkingsreizigers, maar de echte ontdekkers van dat werelddeel waren de slavenhandelaren. Overal waar we kwamen, waren zij al geweest. Als de dorpen niet waren platgebrand, waren ze verlaten, en als de slavenhandelaren hun slachtoffers niet over land voortdreven, stopten ze hen in boten, die zo vol zaten dat de helft van de buit moest worden opgeofferd, dat was de hongo die ze aan de dood betaalden. De slavenhandelaren bij het eerste grote meer waren de ergste van allemaal, het waren menseneters, en tot mijn schaamte ontmoette ik ze opnieuw bij de twee grote rivieren, de rivier die ze de Nijl en de rivier die ze de Congo noemen. Vanuit Ujiji werden de slaven het hele land door gedreven, tot Bagamoyo, en bij de Nijl werden ze langs de rivier naar het noorden verscheept, naar een plaats die Khartoem heet en die ik op mijn tweede reis met eigen ogen zou zien, en van daaruit verder naar een plaats die Caïro heet, die ik ook zou zien, en van daaruit naar de hele wereld. Deze menseneters, deze handelaren in de dood kwamen aan als de wind gunstig stond, als hij hun vele boten naar het zuiden joeg, die vervloekte wind die hen bijstond en hen verbond met de jagers waarvan ze hele bendes hadden achtergelaten, die in kampen aan de oever van de Nijl leefden, en in de maanden waarin de wind hun niet goedgezind was, trokken die bendes erop uit om op jacht te gaan, ze verzamelden hun prooien binnen de omheinde kampen aan de oever van de grote rivier en hielden ze daar gevangen tot de buit naar het noorden kon worden verscheept. Als ze geen mensen konden vinden, als de dorpsbewoners zich verstopten, als de dorpshoofden niet bereid waren hun gevangenen of anderen die in ongenade waren gevallen te verkopen, dreven ze al het vee bij elkaar en stelden ze de dorpsoudsten voor de keus: slaven bezorgen in ruil voor het vee of verhongeren. De oudsten zagen zich vervolgens gedwongen hun mensen op te roepen tot een aanval op dorpen in de buurt. Zo gingen die bendes te werk, en als de wind zijn vervloekte steun verleende, zaten de ompaalde kampen op de plek die Gondokoro heet vol mensen die hun eerste dood al waren gestorven. Als er één plaats op deze aardbol is die mij angst aanjoeg, angst die me overdag kwelde en me ook 's nachts niet met rust liet, was het die plaats, die plaats die Gondokoro heet, een plaats die barmhartigheid noch erbarmen kent. De enige vrouwen in Gondokoro waren zieke vrouwen die hun lichaam verkochten, versleten sponzen die de lust van de mannen opzogen. Er waren in Gondokoro geen kinderen die niet opgesloten zaten, bijeengedreven als vee. Gondokoro was voor iedereen een plaats van de dood. Voor de bewoners van het land en voor de vreemdelingen, voor moslims en christenen. Zelfs de citroenbomen in Gondokoro leefden niet meer. Ze stonden in twee rijen, ze waren geplant door mannen met een kruis op hun borst uit het land van de Duitsers, ze hadden een huis voor hun God gebouwd, ze hadden tuinen aangeplant voor hun eigen welbevinden, en ze hadden een kerkhof aangelegd ...'

'Een kerkhof? De idioten.'

'Een handvol van hen lag dicht bij elkaar in de graven achter de citroentuin. Ze hadden niemand van hun geloof kunnen overtuigen. Alles wat ze hadden opgebouwd was weer ingestort, en er was in heel Gondokoro geen mens die zich tot het kruis had bekeerd, terwijl er eindeloos veel aan de drank waren geraakt.'

'Geen één christen? Zo zie je wat voor zwak geloof het is.'

'Misschien, misschien is het geloof van de mannen met het kruis op hun borst zwak, maar het kan ook zijn dat die mensen tevreden waren met het geloof van hun voorvaderen.'

'Omdat het ware geloof hen nog niet had bereikt.'

'Dat had het wel; het ware geloof zat in het hart van de slavenhandelaren, de menseneters, het bediende zich van dezelfde wind als zij, en het zweeg terwijl zij levens roofden. Als een vader die de misdaden van zijn zoon door de vingers ziet omdat het zijn zoon is. Wat is gerechtigheid waard die niet ook, nee, die niet in de eerste plaats voor de eigen familie geldt? Onze broeders in de islam waren erger dan de duivel. Ze gingen woest tekeer en als een dorp zich tegen hun aanval verzette, als het tegen hen vocht en de strijd verloor, want zij hadden geweren die de dood sneller verbreidden dan iedere speer, als het land onrustig werd en hun handel liep gevaar, dan namen ze heel veel mensen gevangen en bonden ze aan handen en voeten, niet om ze te verkopen, maar om ze over een rots te jagen, een rots in de waterval, vanwaar de gevangenen in de rivier stortten, en het was al erg genoeg geweest als die mensen op de rotsen te pletter waren geslagen, als ze verdronken waren, maar die rivier zat ook nog eens vol krokodillen, ze werden aan stukken gescheurd terwijl ze in het water dreven, gebroken mensen, een gemakkelijke prooi voor de krokodillen, en het nieuws over hun dood verspreidde zich even snel over het land als een sprinkhanenplaag. En als de slavenhandelaren bij de kampen iemand doodden, sneden ze zijn handen af om zijn koperen armbanden te stelen. Lijken gooiden ze op een hoop op veilige afstand van hun kamp, en de volgende ochtend waren alleen de botten van de dode nog over.'

'Gieren!'

'Gieren, heb ik gehoord, beginnen met de ogen ...'

'Moeten wij dat weten?'

'Dan pakken ze de binnenkant van de dijen, daarna het vlees onder de armen, dan de rest van het lijk.'

'Wie zoiets doet, is dat een mens?'

'Alleen een ander kan je een mens noemen, dat weten jullie, en ik ben niemand tegengekomen die hen zo zou noemen. Maar wie hen niet kende, niet uit eigen ervaring kende, wie niets van hen wist en verder niet nadacht, had hen broeders in de islam genoemd.'

'Een van die broeders heeft een keer alle mannen in een dorp gevangengenomen om aan het ivoor te komen dat de mannen voor hem hadden verstopt. De oudsten en de vrouwen gaven toe, ze kochten de vrijheid van hun mannen terug met alle slagtanden die ze bezaten, maar een van de mannen was arm, zijn familie bezat amper iets en dus werd er voor zijn vrijheid niets geboden. De slavenhandelaar sneed hem zijn neus, zijn handen, zijn tong en zijn mannelijke delen af, reeg ze aan elkaar tot een ketting die hij de man om de hals hing, en stuurde hem zo terug naar zijn dorp.'

'Heb je dat met eigen ogen gezien, baba Ishmail?'

'Nee.'

'Dan is dat verhaal misschien niet waar?'

'Dacht je dat ik zo'n verhaal zou kunnen verzinnen? Ik heb die man wel gezien, en ik zweer jullie dat zijn neus, zijn handen en zijn tong niet waren aangegroeid.'

'Ik zal jullie zeggen wat ik zelf heb meegemaakt, hoewel het pijn doet erover te praten, en het doet pijn erover te horen praten, maar als ik het toch niet kan vergeten, waarom zou ik het dan niet vertellen. Wij hadden ons kamp naast dat van de slavenhandelaren, de wazungu hadden er niets op tegen de nabijheid van de duivel op te zoeken, en 's nachts hoorden we een schot, en de volgende ochtend hoorden we dat er iemand het kamp was binnengeslopen, de vader van een weggevoerd meisje, hij had zijn kind nog een keer willen zien, en toen de wachtpost hem opmerkte, had de dochter haar armen al om zijn hals geslagen en beiden huilden. De wachtpost sleurde de man naar de eerste de beste boom, bond hem vast aan de stam en schoot hem dood. De volgende ochtend moest ik met bwana Speke mee naar het kamp van de slavenhandelaren, hij had me nodig om te tolken, hij wilde om een paar inlichtingen vragen. Voor we de mensen zagen, zagen we de bezittingen waarvan ze waren beroofd: pannen, trommels, manden, werktuigen, messen, pijpen, alles slingerde rond, alsof de slavenhandelaren niet wisten wat ze ermee aan moesten. De eerste mens die ik in het oog kreeg, was een man, een jongeman die zijn arm optilde, hoewel de handboeien in zijn vlees waren gedrongen, telkens weer zijn arm optilde om de druk van de ijzeren halsband wat te doen afnemen, en hij herinnerde me aan een vogel die tevergeefs probeert zijn gebroken vleugels op te tillen, telkens weer.

Hij was een van de velen, maar toen ik nauwkeuriger naar hem keek, zag ik geen onbekende jongeman op de grond hurken, ik zag mezelf aan het eind van mijn eerste leven, ik zag in het gezicht van die man de jongen die in mij gestorven was, en de littekens op mijn pols en in mijn hals begonnen te branden. Ik wilde geen gevangene meer zien, ik hield mijn ogen neergeslagen, maar wat voor dwaas was ik om te denken dat ik kon ontkomen door me blind te houden. Wat ik op de grond niet kon zien, drong zich aan me op via de misselijkmakende stank die in mijn neus kroop, de lucht van mensen die niet naar het water konden, die zich niet achter termietenheuvels mochten ontlasten. Die geen eten kregen, maar zelf in de bossen naar voedsel moesten wroeten, wat de taak van de gevangen vrouwen was, die juist toen wij daar stonden en niets probeerden te zien en te ruiken, werden teruggedreven binnen de omheining. Ze hadden wortels uitgegraven en wilde bananen gevonden, en wat ze meebrachten werd de anderen toegeworpen, ongeschild en ongekookt, rauw, zoals de vrouwen het uit de aarde hadden gegraven en van de struiken hadden geplukt, en de gevangenen, aan elkaar geketend in de ranzige dampen van hun overlevingsdrang, stortten zich op het eten, ze kropen over de grond en vochten om de rauwe wortels en de groene bananen, en ze slaakten schrille kreten omdat de halsbanden, de voetboeien en de kettingen rond hun polsen nog dieper in hun vlees sneden. De slavenhandelaar bij wie we wilden langsgaan stond ineens naast ons en na de begroetingen, waarvoor bwana Speke mijn hulp niet nodig had, begon een gesprek dat ik niet goed kon volgen, ik begreep niet wat bwana Speke zei en ik zag aan het gezicht van de slavenhandelaar hoe weinig hij van mijn woorden verstond; zijn gezicht trok door een lang dal van verwondering. Bwana Speke verhief zijn stem; uit zijn woorden sprak een overtuiging waarvan ik door een brede sloot was gescheiden; zijn bezweringen waren bronnen die de akkers van iemand anders bevloeiden. Zie je die mensen, hoorde ik mezelf tegen de slavenhandelaar zeggen, ze moeten drinken, net als jij. Ze hebben dorst, net als jij. Wat kost het je om een tobbe water voor hen neer te zetten. Zijn gezicht betrok. Jij, mormel, schreeuwde hij, denk je dat iemand naar jou luistert als je niet tolkt voor een mzungu? Je bent minder dan niets en als je je bek niet houdt, krijg je van mij een heel strakke band om je hals en gooi ik je bij de anderen. Zijn gezicht vervormde zich als speksteen en verstarde toen in minachting. Hij keek naar bwana Speke en lachte een lachje dat afschuwelijk was, waarop maar één antwoord bestond: ik moest dat lachje de tanden uitkrabben. Ik dacht niet na, de dolk zat in mijn hand en mijn arm ging omhoog, ik hoorde niets en nam niets waar, bwana Speke vertelde me later dat ik had gebruld als een aangeschoten buffel, en de minachting op het gezicht van de slavenhandelaar barstte open, alsof de speksteen op een hardere steensoort was gevallen. Hij was weerloos, zo weerloos als iedereen tegenover het onverwachte. Ik weet niet of ik hem gewond of gedood zou hebben, en ik zal het ook nooit weten, want bwana Speke pakte me van achteren bij mijn schouders, sloeg zijn lange armen om me heen en murmelde in mijn oor: shanti, shanti, het woord waarmee de Banyans elkaar vrede wensen, en ik kon het niet verdragen en had ook hem aan mijn dolk geregen als hij niet zo sterk was geweest, zo verbazingwekkend sterk, zodat mijn woede tegen zijn kracht klotste en ten slotte langzaam wegebde. En terwijl hij me nog vasthield, kwam de slavenhandelaar in beweging en maakte hij bwana Speke druk gebarend duidelijk dat hij me voor straf zweepslagen wilde toedienen, maar bwana Speke schudde het hoofd en zei het enige woord dat hij in de talen van de slaven-drijvers kende, in het Arabisch en het Kiswahili, luid en lang-zaam: *hapana*, gevolgd door een *la*! dat door de lucht suisde en alles wat er was gebeurd scheidde van de rest van de dag. Hij trok me met zich mee en toen ik me omdraaide, zag ik nog een keer de geboeide mensen achter de omheining, en het viel me op dat ze niet meer om de wortels vochten, ze keken me allemaal zwijgend aan en het was me niet duidelijk wat hun blikken uitdrukten, of ze mijn daad goedkeurden of dat ze me verachtten, ik wist alleen dat het blikken waren die ik nooit zou vergeten. Ik had op dat moment liever geen ogen gehad.

⌒⌒⌒⌒⌒

Hij moet onder ogen zien dat hij niet in een lekkende kano kan stappen, hij weet niet eens of hij wel in staat is zich vast te houden zodat hij niet overboord valt. Hij ligt in een hut op een veldbed. Hij heeft zijn geheime medicijn ingenomen, ether vermengd met jenever, in de verhouding een op twee. De hemelse lucht tempert zijn nervositeit, de opkomende hysterie, het krampachtige bra-ken. Speke brengt verslag uit van wat er buiten gebeurt, als hij terugkomt van zijn bad in het meer of na een bezoek aan de markt. Mijn zonnebril, zegt hij, mijn saaie Franse zonnebril legde de handel stil. Ik moest hem van mijn neus halen om weg te kunnen komen. Hij is in een vrolijke bui, hij is uitgerust. Hij moet een boot zien te vinden waarmee ze het meer kunnen verkennen. Tot een rivier ergens bij de noordpunt van het meer. De rivier de Ruzisi. Ze moeten uitzoeken of de Ruzisi in of uit het meer stroomt. Speke moet met Bombay het meer oversteken. Op de andere oever, op een eiland voor het vasteland, zou, als het klopt wat Snay bin Amir hun heeft verteld, een Arabier over een zeewaardige dau beschikken. Dat regel ik, Dick. En Speke loopt de hut uit. In plaats van een paar dagen later terug te komen blijft hij een maand weg, vier lange weken waarin hij helemaal niets heeft geregeld, niets, de driedubbel overgehaalde sukkel. Kon Burton zich maar bewegen. Nachtelijke kou. Gloeiende hitte. Vochtige kou, uitslag op armen en benen. Als hij naar zijn lichaam kijkt, haat hij zichzelf. Hij moet op het veldbed blijven liggen, als onderpand. Een van hen beiden moet geofferd worden, de ander zal worden vrijgelaten. Drinken gaat nog moeilijker dan denken. Eten is onmogelijk. Zweren woekeren in zijn mond. Droomsap, een beetje droomsap. Laat iemand hem het flesje geven. Waar zijn jullie? Willen jullie me mijn soma onthouden, dat alle pijn stilt? Dubbele dosis, dat krijg je ervan, pijn is een aflaatbrief. Weglopen. Worden ingehaald. Telkens en telkens weer. Waarom zou hij zich niet omdraaien? De confrontatie aangaan! Hij leunt naar de pijn toe. Hij laat zich in de pijn vallen. Heb je vijand lief. Wees dankbaar dat je wordt opengereten, omhels de pijn. De vlammen die je verslinden, worden vlammen die je liefkozen. Hij valt uit elkaar, hij valt uit elkaar in de armen van drie schoonheden, in hun barnstenen ogen een lach, als danseressen op het reliëf van een Indische tempel, onverwachts aangetroffen in een dorp dat niets heeft voortgebracht behalve deze drie beloftes met hun veelzeggende bewegingen, hij cirkelt rond hun ogen, hij cirkelt rond zijn begeerte, met iedere beweging die zij maken worden de mannen teruggeroepen in de kazernes van hun ontoereikendheid. Hij acht zich niet in staat … Ze glimlachen hoogmoedig, ze weten meer dan hij, brons smelt op hun huid, drie vrouwen die hem uitnodigen, in hun handen zijn gave, de tabak die hij hun schenkt, ze werpen af wat om hun heupen hangt, naakt zijn ze nog sterker, ze trekken hem mee, ze weten een beschut plekje, zacht en aangenaam, ze leggen hem neer, hun vingers glijden van de ene naar de andere knoop, de eerste hand die zijn huid aanraakt, streelt zijn borst met de bedachtzaamheid van het morgenrood, hij zal van haar drinken als van fris bronwater, de tweede hand die hem aanraakt, wrijft over zijn opwinding en de derde hand zoekt tastend haar weg tot hij begint te steunen, geen valstrik, geen barrière, hij zal zich volledig overgeven, hij zal zich voeden met de zonsondergang. Hij is aan hen overgeleverd. Hij is niet tegen hen opgewassen. Zij willen meer en hij heeft niets te geven. Hij denkt dat hij niet in staat zal zijn te sterven.

Hij ziet zichzelf voor een doek, hij peddelt, elegant, met krachtige slagen, maar hij komt niet vooruit, aan de andere kant van het doek zitten de waarnemers, ze zien de schaduw van de man, ze zien zijn peddelende schaduw, het is een enorme schaduw die het publiek in verrukking brengt, maar zelf merkt hij dat de monding van de rivier waar ze naartoe peddelen niet dichterbij komt, regen stroomt langs het doek en verdeelt de schaduw in strepen, de man peddelt door, de strepen maken zich los van het doek en zweven langs de kust naar het noorden, geleidelijk aan ziet hij de waarnemers en zij zien hem, in een dorp op maar twee dagreizen van de monding van de rivier, de waarnemers verwachten van hem een verklaring maar hij kan niet praten, zijn tong zit vol zweren, de waarnemers staan op, ze scheuren het doek kapot en kijken naar de kleine man in zijn kano, en ze openen allemaal tegelijk hun mond en zeggen nuchter, zakelijk, als verkopers in een winkel die op verzoek de prijs van een artikel noemen: hij stroomt het meer in, alles was een misverstand, hij stroomt er niet uit, het was misleiding, maar wat maakt het uit, de voorstelling is voorbij. De rivier valt in het meer, Burton ligt op zijn veldbed, het regent, alles is nat geworden, de geweren roesten, meel en graan zijn doorweekt, de kano stinkt naar hun eigen vuil, ze overnachten in de modder, Speke komt vast terug met goed nieuws. Nee, dat doet hij niet. Hij ligt in een plas van teleurstelling. Hij acht zich niet in staat waardig te sterven.

'Wat ik nog altijd niet heb begrepen, baba Sidi, is waarom het voor hen zo belangrijk was te weten hoe groot het meer was, door welke rivieren het werd gevoed en welke rivieren eraan ontsprongen.'

'Omdat er een rivier is die de Nijl wordt genoemd, en dat is een grote rivier, ik heb hem gezien vlak voor hij met de zee versmelt, in het land dat ze Egypte noemen, en ik zeg jullie: die rivier was even breed als het water dat ons eiland scheidt van het vasteland.'

'De wazungu wilden weten waar die rivier vandaan kwam?'

'Dat is toch niet zo moeilijk? Waarom zijn ze niet gewoon langs die rivier gereisd, tot waar hij begint?'

'Dat hebben ze ook geprobeerd, maar hij splitst zich in twee rivieren, en ze zijn de ene rivier, die ze de Blauwe Nijl noemen, tot de bron gevolgd, maar bij de andere, die ze de Witte Nijl noemen, lag het moeilijker, daar konden ze niet langs omdat een moeras en een paar watervallen de weg versperren. Ze moesten een andere weg naar de bron zoeken. Toen de wanzungu bij het grote meer kwamen, hadden ze hun doel nog lang niet bereikt, want ze hadden in Kazeh over twee grote meren horen praten, zodat er verschillende mogelijkheden waren: dat de Nijl zijn oorsprong in het meer van Ujiji had, in het andere meer of in geen van beide. Daarom moest bwana Speke een dau zien te krijgen waarmee we het meer af konden varen, en sjeik Hamed, een koopman op de andere oever van het meer, had zo'n dau, dat wisten we van de Arabieren in Kazeh, maar bwana Speke was er de man niet naar om een arrogante, zelfingenomen Arabier zover te krijgen dat hij zijn enige dau voor een paar maanden afstond. Bwana Burton was het misschien wel gelukt, maar hij was, zoals jullie weten, een gijzelaar van de dood. In het begin, na een ontvangst waarbij we uitvoerig welkom waren geheten, waren we vol goede moed en wachtten we vol vertrouwen op de terugkeer van de dau, maar al snel bleek hoe verschillend ons geduld gekleed ging: dat van bwana Speke hulde zich in ruwe wol die hem voortdurend irriteerde, terwijl het mijne zuivere zijde droeg. Er was weinig te doen op het eilandje waar de Arabier woonde, weinig meer dan praten en kletsen, de dau liet op zich wachten en de gesprekken kabbelden onder het brede afdak van de Arabische koopman, maar zo weinig bwana Speke van het gekeuvel verstond, zo boosaardig kwam het op hem over. Op een dag kon hij zich niet langer beheersen en vertrouwde hij me toe hoe alles op het eiland hem tegenstond, en hoe smerig hij de mensen vond die volgens hem overal op de grond lagen, levenloos als varkens die zich koesterden in de zon. Dat soort dingen zei hij tegen mij, hij had niet in de gaten hoe hij me daarmee kwetste, en ik voorzag weinig goeds, want ik was bang dat de ruwe wol de huid van zijn geduld kapot zou schuren. De dau keerde terug, ze gleed met witte zeilen het kanaal tussen het eiland en het vasteland binnen, bwana Speke scheen moed te vatten en ik mocht op een goede afloop hopen, even maar, want nadat de dau was uitgeladen, wat hem natuurlijk veel te lang duurde, hadden we meteen moeten opbreken, een afsluitend gesprekje nog met sjeik Hamed, de overhandiging van de rollen stof, een afscheidstentje en we zouden die brede, witte zeilen hijsen en dit zwetsende eiland de rug toekeren. Zo stelde bwana Speke het zich voor, ik zag het aan zijn gezicht, een moessonhemel waar eindelijk een straaltje zon doorheen drong. Maar een mens heeft meer aan het advies van kinderen dan aan zijn eigen verwachtingen. Sjeik Hamed verklaarde dat de dau tot onze beschikking stond, maar dat hij ons zijn bemanning niet kon meegeven omdat hij hen voor ander werk nodig had, en dat hij naarstig op zoek was naar een andere bemanning, maar dat het, zoals we ons konden voorstellen, moeilijk was in dit gebied mensen te vinden die in staat waren een dau te zeilen. Dat was het moment waarvoor ik had gevreesd, het moment waarop bwana Speke het voortdurende schuren van zijn ongeduld niet meer uithield. Hij verloor zijn gezicht in een wervelstorm van getier en verwijten, hij spuugde op de waardigheid van zijn gastheer, en hoewel de Arabier rustig alle boze opzet bestreed, hoewel hij nadrukkelijk verzekerde dat we heus wel tot overeenstemming zouden komen, want hij verwachtte niet meer dan wat zijn gast bereid was vrijwillig te geven, begreep ik hoeveel moeilijker onze taak was geworden. De volgende dag weigerde hij ook nog maar één woord aan de hele zaak te verspillen; hij kon ons de dau met bemanning over drie maanden ter beschikking stellen, als hij terug was van zijn volgende handelsreis. We hadden iets radicaals moeten ondernemen, we hadden onze gulheid gigantisch moeten oppompen, maar bwana Speke was geen mens die de raad van anderen ter harte nam en negeerde dus ook mijn voorstel de Arabier het dubbele bedrag te bieden, in plaats daarvan besloot hij het eiland te verlaten. We waren al door het noodlot getroffen, de storm die ons overviel toen we midden op het meer zaten, had daar niet nog eens bij hoeven komen, een storm die ons had verzwolgen als we niet waren aangespoeld op een eiland, waar ons niets anders te doen stond dan het einde van het noodweer afwachten, bwana Speke in zijn tent, de anderen in dekzeil gewikkeld. Ik mocht gebruikmaken van de beschutting van de tent, de storm werd gewelddadiger, hij sleurde een kant van de tent uit de verankering, maar het enige wat we konden doen was wachten, en toen de storm ging liggen, stak bwana Speke een kaars aan om de boel te inspecteren, en ineens zat alles onder de torren, kleine zwarte torretjes, en bwana Speke had die nacht niet naar bed moeten gaan, of hij had net als ik op de planken van de kano kunnen overnachten, want het was onbegonnen werk om alle torren uit de tent te jagen, en hij kon ze ook niet allemaal uit zijn kleren krijgen, zodat er uiteindelijk een in zijn oor kroop en hij wakker werd van een haas die in zijn oor een leger aan het graven was. Het was niet om uit te houden, zei bwana Speke de volgende ochtend tegen me, het was niet om uit te houden. In mijn hersens fladderden vleermuizen rond, zei hij, hun vleugels waren groter dan mijn hoofd, flap flap flap, had ik ze maar kunnen vangen, ik wilde ze met mijn handen fijnknijpen, ik smeekte ze me met rust te laten, ik wist niet hoe ik in mijn hoofd moest komen, Sidi, er was geen weg mijn hoofd in, ik wilde hete olie in mijn oor gieten, maar ik kon geen vuur maken want alles was nat, ik heb met mijn vuisten tegen mijn hoofd gebonkt maar het fladderen hield niet op, het was erger dan welke pijn ook, ik had mijn hand kunnen afhakken zonder dat het me had afgeleid van dat gefladder. Ik kon aan niets anders denken, niets anders horen, niets anders voelen. Ik heb een mes gepakt en de punt in mijn oor gedrukt, ik wist dat ik voorzichtig moest zijn, maar mijn handen trilden en ik had geen geduld meer, er knarste iets, een pijn, een plotselinge pijn als een schreeuw, het fladderen hield op, ik liet het mes vallen en ging op de grond liggen en ik was op dat ogenblik zó bang, zo bang was ik van mijn leven nog niet geweest; ik was bang dat ik dat gefladder weer zou horen, dat het terug zou komen. Het was weg, mijn oor voelde nat aan, ik raakte het aan en merkte dat er bloed op mijn vingers zat, maar het gefladder bleef weg. Waarom heb je mij niet geroepen om te helpen, vroeg ik. Wat had je dan gedaan, Sidi, hoe had je me kunnen helpen? Ik had de kaars dicht bij je oor gehouden, de tor was door het licht van de kaars in je tent gelokt, ik had het beest met hetzelfde licht naar buiten gelokt, hij was vanzelf uit je oor gekropen. Dat zei ik tegen hem. In plaats daarvan had hij zijn oor verwond, ernstig verwond …'

'Wacht, wat zei die stomkop toen je met jouw oplossing kwam?'

'Niets, hij staarde me alleen maar aan met een merkwaardige blik in zijn ogen, die ik niet begreep. Maar het werd nog gekker. Het oor raakte ontstoken, er kwam pus uit, bwana Spekes gezicht trok scheef en zijn hals zat onder de bulten. Hij kon niet meer kauwen, ik moest soep voor hem koken en hem die druppelgewijs toedienen, als een klein kind. Hij hoorde aan één kant zo goed als niets, er ontstond een gat en als hij zijn neus snoot, kwam er een dof ploppend geluid uit zijn oor, wij moesten dan lachen, wat hem nog geïrriteerder maakte dan hij al was. Maanden later kwam een stuk tor naar buiten, samen met het oorsmeer. Uit het andere oor!'

'Nee!'

'We weten, baba Sidi, dat we het deel van de avond hebben bereikt waarop je ons graag voor de gek houdt, maar zo'n verhaal gelooft natuurlijk niemand. Dan zou die dode tor dus door dat hele hoofd zijn gekropen om er aan de andere kant weer uit te komen?'

'Er bestaan gekkere verhalen.'

'Natuurlijk, maar of wij een leugen geloven, hangt niet alleen van de grootte van die leugen af.'

'Onze terugkomst in Ujiji verliep uiterst onprettig. Bwana Burton was aan de dood ontsnapt, hij had iets moeilijks volbracht, dus verwachtte hij van ons dat we ons hadden gekweten van een taak die in zijn ogen veel eenvoudiger was. Hij was ontzet, bwana Speke was terneergeslagen, ze zeiden een paar dagen geen woord tegen elkaar, toen besloten ze het meer toch te verkennen, en zo stapten we weer in de kano's, drieëndertig dagen waren we onderweg, alleen om uit betrouwbare bron te vernemen dat de Ruzisi het meer in stroomt, en als iemand van ons had gedacht dat dit de laatste teleurstelling was, kwam hij bij onze terugkeer in Ujiji bedrogen uit, want tijdens de drieëndertig dagen van onze afwezigheid was de trouwe en goedhartige Said bin Salim ...'

'Van wie jij zei dat hij als het moest zijn eigen moeder nog had verpatst?'

'Die bedoel ik ... hij was tot het besef gekomen dat de wazungu dood moesten zijn, zodat niemand het hem kwalijk kon nemen als hij het grootste deel van de proviand verkocht. Hoe moesten we terug naar Kazeh zonder voedsel, zonder ruilmiddelen? Moesten we bedelen of stelen? Hoe langer we nadachten, hoe duidelijker werd dat onze situatie hopeloos was. En toch kwam er een oplossing, met één klap, of liever met een paar geweerschoten, schoten die gewoonlijk de komst van een karavaan aankondigden, en inderdaad, deze karavaan had de nieuwe voorraden bij zich die bwana Burton langgeleden had besteld, weliswaar niet de juiste munitie, maar genoeg rollen stof om voedsel te kunnen inslaan voor onze terugtocht naar Kazeh.'

Op de terugreis nemen ze een andere route. Aan het moeras langs de Malagarasi stelt geen mens zich twee keer bloot. Een idylle, denkt Burton, is een kopje met een vuile rand. Thee in het kopje, koude kippenbouillon op het schoteltje. Vlekken op de punt van de tong. Bitter is de tijd, denkt hij, en hij neemt zich voor het denken af te zweren. Op zijn minst tot ze weer in Kazeh zijn. Zag je die mug, roept Speke, hij was enorm, echt enorm, zo'n mug heb je nog nooit gezien. Wat moet het land hier arm zijn, dat Speke zich met muggen afgeeft. Aan de rand van de weg een holle boom, breed uiteengescheurde lippen waaruit een ovale schreeuw dringt. Wat voor zonderlingen huizen er onder de vers gesneden daken? De eerste die ze tegenkomen, loopt met een stok, waarom is duidelijk, zijn gebrek, het been dat hij stut, de huid verschrompeld als boomschors, de knie niet meer te zien, de man heeft links het been van een olifant en rechts het been van een mens, en hij is jong, zijn gezicht ziet er gezond uit, kerngezond, en helemaal niet verbitterd ondanks dat misvormde been dat hij met zich mee-sleept en dat hem ongetwijfeld tot een melaatse maakt in dit dorp, want wie wil nu zoiets afschuwelijks zien. De volgende dorps-bewoner heeft een soortgelijke kwaal, aan het andere been, dat er nog slechter aan toe is, alleen de tenen hebben nog een menselijke vorm, de zwelling begint bij de wreef. De huid is dik en ontstoken, op sommige plaatsen ingescheurd, op andere opengebarsten. De derde doet zijn adem stokken, hij staat op twee olifantsbenen, zijn bovenlichaam is uitgemergeld, het kan niet anders of hij is van boven steeds magerder geworden naarmate zijn benen uitlilden. Ze zijn allemaal zo, beseft hij plotseling, alle bewoners van dit dorp die stil voor hun hutten zitten of zonder te groeten langs hem hinken, nu ziet hij het, elleboog verdwenen, bovenarm een week geworden kalebas, onderarm een dikke slang vol water die van het bot af hangt, linkerborst gezwollen tot bijna aan het dijbeen, ingewanden boven de huid uit gekropen, over de rechterborst, over het linkerbeen, of omgekeerd, alle mogelijke foute combinaties in dit dorp. Het zieke naar buiten gekeerd, het duivelse. Alsof de boel van binnenuit overstroomt.

Hij krijgt een man met een hoofdtooi in het oog, als enige zit hij op een kruk, om hem heen mannen en vrouwen in het zand, vast de phazi, met een ontspannen uitdrukking op zijn gezicht vertelt hij iets onverstaanbaars, en hij verbergt niets, zijn ballen zijn zo groot als volgroeide papaja's, het linkerdijbeen hangt af als een overvolle uier, het linkeronderbeen is bedekt met zweren, als uit het lichaam kronkelende wormen, en aan het uiteinde ervan zit een klompvoet zonder tenen, zonder hiel. Het is duidelijk, denkt Burton, ik heb de machtsverhoudingen begrepen, in dit dorp wordt diegene de baas die de grootste ballen heeft. Hij zou graag stoppen, met deze mensen praten, hun uitleggen: de goden houden van grapjes, ze maken fouten, zelfs bij hun eigen zoons, jullie kennen Ganesh niet, laat me jullie over hem vertellen, zijn toestand heeft beslist iets met die van jullie gemeen. Hij stopt niet. Burton wordt verder gedragen door zijn voetstappen, door de lome gang van de karavaan, alsof de anderen niets hebben gezien, alsof ze niet hebben opgemerkt dat zelfs de bekkengordel bij de muildieren in dit dorp dikker is dan normaal, wijder dan normaal, alsof ezels met olifanten zijn gekruist, en hij wordt gekweld door een vraag, ze kwelt hem als een zandkorrel onder je voetzool, iets wat hem bij het zien van de phazi in verwarring bracht, de penis, denkt hij opeens, waar was zijn penis, en hij zegt hardop, ik heb zijn penis niet gezien. En Speke die naast hem loopt – hoelang al? – zegt: Dat zijn onze zaken niet.

SIDI MOEBARAK BOMBAY

Merken jullie ook, vrienden, hoe koud het wordt? Het is de tijd van het jaar natuurlijk, maar niet alleen. Ik heb het gevoel alsof de kou uit deze steen opstijgt en in mijn lichaam dringt. Er zijn avonden waarop ik niet warm word, hoeveel dekens de moeder van Hamid ook om mijn schouders legt. De kou zet zich niet in mijn vlees vast, nee, ze kruipt in mijn botten, niemand heeft mij gewaarschuwd hoe koud botten kunnen worden, hoe koud knie en schedel kunnen worden, zo koud, ik heb het gevoel alsof ik een verlamde vis ben die op de bodem van de zee ligt en alleen zijn bek nog kan bewegen, tot ook zijn tong een bot wordt.'

'Nu overdrijf je, baba Sidi, je tong is waarachtig nog lang niet aan het verstijven.'

'Ook wat nu onvoorstelbaar is, zal op een dag gebeuren.'

'We wachten af.'

'En zolang we wachten, luisteren we naar je.'

'En ik zal doorpraten, wees gerust, koester geen valse hoop, al komt soms de verdenking bij me op dat mijn woorden mijn daden hebben ingehaald, dat mijn verhalen over de gebeurtenissen de gebeurtenissen in de schaduw hebben gesteld. Dat herinnert me aan een jongen uit mijn eerste leven, toen ik klein was. Die jongen wilde mijn schaduw vastleggen, hij vroeg me stil te blijven staan en krabde met zijn handjes de aarde open, precies daar waar mijn schaduw viel, hij groef tot zijn handen onder de schrammen zaten, en toen hij klaar dacht te zijn, stelde hij vast dat mijn schaduw was veranderd. Dus groef hij door, iedere verandering in mijn schaduw volgde hij, tot zijn kracht opraakte en mijn geduld, en we achteruit stapten om de door hem vastgelegde schaduw te bekijken, het was een vormeloze kuil die er niet uitzag als welke van mijn schaduwen ook, de jongen was verdrietig en ik stelde hem voor fruit te gaan plukken. Die jongen ben ik nooit vergeten, hij zat niet bij degenen die door de Arabieren gevangen zijn genomen, die dag toen mijn eerste leven stierf, en ik heb me dikwijls afgevraagd welke schaduwen hij in zijn leven heeft geworpen, en als ik droom, droom ik er ook van die jongen nog eens te ontmoeten, wij beiden als oude mannen, en ik zou hem vragen of hij me alles over zichzelf wilde vertellen, zodat ik het leven dat me werd ontstolen in vlees en bloed voor me zou zien, geleefd door de mens die er niet in slaagde mijn schaduw vast te leggen, en die daar nooit in zal slagen, want later in mijn leven heb ik geen schaduwen meer geworpen. Door hem zou ik zien wat voor schaduwen ik had kunnen werpen. Het is een mooie droom en een lelijke droom, zo zijn mijn dromen, het zijn net gerechten, bereid door een vrouw die verliefd en verlaten tegelijk is, zoet als suiker en scherp als de vrucht van een baobab die op het kerkhof groeit. Zoals een andere droom die ik maar niet kwijtraak, de droom over het meer en de reiger, die eigenlijk geen droom is maar de onwrikbare schaduw van een herinnering. Aan het tweede meer om precies te zijn, aan een mooie vogel. Het bestond namelijk, dat tweede grote meer, het bestond echt, zoals de Arabieren in Kazeh ons hadden verzekerd, en bwana Speke en ik en een paar van de dragers, wij bereikten dat meer na een tocht van een halve maand; bwana Burton was in Kazeh gebleven, misschien vanwege zijn ziekte, misschien ook omdat hij de voor-keur gaf aan het gezelschap van de Arabieren boven dat van bwana Speke. We stonden op een heuvel, het tweede grote meer lag voor ons en we waren minder uitgeput, minder wanhopig en minder opgewonden dan op de dag waarop we het eerste grote meer hadden gezien. Met uitzondering van bwana Speke, die ineens een ander mens leek. Al bij de eerste blik was duidelijk dat dit meer groter was dan dat andere meer dat we kenden, dat bwana Speke kende, het was groter dan het eerste meer. We stonden op de oever en verbaasden ons over die watervlakte waar maar geen eind aan kwam, toen we geritsel hoorden en voor ons een reiger opfladderde uit het riet, de eerste vleugelslagen log alsof zijn vleugels sliepen, een slanke vogel die de wet niet kende, de wet die luidt dat geen dier ongestraft voor de ogen van bwana Speke langs kan vliegen of lopen. De reiger steeg op, hij won aan snelheid, vol vertrouwen zweefde hij over ons heen, een grijs-wit-bruine vogel met een snavel als de naald van een kompas. Bwana Speke was zeer tevreden, dat was aan hem te zien; gewoonlijk verstopte hij zijn hart, zoals veel mannen hun echtgenote, maar op deze oever kwam het tevoorschijn en legde het alle sluiers af. Dit is wat we zochten, zei hij plechtig, en hij stak zijn hand uit alsof hij die op het meer wilde leggen, hij was werkelijk gelukkig, en wij, wij bleven naar de reiger kijken die om redenen die ons altijd een raadsel zullen blijven boven ons cirkelde, pal boven ons, een schot kraakte, natuurlijk niet meer dan één schot, de reiger viel als een steen omlaag en bwana Speke jubelde het uit, hij schudde met zijn geweer alsof het een veldfles was en voerde een dansje op, nou ja, wat de wazungu dan onder dansen verstaan, en hij bleef maar juichen: ik heb ons doel bereikt, ik heb ons doel bereikt. Geen van ons keek nog naar de reiger, dat had ongeluk gebracht. We staarden naar bwana Speke en begrepen niet waar-om hij door het dolle heen was, waarom het tweede meer beter was dan het eerste en waarom er een reiger dood moest als bwana Speke zo blij was.'

'Assalaamoe alaikoem wa rahmatoellahie wa barakaatoehoe.'

'Wa-aleikoem is-salaam.'

'Hoe gaat het met jullie, broeders?'

'God zij gedankt, God zij gedankt.'

'Kom bij ons zitten, moehtaram imam, we luisteren naar de verhalen van baba Sidi, ik verzeker u, vanavond zijn ze de moeite van het beluisteren waard.'

'U hoeft niet bang te zijn, verhalen bijten niet.'

'Ik maak me geen zorgen om mezelf.'

'U zult er geen spijt van hebben.'

'Even maar, de nacht is nog jong.'

'Zo denken wij altijd. De nacht is jong, tot ze ineens voorbij is.'

'U kunt wel een beetje ontspanning gebruiken, moehtaram imam, kom bij ons op deze baraza zitten, het zal u goed doen.'

'Dat moeten we nog maar afwachten, of het me goed doet, maar vooruit, ik zal jullie even gezelschap houden.'

'We hebben net gehoord hoe baba Sidi een meer bereikte dat bijna zo groot is als de zee.'

'Gods wonderen zijn talrijk.'

'En er werd een reiger doodgeschoten, dat vergeet je te vertellen, baba Quddus, hij hoort net zo goed bij het verhaal als het meer, die reiger die als een komeet omlaag schoot. Bwana Speke was blij en raakte in een nog betere stemming nadat hij water had gekookt, ondertussen op zijn tijdmeter had gekeken en alle mogelijke getallen had opgeschreven, want sinds we zonder bwana Burton op pad waren, had hij zich vertrouwd gemaakt met het opschrijfboekje. Weet je waarnaar we kijken, Sidi, vroeg hij mij. Nee, Saheb, zei ik. We kijken naar de bronnen van de rivier die de Nijl heet. Ergens in het noorden van dit meer moet de machtige Nijl ontspringen. Verbazingwekkend hoe bwana Speke dat wist.'

'Hij raadde.'

'Natuurlijk raadde hij, tenslotte had hij die plek nog niet gezien, maar hij gebruikte ook zijn verstand, want op onze tweede reis bleek zijn vermoeden juist, we stonden toen samen aan het andere eind van dit grote meer en zagen er allebei de rivier uit stromen.'

'De Nijl?'

'Dat wisten we toen nog niet, niet met zekerheid. Maar een andere mzungu is die rivier gevolgd, en toen ik aan mijn derde reis begon, hoorde ik dat het raadsel was opgelost; iedereen wist nu dat de Nijl uit het tweede grote meer kwam.'

'Hij had dus gelijk.'

'Bwana Speke had gelijk en toch ook weer niet. Er stroomt een rivier uit dat meer en het is de rivier die ze de Nijl noemen, o ja, maar er zijn ook rivieren die in dat tweede grote meer stromen, en wie van bekvechten houdt, zou kunnen beweren dat elk van die rivieren een bron heeft, en dat die bronnen de bronnen van de

Nijl vormen, want het water dat zij naar het tweede grote meer brengen, voedt de rivier die de Nijl wordt genoemd. Bwana Speke wilde het meer meteen verkennen, hij wilde de man in dienst nemen die ons over dat andere eind had verteld, hij wilde zijn boot kopen, het hele meer ronden, we waren maanden onderweg geweest. Ik bezwoer hem aan onze krappe voorraden te denken, aan de vermoeide en onwillige dragers, aan bwana Burton, die in Kazeh op ons wachtte. Je begrijpt het niet, zei hij en zijn gezicht gloeide, als ik de vraag naar de bronnen zo kan beantwoorden dat er geen twijfel meer bestaat, dan is de prijs voor mij, dan ben ik degene die het grootste raadsel dat er bestaat in zijn eentje heeft opgelost. Wat hij bedoelde was: dan hoef ik de roem niet met bwana Burton te delen.'

'O, die hoogmoed van de mens.'

'Vooral van de wazungu.'

'Van ons allemaal! Het is al hoogmoedig om te denken dat je er zelf niet mee bent behept.'

'Ik kon het hem uit het hoofd praten, vooral omdat ik hem verzekerde dat alle dragers zouden weglopen als we niet spoedig naar Kazeh terugkeerden. Maar voor we het tweede grote meer weer verlieten, wilde hij zijn succes met een gepaste plechtigheid vieren. Hij riep ons bij elkaar en nodigde ons uit samen met hem in het water te gaan, tot we tot onze knieën in de golven stonden, verbaas je niet, dat meer is zo groot dat er golven overheen trekken, en als het stormde, zei de man die de andere oever kende tegen ons, werden de golven huizenhoog en als je dan nog met je boot op het water zat, was je niet meer te redden. Nog wat dieper, spoorde bwana Speke ons aan, diep genoeg om kopje-onder te gaan, en als je met je hele lichaam in het water bent geweest kom je eruit en dan scheren jullie elkaars haar af, en daarna neem je nog een bad in dit heilige water.'

'Heilig? Hoe kwam dat water ineens heilig?'

'Dat waren zijn woorden! Ik weigerde. Niemand van ons kan zwemmen, zei ik tegen hem. Wees niet bang, hou elkaar vast, ik let wel op jullie. Ik vertaalde zijn voorstel voor de dragers. Mijn haar, riep de ene uit, wat wil die mzungu met mijn haar? En wat betaalt hij daarvoor, vroeg een ander. Die man, die moeten we heel gauw bij een mganga brengen, zei een derde, er zit meer in zijn hoofd dan een tor. Ik legde bwana Speke uit dat de dragers weigerden hun haar op te offeren en in het water te duiken. Maar het is zo'n mooie ceremonie, bezwoer hij mij, je kent het vast uit India, Sidi, het gezegende bad in heilig water.'

'In het zamzam-water wordt niet gebaad.'

'Dat weet ik ook wel, maar de Banyans geloven dat veel rivieren heilig zijn, in plaats van te bidden nemen ze een bad. We zijn hier niet in India, zei ik tegen bwana Speke, en hoe kunnen we weten of dit water heilig is? Het is de bron van de Nijl, zei hij, als die niet heilig is ... Kunnen wij zomaar even uitmaken welk water heilig is? vroeg ik hem. Wat denk jij, hoe zulke ceremoniën eigenlijk zijn ontstaan? gaf hij mij ten antwoord. Iemand heeft op een dag iets beweerd, iets gedaan, anderen geloofden erin en deden het na, en vandaag de dag bibberen we van eerbied voor de traditie.'

'Hij heeft onze profeet, moge God hem vrede schenken, beledigd.'

'Windt u zich niet op, moehtaram imam.'

'Wat? Hoe durf je dat te zeggen. Die godslasteraar beledigt ...'

'Dat is toch langgeleden.'

'Misschien heeft baba Sidi zijn woorden verkeerd weergegeven?'

'Hij heeft de profeet niet beledigd.'

'Hè? Je hebt toch zelf zijn woorden herhaald.'

'Voorzover ik weet, kende hij de profeet helemaal niet, ik bedoel, hij had vast weleens van hem gehoord en hij wist ook wel iets over al-Islam, maar dat weten had geen wortels. Hij wilde op dat moment gewoon iets plechtigs doen, iets bijzonders wat indruk maakte, iets wat strookte met de geweldige gevoelens die zijn ontdekking in hem had losgemaakt. Hij wilde dat unieke moment in zijn leven samen met ons vieren en wist gewoon niet hoe!'

'Wat ik niet begrijp is waarom jullie zo veel plezier beleven aan deze verhalen, dat jullie er avond aan avond naar luisteren en jullie gezin verwaarlozen. Dode reigers, afgeknipt haar en een ongelovige uit wie de duivel spreekt.'

'We leren van wat er in de wereld gebeurt, imam, dat kan toch geen kwaad?'

'Ik denk dat de imam redeneert volgens de wijsheid: wie niets weet, twijfelt ook nergens aan.'

'Wil je nu ook onze imam beledigen?'

'Zijn jullie van plan aanstoot te nemen aan alles wat niet uit jullie eigen mond komt?'

'Jullie kunnen je beter aan de lezing van de glorierijke Koran wijden, daar staan genoeg verhalen in, en het zijn oude verhalen met een eeuwige betekenis. Ik neem nu afscheid, broeders. Assalaamoe alaikoem.'

'Wa-aleikoem is-salaam, moehtaram imam.'

'Wa-aleikoem is-salaam.'

'Hij is niet lang gebleven.'

'Langer dan baba Sidi in de moskee.'

'Tussen jullie komt het nooit echt goed.'

'Misschien in een volgende leven.'

'Vertel eens, broeders, wat ik me altijd heb afgevraagd is of de glorierijke Koran ook in de hemel wordt gelezen. Of dient hij alleen als wegwijzer naar de hemel?'

'Dat had je nou aan de imam kunnen vragen.'

'Ik denk er te laat aan.'

'Dat is maar goed ook.'

'Hoe heet het tweede grote meer eigenlijk?'

'Nyanza. Dat zei de man tegen ons die de tegenovergelegen oever kende. Bwana Speke vond die naam niet goed, hij wilde een andere. Hij gaf alle plaatsen die hij op die reis te zien kreeg, die korte reis zonder bwana Burton, meteen een naam, alsof hij cadeautjes uitdeelde aan kinderen uit arme gezinnen. Hij had amper een naam gekozen of hij vroeg me de dragers van die nieuwe naam op de hoogte te stellen. Ik gaf de naam aan hen door en zij verbaasden zich over deze gewoonte, die ze niet konden verklaren. Misschien kan hij alleen onthouden wat hij zelf heeft benoemd, opperde een van hen. Voor bwana Speke wist hoe de andere oever van het meer, de andere kant van de heuvel, het andere einde van het dal eruitzag, had hij het meer, de heuvel, het dal al een naam gegeven. Terwijl wij nog naar adem snakten omdat de klim behoorlijk steil was geweest, gaf hij de heuvel van waaruit we voor het eerst het tweede grote meer zagen de naam Somerset. De kleine baai beneden ons noemde hij Jordan, een van de rotsen die in het water uitstak, heette voortaan Burton Point en een doorgang in het meer Speke Channel. Een groep eilanden kreeg de naam Bengal Archipelago en het meer zelf, dat meer dat zo breed leek als de zee, gaf hij met plechtige stem, alsof hij het woord tot een bijeenkomst van oudsten richtte, de naam Victoria. De wazungu noemen het meer nog steeds zo, Victoriameer, zo noemden ze het tenminste op mijn laatste reis, en nu de wazungu hun vlag boven onze haven hebben gehesen, zou het best eens kunnen dat het nog lang naar een van hun vrouwen blijft heten. De meeste wazungu zijn trots op die naam omdat ze denken dat het meer zo heet ter ere van hun koningin, maar bwana Speke heeft mij op de avond van die dag toevertrouwd dat het een gelukkig toeval was dat zijn moeder en de koningin van zijn land dezelfde naam hadden, zo kon hij het door hem ontdekte meer naar zijn moeder noemen zonder bang te hoeven zijn dat iemand dat ongepast zou vinden. Maar Saheb, dat meer heeft al een naam, dat meer heet Nyanza. Onzin, riep bwana Speke, en ik merkte dat hij kwaad werd, hoe kan het nou een naam hebben als ik het vandaag pas heb ontdekt. Begrijp je het dan niet, Sidi, het staat nog op geen enkele kaart. Zijn woorden brachten me in de war, ik dacht lang na en kwam uiteindelijk tot de conclusie dat het geen kwaad kan als meren, bergen en rivieren veel namen hebben, namen uit verschillende monden, namen voor verschillende oren, namen die van verschillende kenmerken en verschillende verwachtingen getuigen. Maar ik had buiten de tolbaas gerekend, ik had te dicht bij de rivier gezaaid en het overstromingsgevaar over het hoofd gezien. De wazungu willen dat ieder ding maar één naam heeft, ze zijn zo koppig als ezels, ze willen de vele verschillende namen die een plaats kan hebben niet accepteren. Toen we terugkwamen in Kazeh, waar bwana Burton op ons wachtte, en daar met de Arabieren over het meer praatten, stond bwana Speke erop de naam Victoriameer te gebruiken. Ik moest de Arabieren verklaren dat bwana Speke weliswaar Victoria zei, maar Nyanza bedoelde, waarop een van de Arabieren me met scherpe tong vroeg waarom die mzungu niet zei wat hij bedoelde en of hij misschien iets te verbergen had. Zoals altijd als het moeilijk werd, bemoeide bwana Burton zich ermee en suste de gemoederen met een Arabisch dat uit zijn mond vloeide als gesmolten boter. Maar soms, dat wil ik jullie niet verzwijgen, vroeg bwana Speke me hem de inheemse namen te noemen, die hij in kleine lettertjes achter de door hem bedachte namen schreef. Ik informeerde dan naar de gangbare naam en deelde hem die mede: Nyanza voor het grote meer, Ukerewe voor de eilanden in het grote meer, en zo zou hij in zijn schrift naast de nieuwe, door hem verzonnen namen keurig de traditionele namen zijn blijven noteren als we niet waren uitgenodigd voor een feest waar we bananenbier dronken, zo veel bananenbier dat de smaak nog vele dagen aan mijn tong kleefde en alles naar bananenbier smaakte: bouillon, vlees, zoete aardappelen, alles. Jullie weten dat ik niet drink, maar het was het enige wat ons kon verkwikken, we waren door de mannen van het dorp uitgenodigd, ze hadden het bier speciaal voor ons gebrouwen, alle dragers dronken het en ik dronk met ze mee. We hebben die avond naar hartelust onze wonden gelikt, we hebben luidkeels gescholden op de reis en op de wazungu, en een andere gast in het dorp vertelde een verhaal over een man die ergens anders op de oever van dat meer woonde en het Lolwe noemde, en toen wij vroegen wat dat betekende, zei hij dat het de naam van een reus was, een gigantische reus die telkens als hij plaste meren achterliet, kleintjes, middelgrote, en op een nacht waterde hij meer dan ooit en de volgende ochtend staarden de mensen naar een oeverloos meer.'

'Hij had te veel bananenbier gedronken.'

'Te veel bananenbier, zeg dat wel, veel te veel, het was een mooi verhaal, waaruit een idee glipte dat wij allemaal fantastisch vonden. We zouden zelf namen bedenken en die doorgeven aan die mzungu van ons, zodat hij ze mee naar zijn land kon nemen, namen die de spot dreven met iedereen die ze las zonder dat de persoon in kwestie het in de gaten had, zoals Grote Blaasontlasting voor het meer aan de oever waarvan we zo veel bananenbier hadden gedronken. We gingen meteen aan de slag en verzonnen namen terwijl we nog meer bananenbier dronken, en de volgende dag al belandden onze namen in het aantekenschrift van bwana Speke. Hoe noemen de mensen hier deze rivier, vroeg hij me, en ik antwoordde: Deze rivier wordt door het volk van de Wakerewe Aap-met-luizen genoemd. Toen hij naar de naam van een heuvel vroeg, zei ik: Deze heuvel heet bij het volk van de Wakerewe Achterste-vol-wratten. En toen hij wilde weten of een bepaald ravijn een naam had, zei ik tegen hem: Dit ravijn heet bij de mensen van de Wakerewe Waar-een-man-binnendringt-en-een-baby-uitkomt. Kijk niet zo geschrokken, baba Quddus, het was een grove grap, dat geef ik toe, maar lang niet zo grof als de grap die bwana Speke uithaalde door de hele wereld met zijn eigen namen te bezetten. En als ik fluister, doe ik dat niet omdat ik me voor onze grap schaam, maar omdat er op de eerste verdieping iemand staat te luistervinken die ook niet van dit verhaal houdt. Wacht even, er schiet er me nog eentje te binnen, de mooiste, twee heuvels die erg op elkaar leken, jullie raden al wat er komt: die werden door de mensen van Wakerewe zogenaamd De-tieten-van-de-vette-koning genoemd. We hadden plezier in onze grap en vergaten hem weer, tot de tweede reis. Hamid, mijn eerstgeborene, had ondertussen al leren lopen. Toen bwana Speke me de kaarten liet zien die hij in zijn land had laten tekenen, las hij me de namen van de plaatsen voor waar we samen waren geweest. Ik hoorde de naam Victoria, ik hoorde de naam Somerset, en toen wees hij kleine lettertjes aan en zei dat het de namen waren die ik hem had verteld, de namen die ter plaatse werden gebruikt door de mensen die er woonden; ik vroeg hem er mij een paar voor te lezen, en inderdaad, hij kauwde op de woorden maar ze waren te verstaan, hij zei: Achterste-vol-wratten, en hij zei De-tieten-van-de-vette-koning, en geloof me broeders, nooit van mijn leven heeft het me zo veel moeite gekost de lach die uit mij los wilde barsten te onderdrukken.'

'Dus als ik door het land van de wazungu reis en zo'n kaart koop, kan ik daarop al die kinderachtige grapjes van baba Sidi lezen?'

'Jazeker, baba Ali, maar je moet wel opschieten, de wazungu zijn secuur, misschien trekt er spoedig een ander van hen door deze streken, die nieuwe kennis verzamelt. De kaarten worden door hen telkens opnieuw getekend, het is een geliefd spel bij de wazungu, nee, het is meer dan een spel, er komt ook menselijke trots bij kijken, en de vriendschap tussen bwana Burton en bwana Speke is voorgoed stukgelopen op die kaarten.'

'Hoe is dat mogelijk?'

〜〜〜〜〜

Een geluid. Snerpend. Een akelig, klaaglijk geluid. Een hele octaaf bij de strot gepakt. Twee kreten die als dolken zijn dunademige slaap doorsteken. Eerst denkt hij dat het resten van gedroomde geluiden zijn, nog hoorbaar bij het ontwaken, tot hij het lage tentdak ziet, het zeildoek dat hem aan alle kanten omsluit, en hij weer weet waar hij is. De rauwe klachten komen van buiten. Hij richt zich op, pakt zijn geweer, kruipt uit de tent, kan het gevaar niet ontdekken, ziet het niet in de doezelende dageraad, het geluid dringt door zijn achterhoofd, hij wendt met een ruk zijn geweer, klaar om te schieten, maar hij ziet niets behalve een vogel, een lelijke vogel die zijn snavel opent en de schreeuw uitstoot die zijn slaap heeft doorboord. Burton voelt een tomeloze woede jegens die nietige vogel die zich een dergelijk volume aanmatigt. Hij pakt het geweer bij de loop en zwaait ermee, maar de vogel kan vliegen, met een verontwaardigd gepiep fladdert hij weg, Burton gefrustreerd achterlatend.

De dag daarvoor zijn ze uit Kazeh vertrokken voor de laatste etappe van de weg naar huis. Voor de terugreis naar de kust moesten ze nieuwe dragers rekruteren. Hij zag ze weer voor zich staan, een nieuwe lichting Nyamwezi, bijeengetrommeld door Snay bin Amir, jonge mannen, opgedoft, ongeduldig, overijverig, verfrissend onschuldig. Sommigen van hen stonden op één been, als de kraanvogels op de Malagarasirivier, de zool van de opgetilde voet tegen de gestrekte knie van het andere been gedrukt, de armen om de nek van de buurman, een nonchalant gebaar dat amper de eerste week zou overleven, anderen hurkten op hun hielen en richtten hun blik vol verwachting op de expeditieleider.

Hij is tegen zijn zin opgebroken. Kazeh was weer een oase voor hem geworden en het is moeilijk een oase te verlaten. Zich weer bloot te stellen aan de onherbergzaamheid van Ugogo. Hij was er niet bang voor, hij werd niet geplaagd door slechte voorgevoelens. Het was erger. In gedachten vooruitkijkend voelde hij de pijn al die hem wachtte, de kwelling. Het was iets anders dan angst, een onbehagen dat aanhield – dat wist hij, en die wetenschap was de vloek van iedere terugreis. Temeer omdat hij zich niet kon verheugen op de afloop van het avontuur. Speke was in de wolken met zijn stuntelige, onnozele oplossing van het grote raadsel. Zijn schetsen, zijn cartografische hypotheses konden niet worden samengevoegd tot een logisch geheel. In zijn rivieren stroomde het water bergop en meren liepen leeg in de richting die hij voor ze bepaalde. Het was bespottelijk en toch – deze gedachte bracht Burton uit zijn evenwicht en vergalde voor hem de terugkeer –, toch was het niet uitgesloten dat Speke op een merkwaardige manier gelijk had, het was mogelijk dat alle details verkeerd waren, maar dat de bewering als zodanig klopte. Zo gauw ze Britse bodem betraden, zou de ruzie tussen Speke en hem escaleren, aangewakkerd in de openbare arena, zijn vele vijanden zouden de gelegenheid maar al te graag aangrijpen om zich tegen hem te keren; de vele speculaties stelden iedereen in staat op te komen voor de partij waarmee men zich verbonden voelde. In Kazeh kon hij niet blijven, en naar Engeland terugkeren, het enige land ter wereld waar hij zich hoe dan ook nooit thuis zou voelen, stond hem tegen. De beste voorwaarden, dacht hij grimmig, om opnieuw de wildernis in te trekken.

<hr />

Sidi Moebarak Bombay

Bwana Burton twijfelde aan bwana Spekes bewering dat het tweede grote meer de bron van de rivier was die ze de Nijl noemen. Of als het zo was, moest het eerst nog bewezen worden, en dat bwana Speke met eigen ogen een meer had aanschouwd waarvan ze al wisten dat het er lag, bewees helemaal niets. Toen bwana Speke en ik onderweg waren, had bwana Burton in Kazeh zelf kaarten geschetst, aan de hand van gegevens van Snay bin Amir en de andere Arabieren, en toen wij terugkwamen, hebben de wazungu de ligging van het meer en de omtrek ervan op hun kaarten vergeleken; er bleek nauwelijks verschil te zijn tussen de tekeningen van bwana Burton en die van bwana Speke en bwana Burton zei: Zie je, je hebt een hoop geld uitgegeven terwijl het niet nodig was; in wezen kenden we de feiten al.

'Voorwaar, geen dolk is zo scherp als de tong van de mens.'

'Nadat hij de kaart van bwana Speke echter nauwkeuriger had bekeken en had geluisterd naar zijn verhaal, moest Bwana Burton zijn eigen kaart veranderen. Jullie weten dat de grootte van het dier dat je hebt geschoten afhangt van de grootte van het dier dat je rivaal zegt te hebben geschoten. Burtons kaart moest bewijzen dat het eerste grote meer de bron was van de rivier die ze de Nijl noemen. Op een avond liep ik zijn kamer binnen, in het huis dat bwana Speke en hij in Kazeh bewoonden, ik wilde hem iets vragen; hij was net aan het tekenen, hij toonde zich verheugd over mijn aanwezigheid en vroeg me een beetje uit over bepaalde details van onze korte reis naar het tweede grote meer. Daarna verklaarde hij me uitvoerig zijn kaart, alsof de waarheid mijn toestemming nodig had. Hij las me de namen op zijn kaart voor, namen als Changanyika en Nyanza, en hij moet mijn verbazing hebben gezien, want hij merkte op dat hij niets zo idioot vond als Engelse namen te plakken op verre plaatsen diep in het binnenland. Op de kaart kon ik niet alleen de twee meren onderscheiden maar ook bergen, en ook al begreep ik niet alles wat hij uitlegde, ik wist wel dat hij bergen had aangegeven die niemand van ons had gezien, maar waarvan hij aannam dat ze er waren omdat zijn boeken het erover hadden, en die bergen, die hij de Bergen van de Maan noemde, had hij op zijn kaart net zo lang heen en weer geschoven tot ze een beletsel vormden voor bwana Spekes bewering dat het tweede meer de bron was.'

'Een achterste kan niet tegelijkertijd op een paard en op een ezel zitten.'

'Dat is waar, maar als er twee ruzie hebben, kunnen ze wel degelijk allebei gelijk hebben.'

'Baba Sidi, mijn hoofd was altijd al een luilak, en nu ben ik ook nog eens oud, en deze avond is dat ook, en ik begrijp geen woord van wat je zegt.'

'Maakt niet uit, baba Burhan, maakt niet uit, het gaat om twee wazungu die net zo lang met grote bergen zaten te schuiven tot ze stonden waar zij ze wilden hebben.'

'Bergen die je nooit hebt gezien kun je gemakkelijk verschuiven.'

'Bwana Burton vond de een of andere fout op bwana Spekes kaarten, hij wees hem op die fout en toen heeft bwana Speke zijn tekening veranderd. Ik heb het op zijn kamer gezien, hij had het ene meer kleiner gemaakt en het andere groter en de bergen meer naar het noorden verplaatst. Ik raakte ervan in de war, want ik begreep niet dat die wazungu, die altijd zo nauwgezet te werk gingen, zo lichtzinnig omsprongen met die kaarten waarvoor ze hun leven op het spel hadden gezet. Maar toen ik met de mganga over dit merkwaardige gedrag van de wazungu sprak, vertelde hij me het verhaal over de bergen, over de drie broers die op verzoek van hun vader, de koning van de bergen, op reis gingen, en ik begreep wat ik tot dan toe niet had doorgehad: dat de kaarten van de wazungu sprookjes waren, en dat bwana Speke en bwana Burton als goede vertellers hun sprookje telkens een beetje veranderden.

⁂

Het aantekeningenschrift van Burton beslaat drie maanden en tien koortsaanvallen sinds ze opnieuw uit Kazeh zijn vertrokken. Op sommige avonden is hij verlamd, op andere bijna blind. Het is niet meer mogelijk het kamp droog te houden. De regen ranselt ze, al dagen. Als het ophoudt met regenen, krijgt de tijd witte vleugels die zich uitbreiden in het vocht, tot het aantal termieten het aantal seconden overtreft. De nachten worden steeds kouder. Zelfs zijn nachtmerries hebben last van koude rillingen.

Speke ligt naast hem te praten. Over zijn pijn. Het lucht hem op zijn ellende in woorden te vatten en die woorden al hoestend en steunend uit te braken. Buiten klettert de regen. Hij is al vaak ziek geweest, maar deze inzinking is de ergste tot nu toe. Het begon met een brandend gevoel, alsof er een gloeiend stuk ijzer op de rechterkant van zijn borstkas werd gedrukt. Van daaruit breidde de pijn zich met scherpe steken uit naar hart en milt, waar hij bleef zitten, het bovenste deel van de long aanviel en zich vastzette in de lever. Mijn lever! Mijn lever! Speke zakt weer weg in een schemertoestand.

De volgende ochtend wordt hij wakker uit een nachtmerrie waarin hij, vastgebonden in een tuig met ijzeren priemen, door een roedel tijgers en andere beesten over de grond werd gesleept. Hij gaat rechtop zitten en houdt zijn zij vast. Ondraaglijke pijn. Mag ik iets uitproberen? vraagt Bombay, en met toestemming van Burton tilt hij Spekes rechterarm op en beduidt hij hem zijn linkerarm achter zijn hoofd te houden, zodat de druk van de long op de lever afneemt. De stekende pijn wordt inderdaad minder. Burton kijkt Bombay waarderend aan. Amper lijkt echter het ergste leed geleden of Speke krijgt opnieuw een inzinking, een soort epileptische aanval. En weer rukt een stel monsters pezen uit zijn lichaam en kauwen ze erop alsof het rookvlees is. Na de aanval ligt hij op het veldbed, zijn ledematen gepijnigd door krampen, zijn gelaatsspieren gespannen, stijf, de ogen glazig. Hij begint te blaffen, met een merkwaardige, onregelmatige beweging van mond en tong. Hij krijgt nauwelijks adem. Zijn verstand klaart op in de overtuiging dat hij de dood nabij is, hij vraagt Burton om papier en pen en schrijft met trillende handen een verwarde afscheidsbrief aan zijn moeder en zijn familie. Maar zijn hart weigert het op te geven. De stekende ijzers trekken zich geleidelijk aan terug. Uren later mompelt hij, Burton hoort het in zijn halve slaap: De messen zitten weer in de schede.

～～～～～

SIDI MOEBARAK BOMBAY

Er kwam geen eind aan onze ellende, het ene probleem was nog niet voorbij of het volgende kondigde zich aan, de ene last was nog niet weggewerkt of er kwam een nieuwe bij, en ik vroeg me vaak af hoe we het uithielden, hoe de wazungu het uithielden, die uit een land kwamen waar alles anders was dan bij ons, de hitte, de dieren en zelfs de ziektes. En pas tegen het eind van de eerste reis begreep ik wat ik van begin af aan had moeten weten, dat de wazungu zonder dit leed het gevoel hebben niet te leven, pas vlak voor onze terugkeer werd me duidelijk dat ze verslaafd zijn aan leed, zoals anderen aan alcohol, khat of ganja. Het verbaasde me dan ook niet de wazungu terug te zien, nog geen twee moessons later, Hamid was nog niet geboren. Bwana Speke was weer in Zanzibar, dit keer met een andere reisgenoot, ook dat verbaasde me niet, bwana Grant, een zwijgzame man, een stuk saaier dan bwana Burton. Ook de anderen, bwana Stanley en bwana Cameron, kwamen altijd weer terug voor een nieuwe portie leed en ellende, iedereen kwam terug, behalve degenen die doodgingen. Nauwelijks was de gezondheid in hun lichaam teruggekeerd of ze begonnen plannen te maken voor de volgende reis, en dan was het absoluut niet de bedoeling dat die reis eenvoudiger of gerieflijker zou zijn dan de vorige, o nee, integendeel, ze zochten juist nog meer narigheid op, zeilden nog dichter langs de dood, ze deden denken aan een visser die er geen genoegen mee neemt dat hij een rif heeft overwonnen, maar het telkens opnieuw moet proberen, op plaatsen waar je met een boot niet door kunt, waar je wel op het rif te pletter moet slaan.

Bwana Burton was de ergste, hij wilde niet eens een pauze, hij wilde niet eens terug naar zijn land om dan opnieuw op te breken. We hadden Zungomero bereikt, we wisten dat het nog een halve maand was naar de kust, we zagen onze huizen en gezinnen al voor ons, tenminste degenen die een huis en een gezin hadden; ze waren nog maar twee vermoeiende weken van ons verwijderd, en toen zei bwana Burton dat we de weg naar Kilwa nog moesten zien te vinden. Welk Kilwa, vroeg ik, want ik was de eerste die hem openlijk tegen durfde te spreken. De oude stad in het zuiden, antwoordde hij. Zeg jij dat nu, vroeg ik hem, of is het de koorts die uit je spreekt? Als jij er niet naar verlangt terug te gaan, dan ben je voor ieder ander mens een raadsel en moet je de rest van de weg alleen afleggen, want wij hebben allemaal nog maar één doel. Jullie doen wat ik zeg, riep hij, met een volume waarmee hij ons in het gareel trachtte te krijgen, maar op een toon die wanhopig klonk. Ik keek om me heen, keek de overlevenden aan, en op dat moment waren wij het allemaal met elkaar eens, we zouden weigeren, meteen, zonder verdere discussie, en dus keerden de dragers hem de rug toe, de Baluchi's keerden hem de rug toe, en ook Said bin Salim en Sidi Moebarak Bombay wendden zich af van bwana Burton, die alleen stond, een dwaas die geen mens meer kon verplichten zijn waanzin te delen.

∞∞∞∞∞

Het is opgehouden met regenen, eindelijk; de aarde is nog zwaar van de dagen durende neerslag. Hij hoort trommelen – of vergist hij zich? – een onbekend geroffel dat nog onheilspellender klinkt dan het spervuur van druppels. Een sissen bovendien, en nog voor hij de tent uit kan stormen, zwelt het aan, een geruis dat hem des te meer verontrust omdat hij het niet kan thuisbrengen. Buiten, in een van onbegrijpelijke geluiden doortrokken duisternis, wordt de grond onder zijn voeten vandaan getrokken, meteen, nog voor hij om zich heen kan kijken. De aarde beweegt, hij hoort van dichtbij de helling instorten. Burton valt, hij ligt op zijn zij, met zere ribben, zijn rechterbeen gestrekt omhoog, opgenomen in een alomvattend roetsjen. Hij trapt zich vrij, zoekt houvast, zijn been is een nutteloze pomp, een stomp anker, en hij glijdt door, in de klauwen van een gigantisch geweld. Een gedachte dringt zich op: het kamp, het hele kamp wordt weggespoeld. We worden onder modder bedolven. Hij schreeuwt: Jack, schreeuwt hij, Jack. Hij wordt neergeslagen door iets zwaars, de pijn zit ter hoogte van zijn rechternier, hij rolt om, zijn gezicht wordt in de grond gedrukt, zijn schreeuw vult zich met modder die in zijn mond wriemelt alsof er maden in zitten. Hij probeert zich schrap te zetten met zijn armen, maar ze zinken weg in diep deeg, hij wordt omlaag getrokken, nog verder, hij gaat kopje-onder, straks wordt hij

479

levend begraven, verdomme, het is niet eerlijk. Zijn hoofd slaat tegen een steen, hij wordt weer omvergesmeten, gewenteld en gedraaid, tot hij op de modderige akker van zijn gezicht ineens lucht voelt, hij ademt in, door zijn neus dringt een ademtocht, zwaar als moeras, hij probeert te hoesten, dan schreeuwt hij weer: Jack, schreeuwt hij, een paar keer, en dan schreeuwt hij: Bombay. In de draaicentrifuge van gedruis en kabaal hoort hij geen enkel menselijk geluid, niet eens gegrom. Waar zijn de anderen? Dat is zijn laatste gedachte voor hij in het water valt, alsof de helling hem heeft afgeschud, hij valt in een andere kou en weet niet wat boven en wat onder is, maar nu hij door water is omgeven, kalmeert hij een beetje. Ook het water beweegt, het beweegt even vastberaden, maar niet zo hysterisch. Hij voelt zich veiliger in het water, hij strekt zijn ledematen, zijn zware ledematen. Hij is niet bang meer. Ik kan niet verdrinken, denkt hij, alsof andere bedreigingen niets voorstellen nu het gevaar om door de modder te worden bedolven is geweken. Af en toe zijn de golven het met elkaar eens, een koor in crescendo, dan kan hij z'n hoofd een beetje optillen en om zich heen kijken, in een inktachtig niets, maar soms verschillen de stemmen die aan hem trekken en vechten ze zuigend om de buit; dan rolt hij zich op tot een bal, in afwachting van het moment waarop hij tegen een rots zal worden geslingerd. Of aan land. Hij krijgt iets te pakken, iets langs, draderigs, hij klemt zich eraan vast, het water snelt langs hem. De wortel – liaan? – in zijn handen voelt aan als de ontwrichte arm van een slingeraap. Een hele poos houdt hij zich alleen maar vast, meer niet, met zijn rug naar het voortrazende water. Dan trekt hij, de eerste keer heel voorzichtig. De weerstand brengt hem ertoe meer kracht te zetten. Stukje bij beetje trekt hij zich uit het water, tot hij iets vasters onder zijn voeten voelt, maar hij durft er niet op te gaan staan, durft de wortel niet los te laten, bang dat hij wegzinkt. Hij heeft de indruk dat het lichter wordt, een tikkeltje maar. Hij onderscheidt strui-ken, scheef hangende takken, de oever waar hij zich naartoe trekt, hij is nog maar een armlengte van die oever verwijderd als er iets knapt en hij teruggeduwd wordt, water dringt in zijn mond, in zijn neus. Met zijn linkerhand klampt hij zich aan de wortel vast, hij schudt zijn hoofd om zich van het water te bevrijden en blafhoest als een astmatische hond, tot het water uit zijn lijf is en zijn borst aanvoelt alsof hij van binnen is geschuurd. Even vreest hij weg te drijven, tot hij merkt dat hij blijft hangen. De wortel heeft zich niet losgemaakt van de ingestorte oever. Weer trekt hij zich omhoog en dit keer laat hij zich niet verrassen, hij herkent de omtrek van een boom, die hij gretig omarmt. Als hij hem loslaat, kan hij alleen nog op de grond glijden en diep in- en uitademen, uit de tijd gevallen, gedesoriënteerd. Hij ligt daar maar, roerloos, gedachteloos. Tot zijn instinct zich meldt: je moet iets doen. Overeind gekomen ziet hij een wonder. De wolkenwallen trekken zich terug, een lichtschijnsel verspreidt zich over de rivier en de oever: de vergeten aanwezigheid van een volle maan. Hij staat op, hij houdt zich aan de boomstam vast en test de grond op zijn stevigheid. Hij loopt naar het water, zo dicht als het vaste gevoel onder zijn voeten toelaat. Hij tuurt over de golven, waagt een paar stappen om de oever te inspecteren. Niet ver van de plaats waar hij aan land is gekomen ziet hij een zandbank. En daarboven, gevangen tussen twee bomen, glanst de rug van een stuk zeildoek. Hij maakt het los van de kleine, kromme doorns op de takken en rolt het op. De maan heeft inmiddels alle obstakels weggeduwd. Het landschap dat zich voor hem ontvouwt, is slechts in de verte verwant met de omgeving waar ze hun kamp hebben opgeslagen. De rivier is smaller, de begroeiing langs de oever dichter. Het water stroomt snel, gelijkmatig. De gejaagdheid van de aardverschuiving is verdwenen. Een ezel drijft langs, de hals uit het water gestrekt, als een vervloekte zwaan. Kort daarna dobbert een kist langs, al snel gevolgd door andere voorwerpen waarvan niet meer dan een hoek of een kant uit het water steekt, zodat hij niet kan bepalen wat het is. Moet de expeditie zo aflopen: dat hij, van onder tot boven met modderkorsten bedekt, moet aanzien hoe de brokstukken van een hardnekkig in stand gehouden orde langs hem stromen, één voor één, als zorgvuldig gedoseerde spot? Wat maandenlang met moeite bijeen is gehouden in één keer uiteengerukt en tot wrakhout gedegradeerd? Tot rommel die straks, als de rivier na de korte glorie van de regentijd verkwijnt, op de verdroogde rivierbedding rondslingert, over mijlen verspreid, niet eens geschikt als waarschuwing, want daarvoor ligt alles te ver uit elkaar. Hij schrikt uit zijn gedachten op als hij aan een langsdrijvende tak een gedaante ziet hangen. Burton snelt naar de boomstam waar hij de lange wortel naast heeft gelegd, pakt de wortel op en stort zich in het water. In een paar slagen is hij bij de tak. Met zijn linkerhand pakte hij de gedaante van achteren vast, legt zijn arm om de taille, met de rechter houdt hij zich aan de wortel vast, maar hij heeft er niet aan gedacht dat hij beide handen nodig zal hebben om zich weer naar de oever te trekken. Hij windt de wortel om zichzelf en de gedaante en knoopt het uiteinde tot een lus die hen beiden vastsnoert. Zo hangen ze aan een soort touw. Langzaam, in het ritme van zijn slinkende energie, trekt hij dat touw in, tot ze de boomstam bereiken. Hij tilt de gedaante op de oever en legt haar op het zeildoek. Hij strijkt het besmeurde haar opzij en kijkt in het gezicht van de bewusteloze Speke. Die nog leeft. Koortsig, half verdronken. Erg bleek, zijn gelaat, voorzover het niet schuilgaat onder zijn dikke blonde haar. Burton kan niets anders doen dan het zeildoek over hem heen leggen en zijn ledematen masseren. Met Spekes voeten op schoot valt hij wat later in een lichte slaap, volkomen uitgeput.

Plotseling breekt de zon door. Zij zal alles weer in orde maken, de zon is zelden haatdragend. Bedachtzaam spreidt ze haar warme doeken uit over de woelige sporen van de nacht, zo blijmoedig alsof haar eigen verdwijning volledig buiten haar om is gegaan. Burton hurkt bij de waterkant en kijkt in een afzichtelijke tronie, die terugstaart als de geest van een drenkeling. De huid hangt los aan de botten, de ogen puilen uit hun kassen, de lippen trekken zich terug van de tanden, bruin als vergeten poelen. Speke mompelt iets. Met opengesperde ogen. Hoe gaat het met je, Jack, vraagt Burton, en hij kneedt zachtjes Spekes rechterschouder. Overal doden, mompelt Speke, laat ze weggaan, de doden. Wat voor doden dan, Jack? Somali's, dode Somali's, ze zijn niet allemaal dood, een paar zijn aan het dood-gaan, met opgeheven armen, uitgestrekte handen, ze willen voor het laatst iets aanraken, het doet er niet toe wat, hun armen vallen omlaag als ze sterven, laat ze weggaan, laat ze alsjeblieft weggaan. Drink wat, Jack. Niemand schreeuwt, het is onverdraaglijk, niemand schreeuwt, vervloekte Somali's, hoe kan het zo stil zijn als er mensen doodgaan. Ik til je nu omhoog, Jack, ik moet dit hier uittrekken, snap je, het is nat, we moeten het uittrekken. Alles is kapot, alle tenten, kapot, overal spullen, overal, en geen kameraad te zien, ze hebben me allemaal in de steek gelaten, ze zijn weggerend, maar ik kan niet rennen, ik kan alleen maar kruipen. Zo, kijk, dit zal je goed doen, Jack, dan krijg je het wat warmer. Ik ga dood, de Somali's komen, Somali's met opgeheven armen, ik ga dood, ik zie het bloed uit me stromen, ik zie de speren, ik zie hoe ze in mijn lichaam dringen, ik heb zo veel bloed, wie had dat ooit kunnen denken, dat ik zo veel bloed heb, ik wist het niet, zo eindeloos veel bloed. Ik zal je nu warm wrijven, Jack, hoor je me, we moeten je warm zien te krijgen. Het heeft geen zin, het bloed. Het heeft geen zin. Verwijten van die ander, alleen verwijten, niets dan verwijten. Die ander, altijd beter, hij, een god. Zo, dat is genoeg, we trekken je nu mijn jas aan, die is bijna droog. Een dief is het, die ander, een dief. Helemaal niet beter. Mijn dagboek, mijn dagboek, in stukken gesneden, slachtvee, als aanhangsel voor zijn boek, voor zijn roem, mijn bloed, al dat bloed voor zijn roem, die ander, mijn verzameling weggegeven, hij mag dat, hij is een god, mijn ver-zameling naar een museum, een kannibaal is het, ja, een kanni-baal. Rustig maar, Jack, rustig maar, je bent bij vrienden, wat raaskal je toch, wie is die ander? Zijn naam is niet mens. Hij heeft alleen scheldnamen. 'Dick' – dat moet er op zijn vervloekte graf komen te staan. Niks anders, op dat graf, alleen 'Dick'.

Burton laat Speke op de grond zakken. Hij is verdoofd door de haat die zijn compagnon zojuist heeft uitgebraakt. Misverstanden, zeker, ook woordenwisselingen, ernstige zelfs, maar deze rauwe haat heeft hij niet verdiend, temeer daar hij zelf bij die overval zwaar gewond raakte, de speer die zijn wang doorboorde heeft zichtbare sporen nagelaten, al zitten die niet zo diep als Spekes verwonding: de krenking van zijn trots. De verzameling, het aanhangsel, belachelijke verwijten, hij heeft hem een plezier willen doen, niemand had de krentenkakkerij van zo'n onbekende officier ooit willen drukken, nu waren er tenminste nog stukken van zijn pietluttige werk openbaar gemaakt, en de verzameling was in het museum van Calcutta veiliger dan waar ook. Kannibaal, hoe kwam hij erbij, hij had er geld op moeten toeleggen, op de publicatie van dat boek, hij had er niets aan verdiend, op geen enkele manier geprofiteerd, wat een bigotte betweter, die kerel die daar op de grond ligt, en hij is nog zo gek om hem te verzorgen ook, die slapjanus, terwijl de mensheid zonder hem een stuk beter af zou zijn.

Speke is weer in slaap gevallen en Burton besluit opnieuw de oever af te zoeken. Hij heeft de ramp overleefd, maar wat is dat waard als hij zijn cahiers met aantekeningen niet terugvindt. Hij had ze in een oliezak gewikkeld. Hij vindt veel klein spul waar hij weinig aan heeft, behalve dan de proviandkist met biscuits en gedroogde dadels. En dan ziet hij aan de overkant van de rivier, die na haar hysterische razernij van vannacht beschaamd onopvallend voortkabbelt, een paar apen; eerst schenkt hij er weinig aandacht aan, tot hij uit zijn ooghoeken ziet dat een van de apen een oliezak in zijn poten houdt. Burton weet niet hoe veel oliezakken de expeditie met zich meevoerde, maar hij is ervan overtuigd dat de aap speelt met zijn oliezak, die alles bevat waarvoor hij jaren heeft gewerkt. Burton brult, hij brult harder dan de apen, ze merken hem op en de aap laat de zak vallen, alsof hij de spot met hem drijft, een andere aap trekt hem uit de takken waarin hij is blijven steken naar zich toe, Burton brult weer, geen woorden, geen taal, hij brult intimiderende geluiden, maar bereikt er weinig mee, de andere aap probeert in de zak te grijpen, hij heeft de opening gevonden, hij houdt een van de cahiers in zijn poot, Burton heeft zich niet vergist, de aap verdiept zich in het schrift en laat de zak los. Burton rent het water in, gaat kopje-onder, spartelt en trapt, en als hij de andere oever bereikt, ligt de zak voor hem, alsof hij er is neergelegd om te worden afgehaald, maar de apen zijn verdwenen, hij hoort ze alleen nog roepen, een poosje, dan verdwijnen ze helemaal en hij weet dat het totaal geen zin zou hebben achter ze aan te gaan. Hij maakt de zak open en telt de cahiers. Er ontbreekt er één, een verlies dat nauwelijks tot hem doordringt, want hij ziet iets anders: vocht. Hij dacht dat de oliezak waterdicht was, maar hij voelt overal water, week geworden papier, en met een draaierig gevoel in zijn maag slaat hij een van de cahiers open – de inkt is uitgelopen. Niet overal, de kern is behouden gebleven. Zoals bij rottend fruit het bederf van de buitenkant begint, zo is het vocht bij de randen naar binnen gedrongen en heeft het de bovenste en de onderste regels en de laatste letters van iedere regel weggebeten, ongeveer eenderde, en die indruk wordt bij elk cahier dat hij opent bevestigd, een derde van zijn waarnemingen, onderzoek, beschrijvingen en overdenkingen is uitgewist. Een deel zou hij uit zijn herinneringen kunnen reconstrueren, maar ook in de herinnering, dat wist hij, vervloeit het schrift.

∽∽∽∽∽∽

SIDI MOEBARAK BOMBAY
'Bwana Burton is na deze reis nooit meer in Zanzibar geweest, zeg je, alleen bwana Speke. Is dat niet in strijd met wat je ons over hem hebt verteld?'
  'Nee, volstrekt niet, baba Burhan, ik voel me vereerd dat je op dit late tijdstip nog zo veel aandacht voor me hebt, daarom zal ik

je vraag met plezier beantwoorden. Bwana Burton was afhankelijk, dat begreep ik pas op mijn tweede reis, hij was net als alle andere wazungu afhankelijk van de hoge heren in zijn land, hij was niet de rijkaard voor wie ik hem aanvankelijk had gehouden, hij was net als ik een dienaar, hij diende andere wazungu, die niet de kracht, de moed, de wil of het verlangen hadden om zelf op reis te gaan en daarom geld ter beschikking stelden, zodat mannen als bwana Burton en bwana Speke de tocht in hun plaats konden maken. En daar deze twee wazungu elkaar aan het eind van de eerste reis niet meer konden luchten of zien, kon er alleen vrede heersen als er een groot water tussen hen lag. Het was dan ook duidelijk dat de hoge heren voor de tweede reis een van de twee moesten kiezen, en hoewel bwana Burton ontzettend veel wist, begreep hij soms de simpelste dingen niet, ook de slimste mens is soms zo dom als een klein kind. Natuurlijk gaven de hoge heren in het land van de wazungu de voorkeur aan bwana Speke, want hij zag eruit als een van hen, terwijl bwana Burton alleen al door zijn uiterlijk ver van hen af stond, met zijn welige zwarte baard en zijn huidskleur die zo donker werd dat hij nauwelijks te onderscheiden was van een Arabier. Ook door de kleren die hij aantrok, voldeed hij niet aan het voorkomen dat de hoge heren gewenst moeten hebben: een keurig verzorgd voorkomen als dat van bwana Speke, die met zijn slanke lichaam, zijn blauwe ogen en zijn blonde haar werkelijk niets had waardoor hij voor hen een vreemde dreigde te worden. Hoezeer hij door zijn eigen mensen werd gewaardeerd heb ik zelf meegemaakt aan het eind van de tweede reis, toen we in Caïro arriveerden en werden ondergebracht in een hotel dat het Shepheards Hotel heette, ja, broeders, ik logeerde in hetzelfde hotel als bwana Speke, zo hoog had hij mij staan.'

'Vraag hem maar eens wat voor kamer hij kreeg! Dan zal hij jullie moeten vertellen dat hij in een piepklein bediendenkamertje sliep, jullie grote held baba Sidi Moebarak Bombay, en zijn vriend met de lichte huid en de blonde lokken, die sliep in de paleiskamers op de bovenste verdieping.'

'Laat dat nou maar zitten, mama, anders komen we nooit klaar.'

'Dachten jullie dat hij me bij het afscheid zijn jasje had gegeven als hij me niet had gewaardeerd?'

'Dat ouwe ding? Totaal versleten, hij vond het gewoon handiger het weg te geven dan het weg te gooien.'

'Ik heb een zilveren medaille gekregen van de Royal Geographical Society, jullie weten niet wat dat is, maar dat zijn al die hoge heren bij elkaar die de opdracht hadden gegeven voor mijn eerste en mijn tweede reis. Ik ben ook gefotografeerd en ik ben voorgesteld aan het publiek.'

'Wat bezielt je dat je te koop loopt met je eigen schande! Ze hebben hem tentoongesteld als een wild dier dat ze hadden gevangen, hij moest samen met de anderen nadoen hoe ze door de savanne waren gelopen en hij moest stil blijven staan, en dat moest hij urenlang volhouden terwijl allerlei mensen langs hem liepen om naar dat beeld te kijken, een dood beeld, door levenden geschapen. En het ergste was nog wel, horen jullie mij, vrienden van deze schaamteloze oude man, het ergste was nog wel dat die nieuwsgierige figuren geld betaalden voor het recht om zich aan mijn versteende echtgenoot te vergapen.'

'Ach, wie luistert er nou naar jou, bespaar je de moeite. Ik weet hoe het was omdat ik erbij was, ik weet hoe we geëerd werden bij openbare concerten en plechtigheden, waar we werden voorgesteld als helpers en begeleiders van de grote ontdekkingsreiziger, bwana Speke, en we werden zelfs uitgenodigd voor een ontvangst in het paleis van de onderkoning, en dat was niet in Caïro, dat was niet op het platteland, maar op een eiland dat Rhodos heette; wij waren zo belangrijk dat we met een schip naar dat eiland werden gebracht en een paar dagen in het paleis verbleven, we hebben er zo lekker en zo veel gegeten als we van ons leven nog niet hadden gedaan, en ik moet toegeven dat we er ook veel te veel gedronken hebben, want de alcohol vloeide er als water. Pas daarna keerden we terug naar Zanzibar, met het schip, op een lange vaart waarop we ook nog andere plaatsen leerden kennen, plaatsen als Suez en Aden, en eilanden als Mauritius en de Seychellen, waar we geld cadeau kregen, zo was onze roem ons al vooruitgesneld ...'

'Bwana! Merk je dan niet dat niemand meer luistert. Baba Ishmail snurkt zo hard dat ze het bij de haven kunnen horen. Alle anderen zijn naar huis gegaan, als laatste is zojuist baba Burhan weggeslopen. Je deelt je verhalen alleen nog met de ratten. Hou op met je gebazel en kom binnen, dan maak ik eten voor je klaar. En vergeet niet baba Ishmail wakker te maken, je moet hem echt wakker schudden, anders komt zijn zoon hem weer zoeken en is hij kwaad op ons.'

⤞⤚⤞⤚⤞⤚⤞

Speke heeft haast. Hij heeft zijn haar laten kortwieken en ook zijn baard is bijgeknipt. Misschien heeft hij het zelf gedaan. Met lange, krachtige stappen komt hij op hem af. Burton ziet een jager voor zich die een dier heeft verwond en nu snel het bloedige spoor wil volgen om de buit nog voor het donker binnen te halen. Misschien is de vergelijking niet terecht.

Hij steekt zijn hand uit en zegt ten afscheid iets vrijblijvends in de trant van: ik kom ook gauw, het zal niet lang duren. Op de jovialiteit van die kerel kan hij rekenen, die is in de wildernis niet verdwenen. Helaas. Tot ziens, ouwe jongen! Maak je geen zorgen, ik zal de Royal Geographical Society niet bezoeken voor jij ook terug bent, dan gaan we er samen heen. Jij neemt het volgende schip en ik zal op je wachten. Maak je geen zorgen. Als iemand tegen je zegt dat je je geen zorgen hoeft te maken, wordt het hoog tijd dat je je zorgen maakt – een wijsheid van zijn moeder. Burton knikt en mompelt dat hij hem een veilige reis wenst. Dan draait hij zich om en laat John Hanning Speke in de haven achter. Hij acht die man nu tot alles in staat, zijn beloftes

zijn even betrouwbaar als het nauwkeurig berekende tijdstip van
de Apocalyps. Nee, dat ze ruzie hebben gekregen lag niet aan zijn
gebrek aan mensenkennis. Als het lot je met iemand samen-
brengt, als je geen andere keus hebt, wat heb je dan aan je
mensenkennis, hoe goed die ook is? Het lot was hem onwelge-
vallig geweest, dat was het, en daar had hij niets tegen kunnen
doen.

SIDI MOEBARAK BOMBAY

De vrouw, zijn met messingdraad verkregen en met tederheid
behouden vrouw, raspt kokosnoot in de keuken, ze weekt de rijst,
ze legt stukken vis in de pan waarin de curry chilirood suddert. Ze
hoort zijn stem uit het aangrenzende vertrek, hij praat door,
windstilte kent Sidi Moebarak Bombay niet als hij eenmaal is
uitgevaren voor een verhaal. Ze luistert maar half terwijl ze het
water uit de rijst drukt, ze wordt in beslag genomen door de
stekende pijn in haar linkerzij, een pijn die zich onopvallend heeft
aangekondigd, als een gast die aanvankelijk bescheiden in een
hoekje zit en genoegen neemt met kruimels, maar in de loop van
een paar maanden is de pijn veeleisender geworden en nu ver-
orbert de gast meer dan zij bereid was te geven, en geen van de
kruiden die de dokter haar heeft voorgeschreven en die ze nauwkeurig volgens zijn aanwijzingen heeft fijngestampt, heeft haar tot
nu toe verlichting gebracht. Met die pijn is ze in gedachten bezig
terwijl ze kookt en haar man verder vertelt; ze gaat op in haar
bezigheden wanneer er een woord valt, een paar woorden misschien, die haar de oren doen spitsen omdat ze verwijzen naar een
verhaal dat ze nog niet kent. Na al die jaren die ze met hem deelt,
kan die ijdele, luidruchtige, rond zichzelf gekromde knoest nog
altijd met nieuwe verhalen op de proppen komen, als het gewone
wat saai dreigt te worden, wat flauw, dan doet hij er wat kruiden
bij. Hij kan haar na al die jaren nog steeds verrassen, hij kan haar

verrassen met de herinnering aan een man die hij op zijn aller-
laatste reis heeft ontmoet, zijn vierde reis die vlak na Hamids
bruiloft begon en waarover hij zelden praat, een vreemdeling, die
man, die zijn hals en zijn hoofd had versierd met de wonderlijkste
voorwerpen.

Die zeldzaam uitgedoste man had weggegooide toekomst
verzameld, vertelt de knoest in het vertrek naast de keuken, en
ze begrijpt niet wat hij er mee bedoelt, met die woorden die door
het schild van haar vermoeidheid dringen, maar toch stopt ze
even met koken en gaat dichter bij de doorgang staan om geen
woord te missen, zoals ze zojuist erop heeft gelet geen korreltje
rijst verloren te laten gaan. Telkens wanneer die wonderlijke
man, zo vervolgt de knoest, een afgebroken stuk metaal, een
oude patroonhuls, een lege fles en dat soort dingen op de grond
zag liggen, kon hij zich niet bedwingen en moest hij het oprapen,
hij moest het bekijken en kon er dan geen afstand meer van doen,
hij kon het niet weggooien, hij moest in ieder van die voorwerpen
die hij opraapte een gat boren en ze allemaal aan een halsketting
rijgen die hij altijd droeg, op zijn borst, die wonderlijke ketting,
waaraan een tiental medicijnenflesjes, de sleutel van een sardie-
nenblikje en diverse stukken blik bungelden. Nu begrijpt ze het:
die vreemdeling droeg afval op zijn lichaam, afval van de karavanen die door het land waren getrokken, en Sidi Moebarak
Bombay, haar man, een man met eigenaardigheden waaraan ze
nooit zal wennen, zolang ze nog iets kan voelen, had aan vier van
die karavanen deelgenomen, had ze zelfs geleid als ze zijn verhalen mocht geloven, daarom heeft hij zo veel plezier in die
vreemdeling, die als het ware het oude vel van zijn, Sidi Moebarak Bombays reizen op zijn lijf droeg. Een glimlach glijdt over
haar gezicht. Hij is echt anders dan alle anderen, die kinderlijke
oude man die haar telkens opnieuw weet te verrassen.

Als ze tegen hem zegt dat het eten klaarstaat, antwoordt hij
toeschietelijk: laten we vanavond samen eten. Ze vermengen de
curry met de rijst, in stilte kneden hun vingers de rijst tot

hapklare porties. Hij eet weinig maar ze kan zien dat het hem smaakt. Wanneer hij achteroverleunt, komt ze moeizaam overeind en brengt hem een kom water waarin hij zijn vingers kan wassen. Dan laat ze hem alleen om op te ruimen in de keuken en om water warm te maken, dat ze in een emmer giet en in de slaapkamer zet voor ze naar hem roept: het water voor je bad staat klaar. Als ze wat later naar hem kijkt, heeft hij alleen nog een *kikoi* om. Ze kijkt naar zijn knoestige lichaam, gaat met blote voeten op bed zitten en herinnert zich hoe wonderlijk ze het als meisje vond samen te zijn met een man die kleiner was dan zij. Ze was toen zelfs bang geweest dat zijn lid misschien te klein zou zijn om haar geslacht te vullen. Op een keer, toen ze al wat aan hem begon te wennen, had ze het gewaagd zijn lichaamsgrootte ter sprake te brengen. Hij had gelachen. Ik ben wel niet groot, zei hij, maar in plaats daarvan ben ik sterk en niet zo snel omver te gooien. Ik ben rusteloos, maar niet te ontwortelen. En dat was waar. Leer de boom kennen waartegen je wilt leunen, had haar vader haar ooit als raad gegeven. Ze heeft de boom niet kunnen kiezen, maar het gewicht waarmee ze tegen de man heeft geleund aan wie ze als meisje is verkocht, is hem nooit te veel geworden. Bwana, zegt ze tegen hem, langzaam, om van ieder woord te genieten, ik ben je echtgenote. Laat ons de liefde bedrijven, bwana, ik voel lust. Waarop Sidi Moebarak Bombay zucht, haar aankijkt en kalm naar het bed komt, naar haar. Het gaat tegenwoordig niet meer zo gemakkelijk, maar ze worden er nog altijd blij van, het maakt hen nog altijd gelukkig.

OPENBARING

D e dagen na de begrafenis ging de priester telkens weer de gebeurtenissen na in die nacht bij de stervende man, tot hij de herinnering niet meer kon verdragen. Van de verwijten die hij zich maakte, zat één hem in het bijzonder dwars. De echtgenote had aangedrongen op een *si es capax*, het laatste oliesel voor wie niet meer bij bewustzijn is. Maar de Brit was wel degelijk bij bewustzijn geweest, hij had hem aangekeken toen hij zich over hem heen boog. De priester had geen poging ondernomen om met hem te praten. In plaats daarvan had hij toegegeven aan de drang van de echtgenote, hij had niet durven vragen of de stervende het sacrament wilde, laat staan of hij er recht op had. Hoewel hij de man niet kende. Wat voor priester was hij dat hij dit had nagelaten? Er moest een mogelijkheid zijn om de waarheid te achterhalen. Pas dan zou hij zijn innerlijke rust terugvinden. Als hij de bedienden eens uitvroeg? Bedienden weten toch altijd alles. Bovendien zou hun informatie eerlijker zijn dan die van de echtgenote, die hij niet kon vertrouwen, juist omdat ze zo'n vurige katholiek was. Verwarrend. Het was een onbegrijpelijke situatie, die hem beangstigde.

Onder de zondagsmis merkte Massimo dat hij in de gaten werd gehouden door een priester. Een voornaam uitziende priester. Toch scheen hij meer belangstelling te hebben voor hem dan voor de mis. Hij zag eruit als een dienaar Gods die de rijken bijstond. Een jonge, gladgeschoren man met een arrogante oogopslag. Hij was vast verdwaald en zo in deze wijk terechtgekomen. Op zondagochtend? Waarom keek hij zo naar hem? Na de mis, op de trap, sprak de priester hem aan.

'Ben jij Massimo Gotti?'

'Dat klopt.'

'Kan ik je even spreken?'

'Mij? Hoezo, padre?'

'Jij bent werkzaam geweest in het huishouden van Signore Burton.'

'Dat klopt.'

'Een paar jaar.'

'Negen jaar.'

'Ging je ook met Signore Burton om?'

'Met hem omgaan? Ik ben tuinman.'

'Maar je hebt hem weleens gesproken?'

'Een paar keer.'

'Weet je iets over zijn geloof?'

'Hij was gelovig.'

'Weet je dat zeker?'

'Heel zeker.'

'Hoe weet je dat dan?'

'Hij was een goed mens.'

'Laten we dat hopen, voor hem. Maar ook een heiden kan een goed mens zijn.'

'Een heiden? Hij was geen heiden.'

'In de mis liet hij zich zelden zien.'

'Er is een kapel in het huis.'

'Heb je hem daar zien bidden?'

'Ik werk buiten.'

'Je hebt hem dus niet zien bidden?'

'Hij bad. Dat weet ik zeker. Misschien bad hij ergens anders. Hij was een heel sterke man. Zeker geen heiden, heidenen zijn anders.'

Geen snars wijzer was hij van die onnozele tuinman geworden. De meid. Hopelijk wist die meer. Hij kon haar op de markt aanspreken, dat was geen probleem. Alleen had hij er geen rekening mee gehouden dat ze zou vragen waarom hij dat allemaal wilde weten. Wat moest hij haar antwoorden? Hij kon haar onmogelijk zijn twijfel bekennen. Hij loog tegen haar, beging nieuwe fouten om tot klaarheid over zijn misstap te komen. Mijn god, hij werkte zich steeds meer in de nesten. Hij beweerde dat hij een in memoriam moest schrijven voor de krant van het bisdom, een memoriam dat de vele kanten van Signore Burton diende te belichten. Ach, zei de meid – Anna heette ze – tot zijn verbazing: u wilt uitzoeken of hij een goed katholiek was?

'Dat is een van de dingen die ons interesseren.'

'Ik zou zeggen, ja en nee.'

'Je bent niet zeker van je zaak?'

'O, jawel, ik ben heel zeker van mijn zaak. Hij wist heel veel van het geloof. Soms vertelde hij me heiligenverhalen die ik nog nooit had gehoord. Wist u dat de heilige Josaphat een Indiër was? Hij heette eigenlijk Boeddha of zoiets.'

'Geloofde je die verhalen van hem?'

'O ja, zijn verhalen moest je wel geloven.'

'Maar je twijfelde ook of hij een goed katholiek was?'

'Daar had ik redenen voor.'

'Ik heb gehoord dat het huis een kapel heeft.'

'Ziet u, dat is het nu juist. Hij kwam er nooit. Alleen mevrouw ging naar de kapel en ik soms. Dat mocht ik van haar.'

'Misschien bad hij op zijn kamer.'

'Ik heb hem nooit zien bidden.'

'Misschien heeft hij nooit in jouw aanwezigheid gebeden.'

'Als hij thuis was, zat hij meestal de hele dag in zijn studeerkamer. En daar, padre, was niet echt plaats om te bidden, er hing ook geen kruis en er stond geen beeld van onze heiland.'

'Ik begrijp het. Heb je hem ooit iets ongewoons zien doen?'

'Hij deed alleen maar ongewone dingen.'

'Heb je hem weleens in een vreemde positie betrapt? Terwijl hij op de grond zat of knielde?'

'Nee, hij zat altijd op zijn stoel als ik binnenkwam. Of hij liep in zijn studeerkamer rond. Soms declameerde hij iets.'

'Wat dan?'

'Ik kon het niet verstaan.'

'Logisch, het was een Engelsman.'

'Het was geen Engels wat hij sprak.'

'Versta jij dan Engels?'

'Geen woord. Dat was ook niet nodig. Meneer en mevrouw spraken uitstekend Italiaans. Onder elkaar altijd Engels. Na zo lange tijd, ik ben er al meer dan elf jaar in dienst, wen je aan de klank van een taal.'

'Wat voor taal was het?'

'Dat kan ik u niet zeggen.'

'Je hebt het hem niet gevraagd?'

'Wat denkt u wel, padre!'

'Waaraan deed het je denken?'

'Aan een gedicht of een gebed. Simpel, steeds hetzelfde.'

'Als een refrein?'

'Wat is dat?'

'Een herhaling van het belangrijkste. Zoals wij altijd herhalen: Gloria Patri et Filio et Spiritui Sancto.'

'Zoiets misschien. Ja, iets dergelijks was het wel.'

'Was het een lelijk geluid dat diep uit de keel komt?'

'Nee, eigenlijk klonk het mooi.'

'Luister, klonk het ongeveer zo: Bismillah-hir-rahman-nir-rahim?'

'Nee, dat was het niet.'

'Of zo: Laa-illaha-ilallah?'

'Ja ja, zo klonk het. Kent u het? Dat was het, ik weet het zeker.'

'Mijn god!'

'Heb ik iets verkeerd gezegd, padre?'

'Wat heb ik toch gedaan!'

'Wat is er, padre?'

'Het was een mohammedaan, het was een verdomde mohammedaan.'

De avondzon streek de dakpannen glad toen hij de moeilijke tocht ondernam die hij per se had willen vermijden. Hij ging naar de bisschop, zijn biechtvader. Hij beschreef hem de twijfels die zich als schimmels in hem hadden verspreid. Die hand over hand waren toegenomen sinds zijn gesprek met de meid. Hij had tegen dit gesprek opgezien, hij had niet openlijk durven verwoorden wat hem dwarszat. Maar de verwijten waarvoor hij zo bang was geweest, zouden hem lang niet zo onzeker hebben gemaakt als de volstrekt rustige reactie van de bisschop. Hij glimlachte met de karakteristieke soevereiniteit van iemand die in een palazzo woont. Van iemand wiens wieg op de goede plek heeft gestaan en die sinds zijn geboorte voor zo'n positie bestemd was. De priester had daarentegen hard moeten studeren, hij had de ladder zelf beklommen, stap voor stap, en zie, toch had hij zich in de luren laten leggen door iemand die over meer macht beschikte, die zelfverzekerder was. Ik zie dat ik u op de hoogte had moeten stellen, zei de bisschop nonchalant. Ik moet vergeten zijn te zeggen dat ik Signore Burton een keer de biecht heb afgenomen.

'U zelf?'

'Zijn echtgenote had er bij hem op aangedrongen om te biecht te gaan. Al jaren, vermoed ik. Ze praatte op hem in. Ze smeekte het hem. Het zal je opluchten, had ze hem bezworen. Het enige wat hem zou opluchten, had hij geantwoord, was de mededeling dat hij niet binnenkort zou hoeven te sterven. Gewiekste kerel, die Signore Burton.'

'Maar waarom hebt u hem dan de biecht afgenomen?'

'Hij was de Britse consul in onze stad en zijn vrouw is een trouwe dochter van de kerk. Bovendien neem ik, tussen ons gezegd en gezwegen, graag de biecht af bij mensen die zelden biechten. Het bleek inderdaad interessant.'

'Interessant?'

'Eerst beweerde hij dat hij niets te biechten had.'

'Wat een hoogmoed.'

'Hoewel hij meer dan tien jaar officier was geweest en op alle continenten in de gevaarlijkste situaties verzeild was geraakt, zou hij nooit een mens hebben gedood. Dat is heel bijzonder, zei hij, u weet helemaal niet wat voor grote verdienste dat is. Ik drong een beetje aan, waarna hij een kleine zonde bekende, "une petite bêtise", zoals hij zich uitdrukte. Ook al had hij nooit iemand om het leven gebracht, hij had wel het gerucht in de wereld gebracht dat hij een Arabier had gedood omdat die naar hem keek terwijl hij stond te plassen. Dat was natuurlijk een miserabel verzinsel, dat besefte hij achteraf ook wel, probeer in zo'n jurk maar eens rechtopstaand te plassen, zei hij, dat kan helemaal niet. Ik heb hem toen uitgelegd dat zoiets niet echt als zonde telde, en dat er in dat volle leven van hem heus weleens iets misgegaan zou zijn dat veel erger was. Nee, beweerde hij. Er wilde hem niets te binnen schieten.'

'Hebt u hem gevraagd of hij altijd een goed christen was geweest?'

'Zeker. Hij reageerde fel. Dat wilt u niet weten, eerwaarde, riep hij uit, gelooft u mij, dat is niets voor u. Hij had nog iets in de aanbieding, echt iets vreselijks, zei hij na een poosje, toen hij merkte dat ik me niet zo gemakkelijk liet afschepen, hij schaamde zich er nog voor, een jeugdzonde in Sindh, het was niet zo belangrijk waar dat lag, als God het maar wist, hij was daar ooit geweest en snel weer verder getrokken. Toen onderbrak ik hem, dat voerde te ver. Neemt u me niet kwalijk, zei hij, dat biecht-gedoe maakt me nerveus, ziet u wel, ik herken mezelf amper.'

'Ik weet waar dat Sindh ligt, hij heeft daar lang gewoond. Onder mohammedanen.'

'In Sindh, zei hij, hadden een paar amateurs die van toeten

noch blazen wisten naar archeologische schatten gegraven. Archeologie, een woord dat toen trouwens nog niet bestond, was een belangrijke wetenschap, hij zou de laatste zijn om dat te ontkennen, maar toen had hij zich een grapje veroorloofd, hij had een goedkope kruik van rood aardewerk, in atheneumstijl, beschilderd met Etruskische figuren, kapotgeslagen en de scherven in de grond gestopt, precies op de plaats waar de vlijtige speurders aan het graven waren; ze hadden de scherven natuurlijk gevonden en de opwinding onder hen was enorm geweest, ze hadden op hun vondst lopen pochen en beweerd dat de geschiedenis van de Etrusken, en misschien zelfs de geschiedenis van het oude Rome volledig moest worden herschreven. Dat bleek een beetje voorbarig. Hij wist niet, zei hij tegen mij, of zijn vriend Walter Scott hen uit de droom had geholpen of dat ze uit zichzelf waren gaan twijfelen toen ze verder niets vonden, maar op een dag hadden ze hun boeltje gepakt en waren ze verdwenen. Hij schaamde zich er nog voor. Een verbazingwekkende biecht, vindt u niet?'

'Een oude leugen. En dat was alles?'

'Nee, ik heb nog meer uit hem losgekregen. Hij bekende dat hij op de dag waarop hij door koningin Victoria tot ridder werd geslagen naar een drukker in een beruchte wijk ten zuiden van de Thames was gesneld, hij had de bijeenkomst vroegtijdig verlaten om voorbereidingen te treffen voor de nieuwe uitgave van een boek dat *Kama Sutra* heet. Ook van die zogenaamde zonde was ik niet erg onder de indruk, tot hij me uitlegde wat er in dat boek staat. Ik kan het niet herhalen, laat ik ermee volstaan te zeggen dat het door en door zondig is. En hij heeft het niet alleen uitgegeven, hij heeft het ook vertaald. En daarna vertelde hij over vleselijke lusten in Afrika waaraan hij had toegegeven, met drie vrouwen, een waar Sodom, ik moest hem onderbreken, ik had genoeg gehoord. Ik heb hem het *te absolvo* gegeven en hem vriendelijk de deur uit gewerkt. Hij was zo onschuldig begonnen en toen ineens …'

'Als hij in zijn leven zo veel heeft gelogen, hoe kunnen we dan weten wat zijn positie was ten aanzien van het geloof?'

'U maakt zich onnodig zorgen. Hij was katholiek. Basta.'

'Hoe weten we dat?'

'Hij heeft tegen mij gezegd: als ik al christelijk moet zijn, dan het liefst katholiek.'

'Wat een geloofsbelijdenis.'

'Laten we realistisch zijn, wie gelooft er nu uit eigen beweging? Wie kiest er al vrijwillig voor een geloof?'

'Maar die onvrijheid is door God gewild. Hij bepaalt toch ...'

'Wacht, er schiet me nog iets te binnen, u zult zien dat hij veel gevoel voor humor had; hij was katholiek, zei hij, omdat je in Triëst helaas geen Elkasieten had. Een verlangen naar de Elkasieten, hebt u ooit zoiets gehoord?'

'Wat betekent dat? Wat betekent het voor mij?'

'U moet een punt achter de zaak zetten.'

'Heeft hij God minstens gezocht?'

'Absoluut, en zoals de meeste mensen zelden gevonden. Hij nam in dit soort kwesties een ongewoon standpunt in. Geen mens zal God werkelijk ontmoeten, legde hij me ooit uit bij een feestelijk diner. Want wat zou er dan gebeuren? Zijn persoonlijkheid zou uiteenvallen, hij zou opgaan in God. Geen ego meer, geen toekomst meer, hij zou overgaan naar het eeuwige. Wie zou er nou een mens willen blijven als hij God kon zijn? Opmerkelijke logica, nietwaar?'

'Wat concludeerde hij daaruit?'

'Dat we willen zoeken natuurlijk, maar in geen geval vinden. Dat was precies wat hij een leven lang had gedaan, zei hij. Hij had overal gezocht, terwijl de meeste mensen volgens hem telkens weer in dezelfde pan kijken. Daarna keek hij me parmantig aan. Ook een beetje schalks, moet ik zeggen.'

'U blijft erbij dat hij katholiek was?'

'Laten we het zo zeggen: hij was een katholiek honoris causa.'

'Dat gaat mijn verstand te boven. Waarom hebt u mij naar hem toe gestuurd?'

'Omdat ik niet graag midden in de nacht mijn bed uit word gejaagd. En laat u deze zaak nu alstublieft rusten, voor ze me op de zenuwen begint te werken.'

Richard Francis Burton stierf 's ochtends vroeg, nog voor je een zwarte draad van een witte had kunnen onderscheiden. Boven zijn hoofd hing een Perzische kalligrafie met de woorden: 'Ook dit gaat voorbij.'

1998-2003: Great Eastern Royale, Bombay Central, Mumbai, India

2003-2005: Strathmore Road, Camps Bay, Kaapstad, Zuid-Afrika

Verklarende woordenlijst

aarti: hindoeïstisch ritueel na zonsondergang

abba: halsdoek, sjaal

Ajami: Niet-Arabier, meestal gebruikt voor Perzen, soms denigrerend, soms neutraal

Alif en Ba: A en B, de eerste en tweede letter van het Arabische alfabet

alim: schriftgeleerde binnen de islam

Angrezi: Engelsen

anna: oude Indiase cent

Apka shubhnam kya hai?: Hoe heet u?

Are Bapre: 'O God!', uitroep van verwondering, enthousiasme, schrik, enzovoort

Are Bhagvan, ap Hindoestani bolte hain?: O God, spreekt u Hindoestani?

aste aste: langzamer dan langzaam

Aum: een heilige uitroep

aywa: aanmoedigingskreet

azaan: oproep tot gebed

baba: 'oudere man', respectvolle aanspreekvorm, ook voor heiligen

badhahi: timmerman

badli: de doodstraf ondergaan in plaats van iemand anders, tegen betaling

Bagamoyo: plaatsnaam; Kiswahili (Swahili) voor: 'laat je hart achter'

bahut acchi tarah: heel goed

Balaganapati: Bemind en beminnenswaardig kind, een van de namen voor Ganesh Bhagvan

Banyan: oorspronkelijk een kaste van kooplieden uit Gujarat, in Oost-Afrika aanduiding voor Indiër in het algemeen

baraza: stenen bank tegen de gevel van het huis, waarop vaak bezoekers plaatsnemen die niet tot de familie behoren

bashibazuk: lid van de onregelmatige troepen in het Osmaanse rijk

bazzaaz: stoffenverkoper, stoffenhandelaar

…bhai: staat vaak achter een mannelijke eigennaam; betekent letterlijk: broer

bhajan: religieus lied

bhakti: gezongen liefdesverklaring aan God

bhang: alias cannabis alias hasj

Bharat: India

bhisti: waterdrager van de Engelse troepen in het koloniale India

bindi: stip op het voorhoofd van een vrouw, meestal vermiljoenrood, die de aura van de mens bij een van de energieknopen in het lichaam beschermt, een van oorsprong tantrisch gebruik. Geeft eigenlijk aan dat een vrouw getrouwd is.

bol: een slag op de tabla, die een bepaalde klank voortbrengt

bubu: concubine

bubukhana: apart huisje voor de concubine van de meester

cantonment: Brits legerkwartier met rechte straten en heggen

chai: thee met melk, suiker en enkele kruiden

Changanyika: Taganyika, het vasteland van de huidige staat Tanzania

chaukidar: poortwachter of portier

chillum: pijp om hasj mee te roken

chilamchi: grote, meestal koperen schaal

daal: linzen

daru: sterke drank

dau: zeilschip waarmee eeuwenlang handel is gedreven op de Indische Oceaan

dawa: geloofsbegeleiding door geestelijken

devadasi: dienares van God; in werkelijkheid eerder een dienares van de priester, een sacrale prostituee

dharma: de wezenlijke natuur van iets; innerlijke eigenschap; de essentie van het bestaan

dhoti: 'het gewassene', naadloze doek die om de taille wordt gebonden

djin: geest

diwan: 'premier' aan het hof van de maharadja

dukaan: winkel

dupatta: lange sjaal voor vrouwen om de schouders en borsten te bedekken

Farandjah: de Franken, waarmee alle West-Europeanen worden bedoeld

Firangi: buitenlander, stamt af van het woord 'Farandjah'

foestaan: jurk

Gandharva vivaha: intiem huwelijk uit liefde

Ganesh: God, zoon van Shiva en Parvati, rond, menselijk lichaam met olifantenhoofd

Ganesh Chaturthi: feest van elf dagen in september/oktober ter ere van de god Ganesh *garuda*: grote reiger, mythologische vogel waarop de god Vishnu vliegt

gora's: withuiden

gotra: letterlijk: wat de koe beschermt; in overdrachtelijke zin de lijn van de voorouders, die wordt doorgetrokken tot een bepaalde heilige (*Rishi*)

griffin: groentje, nieuweling

Gujarat: provincie in het westen van India; Gujarati is er de taal

gulab jamun: populaire lekkernij; zoete balletjes in siroop

hajaum: barbier

hapana: nee

Hamara ghar ana, accha din hai: Kom naar ons huis, het is een mooie dag.

Hidjaaz: gebied in het westen van Saoedi-Arabië, waarin de steden Mekka en Medina liggen

hongo: smeergeld

id al-Adha: offerfeest, feestdag op de tiende dag van de maand Djoel-Hidjah

ihraam: twee ongezoomde, witte doeken, het enige wat de pelgrim tijdens de hadj mag dragen

intezar karna: wachten

jatagan: korte, Turkse sabel

jemadar: rang in het leger

...ji: achtervoegsel dat respect en vertrouwen uitdrukt

jubbah: lang bovenkleed dat welgestelde moslims dragen, zowel mannen als vrouwen

jyotish: astroloog met een breed takenpakket

kaka: oom van vaderskant

kama: liefde; lust; een van de levenstaken van de mens volgens het hindoeïsme

kanga: Oost-Afrikaanse, katoenen wikkelrok

kanzu: lange witte jurk, gedragen door mannen aan de Oost-Afrikaanse kust.

kayf: het zogenaamd Oosterse vermogen om zonder speciale reden te genieten van het moment

kazi, kaskazi: droge en natte moesson

khabardar: voorzichtig!

khat: bladeren van een plant met de Latijnse naam Catha Edulis; worden gekauwd vanwege stimulerende werking

khatarnak: gevaarlijk

khalasi: bediende die de waaiers hanteert

khidmatgar: bediende die de maaltijden opdient en in de keuken helpt

khutbah: preek tijdens het gebed op vrijdag in de moskee

kikoi: Oost-Afrikaanse stof, veelzijdig bruikbaar

kirangozi: gids

kobbradul: een fijne stof

kurta: lang overhemd

la: nee

laddu: iets zoets, bereid van meel, suiker en geklaarde boter

lahiya: publieke schrijver

lupanar: bordeel (Latijn)

madafu: kokosmelk

maikhana: voorloper van de kroeg

malik: vorst

mama: oom van moederskant

manbhatt: zanger

marhaba: welkom; ik groet u

Mashallah: God zij geloofd

maya: bedrog, vergissing, illusie, met andere woorden: de realiteit die wij waarnemen

medresa: koranschool

mes: 'door het mes worden gegeten' is een Oost-Afrikaanse uitdrukking voor de besnijdenis van jongens

mganga: traditionele heelmeester

mirza: titel in het oude Perzië voor een man die de pen hanteert

mithaiwallah: snoepgoedverkoper

miyan: eigenlijk een beleefde aanspreekvorm, 'heer', speciaal voor moslims; wordt door fanatieke hindoes als minachtende aanduiding gebruikt

mleccha: barbaar, onrein persoon, onaanraakbare, mens van lage afkomst, kortom, een Europeaan

mtepe: kleine boot

moehafiz: beheerder

moehtaram: Arabische betuiging van respect

munshi: leraar, geleerde

mzungu: blanke

Nagar-brahmanen: stadse brahmanen, een subkaste die in Gujarat de meeste ambtenaren levert

Naib al-Haram: bewaker van de heilige moskee in Mekka

nauch-meisje: danseres, goed opgeleide courtisane

Oim aim klim hrim slim: simsalabim

pajama: typisch Indiase dracht die bestaat uit een lange broek met een lang, ruimvallend shirt erover

pangka: ventilator

paratha: plat brood met verschillende soorten vulling

pars of *parsi*: aanhanger van het zoroastrisme, genoemd naar de vermeende stichter van deze religie, de profeet Zoroaster (Zarathoestra)

pathani: tuniek

phazi: dorpshoofd

pratiksha karna: wachten

pujari: priester

purana's: oude teksten in het Sanskriet met scheppingslegenden, biografieën van goden en genealogische heiligenverhalen

puranpoli: zoete, gevulde pannekoek

Purnam adah (...) evavashishyate: dat is volmaakt/ dit is volmaakt/ uit dat volmaakte is dit volmaakte gekomen/ als je uit dat volmaakte dit volmaakte weghaalt/ zal het volmaakte overblijven

raka: cyclus in de dagelijkse gebeden van de moslim

raki: brandewijn met anijssmaak

safarnameh: reisverhaal

Santana Dharma: Heilig Geloof, gebruikelijke aanduiding van het hindoeïsme door de hindoes zelf

Sardarji: Sikh

Shakuntala: hoofdpersoon in een van de meesterwerken van Kalidasa, de belangrijkste auteur van de klassieke Sanskrietliteratuur

shirk: veelgoderij, animisme

shishya: leerling

Shivaji: vorst van het imperium van Maratha in de zeventiende eeuw; voor sommigen een held, voor anderen een tiran

shivalinga: fallus van de hindoegod Shiva, meestal afgebeeld of gebeeldhouwd als staande op de yoni, het vrouwelijke geslachtsorgaan

shivaratri: nacht ter ere van de god Shiva

sircar: bediende die de geldbeurs draagt

smashana: verbrandingsplaats

soetra: aforisme

soma: rituele drank die naar men zegt de zintuigen scherpt

sulla: denigrerende benaming voor een moslim

tabla: Indische dubbele trommel

takruri: arme sloebers, het 'lompenproletariaat' van de karavaan

tapas: uit ontbering voortkomende energie

taqiyya: letterlijk 'verdoezelen'; als een gelovige moslim vanwege zijn geloof gevaar loopt, heeft hij het recht of zelfs de plicht zijn religieuze verplichtingen te verzaken en zo zijn geloof te verdoezelen

tarawih: het reciteren van de hele Koran na het avondgebed in de vastenmaand Ramadan

tawa: ronde, ijzeren schotel

thali: populaire Indische maaltijd die uit verschillende, meestal vegetarische, gerechten en sauzen bestaat

tonga: een door een paard of muilezel getrokken kar

topi: hoofddeksel

urs: bij het graf van een soefiheilige gevierde verjaardag van die heilige

Vidhata: de Schepper

Wagogo: bevolkingsgroep in Oost-Afrika

wakalah: karavanserai, logement voor meesters, bedienden, dieren en spullen

wanyika's: mensen uit de wildernis

wazoe: rituele reiniging voor het gebed

wazungu: blanke

yaksha: halfgoddelijk wezen

zabit: officier

zamzam-water: heilig water uit de bron in de grote moskee in Mekka

zikr: een vorm van meditatie die vooral door de soefi's wordt beoefend

zohar: het middaggebed

Dankwoord

Bij de research voor deze roman ben ik geholpen door de meest uiteenlopende mensen op drie continenten. Het zijn er zo veel dat een volledige namenlijst het karakter zou krijgen van een telefoonboek. Om zo'n droge opsomming te vermijden zou ik iedereen in één zin heel hartelijk willen bedanken. Speciale dank komt mijn uitgever toe, evenals mijn redacteur Philip Laubach-Kiani.

De totstandkoming van dit boek is mede mogelijk gemaakt door steun van de Robert Bosch-stichting, die ik zeer erkentelijk ben.

Ilija Trojanow bij De Geus

De heilige bron van de islam

Samen met honderdduizenden pelgrims nam schrijver Ilija Trojanow in 2003 deel aan de hadj, de grootste geloofsbetuiging van de islam. Tijdens zijn drie weken durende verblijf in Mekka doet hij een eindeloze reeks indrukken op, waardoor hij langzaam maar zeker het wezen van de islam begint te begrijpen. Hij wordt onderdeel van de grote, duizend jaar oude traditie, maar beleeft ook zijn persoonlijke pelgrimage.

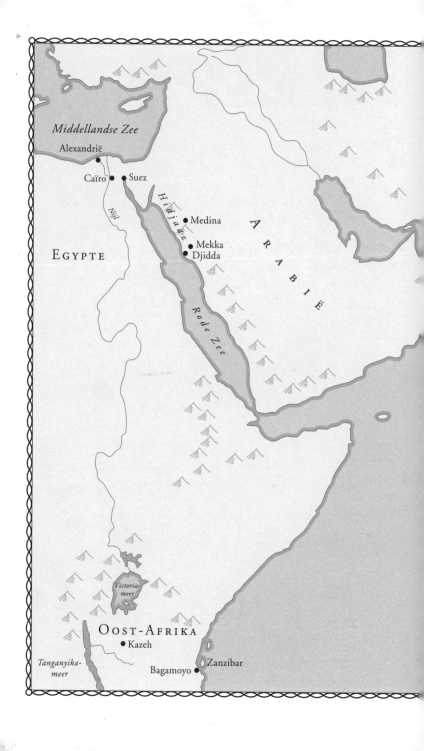